SPINOZA EN EL PARQUE MÉXICO

colección andanzas

ENRIQUE KRAUZE
SPINOZA EN EL PARQUE MÉXICO

Conversaciones con José María Lassalle

TUSQUETS
EDITORES

1.ª edición en Editorial Planeta Mexicana, S.A. de C.V. Bajo el sello editorial
TUSQUETS: septiembre de 2022
1.ª edición en España: octubre de 2022

Fotografías de interiores proporcionadas por el autor: págs. 25, 27, 31, 35, 37, 40-42,
44-45, 50, 68- 69, 73, 80, 82-83, 89-91, 100, 102, 111, 114-115, 117, 122, 151, 209, 221,
240, 244, 246, 249, 254, 259, 263, 273, 289, 292, 312, 326, 358, 369, 392, 396, 415,
476, 547, 568, 619, 625, 647, 724.

Diseño de la colección: Guillemot-Navares
Reservados todos los derechos de esta edición para
Tusquets Editores, S.A. – Avda. Diagonal, 662-664 – 08034 Barcelona
www.tusquetseditores.com
ISBN: 978-84-1107-180-2
Depósito legal: B. 13.533-2022
Impresión y encuadernación: Liberdúplex, S.L.
Impreso en España

Índice

Para León, Daniel, Mateo, Alejandro, Santiago,
Inés y Elena: de generación en generación.

Que los libros sean tus compañeros
Que tu biblioteca sea tu jardín

Judá ben Saúl ibn Tibbón, siglo XII

Prólogo

He vivido fascinado por la vida de los otros, por comprenderla y narrarla, sin sentir deseo alguno de contar la mía propia. Hay tantos mexicanos y latinoamericanos dignos de ser biografiados que me faltará vida para hacerlo. Pero en el verano de 2015 llegó a México mi amigo el escritor español José María Lassalle y me expresó su intención de escribir mi biografía intelectual. Sorprendido, agradecido, le expuse mis dudas sobre el interés que pudiera tener una empresa semejante. No se inmutó. Comenzamos simplemente a conversar una tarde en mi estudio de la calle de Ámsterdam de la Ciudad de México. A esa tarde siguieron otras muchas a lo largo de los años.

Aunque regido por un orden cronológico y temático, nuestro intercambio fue libre y heterogéneo, exploraba caminos, se permitía digresiones. Hablamos de mi formación y de los tiempos que me tocó vivir, de mis raíces judías y de mi pertenencia a la cultura mexicana. Evoqué con él las atmósferas políticas de los sesenta y setenta, mi paso del socialismo al liberalismo y de la ingeniería a la historia. Le conté cómo fue la escritura de mis primeros libros sobre los intelectuales de la generación de 1915 que construyeron instituciones que aún sostienen a México. Recordé las querellas con mi propia generación, la animación que me provocó la lectura de la revista *Plural* y el trabajo editorial junto a Octavio Paz en la revista *Vuelta*. Me emocionó recordar esa etapa. Hogar de la disidencia, *Vuelta* fue una solitaria trinchera de la libertad y la democracia frente a las dictaduras militares, los gobiernos totalitarios, los partidos de Estado, las guerrillas marxistas y las ideologías estatistas y dogmáticas que proliferaron –y proliferan aún– en nuestro continente.

Cuando a principios de 2020 nos sorprendió la pandemia, continuamos virtualmente nuestro diálogo sin dejar de escribirnos. Decidimos hablar de libros. ¿No había dicho Valery Larbaud que «lo esencial en la vida de un escritor consiste en la lista de los libros que leyó»? José María en su biblioteca madrileña y yo en mi biblioteca mexicana teníamos a la mano los libros que me habían marcado en los años setenta y cuyo interés en ellos, en varios casos, compartíamos. Libros leídos, releídos, subrayados. Libros vividos. Libros de testigos, intérpretes, profetas, cronistas, pensadores, sobrevivientes y víctimas del siglo xx. A través de las vidas y obras de esos autores, repensamos juntos los grandes temas del pasado –mesianismo, nazifascismo, totalitarismo– que reverberan en el presente. Aproveché el enclaustramiento para editar las conversaciones.

«Cultura es conversación», escribió Gabriel Zaid. Así he construido mi vida intelectual. Conversando con mis abuelos, mis maestros, mis mentores, mis colegas, mis compañeros de tantas batallas, mis autores admirados. Conversando en el café, la sobremesa y la oficina, más que en las aulas. Conversando en silencio, con los libros.

¿Por qué Spinoza? ¿Qué ocurrió en el Parque México? Ahí comenzó una conversación que no ha cesado desde entonces.

Primera parte
ORIGEN Y FORMACIÓN

I. Raíces

Ámsterdam

Enrique, yo te propuse escribir tu biografía intelectual, tú preferiste contármela como te contaban la suya los personajes que entrevistaste para tus libros. Y elegiste hacerlo aquí, en tu estudio en la calle de Ámsterdam, una peculiar avenida de la Ciudad de México que entiendo ha sido un lugar entrañable en tu vida. ¿Por dónde empezamos?

Por la significación que tiene para mí vivir acá, José María, tan cerca del Parque México. Hace unos años me mudé al escenario de mi infancia. La primera década de mi vida transcurrió aquí, en el perímetro de unas cuantas cuadras en cuyo centro está el Parque México. Abro la ventana, y veo el edificio frente al parque, donde vivían Dora y Abraham, mis bisabuelos maternos. A unos cien metros, en esta misma avenida Ámsterdam, está el modesto departamento que habitaron mis abuelos Eugenia y José Kleinbort. Poco más allá, en la calle Chilpancingo, se encuentra la casa de mis abuelos Clara y Saúl.

Un barrio judío…

Desde finales de los treinta hubo un éxodo de muchos judíos del Centro Histórico a esta colonia. Aquí construyeron sinagogas, centros sociales, escuelas religiosas y, no muy lejos, el cementerio. Yo nací y crecí aquí, con mis padres y mis hermanos. En los años cincuenta, cada domingo, toda la familia, incluidos tíos y primos, se congregaba en el Parque México.

Ahora esta zona es como un barrio hipster, *con bares, restaurantes, cafés.*

Y, sin embargo, el Parque México es todavía uno de los espacios tradicionales de asueto en la ciudad. Es mucho menos antiguo que la Alameda y otras plazas del Centro Histórico, que datan de tiempos virreinales. No se diga el prehispánico Bosque de Chapultepec. Nuestro parque es pequeño y no tiene tanta alcurnia, pero ya va a ser centenario y, como tantos sitios en México, está lleno de historia. En tiempos de Porfirio Díaz esta zona fue un hipódromo. Un «Auteuil mexicano», en el que paseaba la exigua aristocracia de entonces. El parque era el centro y esta calle de Ámsterdam era la pista de carreras que lo rodeaba, por eso es la única avenida elíptica de la ciudad. El hipódromo dejó de operar y, después de la Revolución, la zona comenzó a urbanizarse. En el parque se construyó un paraninfo que aún se conserva, con pinturas del muralista Roberto Montenegro. En los senderos de tierra se colocaron fuentes rocosas, bancas arboriformes, unos curiosos letreros de concreto con mensajes ecológicos y un gran estanque de patos. Cuando yo era niño este barrio era como un pequeño pueblo típico de México, con tiendas de abarrotes, papelerías, tintorerías, boticas, heladerías, peluquerías. Mi propia historia no se entiende sin este escenario. Te propongo que más tarde recorramos el parque. En esas bancas, mi abuelo Saúl Krauze predicaba a sus amigos el evangelio según Spinoza.

¿Por qué Spinoza?

Es una larga historia, José María. El spinozismo era para él una especie de religión. Tanto, que hasta pensaba yo en mi abuelo como «el Spinoza del Parque México».

Spinoza, el gran heterodoxo.

Heterodoxo de esa heterodoxia que es el judaísmo. Pero heterodoxo también porque no se entregó a ninguna ortodoxia. Quedó en los márgenes donde podía pensar en libertad, donde podía pensar la libertad.

¿Te sientes un heterodoxo?

La heterodoxia es una categoría histórica del ámbito religioso.

22

En ese sentido no soy ni puedo ser ni me siento heterodoxo. Pero ser judío es ya una forma histórica de heterodoxia. Al menos desde hace dos milenios.

Publicaste hace décadas un libro de ensayos titulado Textos heréticos, *con imágenes extraídas de una obra sobre la Inquisición en México. En la portada un reo con un sambenito escucha el sermón que lo exhorta al arrepentimiento. Y un epígrafe que no olvido: «Debe haber herejes». No siempre un heterodoxo es un hereje, pero a veces sí.*

Estábamos en medio de una de las batallas de ideas que sostuvimos en la revista *Vuelta* donde defendíamos la libertad y la democracia contra la ideología hegemónica que era una mezcla de estatismo nacionalista y marxismo. Y como era yo un blanco de ataques, se me ocurrió el título. La cita en latín es *oportet et haereses esse*: es necesario que haya herejes. Mi amigo Fernando García Ramírez hizo el índice con la retórica del Santo Oficio. Y sugirió las imágenes que provienen de un famoso «Libro rojo» publicado en el siglo XIX sobre los procesos de la Inquisición.

Pero aludía a tu condición judía.

Era un juego literario, y no lo era. Nadie me atacaba por ser judío, pero supongo que esa andanada (una de muchas) me remitió vagamente a la historia de los judíos en España, que tuvo su dramática secuela en México. Este país es una zona arqueológica del judaísmo. En la era virreinal hubo aquí una nutrida comunidad de judíos cuyos padres o abuelos habían sido expulsados de España en 1492 y se habían refugiado en Portugal, donde debido a la conversión forzosa, a la prohibición de emigrar y a la Inquisición, la condición de los judíos fue aún más angustiosa que en su natal España. Desde el siglo XVI y a lo largo del XVII, algunos lograron salir de Portugal y refugiarse en ciudades italianas como Ferrara, Livorno, Venecia, o en Holanda y sus dominios de América (las Antillas, Nueva Ámsterdam), donde podían ejercer su religión con libertad. Pero no pocos se arriesgaron a llegar a Nueva España, donde practicaban en secreto la herejía mayor, «la ley de Moissen», como se decía entonces. El Archivo General de la Nación contiene tesoros documentales de esa colonia criptojudía. Yo he consultado las conversaciones que mantenían los presos en las mazmorras de la Inquisición, transcritas literalmente por los escuchas. Esa comunidad fue extinguida en varios autos de fe, sobre todo en el más famoso de 1649.

Los muchos éxodos de Sefarad.

Como el éxodo de la familia de Baruch Spinoza expulsada de España, que vivió en Portugal, y finalmente, tras más de un siglo, se estableció en Holanda. A veces pienso que los Spinoza pudieron haber arribado a Nueva España en vez de a Ámsterdam, en cuyo caso la historia de la filosofía en Occidente habría sido distinta. Imagínate, Baruch Spinoza quemado vivo en 1649, a sus diecisiete años, en la hoguera que se encontraba cerca del centro de la Ciudad de México.

Y pasó mucho tiempo para que los judíos volvieran a México.

Tres siglos. Al arranque del siglo xx los judíos comenzaron a llegar, primero de Levante* y después de Europa del Este** y Rusia. En una de esas olas tardías, a principio de los años treinta llegaron de Polonia mis bisabuelos maternos, mis cuatro abuelos y mis padres. Ya no los expulsó solo la intolerancia religiosa, como en España en 1492, sino la persecución integral: histórica, racial, nacional y religiosa. Los expulsó el antisemitismo. Después de la Primera Guerra Mundial se recrudeció en Polonia ese antiguo prejuicio de origen medieval y decidieron emigrar. Y en toda Europa, en especial en Alemania, había signos ominosos. Sabían que la cuota de inmigración en Estados Unidos había llegado al límite en 1924. Entonces optaron por México, donde tenían ya algunos amigos. Al llegar, se dispersaron por el país, pero la mayoría se estableció en el sitio exacto donde vivieron hacía tres siglos los criptojudíos portugueses, en el Centro Histórico de la Ciudad de México, alrededor de la Plaza Mayor, la Catedral y el Palacio

---

* Siria y Turquía.
** Polonia, Ucrania y Lituania.

Nacional. A ese barrio llegaron las dos ramas de mi familia. Mi padre me contaba que su lugar preferido para jugar era la hermosa Plaza de Santo Domingo, que es el antiguo atrio de ese convento. Bajo sus arcadas se instalaban pequeñas prensas de imprenta para que la gente encargara sus invitaciones de bodas, tarjetas, cartas de amor... Bueno, pues en esa misma plaza, en el costado norte, está el edificio que albergaba el tribunal de la Santa Inquisición. Ahí estaban las celdas y mazmorras donde se confinaba a los herejes. Y de ahí salían las procesiones cruzando la ciudad hasta las afueras, donde los quemaban. Hay crónicas puntuales de esos hechos. Son escalofriantes.

Mis bisabuelos Dora y Abraham Firman, una mañana en el Parque México.

Me pregunto si los inmigrantes judíos de Europa, como tus padres y abuelos, tenían conciencia de esas capas históricas que habitaban.

No creo. Quizá sabían vagamente que en España, hacía muchos siglos, los judíos habían debido convertirse al catolicismo o abandonar su hogar centenario. Quienes permanecían en una posición ambigua, ocultando su fe –los criptojudíos, llamados «marranos»–, lo hacían a riesgo de ser descubiertos y morir. Toda su vida, desde el nacimiento hasta la muerte, era un acto forzado de disimulo. Solo en el hogar eran libres, y ni ahí, porque las paredes oyen. Una vida insostenible. En Polonia, mis abuelos y sus pequeños hijos no ocultaban su fe, pero eran objeto de un hostigamiento físico y verbal continuo. «Judío, lárgate a Palestina.» Hasta mi madre, de niña, escuchó esa frase, y no la olvidó. También esa vida era insostenible. Por eso bendijeron siempre a México, la tierra donde podían vivir y ser en libertad.

Hace unos días estuve en Matajudaica, pueblecito del Bajo Ampurdán, en Gerona. La herencia sefardí se palpa en el horrible topónimo, pero también en la abundancia de granados, que florecen en los jardines de muchas casas. Una herencia secreta, escondida, de aquellos judíos que los cultivaron para disfrutar de las granadas que acompañaban muchas de sus celebraciones. Todavía se ven. Especialmente en Matajudaica, como si fuera un testimonio cabalístico, oculto a la mirada de quien no ve porque no puede descodificar una herencia que sigue viva, alojada en los 613 granos de la granada: el símbolo de los 613 mitzvot o preceptos de la Torá.* ¿Hay pueblos con granadas en México?

No que yo sepa. Hay diversas huellas físicas y culturales de esas comunidades criptojudías en el Occidente de México y en el remoto septentrión novohispano. La ciudad de Monterrey, se sabe de cierto, fue fundada por judíos. Pero ese pasado se desvaneció, no forma parte de la cultura mexicana.

La nueva oleada europea, a la que pertenecía tu familia, sí tuvo la oportunidad de echar raíces.

Y de vivir en libertad. Esa palabra lo resume todo, José María: libertad. En una conversación que Helen, mi madre, grabó con mi abuelo Saúl, este le dijo, con su español quebrado: «¡Yo busqué la libertad! ¡Yo *estaba* amante de la libertad! ¡Yo quería vivir libre, aunque coma una vez al día, pero que sea libre!». Y México le dio la libertad. Aquí los judíos podían moverse con libertad, pensar con libertad, hablar con libertad, profesar su religión con libertad. México fue un puerto de abrigo para los judíos hasta mediados de los años treinta, cuando el país se cerró para ellos. Pero los que tuvieron la suerte de entrar echaron raíces muy pronto. Comenzaron

---

* Por eso comer granada en Rosh Hashaná –el Año Nuevo judío– es el modo de pedir que cada día del año sea dulce.

a ejercer libremente sus oficios y profesiones, y a enviar a sus hijos a la escuela. Bendecían el clima natural, pero más el clima humano. Casi no podían creer la calidez, la hospitalidad y la cortesía del mexicano común. En México podían respirar sin sentir el odio milenario contra ellos. Hubo, es verdad, episodios antisemitas en los años treinta, pero azuzados por un sector germanófilo de la clase media, no por el pueblo. La educación sentimental de la familia me dejó una huella profunda, pero no me he detenido a escribir sobre ella. He escrito sobre el tema judío: ensayos sobre la historia del antisemitismo en el orbe hispano, un texto sobre las claves bíblicas con las que los primeros cronistas dominicos y franciscanos leyeron al México indígena, y varios otros más. Pero no los he reunido en un libro. El motivo es claro: soy un historiador mexicano y mi tema es México. Ahora podemos evocar esa otra historia.

¿No habrás tenido tú mismo un síndrome de ocultamiento de esa educación sentimental?

De ningún modo. Nunca he ocultado ser judío. Pero el vínculo con mi pueblo milenario está en los libros. Es el humanismo judío lo que me interesa, su historia y su literatura, no tanto sus ritos, su

Esta reliquia, quizá criptojudía, es un tabernáculo con las tablas de Moisés que perteneció a mi padre.

ortodoxia, menos aún sus pasiones mesiánicas o nacionalistas. Guardo lealtad a mis antepasados, pero socialmente preferí habitar las orillas del mundo judío. Estando en la periferia puedes encontrar un margen mayor de libertad. Puedes mirar mejor el centro. Y sin embargo, a estas alturas de mi vida me he mudado aquí, a mi escenario de origen, a la calle de Ámsterdam. Acá tengo mi biblioteca de temas judíos y junto a ella la biblioteca literaria e histórica de mi abuelo en idioma ídish. Yo les puse casa a esos libros aquí, en este estudio.

Ámsterdam, ya veo, es tu recinto judío.
   Mi vuelta al origen.

México de mis recuerdos

Entonces tus abuelos y tus padres descubrieron en México una vida en libertad...
   Para los abuelos, no se diga para mis bisabuelos, todo debió ser nuevo. El cielo soleado, el clima templado, el lujurioso paisaje, la variedad de flores, las frutas, los sitios de recreación y las aguas termales, el horizonte volcánico, las estaciones suavemente marcadas, la ausencia de nieve, el colorido de la ropa típica. Lo que pudieron adoptar lo adoptaron: las fiestas del Día de las Madres, los rebozos y hasta las celebraciones patrióticas. Mis padres llegaron siendo muy niños, y casi de inmediato hablaron la nueva lengua, hicieron amigos, fueron a escuelas públicas, jugaban a la lotería y se adiestraron en juguetes mexicanos como el balero o el trompo. Yo ya no tuve que aprender todo aquello porque nací en ese nuevo mundo. Cuando yo era niño habían transcurrido apenas dos décadas desde el arribo de mi familia a Veracruz, pero mi impresión, basada en mis recuerdos y los documentos que fui recolectando desde joven, es que fueron dichosos. La sombra mayor que los perseguía –sombra no exenta de culpa– era la conciencia de haber dejado a tantos miembros de sus respectivas familias

28

en Polonia, donde con certeza habían sido exterminados. Pero yo apenas la percibía.

Y tu vida en el México de los cincuenta, ¿cómo la recuerdas?

Una vida mexicana, como tantas. Mi sueño era vestirme de charro, y mi padre me lo cumplió a los cinco años. Un traje café muy claro, con botonaduras de plata y sombrero, como Jorge Negrete. Era mi ídolo. Recuerdo que lloré cuando murió súbitamente en 1953. Y comencé a ver las películas de lo que se llamó la «Época de Oro» del cine mexicano en las que salía Jorge Negrete con María Félix y Gloria Marín. El cine mexicano consagró a figuras que todos en México seguimos amando: Pedro Infante, Joaquín Pardavé, los hermanos Soler. Historias de galanes y villanos, pobres y ricos, figuras del campo y la ciudad. Fue un buen cine el de esos tiempos. No inferior, creo yo, al neorrealismo italiano. Con un fondo de inocencia pero también de drama auténtico. En esta inmersión natural en la cultura popular y, en tantas cosas, fue importante la presencia de Petra Carreto, la «nana» de Jaime y Perla, mis hermanos menores. Nana es una palabra clave en el vocabulario mexicano: es la que cría a los niños. Petra provenía de Atlixco, Puebla. Era nuestro tenue vínculo cotidiano con el México indígena: mascullaba palabras en náhuatl (sobre todo insultos o maldiciones), era un refranero andante, a la menor provocación le brotaban expresiones que con frecuencia me asaltan y hacen sonreír. Cantábamos boleros de moda y canciones de Agustín Lara. Visto a la distancia, la radio, más que el cine, fue mi bautizo cultural mexicano. Y fue el gran crisol cultural de México. La estación radiofónica XEW, «la voz de la América Latina desde México», unió musicalmente la variada geografía de México. Y, en efecto, llegaba a toda América Latina. El radio era el personaje central de la casa. Ni siquiera la televisión lo desplazó. En casa estábamos a la escucha, por ejemplo, de las canciones de Gabilondo Soler, apodado «Cri-Cri, el Grillito Cantor», que fue un genio literario y musical de una imaginación mayor que la de Disney. Imagínate *El carnaval de los animales* de Saint-Saëns o *Pedro y el lobo* de Prokófiev, pero multiplicado en cientos de canciones, géneros, ritmos y tonadas. Un zoológico humano no inferior a las *Fábulas* de Esopo, y musical por añadidura, en el que cada cuento era una historia con moraleja. Mis padres me cantaban las canciones de Cri-Cri, yo se las canté a mis hijos y ahora ellos a mis nietos. Y luego, ya cerca de la adolescencia, escuchaba por radio las canciones románticas de María Grever, compositora mexicana que conquistó Broadway en tiempos de Cole Porter e Irving Berlin.

Pero había una zona intraspasable, ¿no es cierto? La religión católica.

Intraspasable. Inescrutable. Vagamente temible. Sobre todo ajena. Nadie en mi familia o mi escuela hablaba de ella ni podía hablar. Solo la religión y sus rituales nos separaban del resto de los mexicanos: bautizos, comuniones, matrimonios, plegarias, muertes. Pero la fe y sus expresiones estaban en todas partes: en las iglesias y procesiones, la imagen de Jesús y los santos, la Semana Santa y el Miércoles de Ceniza, el Día de Muertos, la veneración por la Virgen de Guadalupe. En la Navidad, todas las casas se iluminaban con foquitos, y adentro, en la sala, brillaba el árbol. En la nuestra no. Yo no lo resentía, lo aceptaba, aunque era la muestra inequívoca de que éramos diferentes. Ni inferiores ni superiores, solo diferentes. Cuando acudí a una posada en mi adolescencia, no entendí su significado. Y cuando, a mis diez años, un amigo de mis padres me felicitó por el día de «San Enrique» (que era el 15 de julio), les reclamé: ¿por qué no me habían dicho que yo tenía un «santo»? Al mismo tiempo, a mis viejos les conmovía la índole espiritual del pueblo mexicano. Mi bisabuela me señaló una vez con respeto el modo en que un humilde campesino se quitaba el sombrero y se postraba a la entrada de una iglesia.

Les estaba vedada, o se vedaban, una parte central de la cultura mexicana, pero era natural. Tan natural como una separación o una confrontación milenaria.

Pero en México existía una convivencia respetuosa y pacífica. Mis abuelos no se cansaban de resaltar esa convivencia como algo que apenas podían creer. Convivencia humana y convergencia cultural iban de la mano. México era un crisol. México estaba presente en varias otras dimensiones de la cultura. La comida mexicana, con sus chiles y sus moles, sus dulces y guisados, tan distinta a la magra comida judía, era la habitual en casa. México era obviamente la lengua en la que hablábamos con sus dichos y refranes que llegaría a leer pronto en un libro que me encantaba: *Picardía mexicana*. México era un valor tan inmediato y omnipresente que no nos preguntábamos por él. Y si no participábamos en la religión católica de México, sí en su religión cívica, que es su historia. Transmitir ese ca-

Mi abuela Gueña (tercera a la derecha) y mi abuelo José (a su lado) una mañana en Xochimilco.

tecismo era obra de la escuela: las estampitas de los héroes que comprábamos en la tienda para llenar nuestros álbumes o para hacer la tarea, y las fiestas cívicas: el natalicio de Benito Juárez; la batalla del 5 de mayo; el 16 de septiembre, Día de la Independencia (incidentalmente, mi cumpleaños). Eso y tanto más era México, tal como lo recuerdo y lo viví.

No sé si con colores románticos, me estás delineando una infancia nacionalista.

Más que nacionalismo, participábamos de una forma inocente de mexicanismo cultural, de patriotismo. El país miraba hacia dentro y hacia atrás. Hacía apenas treinta años que había concluido la Revolución. Sus mitos y personajes seguían vivos en la memoria colectiva y el cine nacional los recreaba. Me atraía mucho la «historia patria», así se decía. Quizá te hará gracia, pero lo que despertó de niño mi curiosidad por la historia mexicana fue un programa de radio: *La Hora Nacional*. Se transmitía todos los domingos a las diez de la noche. Incluía canciones, dramatizaciones y anécdotas sobre personajes de la Independencia, la Reforma y la Revolución. Ese programa me inspiró en la infancia amor por los personajes históricos. Un poco después tomaba el tranvía que llevaba al Centro Histórico para deambular libremente por sus calles.

Ese lugar es historia viva a cada paso. Los españoles que han olvidado la dimensión americana de su historia no entienden a qué grado España está presente en América, sobre todo en México, sobre todo en el Centro Histórico de México.

El Centro Histórico ocultaba entonces los vestigios de la gran civilización mexica, pero la presencia virreinal y la del México independiente te salía a cada paso, a pesar de muchos adefesios arquitectónicos de la modernidad, de la destrucción del tiempo y la incuria. Era la Ciudad de los Palacios. «La muy noble y leal ciudad de México», como aún se decía. De joven leía las placas conmemorativas de personajes o hechos memorables: «aquí vivió Lucas Alamán», «aquí estuvo la primera imprenta de Juan Pablos». Y entraba en las iglesias, en particular en San Francisco o la Enseñanza. No conocía la historia sagrada ni sabía interpretar los retablos, pero amaba su atmósfera de recogimiento. Mucho tiempo después comprendí la nostalgia que desde su exilio sintió Alfonso Reyes al recordar la piedra rojinegra de tezontle en los viejos edificios coloniales de la ciudad. ¿A qué atribuía ese gusto por la historia mexicana? No me hacía esa pregunta. Estaba inmerso en él. No sé si tenía algo particular, pero sé que mis amigos de la escuela no lo compartían. Ahora veo a ese hijo y nieto de inmigrantes y me doy cuenta de que quería, sencillamente, integrarse, ser igual que los demás, ser mexicano como los demás. En una palabra, pertenecer. Y para eso, antes que los valores, el arte o la arquitectura, lo mejor era convivir con la gente. Yo tuve la fortuna de tener ese contacto, quizá no íntimo, pero sí real y continuo por muchos años, trabajando junto con los obreros de la imprenta de mi padre.

Etiquetas e Impresos S.A.

Nunca, que yo recuerde, has escrito de esa experiencia.

No he tenido ocasión de contarla. Esa imprenta, José María, fue el escenario favorito de mi infancia y temprana juventud. Mi abuelo tenía su sastrería y enseñó el oficio a su hijo Moisés, mi padre. Trabajaron juntos varios años mientras mi padre estudiaba. Terminó la carrera de ciencias químicas y quiso ser empresario. Hacia 1944, él y su amigo Alfonso Mann compraron una pequeña prensa y poco a poco el negocio comenzó a prosperar, hasta convertirse en una litografía de cierta importancia. Estaba en el sur de la ciudad, en el viejo barrio de Coyoacán. Se llamaba Etiquetas e Impresos. Mi padre había trabajado desde niño en la sastrería y me indujo esa devoción por el trabajo. Guiado por don Ismael Ramírez (el maestro de producción de la imprenta) aprendí las distintas fases del proceso. Tenía una relación de gran afecto con los trabajadores. Desde los siete años dedicaba las vacaciones a trabajar en la imprenta. Era mi vínculo principal con mi papá, un vínculo que duraría toda su vida activa. Yo admiré y quise mucho a mi padre. Trabajé junto a él hasta los años noventa. Murió en 2007.

¿Cómo era ese trabajo?

Llegábamos antes de las ocho. Siempre me quedaba viendo un ratito el mural de la entrada, al aire libre. Era muy raro que una fábrica tuviera uno, como los de Diego Rivera. Mi papá pasaba a su oficina, y yo iba a «checar tarjeta» y a comenzar mi jornada. Recuerdo todo el proceso: la bodega de papeles, tintas y cartones; el fotolito, donde se revelaban negativos y hacían las placas; las prensas *offset*, las suajadoras, las guillotinas, las pegadoras, las grabadoras. Pero sobre todo recuerdo a cada uno de los obreros en sus máquinas. Recuerdo sus nombres y apodos («el Mamut», «el Burro», «el Chupiro»), en qué máquina trabajaba cada uno, su humor, su carácter, sus historias personales, sus dichos, sus «chanzas». Me gustaba particularmente montar tipografías, labor que me enseñó Chucho García, a quien aún veo. Muchos venían de la provincia y me contaban sus historias. Con ellos iba a comer a las fondas cercanas y en las noches me llevaban al box, a la lucha libre y al futbol. Me enseñaron a «alburear». Lo idealizo, seguramente, pero sentía que no me trataban como al hijo del dueño (al que llamaban «el ogro») sino como su compañero.

¿Por qué se le ocurrió a tu padre encargar un mural? ¿Qué representaba?

Mi padre estudió en la Escuela Nacional Preparatoria que en tiempos virreinales fue el antiguo colegio jesuita de San Ildefonso. Uno de los edificios más bellos de la ciudad. En 1922 el ministro de Educación José Vasconcelos encomendó a los muralistas José Clemente Orozco y Jean Charlot pintar los muros de la escuela con su visión sobre la Revolución y la historia mexicana. En un edificio muy cercano, Vasconcelos hizo un encargo similar a Diego Rivera: pintar su versión de la epopeya revolucionaria. Mi padre, como toda su generación preparatoriana, creció contemplando esos murales. Además, era amigo de Guadalupe Rivera, la hija de Diego. Me contó que iban juntos a visitar a Diego que pintaba entonces los murales en el Palacio Nacional. En un viaje a Guadalajara, Lupe le presentó a Orozco, que pintaba los murales del Hospicio Cabañas. Me contó que Orozco era difícil y algo hosco, mientras que Diego era expansivo y afable. Ese es el antecedente. En 1952 mi padre encomendó el mural de su fábrica a la pintora Fanny Rabel. Proveniente de Polonia, como mis padres, Fanny era una militante de izquierda, muy amiga de Frida Kahlo y discípula directa de Diego Rivera. El mural representaba una variación de *La maestra rural*, el famoso fresco en la Secretaría de Educación Pública: en un árido paraje del campo mexicano, como en una misa cívica, un público respetuoso y atento escucha a la maestra: un viejo campesino con su sombrero en mano, una mujer con su bebé bajo el rebozo, hombres circunspectos, mujeres descalzas, un niño con una hoja de maíz. Era la imagen del pueblo. Pero al lado, en vez del guardia rural de la escena original, destacaban las prensas de pie y las máquinas *offset* en plena producción de unas publicaciones. Mi padre y su socio Alfonso aparecían también, trabajando con los obreros. En el extremo inferior un humilde niño vestido de overol y con cachucha voceaba los impresos que llevaba en sus manos. Podrían ser periódicos o revistas. En uno de ellos se leía: «La imprenta al

En la imprenta. Arriba, a la derecha, mi padre y su socio en las máquinas *offset*.

servicio de la cultura». Yo sueño con esa imprenta. Han pasado casi setenta años desde que comencé a trabajar ahí, y nunca dejé de frecuentar a los obreros. Aún veo a los pocos sobrevivientes.

¿Qué ocurrió con el mural?

Hace unos años lo recobré. Está en mis oficinas de la revista *Letras Libres* y la editorial Clío. Ahí me saluda cada mañana, como entonces.

Colegio Israelita

¿Tuviste una educación laica o religiosa? ¿Dónde estudiaste?

Estudié desde el kínder hasta la preparatoria, de 1952 a 1964, en el Colegio Israelita de México. Ocho horas diarias de lunes a viernes, toda la infancia y adolescencia. Fue fundado en 1924. Pertenecía a la vertiente ashkenazí de la comunidad judía mexicana, es decir, la proveniente de Rusia, Polonia, Lituania, Ucrania y, en general, la Europa del Este. Había otros colegios de la vertiente sefardí que había llegado de Grecia y Turquía, y otros más, de una anterior, originaria de Alepo o Damasco. Había también colegios que impartían clases en hebreo (no en ídish, como el nuestro) y varias escuelas religiosas. Nuestro colegio era el más antiguo. Era un trasplante de escuelas similares que habían existido en Polonia o Lituania en el período de entreguerras, en las que se enseñaba la cultura nacional y universal junto con los temas judíos. Era laico y de vocación humanista. Originalmente estuvo en varias sedes del centro pero finalmente, en 1938, se mudó al edificio donde yo estudié (y mi padre también), en el sur de la ciudad. Hoy es la sede de la Universidad de la Ciudad de México. A los profesores de temas judíos (lengua y literatura ídish, e historia judía [*Idishe Geschijte*]) los recuerdo ya viejos, algunos paternales y pacientes, otros muy amargados. Eran inmigrantes recientes y ve tú a saber las penas que escondían. La inmensa mayoría de los alumnos era judía, chicas y chicos de clase media, hijos de pequeños comerciantes, unos cuantos profesionistas y pocos industriales.

Pero la escuela, me dices, impartía cursos generales, no solo de temas judíos.

El ochenta por ciento del currículo era idéntico al de las escuelas oficiales: materias universales y nacionales. Había maestras de los tiempos de Porfirio Díaz, como la estrictísima Amalia Corona, que nos daba pellizcos y reglazos y nos ponía orejas de burro, pero vaya que nos enseñó bien a leer y contar. Otras maestras eran de la época dorada del secretario de Educación José Vasconcelos en los años veinte, como Rosario María Gutiérrez Eskildsen, profesora tabasqueña que nos enseñó a redactar correctamente y nos dio a leer *Don Segundo Sombra* de Ricardo Güiraldes, *María* de Jorge Isaacs, *La vorágine* de José Eustasio Rivera y la poesía de Rubén Darío. Muchos de mis profesores en los años cincuenta lo habían sido de mi padre. El maestro Piña, por ejemplo, nos ponía a cantar canciones mexicanas del siglo XIX. O el octogenario Daniel Huacuja, académico

Amalia Corona fue mi profesora de primero de primaria, en 1954. Aún percibo su penetrante perfume (una esencia española de las que ya no se usan), sus mejillas polveadas y el carmín que rebasaba la comisura de sus labios. Con ella le perdí el miedo a la aritmética.

de la lengua. Llegaba al salón con su pijama de franela roja visible bajo la valenciana de su pantalón. La suya era una cátedra fascinante de literatura española, desde Gonzalo de Berceo hasta Calderón de la Barca. Me acuerdo de que actuaba los personajes de *Los siete infantes de Lara*. También nos recitaba el poema del Cid. Huacuja había sido discípulo de Guillermo Prieto, el gran cronista liberal del siglo XIX, amigo cercano de Benito Juárez. Tan cercano que en alguna ocasión le salvó la vida. Imagínate la emoción que sentí. Mi maestro era una conexión con Juárez. Así que la historia era, por ambas vertientes, una presencia viva en mi escuela.

¿Y la enseñanza de la historia mexicana en ese colegio? ¿Cómo la asimilaste tú?

Ligada a los héroes y las batallas. Con el tiempo caí en la cuenta de que los profesores de historia mexicana nos transmitían la versión oficial (liberal y revolucionaria), pero lo hacían con pasión y convencimiento. El maestro Roa nos dio un paseo rápido y superficial por la época colonial para luego concentrarse con brío y emoción en la gloria de los insurgentes, el heroísmo de los liberales, la traición de los conservadores, la dictadura de Porfirio Díaz. Tuvimos una excelente maestra del pasado indígena, apellidada Monroy. Como notaba mi afición por el tema, mi padre (que era amigo de Jorge L. Tamayo, el editor de la correspondencia de Benito Juárez) me regaló una hermosa edición de la *Historia verdadera de la conquista de la Nueva España* de Bernal Díaz del Castillo y ya en la adolescencia nos llevó a mi hermano Jaime y a mí a un viaje por la Ruta de la Independencia. Para mí fue memorable: Querétaro, San Miguel de Allende, Guanajuato, Dolores. Fue mi primer «descubrimiento» del México de 1810: las callejuelas, los monumentos y casas históricos, las placas conmemorativas, la emoción de visitar el lugar donde nació la patria mexicana. Y en los trayectos, descubrir los cascos de viejas haciendas y el paisaje mexicano, «no desprovisto de cierta aristocrática esterilidad», como escribió Alfonso Reyes.

¿Y la historia universal?

Soñaba con ser arqueólogo. Pero gracias a una profesora adelanté unos milenios el reloj. Se llamaba Alicia Huerta. Daba un curso de historia europea en la secundaria. Manejaba esquemas temporales ricos y complejos. Recreaba y explicaba los hechos y períodos con gran viveza. Era notable su recreación de la era napoleónica, por ejemplo. O de la unidad italiana y alemana. Hace algunos años me localizó por azar y me contó una anécdota que me conmovió. Cuando daba clases en el Colegio Israelita, era simultáneamente maestra en el Colegio Alemán, donde tuvo mentores que la formaron en la gran historiografía alemana: Ranke, Burckhardt, Mommsen, etcétera. De ahí provenía su rigor. En algún momento le ofrecieron un aumento sustancial de sueldo y hasta una dirección, a condición de que abandonara sus clases en el Israelita. No aceptó y renunció.

En suma, era una escuela binacional.

Más bien bicultural, mexicana y judía. Intensamente mexicana por el conocimiento de su geografía, su literatura, su lengua, su arte y su historia. Y judía, pero de un judaísmo secular y tradicional ligado a la Europa perdida.

La tradición y la memoria

Según un pasaje del Antiguo Testamento, somos hijos de los abuelos, más que de los padres. Muchas veces son ellos quienes nos educan.

Nos criaron. En mi caso, esa crianza estaba impregnada de respeto a las tradiciones judías, a las costumbres y al pasado judío, al idioma ídish y a su literatura, pero no tanto a la religión.

¿No te hablaban de Polonia, del país de nacimiento que dejaron atrás? Es curioso, porque mi familia paterna y materna, que eran republicanas y sufrieron duramente la represión y el dolor de la Guerra Civil, apenas recordaban conscientemente aquella experiencia. Es como si hubieran querido rehacer su vida desde el olvido.

Les ocurrió algo similar. No hablaban casi de Polonia porque ese hogar suyo, milenario (al que llamaban precisamente *die alte Heim*, que en ídish significa «el viejo hogar»), se había convertido en un vasto cementerio judío, un cementerio no de lápidas sino de cenizas. Las cenizas de sus padres, hermanos, familiares. Pero el interior de sus hogares era un museo de vida cotidiana en Polonia. Parece que lo estoy viendo. Un mobiliario afrancesado, profusión de miniaturas de porcelana y cristal, objetos simbólicos (los candelabros sabatinos, la Mezuzah* resguardando el umbral, la Menorah** en los estantes, la alcancía de color azul cielo con el mapa de Israel), una atmósfera grave y un olor penetrante a comida del Báltico: sopas de betabel, arenques, papas y coles, panes de trenza y el inevitable vaso de té. El trasplante seguía puertas afuera de la casa. Sus hábitos sociales, sus rituales en las fechas clave (el nacimiento, el matrimonio, los partos, la muerte), sus costumbres e instituciones (los casamenteros, los tribunales internos de la comunidad, las cajas de caridad y asistencia), sus recetas de cocina, los oficios que

---

* *Mezuzah*: palabra que en hebreo significa «jamba». Se trata de un pergamino rectangular en el que están inscritos dos pasajes del Deuteronomio que consignan el dogma fundamental del judaísmo.

** *Menorah*: candelabro de siete brazos que, según la literatura rabínica, simboliza la creación del mundo en siete días y cuya luz central representa el sábado.

Río Bug, Juan Soriano. El orgulloso puente de madera sobre el río, en Wyszków, llevaba a una cabaña en el bosque de Skuszew, donde mi familia paterna pasaba los veranos.

practicaban, sus dolores íntimos y sus pesadillas, su sentido del humor y, desde luego, el ídish, la lengua en la que hablaban, escribían y leían, todo ello los remitía a la vida judía en las ciudades y pueblos de Polonia. Mis abuelos paternos provenían de Wyszków, un pueblo cercano a Varsovia; los maternos de Białystok, una dinámica ciudad textil en la frontera con Rusia.

Volviendo al precedente colonial y español del que hemos hablado, noto quizá una diferencia marcada con lo que estás diciendo. Dices que tus abuelos no hablaban de Polonia. En cambio los judíos sefardíes siempre añoraron España. La conservaron en la memoria, en la poesía, en la lengua, el ladino, que es un español del siglo XV...

La comparación viene al caso. No, mi familia nunca añoró Polonia, ni quiso volver a Polonia. Pero no olvidemos que por casi diez siglos los judíos en Polonia habían vivido pacíficamente, aislados en el espacio y el tiempo, anclados en su fe, hablando ídish. Por algo Polonia tenía la mayor concentración de judíos en Europa. Y por eso sí existió una vasta literatura nostálgica de la vida de los pueblitos y las ciudades habitadas por los judíos. Después del Holocausto, los sobrevivientes editaron libros conmemorativos de cada pueblo o ciudad, con imágenes y testimonios. Yo conservo, por ejemplo, el de Białystok. Y se escribieron novelas, historias, poemas. Pero casi todos están en ídish. Solo unos cuantos escritores como Isaac Bashevis Singer lograron que su testimonio llegara a otras lenguas. Así que en ese sentido no hay gran diferencia entre la nostalgia por la Sefarad perdida y la nostalgia por la Polonia judía, no perdida sino desaparecida. Buena parte de la biblioteca de mi abuelo la constituyen esos libros de remembranza doliente, ecos de Jeremías ante la Jerusalén destruida. Libros sin lectores. Al menos la poesía nostálgica en ladino ha llegado a nuestros días, cinco siglos después.

La vida tradicional que me describes muestra una fuerte carga religiosa. ¿Estoy en lo cierto? ¿Hay diferencia entre tradición y religión?

Diferencia importante. Una vida de un judío religioso rige cada día y casi cada hora. Hay 613 preceptos que el judío religioso debe cumplir. Yo casi los desconozco. En mi caso, el cumplimiento religioso se limitaba a asistir a la sinagoga con mi familia materna en ocasión de las fiestas mayores de fin de año (Rosh Hashaná, Yom Kippur). Había varias sinagogas cercanas. Una de ellas, muy humilde, llamada Etz Haim («El árbol de la vida»), aún está de pie, a unos pasos, en esta calle de Ámsterdam. La frecuentaban judíos sumamente ortodoxos, principalmente de origen húngaro. Me sentaba con mi abuelo José Kleinbort y me impresionaba escuchar la melodía del *Kol Nidré*, plegaria que abre la noche del Yom Kippur, el Día del Perdón. Hay una hermosa suite para chelo y orquesta de Max Bruch basada en ella. Pero sobre todo me impresionaba la dramática concentración de los ancianos envueltos en su *talit* (el chal litúrgico), leyendo los rollos del libro sagrado, la Torá. Era como una estampa medieval. Esa es la religión. La tradición es otra cosa. La tradición es el cumplimiento, en el ámbito familiar, de ciertas fechas míticas y algunas históricas de las que da cuenta la Biblia. Su contenido es más cultural que religioso. Una rutina histórica, genuina y gozosa. Lo que subyacía en ella no

Cementerio judío, dibujo que me regaló Soriano tras una visita al pueblo de mis abuelos paternos.

41

eran los ritos y los dogmas religiosos sino el espíritu de pertenencia a un pueblo milenario que había resistido las mayores pruebas y seguía en pie. Déjame ponerte el ejemplo de mi abuelo Saúl, el spinozista. Celebraba aquellas fechas con una cena regia preparada por su esposa Clara en la que toleraba que se dijeran rápidamente dos o tres plegarias. Nada más. Que yo recuerde, únicamente pisó una sinagoga el día de mi Bar Mitzvá. Ese día Saúl me dijo: «Solo vine por tratarse de ti. Yo no creo en estas cosas». Simplemente no creía en el Dios de los ejércitos sino en el Dios de la naturaleza, en el Dios de Spinoza. En cambio mi bisabuela Dora, ya muy viejita, que estaba entre el público, me dijo: «Quiero que seas rabino». Cariñosamente, me negué. Ahí tienes la distinción entre religión y tradición.

¿Qué papel jugaban las abuelas? ¿Eran las guardianas de la fe y la tradición?

De la fe, no tanto. De la tradición, sin duda. Eugenia (Gueña), mi abuela materna, fue una mujer bella y refinada, con un aire de aristócrata polaca. Gueña solo iba a la sinagoga en las fiestas religiosas mayores, pero no cocinaba Kosher. Había sido ávida lectora de literatura rusa y era lo suficientemente abierta como para inscribir

a mi madre, su única hija, en la Academia Maddox, no en el Colegio Israelita. Ahí aprendió su excelente inglés y estudió letras inglesas. Eso sí, para guardar la tradición, cada viernes en la noche Gueña cumplía puntualmente con la ceremonia de Shabat. Tras encender las velas y pronunciar sus rezos con las manos cubriendo sus ojos, nos hablaba por teléfono para desearnos en ídish *A gut Shabes*, «Buen Shabat». Clara, mi

Mi abuela Clara no era religiosa, pero sabía honrar las fiestas con talento culinario.

abuela paterna, no respetaba ni el Shabat, pero paradójicamente era más tradicionalista. Aplicaba su genio culinario a preparar manjares judíos típicos en dos fiestas significativas consignadas en la Biblia: el Purim y el Pésaj. Cuando recuerdo los banquetes de mi abuela Clara me asalta una nostalgia. Un festival de patos, gansos, pollos, corderos, pescados, compotas, galletas, pasteles.

¿Tus padres guardaban la tradición?

Solo para acompañar a los abuelos. Mis padres estaban plenamente integrados a la vida mexicana en todos los ámbitos (sociales, culturales, materiales), salvo en el credo religioso. Ya hablamos de Moisés, mi padre. Helen, mi madre, trabajó por un tiempo en el Comité Central Israelita, pero desde los años cincuenta comenzó una carrera de periodista de páginas sociales, haciendo entrevistas con un enfoque biográfico y cultural a protagonistas del contexto político, artístico y empresarial. Ejercería esa profesión por más de medio siglo. Y entrevistó a personajes en muchas partes del mundo. Esa curiosidad por el otro, por los otros, me la heredó. No tanto la condición de judía errante. Judío sí, errante no.

Has escrito tantas biografías, pero no la de tus abuelas y abuelos. ¿Escribiste sobre ellos alguna vez?

Yo fui formando un archivo familiar que no es solo un álbum de fotos y recuerdos color de rosa sino de aspectos y episodios dolorosos, conflictivos, en la vida personal de mis abuelos y abuelas. Muchas de esas historias no corresponden a nuestro tema porque lo que trato de darte es una imagen de su influencia en mi vida tal como ahora, honestamente, la veo. Al evocar esa influencia es probable que los esté idealizando, pero genuinamente recuerdo esos tiempos como una edad dorada junto con mis abuelas y abuelos. Me nubla la vista el amor que les tenía y que me tenían. Por otro lado, me ha sido difícil escribir sobre ellos, sobre todo de mis abuelas. Me refiero a perfilar sus vidas reales, no cómo yo las veía o cómo creo que me marcaron. Quizá algún día lo haré. Pero ahora que recuerdo, hace muchos años publiqué un pequeño texto en *Vuelta*, al que titulé «México en dos abuelos» porque refería el distinto modo

Mi abuelo Saúl, el sastre. «Tengo mis diez dedos, y eso me basta», era su frase.

en que arraigaron en el país que les dio refugio. Ambos apreciaban cada segundo y cada espacio de libertad. Saúl podía darse el lujo de leer y opinar a sus anchas, de no ir a la sinagoga, de ser vagamente herético. José, melancólico y solitario, vivió otro tipo de libertad, la libertad de movimiento. Con un asombro permanente viajó en tren por el país vendiendo prendas de su pequeña bonetería. También en Polonia solía viajar, pero, de haberse quedado, los trenes lo habrían conducido a un destino distinto y final. En ese pequeño ensayo quise sugerir el modo en que mis abuelos Saúl y José representaban la memoria. A Saúl lo veía cada viernes por la tarde en su casa, salíamos a veces al Parque México (que él llamaba «mi jardín») y yo lo escuchaba hablar de Spinoza y recordar su pasado socialista. Esos eran sus dos temas preferidos. Saúl era la memoria viva. Pero José era la memoria evanescente. Permíteme leerte este fragmento de aquel texto:

A fines de los cincuenta empezó a olvidar nombres de personas cercanas. Siempre creíamos, equivocadamente, que lo aquejaba una prematura arteriosclerosis cerebral. Algo involucionaba en él, retrayéndolo siglos. Al acercarse sus sesenta años optó por volverse –como su padre– un hombre profundamente religioso: se dejó crecer una brevísima barba y cambió su manera de vestir para asemejarla a la del rabino Avigdor al que admiraba. Asistía dos veces al día a la vieja sinagoga de la calle Yucatán, donde oficiaba Avigdor, pero esa frecuencia le parecía insuficiente. Entonces comenzó a llegar en la madrugada y de noche pretendía quedarse a dormir en las bancas. Leía continuamente libros de plegarias, confundía todos los libros con devocionarios, recitaba versículos frente a las ventanas y dio en un hábito que nos conmovía: hablaba cantando, rezando.

En México, José conoció otro tipo de libertad: la libertad como gratuidad, como generosidad de la tierra: floración de atmósferas, arquitecturas, colores, frutos y sonidos.

El mundo apagaba su sentido. ¿Él lo sabía, lo entendía? Cuando las voces cesaron de comunicarle, cuando él mismo entró en una campana definitiva de silencio, lo rescató, de nueva cuenta, la provincia y la naturaleza del país. En un asilo de ancianos de Cuernavaca, pasaba las horas bebiendo con placidez el verde de los árboles, inmenso como los laureles de Oaxaca. Para devolverle en algo su identidad, quise enseñarle de nuevo a leer y comenzamos por su nombre. En súbitas oleadas de lucidez lo escribía sin reconocerse, solo para admirar los rasgos caligráficos. Su mayor placer terminó por ser oral: la lenta masticación de las prodigiosas frutas mexicanas.

Tenía Alzheimer.

Sí. Bueno, pues yo atribuyo un poco mi vocación por el pasado a mi vínculo con mis abuelos: Saúl, que era la memoria viva; José, el que perdió la memoria.

Relatos de la Biblia

Me gustaría seguir examinando las diferencias entre religión y tradición, ahora enfocadas en tu educación en aquel colegio bicultural. ¿Leían la Biblia?

No rezábamos con la Biblia, leíamos la Biblia, que es muy distinto. No entrábamos, como en las escuelas religiosas, a examinar, interpretar, discutir cada versículo y cada comentario de cada versículo acumulado a través de los siglos, que es el contenido casi infinito del Talmud. El Talmud busca desentrañar cada pasaje de la Torá, el libro escrito por Dios, para encontrar y regir el sentido de la vida. Nosotros en la escuela no nos asomamos siquiera al Talmud. Leíamos la Biblia hebrea, que se denomina *Tanaj*. Es decir, el Pentateuco, los *Nevi'im* (que incluye Jueces, Reyes y profetas mayores y menores) y los *Ketuvim* (los libros de Salmos, Job, Proverbios, Ruth, Cantar de los Cantares, Lamentaciones, Esther, Daniel, Esdras, Nehemías). A lo largo de los años estudiamos varios de estos libros traducidos al ídish. Ya en la secundaria y la preparatoria, leímos en hebreo el Eclesiastés, el Cantar de los Cantares y algunos profetas. Fue una experiencia inolvidable, por los matices y significados que uno descubre en las palabras y aun en las letras y signos arcaicos. Leer la Biblia en ídish es como leerla en español, inglés o alemán. Leerla en el hebreo original es como escuchar a

«¿Cómo puedes decir que me quieres, cuando tu corazón no está conmigo?», se lamenta Dalila con Sansón. «Te has burlado de mí y no me has descubierto en dónde está tu gran fuerza.» La Biblia es la mejor novela.

Homero en griego antiguo, una sensación sobrecogedora. Te advierto que yo estudié hebreo pero nunca lo practiqué. Lo he perdido casi por completo. En cambio el ídish fue mi segunda lengua materna. En la vieja Europa que mis abuelos dejaron atrás, el hebreo era una lengua sagrada, solo para hablar con Dios; el ídish era el habla de todos los días, para hablar con las personas. Por eso mi abuelo José se disgustaba cuando de pronto le hablaba en hebreo. Lo consideraba una profanación.

¿Qué recuerdas de esas clases de la Biblia?

Las vidas de personajes. Para mí la Biblia era una serie de biografías memorables: Abraham y Sara, Isaac y Rebeca, Jacob, Leah y Raquel, José y sus hermanos, Moisés y Josué, los jueces (Gedeón, Jefté), el profeta Samuel. Aunque la presencia de Dios es continua, en muchos casos –sobre todo en el libro de los Reyes–* la humanidad de los personajes se aparta un poco de la divinidad. ¿Qué hay más humano que el rey David, arpista y poeta, guerrero y amante, castigado por sus horribles pecados, redimido de sus pecados? ¿O el drama de Sansón, loco de amor por Dalila, cegado por sus enemigos filisteos? ¿O el idilio de Ruth, la moabita, que se enamoró de Boaz y le dijo: «tu pueblo será mi pueblo, tu Dios será mi Dios»? El de ellos fue el primer matrimonio mixto de la historia y de él, según el Evangelio, provenía Jesús. Esas fueron las biografías de la primaria. Más tarde, leí a los profetas. Ezequiel, que predicó ante un osario y presenció el espectáculo pasmoso de la resurrección; Jonás dentro de la ballena, que tiene algo kafkiano: el hombre solitario engullido por el animal; Daniel, que leyó la escritura en la pared sobre la destrucción de los imperios. Los leía como en un trance.

Es interesante. Tu primer acercamiento al pasado fue biográfico a través de la Biblia.

Así lo recuerdo. Aunque nunca puse en duda al protagonista mayor, a Dios. No por nada comenzábamos por el Génesis, y sus primeras palabras: *Bereshit bará Elohim et hashamaim ve'et haaretz.*

---

* Saúl, David, Salomón.

Dios era omnipre⸻ ⸻necesitaba practicar la religión asi-
duamente para par⸻

En algún momento dudas⸻ ⸻de la verdad de la Biblia.

No en mi niñez. Me⸻ ⸻o mis padres compraron un li-
bro que se titulaba *Y la Bib⸻ tenía razón*. Por eso quise volverme
arqueólogo, para encontrar el Arca Perdida al pie del Sinaí. Sueños de niño. Con el tiempo –y unas frases sutiles de mi abuelo
Saúl– comencé a dudar. La Biblia no es historia propiamente dicha,
es decir, científicamente comprobada. Antes del siglo X a. C. todo es
bruma. Hasta la existencia del rey David sigue siendo materia de
disputa. Mucho tiempo después, cuando leí el *Tractatus theologico-politicus* de Spinoza (la primera crítica histórica a la Biblia, publicada anónimamente en 1670), entendí que era imposible sostener su estricta historicidad. Spinoza decía que si los historiadores
se tomaran las mismas libertades que algunos comentaristas tole-
ran en los autores de la Biblia, provocarían risa. Pero más allá de
su veracidad (que no es escasa en algunos libros), hay en esas narraciones gran intensidad literaria. El propio Spinoza dice que tenían valor alegórico o literario, que hay que leerlas como a *Orlando
furioso*. Al final de su vida, mi amigo Alejandro Rossi leía la Biblia.
«¡Es la mejor novela!», me decía. Yo siempre la consideré así.
Cuando mis hijos León y Daniel eran niños, rumbo a la escuela les
narraba pasajes de la Biblia.

*Te recuerdo que la biografía tiene un origen helenístico. Arnaldo Momi-
gliano demostró que la biografía tiene origen persa y que el primer biógrafo
fue un discípulo de Aristóteles que introdujo un elemento novedoso en la
narración de las vidas: no solo la ejemplaridad y las ideas sino la anécdota
y el chisme.*

Es cierto, pero yo creo ver prefigurado el género biográfico en
los relatos de la Biblia. Por cierto, así, *Relatos de la Biblia*, se titulaba
un libro que me regalaron mis padres entonces, cada historia acompañada por los delicados (y a veces estrujantes) grabados de Gustave Doré. Ese interés bíblico perduró. De hecho, los primeros libros
que leí fuera de la escuela fueron novelas históricas inspiradas en la

historia bíblica. Por ejemplo *Mis gloriosos hermanos*, de Howard Fast. Recreaba la rebelión de los macabeos contra Antíoco IV Epífanes, rey de Siria, quien quiso imponer oficialmente a los dioses paganos en el mismísimo Templo de Jerusalén. Ese triunfo es el que se conmemora anualmente en la tradicional fiesta de las velas, llamada Janucá.

Te gustaba la novela histórica, ¿por qué no la practicaste?

En esos años me apasionaba, luego no tanto. La novela histórica basada en temas de la historia judía fue importante en los primeros decenios del siglo XX. Pienso en el drama *Jeremías* de Stefan Zweig o en *La judía de Toledo* de Lion Feuchtwanger, que recrea la historia de amor entre Alfonso VIII y la *fermosa* Raquel. Los leí de joven. ¿Por qué no la practiqué? Porque estoy incapacitado para la ficción. Ahora creo que el género ha tomado nuevos vuelos, sobre todo en Inglaterra. Yo soy incapaz de incursionar en él.

Has hablado del Viejo Testamento. ¿Pero conocían la existencia del Nuevo?

Mi ejemplar de Doré omitía el Nuevo Testamento. Era tabú. En la escuela Jesús era considerado un gran profeta de Israel. Era *Yeshu Hanotzri*, Jesús el Nazareno. Pero no se enseñaban los Evangelios. Yo comencé a leerlos en la juventud.

Historia sagrada y profana

No hemos hablado de otra cosa que de historia. Historia patria y cívica, historia mexicana y universal. Historia paralela de los criptojudíos portugueses y los inmigrantes de Polonia. Tus abuelos y la memoria, tus abuelas y las tradiciones. Y la historia biográfica de los relatos de la Biblia. ¿Cuál es el peso de la historia en el judaísmo?

Para los judíos recordar es un mandamiento. Yo he procurado cumplirlo. En el pasaje solemne del Día del Perdón llamado *Yizkor* (que quiere decir «que se recuerde»), los hijos pronuncian la plegaria por el alma de sus padres y ancestros fallecidos. Ningún mandamiento, creo yo, iguala al de «Honrarás a tu padre y a tu madre». Innumerables rezos y pasajes bíblicos ordenan no olvidar los prodigios y los castigos de Dios con el pueblo de Israel. De ahí el deber (no la costumbre: *el deber*) de recordar. Pero conmemorar es una cosa, historiar es otra. Te sorprenderá quizá saber que después del siglo I hasta el siglo XIX, casi no hubo historiadores judíos que se ocuparan de su propia historia. Solo existía la memoria sagrada. En el siglo I d. C. el historiador Flavio Josefo escribió dos obras fundamentales de historia judía: *Antigüedades judías* y *La guerra de los judíos*. Y luego un silencio milenario.

Es casi increíble lo que me dices. No procrearon historiadores, aunque vivieron obsesionados con la historia...

Vivían obsesionados con la huella de Dios en la historia, el pacto con Dios, los actos de Dios. La Biblia no es una historia en la acepción clásica o moderna. Contiene datos, registros, episodios, narraciones de hechos que probablemente ocurrieron, y personajes que acaso existieron, pero la presencia central es la de Dios. Digamos que la Biblia es la biografía de Dios que condesciende a tratar con su pueblo. A veces habla a los elegidos, a menudo se enfurece,

Rabinos, en el libro de Graetz. *Historia del pueblo de Israel*, de Heinrich Graetz.

en otras se complace, o ejecuta milagros. Y, de pronto, las biografías de personajes bíblicos toman vida propia. Pero las lecturas de la Biblia siempre buscaron la huella de Dios en esas vidas, su sentido trascendente, no inmanente. Tuvo que llegar la crítica histórica de Spinoza a las Escrituras para modificar ese paradigma. No fue sino hasta las primeras décadas del siglo XIX cuando un grupo de intelectuales judíos alemanes se propuso trabajar en la historia secular de los judíos, que ellos llamaron «ciencia del judaísmo». Y el fruto final de ese esfuerzo, en la segunda mitad del siglo XIX, fue la monumental *Historia del pueblo de Israel* de Heinrich Graetz. Ya en las primeras décadas del siglo XX vino otra gran historia integral, la de Simón Dubnow, oriundo de Bielorrusia. Creo que, de esa dimensión, en el siglo XX, solo hubo una historia más: la de Salo W. Baron. Las tengo en mi biblioteca. Las he consultado con frecuencia.

¿Qué encuentras en ellas o qué tienen en común?
El paso spinoziano de lo trascendente a lo inmanente. La transferencia de la sacralidad de la historia a la práctica profesional de la historia. Esos hombres se hallaron de pronto con un inmenso vacío de conocimiento. ¿Cómo había sido la vida de los judíos a lo largo de dos milenios? No había respuestas. Y se apresuraron a llenar ese vacío. Habían perdido dieciocho siglos obsesionados con la idea de Dios y suspendiendo ese autoconocimiento. La teología había bloqueado a la historiografía. Desde ese momento, la producción historiográfica ha sido gigantesca y constante, en todos los géneros, en todos los temas, en todo el mapa que habitaron los judíos. La historia judía misma, su estudio, su lectura, su investigación, se convirtió en una nueva misión, se diría que sagrada.

El viejo mandamiento religioso de conmemorar se convirtió en el deber humanista de recordar. ¿Son esas historias las que estudiaste en tu colegio?
Un compendio muy simplificado de ellas escrito por Dubnow. Aún lo conservo. Junto con la enseñanza literaria y gramatical del ídish, la historia era la columna vertebral de aquella escuela. Le dedicábamos clases diarias. El acercamiento era progresivo en la primaria, la secundaria y la preparatoria. Una historia nacional, humanista y

laica, aunque demasiado autorreferencial. Una historia intelectual y biográfica más que social o económica. Una historia de supervivencia. En lo que se refiere a la historia judía de los últimos dos mil años, el historiador inglés de origen judío Lewis Namier le dijo a Isaiah Berlin: «No hay moderna historia judía, hay martirologio judío». Por eso, decía Namier, se había especializado en la historia inglesa del siglo XVIII. Yo entiendo esa decisión. Yo me eduqué en esa historia de martirologio. Pero no quise ahondar demasiado en el vastísimo catálogo del odio contra los judíos. Me dolían las espantosas masacres durante las cruzadas en Alemania, las expulsiones masivas de Inglaterra, Francia y España, los libelos y las acusaciones de crímenes rituales en toda Europa, en Asia, hasta en Rusia en el siglo XX. Además, en los libros de rezos los días de guardar leía yo las plegarias escritas por mártires de la fe. Me conmovían muchísimo. Ahora lamento no haber profundizado en esos temas. Por instinto de conservación quizá, preferí leer sobre las épocas luminosas. Y entre esas historias me atrajo sobre todo la historia de los judíos en la España musulmana y cristiana, antes de la expulsión de 1492.

La historia de Sefarad.

Que fue la Jerusalén del exilio o, mejor dicho, la tierra de muchas Jerusalenes: Toledo, Córdoba, Málaga, Zaragoza, Gerona. Buena parte de España es, junto con la antigua Judea y quizá con Alejandría, la gran zona arqueológica del judaísmo. «La época de oro en España», así se titulaba el capítulo de esa historia, y así la recordaba Graetz, aquel pionero de la historiografía judía cuya obra consulté en una traducción al español publicada en México que tenían mis dos abuelos. Era emocionante leer cómo, siguiendo el ejemplo de los árabes, los judíos se apasionaron por la poesía y las ciencias, y descubrieron a los filósofos griegos. Tan positivo fue el tratamiento de Graetz a esa época que lo hicieron miembro de la Real Academia de la Historia en Madrid. Esa historia dorada que leía en la escuela evocaba a los poetas, filósofos, estadistas, diplomáticos, astrónomos, médicos, teólogos y científicos que vivieron en España, en Sefarad. Leímos un poco a los grandes poetas y filósofos del amor terrenal y del amor a Dios: Salomón ibn Gabirol, Moses ibn Ezra, Yehudá Ha-Leví. Recuerdo una línea en que este último lamenta la guerra entre cristianos y moros, con los judíos en medio:

Entre los ejércitos de la cruz y del creciente,
mi ejército se perdió, y no queda más guerrero en Israel.

Tal vez idealizándola, esa historia ponía énfasis en la fugaz convivencia de esos hombres con sus pares musulmanes y cristianos, por ejemplo, en la escuela de traductores de Toledo. También estudiamos, muy someramente por supuesto, la filosofía de Maimónides y hasta dimos una ojeada a las disputas teológicas en Tortosa y Barcelona sobre la religión verdadera. Luego, abordamos la gran masacre de Sevilla en 1391 después de la peste negra, las acusaciones de crímenes rituales, la declinación en el siglo XIV y la expulsión de los judíos de España. Pero yo prefería volver a la era dorada.

En tu cercanía con la España actual hay quizá ecos de aquellos estudios.
   Desde que visité España por primera vez en 1987 y fui a Toledo, lo viví como un reencuentro con la época de Alfonso X, el Sabio. Me emocionó visitar Santa María la Blanca y ver las inscripciones hebreas de la vieja Sinagoga. Para entonces ya había formado un acervo de historiografía de Sefarad, sobre el cual vuelvo periódicamente. En cuanto al ideal de convivencia y tolerancia, sigue siendo eso, un ideal. Y sin embargo, algo ha avanzado gracias, entre otros, a ese hijo de España (no reconocido) que fue Spinoza. Un hijo que siempre tuvo presente a España, y a los filósofos y poetas de Sefarad.

¿Mencionaban esos libros escolares tuyos a Spinoza?
   Dubnow le dedicaba un párrafo brevísimo en el que lo reconocía como un filósofo admirado por la humanidad. Señalaba que, habiendo sido excomulgado, no se había convertido al cristianismo. Y concluía que era considerado un hereje por ambas religiones. Era una visión neutra, reticente. Hablaba de él en paralelo con

אין אויך געוווען אויסגעשלאָסן פֿון דער אסטטערדאַמער קהילה, וווייל
ער האָט אויפֿגעהערט גיין אין שול דאָורנען און ניט געלעבט נאָכן אי־
דישן שטייגער. ער האָט זיך פֿאַרטיפֿט אין פֿילאָזאָפֿישע פֿאַרשיינונגען

39. מנשה בן־ישראל   40. בָּרוּךְ שפּינאָזאַ

און האָט זיך געמאַכט אַ נאָמען אויף דער גאַנצער וועלט מיט זיינע
צוויי ווערק: דער „טעאָלאָגיש־פּאָליטישער טראקטאַט" און „עטיק".
פֿאַר זיינע פֿרייע געדאַנקען ווענן גאָט און וועלט (פּאַנטעאיזם") האָבן

Página dedicada a Menasseh y Spinoza en el libro de Dubnow. Traducción del ídish: «Spinoza profundizó en los conocimientos filosóficos y labró para sí un nombre en el mundo entero con sus dos obras: el *Tractatus theologico-politicus* y la *Ética*».

Menasseh ben Israel, probable maestro de Spinoza, líder de la comunidad judía de Ámsterdam que, en el mismo año de la excomunión de Spinoza (1656), logró el reingreso de los judíos a Inglaterra después de cuatro siglos de haber sido expulsados. Ambos, de diferente manera, habían luchado por la libertad. A mí me intrigaba Baruch Spinoza, porque mi abuelo comenzaba a hablarme de su vida y su obra. Spinoza representaba otro tipo de pertenencia: no al pueblo judío ni al cristiano, sino a la humanidad sin más.

El himno de los partisanos

Los siglos XIX y XX ¿cómo aparecían en los libros escolares que comentas?
Como lo que fueron crecientemente. Una vuelta al martirologio. De poco había servido la Ilustración. Los judíos reformistas se habían asimilado a su entorno y hasta renunciado a su fe, muchos de ellos de manera entusiasta, solo para descubrir que no eran

aceptados. En el siglo XIX reaparecieron en Europa casos de persecución, libelos y acusaciones de crímenes rituales calcados del medievo. Los estudiamos con detalle, igual que los «pogromos» en Rusia y Ucrania, el caso Dreyfus en Francia, y el corolario de todo ello, el surgimiento del sionismo. Creo que ahí terminaban los cursos.

¿Abordaban el Holocausto?

De otra forma. Recuerdo vivamente la solemnidad con la que año tras año conmemorábamos en el colegio el levantamiento de los judíos en el gueto de Varsovia, del 19 abril al 16 de mayo de 1943. Entre las astabanderas se colocaba una inmensa tela con una pintura imaginaria de Mordechai Anielewicz, el líder de aquella fugaz rebelión. Aparecía desafiante, con una granada en la mano. Los alumnos hacíamos guardia y había un pebetero. Por cierto, Anielewicz era originario de Wyszków, el pueblo natal de mi padre. A veces pienso que pudo haber sido su compañero de banca en la escuela. Y cantábamos en ídish el himno de los partisanos que eran los pocos judíos que lograron rebelarse durante la guerra, viviendo a salto de mata en los bosques de Polonia. Su autor, el poeta Hirsh Glick, escapó del gueto pero nunca se supo su destino. Seguramente fue ejecutado. Aún puedo recitar ese himno estremecedor. Es largo, pero te traduzco del ídish su primera estrofa:

Nunca digas que tu camino es el final,

Tras los cielos nublados se esconden días azules.

Por desgracia, fue el camino final para seis millones de per-

55

sonas. Entre ellos un millón de niños. «¿Cómo explicas eso? –me preguntaba mi abuelo Saúl–. ¡Un millón de niños!» Había transcurrido poco más de una década desde aquellos hechos, y sin embargo hablaba poco de ellos. En cambio muchos maestros supervivientes nos transmitían su desolación.

¿Cómo fue en tu caso la memoria del Holocausto?

Yo nací en 1947, apenas dos años después del fin de la guerra. Parte de mi familia fue aniquilada por los nazis, entre ellos una bisabuela materna llamada Perla y mi bisabuelo paterno Miguel. Junto con ellos, varios tíos abuelos. El caso de Perla fue tristísimo porque, habiéndose establecido en Filadelfia con cuatro de sus hijas, en 1939 regresó a su natal Białystok para cuidar a otra hija suya, enferma de parálisis. Madre e hija murieron seguramente en Treblinka. Un tío abuelo, su esposa e hijos sobrevivieron de milagro porque fueron deportados a Siberia. Después de la guerra vivieron refugiados en Alemania y finalmente llegaron a Montreal en 1948, donde desde 1924 vivía Moisés, otro hermano de mi abuelo. Logré entrevistarlos hacia 1963, cuando los visité por primera vez. De todos, los que se salvaron y los que no, conservo los retratos y trozos de sus vidas que he ido reconstruyendo poco a poco, zurciéndolos como haría un sastre con una tela desgarrada de la que solo quedan fragmentos. Te doy solo un dato: soy sobrino de la mujer tatuada en un brazo con el número 74,733. Se llama Dora Reym y comenzó a narrarme su historia ese mismo año de 1963, en Nueva York. Fue una auténtica heroína. Acaba de cumplir los cien años. Ella misma contó su historia en unas memorias inéditas. Su hija Mira, que sobrevivió cobijada dos años por una familia polaca, disfrazada con el pelo teñido de rubio, filmó hace años un documental sobre ella titulado *Diamonds in the Snow*. ¿Por qué el título? Porque un día en Auschwitz mi tía tuvo que cambiar un diamante por un pedazo de pan.

¿Leías libros sobre el Holocausto?

Mi tío el doctor Luis Kolteniuk, casado con Rosa, la hermana menor de mi padre, guardaba un libro que un día hojeé en secreto y quedé horrorizado. Ese libro contenía las primeras imágenes de los campos de concentración, que difundió la revista *Life*. Pero no leíamos testimonios o historias del Holocausto, porque entonces casi no existían. Habían pasado apenas diez años. Lo que sí leí entonces fueron poemas en ídish de quienes vivieron –y en algunos casos sobrevivieron– el Holocausto. Y sobre todo aprendí canciones. Hay muchas canciones de los guetos que conozco de memoria. Mi abuelo José cantaba «Belz», la historia de un *shtetl*, un pueblecillo típico como el suyo, destruido por los nazis.

¿Qué te decía a ti la esvástica?

Me daba terror, espanto. Desde joven fui amigo de José Emilio Pacheco, que vivía a unas cuadras de mi casa. Él en la calle de Choapan, yo en la avenida Benjamín Hill, ambas en la colonia Hipódromo, contigua a la Condesa. En su novela *Morirás lejos*, José Emilio recrea la tensión entre la población judía y la alemana, que eran vecinas en el extremo sur de nuestra colonia. De hecho, no muy lejos estaba el Colegio Alemán. Pues bien, José Emilio se sorprendió cuando le conté que al lado de mi casa vivía un exmilitar nazi que nunca se quitaba el uniforme color beige. Su hijo, un chico de mi edad, tampoco. Jamás cruzamos palabra.

Perdóname la pregunta brutal, ¿qué despertaba en ti la palabra Hitler?

De niño, un temor infinito. Después, la voluntad de combatir al poder absoluto.

¿Existía antisemitismo en el México de esos años?

Borges decía que el antisemitismo argentino era «facsimilar», porque el original era el alemán. Había un antisemitismo atávico, de origen religioso, pero muy vago y diluido. Yo nunca lo sentí directamente, o solo de paso, cuando alguno de los chicos con quienes jugaba futbol americano en la calle me dijo en tono de increpación: «Tú eres judío». No era el antisemitismo racial típico de Alemania. En Argentina este antisemitismo prendió más, porque Perón dio refugio a muchos nazis. En México los hubo también, pero en menor proporción. A mí no me afectó, pero recuerdo el terror de mi bisabuela Dora al verme llegar una tarde a su departamento vestido con el uniforme azul y blanco de la escuela y una estrella de David en el brazo. Me suplicaba ocultarla. Quizá nunca creyó el milagro de que su nieto y sus amigos caminaran con toda libertad mostrando (no ostentando) públicamente su identidad religiosa, sin temor de ser agredidos. Y sin embargo, cuando alguien nos preguntaba por el apellido, muchos de nosotros nos acostumbramos a responder: somos polacos.

Después del Holocausto, supongo que el nuevo Estado de Israel fue la cara de la esperanza.

El Holocausto tuvo, en casi todo el mundo occidental, el efecto de abrir una tregua, que en su momento pareció definitiva, en la hostilidad histórica contra los judíos. A esa tregua –la más costosa pagada por ningún otro pueblo en la historia universal– se aunaba el prestigio de Israel. Nosotros en el colegio participábamos de esa esperanza. Cada lunes, en la escuela se izaban las banderas de México e Israel. Y después del himno mexicano cantábamos «Hatikvá», el himno de Israel, inspirado en el «Moldavia» de Smetana, que a su vez se basó en una vieja melodía popular italiana: «La Mantovana». Los nuevos maestros israelíes que nos enseñaban hebreo nos hablaron de las técnicas de irrigación que hacían florecer el desierto, la educación de los inmigrantes (incluidos los judíos de vieja estirpe árabe o sefardí venidos de África o el Lejano Oriente), los avances científicos, los hallazgos arqueológicos y, quizá lo más notable, el renacimiento del hebreo como lengua nacional y literaria. En los años sesenta, sobre todo a raíz de la Guerra de los Seis Días en 1967, algunos amigos míos decidieron emigrar a Israel. Sí, Israel significó esperanza, pero éramos inconscientes de que esa esperanza se fincaba en la trágica expulsión del pueblo palestino. Yo comencé a entenderlo poco después.

¿Nunca consideraste emigrar a Israel?

No. Tampoco a Estados Unidos o Canadá, donde teníamos familia. Nunca imaginé la vida fuera de México. Igual que la mayoría de mis compañeros, opté por permanecer en mi patria mexicana.

El idioma de la resurrección

Tu familia era una Babel de idiomas.

No tanto. Los bisabuelos solo hablaban ídish. Ya siendo adolescente, cuando escuché a Dora decir una frase en español, quedé atónito y le dije: «¿Hablas español?». Los abuelos hablaban con nosotros en ídish pero sobre todo en su peculiar español (lo aprendieron de sus hijos). El polaco no existía, a diferencia del ruso, que estaba presente. Mis abuelos maternos lo hablaban entre ellos. Para mi abuela Gueña, el ruso era su idioma habitual, tanto como el ídish. En su juventud había leído a grandes autores rusos como Pushkin, Lérmontov y, en especial, al elegante y ponderado Turguénev, que le encantaba. Conocía muy bien sus vidas, en particular la del «disoluto y genial conde Tolstói». Tenía un ejemplar del *Quijote* en ruso, con una portada a colores con el caballero (muy rusificado, de barba rubia) acometiendo resueltamente a los molinos de viento. Me dice mi madre que cuando sus padres querían que no los entendiera, o cuando peleaban, se pasaban al ruso. Gueña tenía en México un círculo de amigas rusas con las que se juntaba a tomar el té. El samovar nunca faltó en su casa. Con sus nietos usaba palabras de cariño provenientes del ruso, como *krasavitz*, que quiere decir «belleza», «preciosidad». A sus nietos les decía «pupele» o muñequito, que viene de «pupe». Hay muchas palabras en ídish que provienen del ruso.

¿Y en tu casa?

Solo se hablaba español, pero había libros en inglés (novelas de moda) y mis padres escuchaban canciones de Broadway. Mi padre, que llegó a los ocho años a México, no hablaba nunca ídish, solo al final de su vida recurría a ciertas palabras de amor. Helen, mi madre, que vino a los seis, lo hablaba (a sus más de noventa años lo habla aún) con elegancia, casi tan bien como el inglés, aunque obviamente su lengua es el castellano. Yo solo lo hablaba para comunicarme con mis bisabuelos, y un poco con el abuelo José. Con los otros abuelos hablaba castellano.

¿Entonces hablas ídish, lo lees, lo entiendes?
Yo fui perdiendo el ídish. Aunque lo entiendo y escribo (en caracteres hebreos, de derecha a izquierda) y puedo leerlo con dificultad. Aún tarareo las canciones que aprendí de niño, repertorio tristísimo de la Europa del Este, en el que por excepción se cuelan melodías de alegría extática. Solo después comencé a comprender el significado de esa formación. Había estudiado en el idioma entrañable pero moribundo de los judíos de Polonia, Rusia y algunas partes del viejo Imperio austrohúngaro, una lengua milenaria, nacida del alemán, salpicada de palabras rusas, polacas, hebreas. Creíamos que era vigente. Pero el ídish, la lengua de mis abuelos, moría con mi generación. O quizá había muerto antes, sin darnos cuenta.

¿Qué es lo específico del ídish?
Si tuviera que definirlo, te diría que se parece obviamente al alemán, del que proviene. El ídish es un idioma ropavejero que compraba y vendía palabras usadas de todos los idiomas en su modesto saco. Pero un ropavejero con gramática propia y una vasta literatura. Era el idioma de los pequeños pueblos y de los guetos. ¿Lo específico del ídish? Quizá la nostalgia, la capacidad de condolerse. Como todo idioma, el ídish es un precipitado de la vida, por eso contiene palabras que la encarnan, que la expresan. Hay una palabra para el gozo que sienten los padres de sus hijos (*najes*) y otra para el dolor que les provocan (*tsores*). El ídish está lleno de sutiles refranes sobre la vida práctica.

¿Por ejemplo?
De mi bisabuela Dora recuerdo este: «Ahí donde dos duermen, un tercero nunca sabe lo que pasa». De mi abuelo Saúl, dos dichos de sastre sobre los dolores humanos. Uno era: «Ya se planchará». Otro, señalando el corazón, decía, aconsejando cautela y fuerza: «Hasta el ojal». De mi abuela Gueña, una prevención contra la

envidia: «Cuando se tienen niños en la cuna, hay que tener a la gente contenta». Y luego las canciones. Muy tristes casi todas. Una muy famosa titulada «En la chimenea», *Oifn pripitchik*, evoca la escena del profesor (el *rebe*) enseñando el alfabeto a los pequeños niños. Un día, ya muy viejita, mi abuela Gueña me apuntó en un papel una canción de cuna sobre las penas que esperan al niño cuando crezca. Y ahora mi madre me deja canciones melancólicas en ídish en el teléfono celular. Pero curiosamente el ídish también es una lengua muy dúctil al humor. Freud coleccionaba chistes idiosincráticos en ídish y hasta escribió un libro sobre la relación del chiste con el inconsciente. Hay también muchos apelativos para designar la tontería humana. O la buena y la mala suerte. Y palabras soeces, por supuesto. Debo decirte que me molestaban particularmente las palabras racistas contra los no judíos y las no judías. Nunca las usé y no quiero repetirlas. Crecí y me eduqué a la escucha de una reliquia. A menudo me llegan a la mente sus arrullos, maldiciones y bendiciones, juramentos y muletillas, conjuros y rezos, admoniciones y supersticiones, cosas que decían mis abuelos. Me gusta imitar su entonación lastimera.

Te refieres al ídish coloquial, el del día a día. ¿Pero cuál era su aporte cultural? ¿Lo estudiaste?

Sí, la escuela hacía énfasis en la vocación humanista del ídish. Le rendía homenaje permanente, mantenía su antorcha encendida. Durante la segunda mitad del siglo XIX y las tres primeras décadas del XX, esa cultura tuvo una expansión sorprendente en Europa del Este. Centrado en el culto al ídish (expresado en novelas, cuentos, leyendas, poemas, historias, obras teatrales, crónicas del mundo judío, periódicos, revistas, editoriales), floreció un humanismo respetuoso de las tradiciones, distante de la ortodoxia religiosa, abierto a la civilización occidental. La literatura en ídish reflejaba aquello que estaba más allá de los libros religiosos en hebreo: la vida cotidiana de la gente sencilla: el tendero, el zapatero, el arriero, el sastre, el lechero. Por eso fue tan popular. Además, antes de que lo arrasara la Segunda Guerra Mundial, se tradujo al ídish buena parte del canon literario universal. Ese mundo produjo un teatro legendario (que atrajo a Kafka), a los famosos *stand-up comedians* que surgieron en Polonia y terminaron en Nueva York, y a tres o cuatro generaciones de escritores notables, ahora olvidados, el último de los cuales fue quizá Isaac Bashevis Singer. Hubo otros escritores de relieve que antes o después de la Segunda Guerra Mundial lograron emigrar a Israel o a Estados Unidos y siguieron escribiendo en ídish. Pero fueron los menos. La mayoría murió en los campos de concentración nazis o en las purgas estalinistas, en particular una dirigida específicamente contra ellos hacia 1950. Creo que el corpus central de esa literatura en ídish está en la biblioteca de mi abuelo, que conservo acá, en mi estudio.

¿Había una actividad editorial en ídish en México?

Por supuesto, muy intensa. A estas alturas ya nadie la recuperará. Hubo novelistas, poetas y ensayistas de la generación de mis abuelos, algunos meritorios, todos olvidados. Uno de ellos fue Leo Katz.

Este hombre, contemporáneo y amigo de mi abuelo, tuvo una vida de novela. Fue un activo comunista en su natal Bukovina, sufrió persecuciones, introdujo armas para el ejército republicano en España, se estableció en México donde fundó a principio de los cuarenta la Liga Antifascista y dirigió algunas publicaciones como *Freiewelt* («Mundo libre») y *Tribuna Israelita*. Su idioma era el ídish y su religión el comunismo. Es el traductor de *Espartaco* de Howard Fast al ídish. Aquí publicó su primera novela. La tengo, autografiada para mi abuelo. Fue el padre de Friedrich Katz, el gran historiador de la Revolución mexicana y

Anuncio en un periódico en ídish: «Adquiera la *Historia del pueblo de Israel* de Graetz, para que sus hijos no se aparten de sus raíces».

biógrafo de Pancho Villa. Katz fue el primer historiador de estirpe judía ocupado de temas mexicanos. Y hubo varios periódicos en ídish que duraron una o dos generaciones, pero que luego desaparecieron por falta de lectores. José, hermano mayor de mi padre, publicaba en esos órganos artículos en ídish o español sobre temas de la comunidad. Compiló un libro con esos textos. El hijo mayor de don Saúl tenía que ser escritor y la hija menor, Rosa, fue filósofa. Solo mi padre fue empresario. Debo decirte que José, el periodista, era él mismo un personaje de una novela judía, un soñador de tiempo completo que diseñaba planes para mejorar el mundo, el Medio Oriente, México, la Ciudad de México, la colonia Acacias (donde vivía) y la comunidad judía. Yo lo quería mucho, pero desde niño lo escuché con displicencia, porque sus proyectos me parecían absurdos o utópicos. Era un quijote ciudadano. Te doy solo un ejemplo: propuso en los años setenta instaurar al policía de la cuadra en México, el policía de confianza de la gente. Era una buena idea, pero nadie le hizo caso. Estas ideas las publicaba en la sección de cartas de los periódicos principales de México.

Tu contacto con el ídish ¿fue también literario?
    Gracias a un profesor llamado Saúl Ferdman (que había huido de los nazis, pasado la guerra en Kazajistán y era autor de una gramática del ídish), leí en ese idioma algunas obras de Sholem Aleijem, I. L. Peretz, Sholem Asch, Israel Yehoshua Singer. Kafka decía que todos esos autores en ídish escribían historias folclóricas y a él –el menos folclórico de los escritores– le parecía muy bien porque definía al judaísmo no solo como una cuestión de fe sino, sobre todo, como una forma de vida comunitaria condicionada por la fe. A mí me atrajo de joven esa literatura costumbrista, anclada en el pasado. Los personajes de Sholem Aleijem enfrentaban la desdicha milenaria con humor. Personajes inolvidables: el condenado al infortunio, el bobo del pueblo, el atolondrado. La fama de esas novelas murió con el idioma en que estaban escritas. Ferdman decía que el ídish fue la víctima lingüística y cultural del genocidio nazi pero también del estalinista, que lo erradicó en todos los confines de la URSS. En los anuarios del colegio hay textos míos en ídish. Por ejemplo, un perfil

biográfico de mi abuelo Saúl basado en las conversaciones que teníamos en su casa. Ferdman trabajó conmigo el texto en su cubículo. Fue la primera vez que vi a un editor en acción, marcando y corrigiendo un manuscrito.

¿Mantenías una conversación literaria con tu abuelo en torno a esos autores?
Claro, sobre muchos de ellos. Recuerdo una novela en particular, de Sholem Asch, que fue tema de conversación. Se titulaba *Kiddush HaShem,* que quiere decir «En el nombre de Dios». Cuenta el pogromo perpetrado por los cosacos de Bogdán Jmelnitski sobre una población judía en Ucrania, en 1648, a través de una historia de amor conmovedora y trágica. La heroína muere por propia mano en un acto de doble comunión: con Dios y con su esposo muerto. Mi abuelo nunca olvidó a los autores en ídish que escribieron en el siglo xix y las primeras décadas del xx. Tampoco a los que murieron en el Holocausto y después, en las purgas soviéticas de los años cincuenta. Estaba suscrito a editoriales y a un periódico en ídish de Nueva York: el *Forverts.* También mi abuelo José recibía ese diario. *Forverts* cerró hace algunos años. Aunque algunos grupos académicos o fundaciones quieren revivirlo, y han hecho esfuerzos admirables, como idioma vivo el ídish casi no existe salvo en enclaves ultrarreligiosos de Nueva York o Jerusalén.

El único autor que conozco de esa tradición es Isaac Bashevis Singer.
A mi abuelo no le gustaban sus cuentos, cargados de sexo, magia, demonios, hechizos. Singer abrió la puerta al lado irracional de la vida, rasgo no muy frecuente en la literatura en ídish, más bien naturalista, realista, costumbrista y al final expresionista, y esa apertura le incomodaba. Prefería a su hermano mayor, el novelista Israel Yehoshua Singer, autor de dos novelas sobre derrumbes familiares: *Los hermanos Ashkenazi* y *La familia Karnowsky.* Ambas tienen ecos evidentes de *Los Buddenbrook.*

La aventura de un idioma y una cultura. Parece mentira que se haya desvanecido.
Es significativo que ese humanismo arraigado en el ídish tuviese

un nombre derivado del idioma, no de la religión, la raza o la tierra: *Idishkeit*. Algo casi intraducible: *idishidad*. Mis abuelos la encarnaban. Te la he delineado en el aspecto de la cultura intelectual, su devoción por la historia y la literatura, pero me faltaron dimensiones clave, como la comida. Quizá la comida es lo último que muere en una cultura. Y en ese sentido mi abuela Clara era la guardiana de la cultura. El ídish no tuvo esa suerte.

Muerte y resurrección. Un idioma murió, otro renació.

Uno nunca sabe. En su discurso del Nobel, Singer explicó por qué escribía en una lengua moribunda: «Primero, me gusta escribir historias de fantasmas y nada se acomoda mejor a un fantasma que un idioma moribundo. Mientras más muerto esté el lenguaje, más vivo estará el fantasma. Los fantasmas aman el ídish, y hasta donde yo sé, lo hablan. Segundo, no solo creo en fantasmas, también admiro la resurrección. Estoy seguro de que millones de espectros de habla ídish se levantarán algún día de sus tumbas y su primera pregunta será: ¿Hay algún nuevo libro en ídish para leer?».

¿Qué libro suyo prefieres?

Sus memorias. Pero también sus cuentos, incluso sus cuentos para niños. Ahora recuerdo un cuento titulado «The Spinoza of the Market Street», traducido del ídish. Trata de un viejo y solitario erudito spinoziano educado en Europa Central que vive en Varsovia. Su vida consiste en leer la *Ética*. Es un ser que se guía solo por la razón. Conoce de memoria cada proposición, demostración y escolio. Por las mañanas se asoma a la ventana para contemplar el absurdo ajetreo del mundo. Por las noches mira el firmamento, confirmación del infinito Dios spinoziano. Pero de pronto estalla la guerra mundial, la vida se vuelve azarosa y cruel, el hombre enferma y aparece una vecina estrafalaria y particularmente desagraciada (el malévolo Singer nota que tenía un bigote). La mujer lo cuida. Se acercan, se procuran, se casan. Y la noche de bodas ocurre el milagro de la resurrección del amor. El spinozista pide perdón a Spinoza. Me gusta, aunque la historia que narra Singer no se asemeja a la de don Saúl y tampoco es muy fiel a la filosofía de Spinoza. En la *Ética*,

Spinoza alienta la alegría amorosa, no la renunciación ni el ascetismo ni el apartamiento del mundo. En eso mi abuelo Saúl lo conocía mejor. La regla de su vida era la alegría vital. En ídish se dice *Gliecklejkeit*. Siempre sonreía.

Es tan extraño. Spinoza, el heterodoxo sefardí, reivindicado por los ashkenazíes seculares. ¿Leía tu abuelo a Spinoza en ídish?
  Sí. Ya lo veremos en su biblioteca.

Spinozistas

Tengo la impresión de que tu abuelo Saúl terminó por ser tu principal eslabón con el pasado judío y sus generaciones. No con su religión, pero sí con su historia, su literatura, el ídish. Tu eslabón de identidad con el mundo judío y con la heterodoxia del mundo judío que representó Spinoza.
  Quizá. Pero sobre todo en el tema de Spinoza. Mi abuelo ejerció sobre mí una modesta pedagogía spinoziana. Me enseñó que Spinoza representaba una pertenencia más amplia. No a una nación ni a una religión ni a una tribu: a la humanidad. Me habló del primer precursor de Spinoza, un personaje del siglo I llamado Elisha ben Abuyah. Se refería a él con tal vehemencia que una de las primeras novelas históricas que leí estaba basada en su vida: *Como una hoja al viento*, de Milton Steinberg. No sé cómo llegó a mis manos. El drama de Elisha ocurrió en medio de la destrucción del Segundo Templo, en el año 70 d. C. Había sido uno de los grandes sabios de su época, y era muy respetado, hasta que dio la espalda a su religión. Atraído por la cultura helenística, se volvió un hereje.

Un Spinoza en el siglo I. ¿Cómo se dice hereje en hebreo?
  Hay varios vocablos que designan la herejía. La que se aplicó a él fue *apikoros*, que proviene de la palabra griega para «epicúreo». Déjame enseñarte a propósito de Spinoza y otros herejes unas viejas tarjetas postales que don Saúl conservaba en su biblioteca. Ahí

encontrarás una respuesta. Como ves, están inscritas en ídish e impresas en Polonia. Son copias de óleos que fueron famosos en su tiempo, obra de un pintor judío polaco llamado Samuel Hirszenberg.

Las postales circulaban como ahora el internet. ¿Era popular Spinoza en esos sitios?

Los intelectuales judíos de la generación de mi abuelo que en sus pequeños pueblos de Europa del Este habían sido educados en el mundo ortodoxo, sus escuelas talmúdicas, sus costumbres milenarias, vieron a Spinoza como un símbolo de su propia emancipación: laica, humanista y secular. Lo mismo había ocurrido con muchos intelectuales de Europa central y Alemania desde la Ilustración y a lo largo del siglo XIX. Sus pequeñas bibliotecas contenían sus obras. Martin Buber escribió a principios del siglo XX que «el judío nuevo, el judío de la emancipación, seguía los pasos de Spinoza, sin su genio pero con un arrojo diabólico». No sé por qué lo llamaba «diabólico», pero sí, el spinozismo se volvió un fenómeno extendido y singular. Había clubes spinozistas en Ámsterdam y

Pocos como Hirszenberg retrataron el espíritu judío y lo vincularon con sus tradiciones y su historia.

Nueva York, había traductores y estudiosos de Spinoza en Buenos Aires y Varsovia. En los años veinte se tradujeron al ídish sus obras, en especial la *Ética* y el *Tractatus theologico-politicus*, pero su fama era anterior. De ahí las postales.

Veámoslas...

Son muy interesantes porque describen la trayectoria de emancipación del pintor. Las dos primeras son de 1887. Una se titula *La escuela talmudista*: en una habitación umbrosa unos jóvenes estudian el sagrado libro milenario con un tedio o tristeza que también lo parecen. Uno duerme, otro medita, uno coteja, otro divaga. Por una ventana penetra la luz tenue, y uno de ellos quisiera alzarse para que lo ilumine. Claramente, la postal –basada en un óleo que se conserva en un museo de Cracovia– alude al deseo de los judíos jóvenes a buscar la cultura universal. Mira esta otra: ocurre en el estudio de Uriel da Costa, un atormentado filósofo judío portugués de origen español y emigrado a Ámsterdam cuya trayectoria fue similar a la de Spinoza aunque su destino fue muy distinto. Da Costa fue un antecesor de Spinoza que, como él, fue excomulgado

La errónea descripción del niño Spinoza junto a Da Costa no le resta verosimilitud a una escena por demás elocuente.

por sus ideas heréticas. En la postal (que parte de un óleo que se ha perdido) el niño Spinoza (con caireles y extrañamente rubio, cuando era de tez morena) está sentado en el regazo de aquel personaje que se aferra ya sin esperanza a la vida. El niño tiene en sus manos unas flores marchitas, símbolos de la naturaleza que será un tema central en su filosofía. Es una escena idealizada, aunque pudo haber ocurrido, porque Spinoza nació en Ámsterdam en 1632 y Da Costa murió en esa misma ciudad en 1640. Su biografía fue dramática. Se escribieron y representaron obras de teatro sobre Da Costa. Lector de Epicuro, formado en el cristianismo, converso al judaísmo, renegó de ambas creencias y volvió a ellas, pagando un costo íntimo y social altísimo, porque fue excomulgado repetidas veces. Incapaz de tolerar el ostracismo, finalmente se suicidó.

¿Qué sabes del pintor Hirszenberg?

Investigué un poco su trayectoria. Me conmueven mucho sus óleos realistas y simbolistas. Fue famoso en su tiempo en medios judíos y polacos. Vivió entre 1865 y 1908. Nacido y formado como artista en Lodz, Polonia, siguió su formación en capitales europeas

Las postales de Hirszenberg son un reencuentro con la historia milenaria del pueblo judío.

como Múnich y París, donde pintó paisajes y retratos impresionistas con cierto éxito, pero volvió al origen, a Lodz (donde pintó un palacio aristocrático) y a Cracovia, donde retomó el tema judío y recreó cementerios, lápidas, lamentaciones. Una postal que trajo mi abuelo representa la diáspora judía, el éxodo eterno: una caravana de gente vencida, hambrienta, sufriente, que atraviesa la tundra de la historia. Siendo spinozista, Hirszenberg nunca dejó de ser y sentirse judío. Un judío por la historia, por la lengua, por la conciencia aguda del sufrimiento milenario. Como mi abuelo.

Esta postal me llama la atención...

Es muy impresionante. Es de 1907, casi al final de su vida. El joven Spinoza camina sereno frente a la sinagoga de Ámsterdam con un libro profano bajo un brazo y leyendo con atención otro similar, mientras nueve de sus antiguos correligionarios lo ven con recelo: uno le cierra la puerta del templo, otros murmuran a su espalda, otro toma un guijarro para arrojárselo. Spinoza, el hijo pródigo de la Sinagoga, hubiese podido completar el *Minyán* (los diez hombres necesarios para hacer posible el rezo), pero él, que viste ropas mundanas y tiene un aspecto claramente holandés, no se da por enterado. Nada lo perturba. Ha elegido su propio camino de soledad. Algo así debe de haber ocurrido. El cuadro original está en un museo ruso.

Es muy famoso el episodio de la excomunión de Spinoza. Fue excomulgado por expresar la crítica de las Escrituras.

Que años más tarde vertería en su *Tractatus theologico-politicus*. También fue expulsado por divulgar la embrionaria idea de Dios como una substancia única, idéntica a la naturaleza, inabarcable e infinita, que formularía finalmente en su *Ética*. Esa idea suplantaba al Dios personal. Era una idea intolerable, una herejía. La excomunión –llamada *herem*– fue al parecer menos aparatosa que la de Uriel da Costa. La comunidad lo instó a disimular sus ideas y él sencillamente se negó. Está publicado el decreto de excomunión. Spinoza escribió su propia defensa en español (que se ha perdido), pero no parece haberse inmutado mayormente, porque nunca se refirió a ella en sus cartas. Hacia 1660 se fue de Ámsterdam, quizá por precaución, porque afuera de un teatro un fanático había querido apuñalarlo (guardaba el saco rasgado). Pero su verdadera razón para refugiarse primero en Rijnsburg, luego en Voorburg y al final en La Haya, fue disponer de todo su tiempo para escribir sus libros. Contra lo que se cree, no fue un anacoreta. En los lugares donde vivió estuvo rodeado de amigos, científicos, teólogos disidentes y políticos liberales.

¿Por qué, piensas tú, ha sido tan significativa esa excomunión?

Por el sitio espiritual inédito en que se colocó. Hay que subrayar que Spinoza salió del judaísmo, pero no se convirtió al cristianismo, y creo que su caso no tiene precedentes. Tuvo la fuerza interna para quedarse en los márgenes de ambos mundos, instalado en una crítica de la religión monoteísta, cristiana y judía, pero sin desembocar en el escepticismo filosófico o en el ateísmo (él, te repito, nunca se consideró ateo, le ofendía que lo consideraran ateo). Fue un Da Costa dichoso, lúcido, sereno, valiente. De su crítica a las Escrituras se desprende la crítica a la autoridad religiosa sobre la vida civil, las conciencias y los individuos. Nada menos. Y de esa crítica se desprende, a su vez, una radical defensa de la libertad de creencia y de pensamiento.

El spinozismo es para algunos una especie de religión laica. ¿Así lo vivió tu abuelo? ¿Así lo has vivido tú?

Para mi abuelo sí lo fue. No tengo duda. Y para generaciones de judíos seculares, desde el siglo XIX, lo fue también. Yo no lo veo ni lo vivo así, pero conforme han avanzado las décadas encuentro más que leer y aprender en Spinoza. Ante todo, he hurgado en su misteriosa biografía. Casi no hay datos, nunca reveló nada de sí mismo, se ocultó tras su obra. Quiso ser su obra. Pero se han ido revelando detalles significativos sobre su vida y su familia. Luego, a pesar de la dificultad de su lectura, me ha interesado mucho la *Ética*: no tanto sus discusiones teológicas sino sus observaciones sobre las pasiones humanas y sobre el margen de libertad que nos es dado o que podemos conquistar a través del entendimiento «claro y distinto» de las cosas, sin lamentaciones ni entusiasmos inútiles. Pero lo que más me ha importado no está en la *Ética* sino en su *Tractatus theologico-politicus* y en su *Tratado político*, este último inconcluso. Su lugar en el canon liberal es no menos importante que el de Locke, a quien tú has estudiado tanto.

Me importa que hablemos alguna vez largamente de Spinoza, pero más del Spinoza de don Saúl, que te marcó. ¿Tu abuelo había estudiado seriamente a Spinoza?

Realmente no. Su Spinoza estaba obviamente diluido o simplificado. También el mío, porque a pesar de haber acompañado mi vida de lector por tanto tiempo no soy filósofo ni especialista en el tema. Mi abuelo sabía de memoria algunas proposiciones, escolios, frases sobre el amor, las pasiones, la naturaleza y Dios o, más bien, la naturaleza como el único Dios. Conocimiento convencional, pero tomaba en serio ciertas ideas de Spinoza. Me decía cosas curiosas, por ejemplo, que como Spinoza él también había vivido de un oficio independiente: Spinoza era pulidor de lentes para microscopios y telescopios, y mi abuelo hacía trajes. «Tengo mis diez dedos, y eso me basta», era su frase. No había estudiado en ninguna universidad salvo en la «universidad de la vida». Se ganaba la vida con su oficio y gozaba la vida contemplativa de su biblioteca. No fue rico ni le importaba el dinero. En la sastrería había tenido un asistente a quien, al retirarse, le regaló todo; un puñado de ayudantes, y nada más.

¿Aplicaba la Ética *de Spinoza?*

Yo creo que sí, su actitud racional, su paciencia ante las locuras humanas, su disposición a entender. Transmitió a sus hijos y nietos la devoción por ese filósofo y por la filosofía. A mi padre, que era un hombre práctico, no le interesó, pero alguna vez descubrí el elogioso y sustancial artículo sobre Spinoza en la *Enciclopedia Judaica Castellana* que tenía mi tío José, subrayado y anotado con pluma roja y expresiones de euforia. Y mi tía Rosa no tuvo duda en matricularse en la escuela de Mascarones para estudiar filosofía. Mi abuelo apoyó a su hija en su emancipación intelectual. También él de joven se había emancipado: había dejado de niño la escuela religiosa y había escapado a Varsovia a aprender un oficio y a sumergirse libremente en la cultura europea. Esa atmósfera había sido su «universidad». Mi tía se apartó del mundo social judío para incorporarse de lleno en la cultura mexicana, para estudiar en la UNAM. Él la había alentado. También a mí me alentó.

Pero eso ocurrió con muchos jóvenes judíos.

Lo que no era nada frecuente en México es que los jóvenes judíos se casaran con no judíos. Yo traspasé ese límite y la tolerancia de mi abuelo me ayudó. Cuando le conté que me había enamorado de Isabel Turrent,

La biografía de Spinoza en la *Enciclopedia Judaica*, «profanada» por las alegres notas de mi tío José.

una chica católica, comprendió, respetó y celebró mi amor. En cambio mis padres se resistieron por largo tiempo. Ese fue un buen momento spinoziano de mi abuelo (que, por cierto, compartió con Clara su mujer). Lo veían como algo natural. Y como es natural, Isabel y yo nos casamos solo por lo civil, spinozianamente.

Socialistas

En tu libro Travesía liberal *abordaste el socialismo de tu abuelo. Me di cuenta de que era el tema predominante entre ustedes.*

Así es. El socialismo sí era lo más cercano a una religión. Era el ideal de fraternidad universal. Por eso no solo Saúl y su familia fueron socialistas, también Gueña y José, mis abuelos maternos, fueron socialistas convencidos, partidarios de la Revolución, simpatizantes de la URSS y hasta leninistas. Puedes decir que tres cuartas partes de mi abolengo son socialistas. Y quizá más, porque con mi abuela Clara nunca hablé de temas políticos. El socialismo ha sido un tema permanente de mi familia y lo sería en mi vida.

Un abolengo socialista, mayor del que imaginé.

Un abolengo que reconozco y guardo con orgullo. Un socialismo que entiendo y justifico. Te pongo el ejemplo de mi abuela Gueña. Cuando nació, en 1902, y hasta el final de la Primera Guerra Mundial, buena parte de Polonia, y desde luego su ciudad natal, Białystok, vivía bajo el imperio zarista. Por eso Rusia era una realidad tangible en su vida. Mi abuela conservó siempre el gusto por la cultura rusa, sobre todo su literatura y su música. Yo creo que me lo heredó, porque la música clásica que recuerdo de niño era toda rusa: cuartetos, conciertos, sinfonías, ballets de Borodin, Rimski-Kórsakov y Músorgski, Chaikovski. Culturalmente, muchos judíos admiraban a Rusia, pero políticamente detestaban el zarismo, y con razón. Por Gueña supe del pogromo de 1906 en Białystok, provocado –como todos– por las autoridades rusas bajo la orden directa de Nicolás II. La población polaca no intervino, y hubo casi cien muertos, fotos de cuyos cuerpos hacinados junto al cementerio pude ver años más tarde publicadas en libros y en la red. El testimonio de Gueña era vívido pero heredado de sus padres y tíos, y de su esposo José, que vivía en Kuznitza, pueblo vecino de Białystok, y tenía doce años cuando ocurrió. Años después del pogromo, en un asalto perpetrado por cosacos, Gueña protegió a sus padres anteponiendo su cuerpo al de ellos, abrió los armarios y les dijo: «Llévense todo, pero respeten su vida». Era una mujer valiente.

El antisemitismo en su versión zarista. Los protocolos de los sabios de Sion fueron un invento de la Ojrana, la policía rusa. Esos crímenes del zarismo ¿explican la simpatía de tu familia por la Revolución?

En gran medida. Mi abuela, como la mayoría de sus amigos, se volvió socialista porque igualaba a las personas y podía acabar con las persecuciones. Me narró que Białystok, como otras ciudades rusas, era un hervidero de revolucionarios. No me refiero solo de

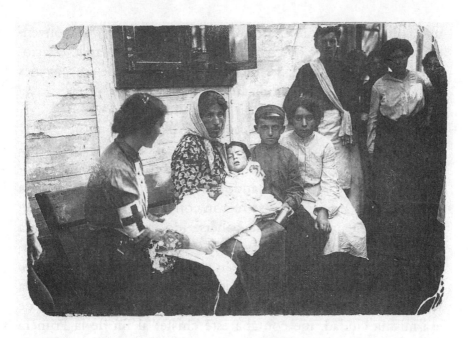

El pogromo de Białystok de 1906 dejó 88 muertos. Mis bisabuelos y abuelos nunca lo olvidaron.

judíos, por supuesto. Los jóvenes, aristócratas y burgueses, ricos o pobres, sentían el llamado de la historia: dedicar la vida, y entregarla de ser preciso, a redimir la vida miserable del campesino o del obrero, para lo cual no veían más camino que el de la Revolución, mediata o inmediata, pero la Revolución. La literatura rusa los había preparado para esa misión y la Revolución de 1905 había sido solo preámbulo de la venidera, la definitiva. Y en el caso particular de los revolucionarios judíos, hay que subrayar que buscaban la emancipación universal que incluiría la judía. El advenimiento de un mundo en el que no hubiese diferencias de razas ni religiones.

¿Pero querían conservar la religión de sus ancestros?

No. Muchos veían en ella una cárcel mental que les impedía emanciparse. En particular las mujeres, porque la religión judía es muy severa y discriminatoria con ellas. Muchas mujeres contemporáneas a mi abuela o un poco mayores se volvieron no solo *revolucionarski* sino *maximalisti*, es decir, participaron desde 1905 en el ala

75

más radical y violenta de la Revolución con un celo y un convencimiento religioso de que matando autoridades o volando estaciones de policía salvaban a la humanidad. La pasión de esos jóvenes tenía un toque mesiánico típicamente judío.

¿Te contó la abuela su reacción al triunfo de Lenin?
Una liberación. Narraba cómo los soldados bolcheviques desfilaron en Białystok, con sus elegantes capas rojas, echándoles flores a ella y a sus amigas. Cuando los bolcheviques salieron de la zona, algunas amigas suyas se fueron con ellos a Moscú o San Petersburgo. Gueña lamentó no haberse ido también. Pertenecía a un club de lectura y amaba los libros y los ideales, pero era la hermana mayor y no podía dejar a sus padres y hermanos pequeños. Te quiero decir que no solo los jóvenes se entusiasmaron con la Revolución. El sociólogo Daniel Bell, cuyos padres provenían de esa misma ciudad, me contaba este chiste: al fin de la Primera Guerra Mundial, los nietos de una anciana de Białystok le dan la buena nueva:

–Bobe, Białystok es libre, hemos vuelto a ser parte de Polonia.
–¡Gracias a Dios! Esos inviernos rusos me estaban matando.

Típico chiste judío de los que le gustaban a Freud, paradójicos.
Pero también por el sentido oculto: no solo «los inviernos rusos» estaban matando a la abuela: también los pogromos, la conscripción forzada de los jóvenes, la prohibición de entrar al servicio público, poseer tierras o ingresar libremente (sin una cuota de número) a las universidades. Había además una delimitación geográfica muy clara para los judíos en la Rusia zarista, llamada «Zona de Asentamiento», que comprendía buena parte de Polonia, Ucrania, Lituania y Bielorrusia. Salvo excepciones contadas, solo podían vivir ahí y en ninguna otra región del norte o este de Rusia. Si a esta situación le sumas el antisemitismo, entiendes por qué dos millones de judíos rusos emigraron a Europa Central y a América en las últimas décadas del siglo XIX y la primera del XX.

¿Cambió esa condición de los judíos al triunfo de Lenin?

Desde luego, cambió para bien hasta fines de los veinte. Hubo un éxodo de judíos desde aquella «Zona de Asentamiento» a Moscú y San Petersburgo, las grandes ciudades que habían estado vedadas por siglos. Por un tiempo, ese éxodo floreció en términos culturales, en particular el ídish: hubo un famoso teatro judío en Moscú (decorado por Chagall), grupos literarios, escuelas, publicaciones. «La nueva poesía ídish –escribió Peretz Markish, el mayor poeta ídish de aquella época en Rusia– es hija de la Revolución, con todos sus atributos.»

Hablemos ahora del socialismo de don Saúl.

Era nuestro tema favorito. «Fui socialista hecho y derecho», decía. Pertenecía a la generación revolucionaria por excelencia –la nacida en la década final del siglo XIX–, en la que había socialistas, bundistas, anarquistas, mencheviques, bolcheviques, maximalistas, socialrevolucionarios y sionistas (que eran básicamente socialistas orientados a construir su utopía en Palestina). Su ideología lo acercaba al Bund, el socialismo judío. Para el Bund, que fue muy influyente en Polonia y Europa del Este, los judíos no debían adoptar un aislacionismo religioso sino incorporarse a la vida social y política con la sola distinción de conservar el idioma ídish y sus tradiciones culturales. Querían pertenecer a la humanidad, participar en la edificación del progreso y la justicia, borrar fronteras religiosas, mentales, sociales, raciales y morales. Un primo suyo había sido colgado en la revolución de 1905. La familia no recibió su cuerpo sino su retrato. Conservo el testimonio que mi abuelo le dio a mi madre sobre su militancia en mayo de 1910 en Varsovia:

Cuando llegó el primero de mayo de 1910, queríamos ir todos con la bandera roja. Era un sacrificio. En aquel tiempo estaba el gobierno ruso. Nos rodearon los cosacos con los sables y los caballos. ¡Para qué te digo, fue una matanza horrible! Sin embargo, fuimos. En la plaza quedaron muchos heridos [...] Pero era un trabajo glorioso, te digo. Era un idealismo muy grande en aquel tiempo, tanto que uno era capaz de sacrificarse por el ideal del socialismo, por mejorar la vida del país y de cada uno. Nunca olvido esos episodios y a esas personas. Muchos amigos míos estaban pudriéndose en las cárceles, en las prisiones. Sufrieron tanto, no te imaginas, ¡por ideales!

Durante la Primera Guerra encontró, como muchos otros en Polonia y Europa del Este, la manera de esquivar el reclutamiento, hiriéndose él mismo en una pierna. No iba a luchar por el zar. El triunfo de Lenin en 1917 fue su momento axial: «el mundo entero temblaba en el puño de los obreros». En los años veinte fue aprehendido por las autoridades polacas suspicaces de su simpatía comunista, y pasó seis meses en un campo de concentración. No parece haber sido un suplicio, porque mi abuela Clara, diligente y amorosa, le llevaba comida. El abuelo me contaba que convivió con grandes oradores y autores, que les daban conferencias. Había bailes ucranianos con acordeones, trajes regionales. Al salir, gozó todavía algunos años de auge en su sastrería en Wyszków, pero entendía que el entorno europeo se complicaba día con día.

Si la Revolución había triunfado, ¿por qué no emigraron a San Petersburgo o Moscú cuando se volvieron ciudades abiertas? Y si la Revolución había triunfado, ¿por qué no se quedó en Polonia, a trabajar por el socialismo del Bund? Dices que era un socialismo arraigado en la patria de origen...

Lo primero, porque no era comunista. Era bundista, como te dije, esa variedad del socialismo que predicaba quedarse en su lugar de origen, servir al país de origen, pero guardar fidelidad a la cultura y el idioma ídish, y aspirar a una representación política. Algo similar cabe decir de Gueña y José, que eran menos militantes que Saúl. En cuanto a quedarse en Polonia, es cierto que los judíos habían vivido ahí por mil años, pero la independencia polaca (producto de la retirada soviética de la guerra en el tratado de Brest-Litovsk en 1918) acrecentó el antiguo antisemitismo. El problema empeoraba con quienes tenían simpatías socialistas. Por eso Saúl, fue enviado por seis meses a ese campo de concentración. En suma: no había lugar ni para los socialistas ni para los judíos, menos para los judíos socialistas sospechosos de comunismo. Ninguna de mis dos ramas era sionista. La alternativa, como vimos, era América. Estados Unidos había cerrado la cuota de inmigrantes en 1924, pero México les abrió los brazos. Así se entiende el sentido de su exilio. Si agregas el ascenso del fascismo italiano y del nazismo alemán en esa misma época, tienes el cuadro completo. Un escritor y periodista llamado Abraham Rubinstein, que dirigía un diario en México llamado *Di Shtime* («La voz»), decía: «No está en la naturaleza del hombre el emigrar». Pero tuvieron que emigrar. Desgraciadamente tres millones o más se quedaron en Polonia, pensando que era su opción o que no tenían opción. Los más jóvenes se quedaron a cuidar a los más viejos. Fueron exterminados.

¿Te contó don Saúl cómo vino a México?

Muchas veces y en detalle. Fue capaz –como decía– de «ver adelante en su nariz». Según me contó, una noticia aparecida en los diarios de Varsovia hacia 1924 ensanchó su horizonte: el presidente electo Plutarco Elías Calles –de visita en Alemania– invitaba expresamente a la comunidad judía europea a establecerse en México. Hacia 1930, con pocos dólares en la bolsa y la dirección de algún paisano, emprendió la travesía solo, desde el puerto de Danzig. En Hamburgo abordó el barco *Río Bravo*. Era rubio, casi pelirrojo, algo gordito, risueño. Tengo la foto de ese momento en la que se ve serio, circunspecto ante la incertidumbre. Aunque el viaje se planteó como un ensayo y su mujer lo consideraba una locura, muy pronto se convenció de que no habría retorno y le escribió (literalmente): vende todo y ven a México. Llegaron a Veracruz el 8 de febrero de 1931, mi padre siempre recordó la fecha. Y en México Saúl siguió perteneciendo al Bund. Siguió siendo partidario de la URSS, y socialista en sus lecturas y convicciones. «Cuando terminó la guerra yo seguía siendo un socialista», me decía. Nunca se lo pregunté, pero Saúl parecía haber desconocido los procesos de Moscú o, si los conocía, había minimizado su importancia. Siguió siendo socialista hasta fines de los cuarenta, cuando finalmente se decepcionó.

Saúl (al centro, traje claro, corbata).

¿Cómo explicas esa fidelidad de tantas décadas a la Unión Soviética?

No hay misterio alguno. Su caso fue muy común. Te recuerdo el elemento mesiánico del socialismo, muy propio del pueblo judío. Y participaban en una corriente global. El mito y la esperanza de la Revolución socialista fueron creciendo poderosamente en el siglo XIX y mucho más a partir de 1917. Asia, Europa, América toda, vieron nacer células revolucionarias. Otro factor fue el desprestigio de las democracias occidentales antes y después de la Primera Guerra Mundial. Un mundo entero se derrumbaba. La literatura de la época está llena de esa sensación de apocalipsis. Stefan Zweig lo ha retratado en sus memorias. Yo creo que fue más bien un suicidio que una decadencia ineluctable. La democracia liberal se declaró muerta, prematuramente…

Digamos que, después de la guerra, la Revolución rusa tuvo un bono de credibilidad que duró a lo largo de los años veinte. Enseguida sobrevino la crisis en 1929, que renovó el bono. Y, cuatro años después, la llegada de Hitler.

Es verdad. La llegada de Hitler le regaló otros doce años. Entre 1933 y 1945 –quizá los años más sangrientos en toda la historia humana– la prioridad evidente era vencerlo. Con Hitler en el poder, Stalin propuso su política de frentes populares para aliarse con las socialdemocracias y enfrentar juntas al nazifascismo. Occidente tuvo una razón adicional para cerrar los ojos o disimular lo que quizá sabía. Por eso el caso de mi familia no es excepcional y el prestigio de la URSS siguió casi intocado.

¿Ocurrió lo mismo en ambas ramas de tu familia?

Marcadamente. Pero no solo apoyaban a la URSS por el enfrentamiento con Hitler sino porque creían genuinamente en su superioridad histórica frente al capitalismo. Mi abuelo José detestaba a Inglaterra, le decía «nación ladrona». Poco antes de estallar la Segunda Guerra Mundial, en 1939, cumplió su sueño de viajar a Estados Unidos para ver a las cuatro hermanas que vivían en Pensilvania y a su madre Perla, que había dejado a una hija en Polonia. Aprovechó para visitar la Feria Mundial en Nueva York. En unas hojas sueltas vertió sus impresiones. Guardo una pequeña elegía que escribió sobre la URSS cuando visitó el pabellón soviético. Permíteme mostrarte y leerte unos fragmentos. Te traduzco:

La construcción que más llama la atención, la más hermosa y grande, es la rusa. En la entrada del pabellón hay una figura de bronce que representa a un hombre. En su mano estirada brilla una estrella. La flanquean dos estatuas blancas: una de Lenin y otra de Stalin. Bajo la primera se lee: «Para todos los pueblos el socialismo es solo un sueño, para nosotros es ya una realidad»… Todos los pueblos envidian al país socialista […] Su primer logro es la fuerza de su ejército y su aviación. Lo siguen las fábricas de máquinas eléctricas en el río Dniéper y el Volga. En un tiempo libre hablé con una mujer que me confesó el costo del Pabellón: ocho millones de dólares. Pero esto para su tierra es como una gota en el mar. A tal grado es rica la Rusia actual. En lo fundamental no hay analfabetismo, sobran las bibliotecas, Moscú cuenta con un subterráneo con paredes de mármol. El edificio Lenin que se construye en el Kremlin y estará listo en 1942 tendrá… ¡1350 pies de altura!

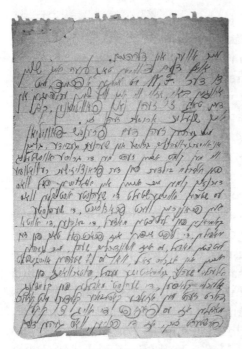

Aunque poco legibles, las impresiones de mi abuelo José de la Feria Mundial en Nueva York no pueden ocultar su emoción.

José contempló alucinado las fotografías que daban prueba del progreso ruso –«todos, aun las mujeres, trabajan»–, recorrió la «bien surtida» biblioteca del pabellón, escuchó el coro que interpretaba las «bellas canciones típicas» que tanto conocía. Sintió una nostalgia profunda: «parece que estoy en un pueblo ruso auténtico y no en América», se dijo a sí mismo y concluyó: «La patria de Lenin es el porvenir». Como ves, José permanecía fijo en la aurora rusa. Un día tuvo un breve encuentro con Trotski en Cuautla. Quizá solo un saludo. Esta vez no arengaba a los obreros de la ciudad polaca de Grodno sino a unos cuantos amigos en un balneario. Para mi abuelo José, la Revolución rusa seguía siendo la experiencia límite de su vida y la esperanza de su generación. Desgraciadamente, debido a su enfermedad, a su pérdida de memoria, yo nunca pude hablar de estos temas con él. Y mis conversaciones rusas con la bobe Gueña se quedaron en el pasado remoto que recordaba con nostalgia. Nunca hablamos de Stalin.

Es indudable que Rusia contribuyó de manera decisiva a la derrota de Hitler. Eso también debió contar mucho en la actitud de tu familia.

Para mis abuelos era imposible ver o imaginar siquiera la dramática realidad del estalinismo. Rusia parecía un lugar seguro y por varias décadas lo fue. Por lo demás, ¿qué podían saber Saúl, Clara, José y Gueña de lo que ocurría en la URSS? Todos sus pensamientos y oraciones se dirigían a lo que pasaba en Polonia, donde sus familiares estaban siendo exterminados.

¿Cuándo y por qué se desencantó tu abuelo Saúl del socialismo?

Puedo darte la fecha exacta: 1948. Cinco años antes habían visitado México, provenientes de Rusia, dos personajes que admiraba: el actor y director de teatro Solomón Mijoels y el poeta Isaac Fefer. Venían como representantes directos de Stalin, para buscar apoyo a Rusia en la guerra contra el nazismo. Mi abuelo

Mi abuelo Saúl, el sastre, decía sobre los dolores de la vida: «que no traspasen el ojal».

los trató. Pero en 1948 se enteró del asesinato de Mijoels y, cuatro años después, de que Fefer y otros autores habían sido juzgados y asesinados. Ese fue su límite. «Eran la crema y nata de nuestra literatura en ídish, eran socialistas de verdad, pero Stalin los ejecutó a todos», me decía, abriendo con pesar los libros de aquellos poetas y novelistas que tenía en su biblioteca. Su fe se derrumbó. Muerto el socialismo no había esperanza. Cuando murió mi abuelo, seguí investigando ese episodio de los poetas asesinados. Sentí que me lo había dejado como tarea.

Charlas de sobremesa

Don Saúl era tu interlocutor en esos temas ideológicos.

Él fue mi primer interlocutor. O yo fui su último. Yo iba de ida al socialismo, él venía de vuelta. El mío era un socialismo literario, romántico e idealista, de algunas lecturas y ninguna militancia. En el Colegio Israelita muchos amigos míos pertenecían a organizaciones socialistas ligadas a Israel como Hashomer Hatzair (que quiere decir «La joven guardia»).* Un primo mío escuchó arrobado a Fidel

* Fundada en Galizia, Austria-Hungría, en 1913.

Castro, exiliado entonces en México, dar una conferencia en alguna de esas organizaciones. Debe de haber sido en 1956. A mí nunca me llamó la atención pertenecer a grupos militantes. No obstante, de joven para mí el socialismo era una convicción sincera. Todo el que leía en ese tiempo la *Revista de la Universidad*, *La Cultura en México* (suplemento cultural de la revista *Siempre!*), o *El Gallo Ilustrado* en el periódico *El Día*, era o se sentía de izquierda. No había lugar intelectual fuera de la izquierda. Se era de izquierda o no se era. La fogosa mentalidad de los sesenta era crítica, contestataria, y se inclinaba de manera natural contra el *establishment* (que definíamos vagamente como la alianza del gobierno y el capital). El autor de moda era Herbert Marcuse, crítico radical de la sociedad contemporánea. En 1968 leí sus libros con exaltación. Me fascinaba la idea de la liberación mundial.

Rebelde más que revolucionario. Así describías a un joven imaginario del 68 en tu libro La presidencia imperial.

Recuerdo en particular mi lectura de *El mito de Sísifo*. Venía en una misma edición, de 1967, con *El hombre rebelde*. No alcanzaba a comprenderlo bien, pero leerlo parecía en sí mismo una afirmación de libertad. Así recorrí las páginas sobre la rebelión metafísica, y luego sobre la rebelión histórica, con esos retratos deslumbrantes de los nihilistas reales como Necháyev o literarios como Kirilov. En todo caso, esas lecturas de Camus coinciden con el 68. Desde el primer momento (agosto de 1968) participé con pasión en ese reclamo colectivo de libertad que fue el movimiento estudiantil. Fue el despertar de la conciencia política de mi generación y el mío propio. Muchos lo vivieron como la antesala de la Revolución. A mí no me atraía propiamente la idea de la Revolución, ni como profecía ni como instrumento histórico, menos aún como doctrina armada. Me movía un impulso individual y colectivo de protesta.

¿Cómo reaccionaba tu abuelo ante tus ideas?

Con resignación. Supongo que recordaba aquella manifestación de 1910, sus fervores y sacrificios, y veía con desolación cómo sus sueños se habían esfumado. Se había vuelto un socialista desencantado y esperaba que algún día yo descubriera por qué. Me insistía: abre los ojos, estudia lo que pasó, mira cómo los sueños terminaron en pesadillas. Pero no discutíamos. Las nuestras eran charlas de sobremesa. Él me transmitía su tristeza con el desenlace de la Revolución rusa. Yo comprendía sus razones y tendía a estar cada vez más de acuerdo con él, pero buscaba asideros de la fe socialista. Los encontré sobre todo en la lectura de la trilogía biográfica sobre Trotski, de Isaac Deutscher. Isabel y yo compartimos esa apasionada lectura. Ella mucho más que yo. Dedicó varios años al estudio de la Unión Soviética y publicó libros sobre el tema. La trilogía de Deutscher sobre Trotski se volvió para mí la biblia revolucionaria del siglo xx. Mandé empastar los volúmenes y los conservo. Es notable su aliento épico, su compenetración psicológica, su erudición política e ideológica, su conocimiento del contexto mundial y nacional. Tardé en advertir sus limitaciones, por ejemplo, su condescendencia con la matanza de los marineros de Kronstadt, en 1921. Pero la verdad es que Deutscher reconoce las limitaciones políticas de Trotski y las explica como una consecuencia natural de su estructura intelectual y su dignidad. En esas páginas Trotski brilla como un héroe trágico, un intelectual y un guerrero, un profeta y un ideólogo, un personaje más grande que la historia. Esos libros, espléndidamente traducidos por José Luis González y publicados por Ediciones Era, fueron mi ancla ideológica. Por un tiempo me bastó con creer en la Revolución purificada y encarnada en aquel «profeta desarmado», exiliado y muerto en México.

¿A qué atribuyes, en tu caso, esa fascinación por Trotski? ¿Porque era judío?
Lo judío en Trotski es un dato completamente secundario. Lo importante es que Trotski había sido asesinado en México en 1940 y muchos jóvenes sentíamos que con él la historia hubiera sido distinta. Era el emblema de la Revolución que pudo ser. La verdad es que ese «hubiera» no tenía fundamento, porque con el tiempo supe que Trotski había sido tan implacable como Lenin (aunque nunca como Stalin), pero la tragedia del profeta Trotski me hizo sentir que *otra* revolución socialista habría sido posible si él hubiera sido más astuto, menos desdeñoso de su gigantesco rival. En otras

La trilogía de Deutscher sobre Trotsky inspiró la conciencia política de mi generación.

palabras, me enamoré por un tiempo de la Revolución rusa a través de aquella biografía. No sé cuánto tiempo duró ese trotskismo romántico y libresco. Suficiente como para que en 1975 Isabel y yo le pusiéramos León a nuestro primer hijo, en parte por él.

En los años sesenta, ¿apuntó en ti algún desencanto?

Entonces no sentí desencanto alguno con la Revolución rusa aunque sí, claramente, con la URSS estalinista y postestalinista. Yo no creía en el sistema soviético, pero, por la lectura de Deutscher, pensaba que el proyecto socialista original era todavía redimible. ¿Qué alternativa había? Solo el socialismo. Recuerdo la esperanza que suscitó en nosotros el «socialismo con rostro humano» de Alexander Dubček en 1968. Y la felicidad tras el triunfo democrático de Salvador Allende, en 1970. Aunque estuviéramos decepcionados de la URSS, no solo como socialistas sino como creyentes en la libertad, nos indignó el golpe contra Allende. Tanto que Isabel dedicó años a escribir su tesis sobre la Unidad Popular chilena. Era su manera de protestar, no solo con proclamas y puños cerrados sino con una obra.

Falta una pieza en el cuadro socialista de los sesenta: la Revolución cubana.

Tienes razón. No recuerdo haberlo hablado con mi abuelo. En enero de 1959, siendo un estudiante de once años, me enteré del triunfo de la Revolución cubana por mi amigo Jaime Grabinsky.

Era hijo de Nathan Grabinsky, un economista del Banco de México, un genio matemático con formación marxista. Siempre lo vi preocupado por la desigualdad y la pobreza, y lamento hasta hoy no haber hablado más con él. «Por fin se hará justicia: todos pobres, pero todos parejos», nos dijo Ofelia, su esposa, que un par de años después puso en mis manos *Escucha, yanqui*, donde el sociólogo estadounidense C. Wright Mills exhibía la responsabilidad de Estados Unidos por haber explotado y menospreciado a los cubanos. También en la escuela había cierta simpatía socialista. Jaime y otros amigos de la escuela leían la revista *Siempre!*, donde escribía el famoso socialista mexicano Vicente Lombardo Toledano. Yo comencé a leerla. Pronto percibí que la mayor parte de los intelectuales mexicanos celebraban a la Revolución cubana no solo por sus reivindicaciones económicas y sociales sino por su oferta cultural. Yo creí comprobar ese despertar cuando leí los relatos de Kafka en una magnífica edición cubana de la Casa de las Américas, que me pareció emblemática del renacimiento que vivía la Isla. No obstante, no me entusiasmaban sus figuras. Yo prefería la figura mítica de Trotski, quizá porque no llegó al poder. Nunca me entusiasmó el Che, y menos aún Castro. Instintivamente, me han repugnado siempre los dictadores. Y no tardé en confirmar mis reservas. Mientras en México nuestro movimiento estudiantil enfrentaba los tanques del ejército, recibimos la noticia de la entrada de los tanques rusos a Praga, que Castro apoyó de manera inmediata e incondicional. Para mí ese fue el fin de la poca y tibia fe que tenía en Cuba (en la URSS nunca la tuve). Que Castro avalara la invasión y hasta dijera que pediría a los rusos invadir Cuba si la Revolución estuviese en peligro, me pareció indignante. Ese fue mi punto de quiebre con Cuba. Con Cuba, no con la idea socialista. Hasta recuerdo la fecha exacta de la invasión: 21 de agosto de 1968. Y, terminado el movimiento estudiantil, publiqué un artículo denunciando esos hechos.

Has dicho que Spinoza es un fundador del liberalismo. ¿Tu abuelo hablaba del liberalismo?

En absoluto. Nada. Mi abuelo era lector de la *Ética*, no que yo sepa del *Tractatus theologico-politicus*, que contiene su doctrina sobre la libertad de creencia, pensamiento y expresión. Pero, aun si lo hubiera leído, dudo que eso lo habría inclinado al liberalismo. Para mi abuelo el liberalismo era sinónimo de capitalismo. Supongo que vinculaba el liberalismo a la «pérfida Albión», a la cultura adquisitiva de los estadounidenses, que despreciaba. También mi abuelo José abominaba de la «propaganda» comercial de los americanos, no la soportaba ni en la radio ni en la televisión. Ambos eran anticapitalistas.

¿Con qué fe se quedaron tus abuelos al perder el socialismo?

Nunca supe si José fue consciente de la tragedia en que se convirtió su sueño socialista. En cuanto a Saúl, desencantado del socialismo, se quedó sin fe. Nunca la tuvo religiosa pero sí política. También esa la perdió. Se quedó con una sola fe: el evangelio naturalista de Spinoza.

Tu abuelo José te dejó el deber de la memoria. Tu abuelo Saúl te advirtió sobre la decepción socialista pero sobre todo te encaminó hacia Spinoza, que es un precursor del liberalismo.

Hay dos vertientes en la descendencia política de Spinoza: la socialista y la liberal. Ambas tradiciones lo reclaman como propio. Mi vida fue de una a otra.

Sus libros y los míos

Descríbeme un poco el contenido de las bibliotecas, la tuya y la de tu abuelo. ¿Con qué criterio formaste la tuya?

Subamos a verlas. Están, como verás, los dos acervos juntos. El mío es modesto, pero más grande que el suyo. No es la biblioteca de un bibliófilo. Comencé a formarla en los años setenta. Es temática y cronológica. Incluye novelas, poesía, pero sobre todo libros de historia general, enciclopedias, historias temáticas (economía, sociedad, filosofía, religión) e historias de cada época: historias de los judíos en la Antigüedad, los tiempos de los egipcios, asirios,

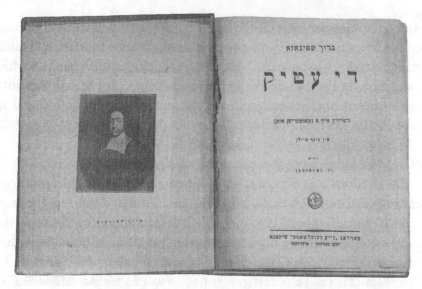

La *Ética* de Spinoza en la biblioteca de mi abuelo.

babilonios, persas, la era helenística y romana, Bizancio, el islam, la Edad Media en Europa, los siglos de presencia en España, los mil años de vida en Rusia y Polonia, la Ilustración y la emancipación en Europa Central, el florecimiento cultural de Viena y Berlín desde fines del siglo XIX, la República de Weimar, las comunidades en Europa Occidental, el Holocausto, Israel, Estados Unidos. Están en español e inglés. Tengo también historias sobre los judíos en América y las pocas que hay sobre México, desde los criptojudíos de Nueva España hasta los que llegaron en el siglo XX. El corazón de la biblioteca es Spinoza y sus afluentes. Hijos directos o hijos rebeldes. Junto a los numerosos libros de Spinoza y sobre él, hay varios de Heine y Marx, el libertario y el socialista, ambos clásicos del siglo XIX. Es importante esta bifurcación. Simplificando: los lectores de la *Ética* son deterministas, los del *Tractatus*, libertarios. Pero ambos provienen de Spinoza. Cuando el siglo XX parecía haber adoptado el racionalismo spinozista sobrevino la Primera Guerra Mundial, y con ella una reacción romántica y moderna. A partir de ahí, el pensamiento secular judío estalló en varias direcciones de mesianismo laico. Aquí tienes a los representantes de esas corrientes, famosos autores judíos de lengua alemana que vivieron en el dramático período de entreguerras en Alemania y Austria-Hungría, como Martin Buber, Gershom Scholem, Walter Benjamin, Franz Kafka, Jakob Wassermann, Joseph Roth, Stefan Zweig. Están los autores de la Escuela de Frankfurt. Y las obras de Hannah Arendt, desde luego. Aquí los tengo y los he seguido leyendo: heterodoxos, mesiánicos, revolucionarios...

¿Con qué criterio habrá formado tu abuelo su biblioteca?

Su biblioteca es el itinerario intelectual de su vida. Él decía que era «un lector profesional». Son más de un millar de libros, algunos traídos desde Polonia. Ocupan las hileras superiores. Se trata de una buena muestra de libros en esa «lengua de la resurrección», sobre todo poetas, novelistas, historiadores. Y hay traducciones de la literatura clásica. Te muestro algunas. *Anna Karénina*, *Madame Bovary*, Bernard Shaw, la obra completa de Knut Hamsun (que adoraba) y libros de Maksim Gorki, entre ellos *Mis universidades*. Está la obra de Engels sobre Feuerbach. Hay una edición del *Quijote*. Mira esta joya: es *La montaña mágica* de Thomas Mann publicada en fascículos semanales y traducida al ídish por Israel Yehoshua Singer. Mi abuelo los trajo a México el año que vino, 1930.

¿Me muestras libros de Spinoza en ídish?

Hay una edición de la *Ética* en ídish de una casa editorial de Chicago, que parte de una edición polaca de 1923. El *Tractatus theologico-politicus* no está en esta biblioteca. Lo editó una casa de Nueva York (Farlag Max Jankovitz, 179 East Broadway) de la que mi abuelo era suscriptor. Publicó a Oscar Wilde, Thomas Paine, Victor Hugo, Leonid Andréiev, Anatole France, Romain Rolland. Muchos de esos libros están aquí. Te dan una muestra de su idealismo social.

Entonces leyó a Spinoza en ídish, pero hasta los años veinte.

Quizá antes. En Varsovia se inscribió a una biblioteca y me decía que leía dos libros por semana. Además, creo que la vida y enseñanzas de Spinoza se transmitían por vía oral, en clubes literarios.

Yizkor, recordar, el deber de recordar.

Deber que hemos honrado hoy. La dicha de conversar contigo me recuerda la dicha de conversar con mi abuelo.

El Spinoza del Parque México.

Acá veo una foto de don Saúl. Sentado leyendo el periódico. Elegante, risueño, digno. ¿Te parece si damos un paseo por el Parque México?

Su verdadero jardín era su biblioteca. Pero me decía: «Acompáñame a mi jardín».

Su jardín

… está de verdad cerca de tu casa. Ese es el edificio de los bisabuelos, ¿verdad?

Neocolonial. Vivían en el primer piso.

Veo las bancas de las que hablabas, el estanque de patos, el paraninfo. Todavía se respira una atmósfera de paz.

Algo queda. Crucemos al lado opuesto.

Una rotonda con bancas amplias. En el centro está esa fuente con un obelisco art déco y un reloj panóptico.

Aquí les hablaba a sus amigos de Spinoza. Amonestaba la hipocresía de sus rezos, su falsa piedad, su vasta incultura. Y estas son las veredas que recorríamos. «Yo soy spinozista», decía mi *zeide*. «Yo no creo en un Dios que está allá arriba, que juzga las cosas y que decide sobre el destino de las personas. Yo creo que Dios es la naturaleza. Moriré pronto, y volveré a Dios, volveré a la naturaleza. Seré esas flores, estos árboles, esas nubes.» El día anterior a su muerte lo encontré en su sillón, leyendo un diario en ídish. Lo dobló cuidadosamente, lo dejó en la mesa lateral, y me dijo, con su sonrisa de siempre: «¿Qué me cuentas?». A los pocos días escribí un poema que parafraseaba aquel cuento de Singer. Lo titulé «Spinoza en el Parque México». Lo traje conmigo para mostrártelo. Vale solo como un testimonio de su significación en mi vida. Mira cómo empieza:

> Un judío
> > no judío,
> Un hereje
> > inofensivo,
> > > doméstico,
> excomulgado por sí mismo.

Es largo, por lo que veo. ¿Cuentas su biografía?

Su biografía socialista, su repudio de la guerra, su éxodo a México, y esa forma sencilla que tenía de aplicar a su vida la ética spinozista: su amor al oficio manual, las arengas a su séquito de amigos:

> ¿Qué hiciste tú de tus años?
> Yo acumulé vida
> > tú esperanzas de vida.
> [...]
> los viejitos regresaban
> > indigestos
> a contar el dinero
> > a pensar en la muerte.

Aludí también a la casa que construyó alguna vez, lejos de los demás, en su Rijnsburg personal, hecha alrededor de los libros. Y me burlaba del mesianismo, porque sabía que para mi abuelo la redención estaba en la lectura:

¿Quién piensa en el mesías cuando hay libros?
Un mesías lector
        un lector mesiánico
El mesías no tiene tiempo de venir
           Está leyendo.

¿Cuándo murió?

Murió el 4 de octubre de 1976, justo el día de Yom Kippur, Día del Perdón, que nunca en su edad adulta asumió porque era un alma pura y porque en la ética spinoziana el perdón y el arrepentimiento son inútiles. Murió, ahora lo pienso, serenamente, como Spinoza. Así quisiera yo morir también.

II. Pertenecer

Estudio de la calle Ámsterdam, Ciudad de México.

Mestizaje

La impresión que me quedó de nuestra primera charla es que vivías en el presente de México pero también en el pasado europeo, mejor dicho, en una pequeña ciudad o pueblo judío de Polonia, trasplantado a México. Fue una experiencia que duró toda tu infancia y tu juventud, hasta los diecisiete años. Habías vivido en ambos mundos y en ambos tiempos.

Eso cambió cuando entré a la Facultad de Ingeniería en la UNAM en 1965. Me sorprendió lo fácil que fue entablar amistades con compañeros de diversos credos, orígenes y clases, compañeros de la generación con quienes mantengo contacto hasta ahora, cuando ha pasado medio siglo. Y es que la UNAM, con su educación prácticamente gratuita, siempre ha sido un laboratorio de convivencia social. En la UNAM hice amigos de por vida. Y pronto, a través de esos amigos, conocí a Isabel.

Esa historia es parte de tu vida privada. Que no es el tema de estas conversaciones.

Pero esa historia está ligada a mi «descubrimiento de México». Con Isabel entré a la intimidad de un hogar mexicano de clase media. Para mí todo era nuevo, no porque no lo hubiera visto sino por no haberlo vivido. Me abrieron los brazos. Y comencé a habitar otra cultura, la historia mexicana encarnada en un hogar. Su familia materna era criolla católica, elegante y circunspecta. Pero la paterna venía de San Andrés Tuxtla, Veracruz, y no solo era liberal sino jacobina. El abuelo de Isabel era el escritor Eduardo Turrent Rozas, que publicó varios libros muy hermosos sobre su tierra, en particular uno: *Veracruz de mis recuerdos*. Junto con su novia, Judith Oropeza, la abuela de Isabel, había vivido la invasión estadounidense. Tenía grandes anécdotas de ese período. Ella era de armas tomar y tiró ladrillos contra los «yanquis». Detestaba a los «pinches gringos». Isabel creció en ese ambiente dividido, como tantas familias mexicanas, que el gran poeta Ramón López Velarde expresó en unos famosos versos: «Católicos de Pedro el Ermitaño / y jacobinos de época terciaria. / (Y se odian los unos a los otros / con buena fe.)» Y aunque estudió en un colegio de monjas, era de un temple rebelde y liberal. Su abuelo decía: «A Chabelita le gusta leer». Cuando nos conocimos ella estudiaba historia del arte en la Universidad Iberoamericana y comenzamos a hablar de libros. Me preguntó: «¿Has leído la biografía de Morelos?».

Las esferas religiosas de ustedes permanecieron separadas.

Sí, pero con un deseo de aprender uno del otro, no en asuntos rituales o teológicos sino en la esfera de la tradición, la cultura y el arte. Viajamos por los pueblos coloniales del centro del país. Y guardo esos recuerdos como postales de la memoria: el rosetón medieval de Yecapixtla, la capilla abierta de Tlalmanalco, el rollo de Tepeaca, el convento fortaleza de Acolman, la iglesia barroca de Tepotzotlán, la joya de Santa María Tonantzintla, las iglesias de Puebla, Santa Prisca en Taxco. También recorrimos los pueblos de la Meseta Tarasca, casi intocados desde el siglo XVI. Muchos amigos conocían esos lugares del México antiguo y colonial, pero yo apenas tenía idea de su existencia y su significado. De chico visitaba los museos cívicos, en especial el recién inaugurado «La lucha del pueblo mexicano por su libertad» o el Museo Nacional de Historia en el Castillo de Chapultepec. Y con la escuela visité los sitios arqueológicos, mas no las iglesias. Entraba a ellas por mi cuenta. Pero creo que de niño nunca entré, o nunca me llevaron, a la Catedral. Todo cambió con esos viajes con mi novia mexicana: «Esa columna se llama estípite», «esa imagen representa a san Ignacio». No me estaba catequizando. Me estaba enseñando el arte religioso colonial. Era el pasado, pero el pasado vivo. Una mujer que vi llevando flores al altar, arrodillada frente a su santo patrono, me pareció una estampa de espiritualidad pura, legado del cristianismo que trajeron los padres franciscanos en el siglo XVI.

Y tuviste un matrimonio judeomexicano.

Una nueva variante del mestizaje que se dio en estas tierras. ¿Recuerdas que te comenté que los cronistas del siglo XVI leían a México con clave bíblica? Tiene que ver con un episodio familiar que festejamos mucho. En 1979, tres años después de la muerte de mi abuelo Saúl, en la noche de Pésaj, llegó el momento esperado por los niños más pequeños: su turno de plantear al abuelo –en hebreo, ídish o español– las cuatro preguntas canónicas que abren la Hagadá y que en esencia inquieren sobre el carácter único y especial de esa noche que conmemora el éxodo de Egipto. El protocolo prevé que el abuelo y los comensales las respondan con la lectura minuciosa de aquel delgado libro, puntuada por antiguos y extraños ritos y lindas canciones. En aquella ocasión, el patriarca –que, en ausencia de mi abuelo, era mi padre– reviró la pregunta a su pequeño nieto León, de cuatro años, mestizo cultural de padre judío y madre católica. «Dinos tú qué se festeja esta noche.» Vestido muy formal de trajecito y corbata, su cabeza cubierta con la *yarmulke*, León se incorporó de su asiento muy seguro y comenzó a narrar: «Y viendo el sufrimiento de su pueblo, Dios le dijo a Moisés: lleva a tu pueblo muy lejos de aquí, hasta un lugar en donde encontrarán un lago, y en ese lago habrá un águila sentada sobre un nopal devorando una serpiente. Esa será su tierra prometida».

¡Tenochtitlan! ¿Qué hubiera dicho tu abuelo?

Que tenía razón: México era nuestra tierra prometida. Muchos años después, León escribió un poema que contenía estos versos:

> Encontrar la manera
> de engendrar la patria perdida
> en la patria adoptiva.

La cultura en México

Ese «descubrimiento de México» ocurría sobre todo en la ciudad donde vivías. ¿Cómo recuerdas la vida entonces?

Lo que recuerdo está ligado a la cultura. La Ciudad de México era la capital cultural del país y yo sentía que la UNAM –es decir, la Ciudad Universitaria– era la capital de esa capital. Era un espacio monumental, hermoso y libre, donde florecía el conocimiento, la investigación, la cultura y los deportes. Seguramente la idealizo, pero así la recuerdo. Las librerías universitarias eran una maravilla, con su gran surtido de editoriales mexicanas, argentinas y españolas. Radio UNAM transmitía todo el día el mejor repertorio

clásico y fue, junto con la XELA (la otra benemérita estación de música clásica), nuestra universidad musical. Esto se dice fácil, pero la cultura musical de varias generaciones se formó ahí, escuchando por horas el repertorio riquísimo de esas estaciones. Ellas nos prepararon para apreciar las temporadas de conciertos de la Orquesta Filarmónica de la UNAM. Una, de verdad espectacular, comprendió todas las sinfonías de Mahler dirigidas por el joven e impetuoso Eduardo Mata. La UNAM que te describo era un espejo de aquel México que comenzaba a verse menos a sí mismo y más al mundo. Había conferencias, cineclubs y obras de teatro clásico y experimental. Magníficas exposiciones de arte moderno.

Habían quedado atrás los años del nacionalismo cultural de los cincuenta.

En mi generación ya no nos interesaban los charros aunque todavía nos tocaba una fibra sensible el cine mexicano en su etapa neorrealista, con sus películas sobre los barrios pobres de la ciudad. Pero en ese tiempo descubrimos a Buñuel, comenzando por *Los olvidados*. Su tema eran los huérfanos de la ciudad, los niños callejeros, cuya vida nómada, abandonada por el padre fantasmal, pendía del hilo delgadísimo de una madre. Y leímos *El laberinto de la soledad*, con ese capítulo estrujante sobre «la chingada». No era difícil relacionar esa idea con la protagonista de la película de Buñuel. la chingada, figura que por desgracia corresponde a un patrón histórico antiquísimo. Es la víctima inerme del macho que la seduce, la engaña, la atropella, la golpea, la abandona. Lo que dejamos atrás fue el nacionalismo inocente pero no el interés por explorar las vetas profundas, los ríos subterráneos de México, que en esas obras maestras descubrían Buñuel y Paz.

La UNAM nos hizo melómanos, y a mí, mahleriano.

Esa apertura se reflejaba en el mundo editorial.

Había una labor intensa. Las editoriales españolas estaban ya muy activas y presentes (Alianza, Taurus, Anagrama, Seix Barral,

Alfaguara), pero las mexicanas competían dignamente: el Fondo de Cultura Económica, Ediciones Era, Siglo XXI (con un catálogo muy rico de cultura marxista), Joaquín Mortiz, y varias más. Por ese tiempo el Fondo sacó a la venta todos los volúmenes de su colección «Breviarios», en un pequeño librero hecho a la medida. Conservo esos pequeños libros de bolsillo y pasta dura, un compendio del humanismo universal, sobre todo especializados en historia.

Me has dado una imagen de un México que comenzaba a ser más cosmopolita.

Éramos espectadores del olimpo mexicano. Y de pronto, alguno de los dioses parecía más cercano. Un amigo de ingeniería, Pedro Rodríguez Sierra, hijo de refugiados españoles, nos presentó a Isabel y a mí con el poeta español León Felipe, ya muy viejo pero lleno de energía e inspiración. El espíritu contestatario de los sesenta se avino muy bien con su tono de profeta, un Jeremías de fe cristiana refugiado en tierras aztecas: sus lentes gruesísimos, su boina, su barba venerable, su ronca voz, su bastón. Nos saludaba de beso. Lo veíamos en su modesto departamento de la calle de Miguel Schultz, que en realidad era una celda franciscana: una cama, un librero, un crucifijo. Comíamos en el comedor exterior las patatas con huevo duro que nos servía Trini, su cocinera. Nos dedicó a Isabel y a mí un largo poema que acababa de escribir titulado «Israel». Te dije que mi hijo León se

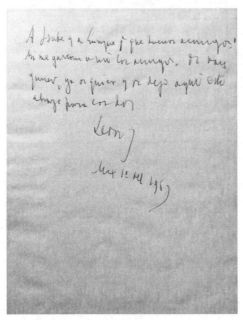

León Felipe fue un profeta bíblico del siglo XX y amigo entrañable. Guardo con cariño su dedicatoria, casi ilegible, pero no por ello menos sentida y hermosa.

llama así por Trotski pero también en homenaje al otro León, el querido León Felipe.

De la ingeniería a la historia

Me hablas de cultura humanística, pero estudiaste ingeniería. Tus estudios de ingeniero desconciertan si pensamos en tu posterior vida intelectual como historiador y ensayista.

Estudié esa carrera porque mi propósito era hacerme cargo un día de la fábrica de mi padre. Era lo natural si eras hijo de un empresario, más en el ámbito judío. Además, la mayoría de mis condiscípulos querían trabajar por su cuenta en la iniciativa privada. Estudié cuatro años y medio en la Facultad de Ingeniería, de febrero de 1965 a octubre de 1969, cuando me recibí.

Creo que merece la pena tocar brevemente tu carrera de ingeniero. Lo digo porque la hiciste en toda forma y porque tampoco has escrito sobre esa experiencia.

La Facultad tiene un origen remoto en el siglo XVII: la Escuela de Minería, cuyo edificio neoclásico es una de las joyas del México virreinal en el Centro Histórico. En los años cincuenta se mudó a la Ciudad Universitaria donde yo estudié, y ahí sigue: su edificio funcionalista, esbelto y espacioso, la rampa que conecta sus dos cuerpos, sus escaleras y pisos, los laboratorios (que tenían máquinas centenarias), los colorines del jardín, la cafetería y el auditorio. Cuando yo entré, además de la minería y la ingeniería civil, se impartían otras ramas como la ingeniería mecánica, la mecánica electricista y especialidades nuevas como la ingeniería industrial. Es la que yo elegí. Era una vertiente relativamente nueva, no solo en México sino en Estados Unidos. En esencia, consistía en el estudio, la creación y optimización de procesos industriales. Estudiábamos en los famosos Schaum's, cuadernos muy útiles, con ejemplos y problemas. Supongo que ya no existen, como tampoco existe la regla de cálculo. Apenas comenzaban las computadoras.

Nadie que tomase en serio la clase de Rivero Borrell podía salir al mundo sin una estructura. Lo que el maestro transmitía no era solo un conocimiento, sino una forma de llegar a él.

Recordaste un poco a tus maestros en el Israelita, ¿recuerdas a los de Ingeniería? ¿Qué te dejó esa escuela?

La mayoría trabajaba en la industria y daba clases por amor a la docencia. Y se notaba por el entusiasmo con que las impartían. Unos pocos pertenecían como investigadores al Instituto de Ingeniería de la UNAM. Entre todos los maestros sobresalía el de matemáticas, Enrique Rivero Borrell. Tendría sesenta años pero lo recuerdo mayor, vestía siempre de traje beige claro, era de trato pulcro y caballeroso. Impartía su cátedra de pie, con voz pausada y suave. Nunca faltó a su clase. Con impecable letra Palmer, desarrollaba sus temas en el pizarrón –o, mejor dicho, los dibujaba– sin voltear la mirada a su público. Así recuerdo que nos explicó la teoría de conjuntos. Nos fascinaba la claridad y el rigor con que el maestro nos guiaba para entender desde su esencia –no memorizar mecánicamente– los conceptos. Al final, contemplaba con orgullo aquel efímero mural de números, signos y fórmulas del que tampoco nosotros podíamos desprender la mirada. Por cierto, nunca hizo exámenes, solo invitaba a los alumnos a pasar al pizarrón e intervenir, y al concluir el curso calificó a cada quien con justicia. Digamos que don Enrique era la cota más alta a la que muchos profesores aspiraban. En suma, aquella facultad me dejó amigos queridos y enseñanzas. Los cursos de ingeniería industrial fueron particularmente útiles: con sus «teorías de colas», «tiempos y movimientos» y otros temas, formaban en el alumno la práctica de ensayar soluciones, de ver las cosas de otro modo.

¿Percibías una distancia o un divorcio entre las humanidades y la ciencia?
Al contrario. El espacio arquitectónico de la UNAM propiciaba la relación entre las ciencias y las humanidades. Los filósofos estudiaban lógica y matemáticas y los científicos se ocupaban de desarrollar modelos sociológicos. Lo percibía hasta en mi propia facultad. Un amigo escribía poemas, otro era experto en Beethoven, otro cursaba paralelamente la carrera de economía. La facultad era famosa por sus melómanos, uno de los mayores era el propio rector, el ingeniero civil Javier Barros Sierra. Adolfo Orive Alba, antiguo ministro de Recursos Hidráulicos, inauguró en 1967 una clase de «Recursos y necesidades de México» que comprendía una inmersión en la historia nacional: me interesó mucho y me volví su adjunto. Otro maestro de ingeniería industrial, Odón de Buen, me alentó a escribir sobre la historia industrial y obrera. En definitiva, la ingeniería y las humanidades pueden ir de la mano. Tiempo después supe que dos grandes escritores como Jorge Ibargüengoitia y Vicente Leñero habían estudiado en esa misma escuela y que Gabriel Zaid era ingeniero administrador egresado del Instituto Tecnológico de Monterrey. Hasta en la época de Porfirio Díaz hubo en México un ingeniero historiador, que fue además un polemista temible, Francisco Bulnes.

Tu salto de ingeniero a historiador siempre me ha intrigado.
Era mi vocación. Mi tesis de ingeniería fue un proyecto con varios compañeros sobre «Industrialización de productos agrícolas». Yo me encargué de la parte histórica, y por consejo de nuestro director, el ingeniero Abraham Mariles, estudiamos la obra de Frank

Tannenbaum, un escritor estadounidense de origen anarquista que en 1950 había criticado la industrialización de México porque se había relegado a lo mejor del país, su pequeña comunidad rural. Nosotros, complementando y corrigiendo a Tannenbaum, quisimos demostrar que la pequeña industria podía arraigar en el campo. Yo no imaginaba entonces que Tannenbaum sería un personaje muy presente en mi trabajo de historiador.

¿Cómo te acercaste a El Colegio de México a estudiar historia?

Ocurrió por azar, algo como providencial. En algún momento de 1968, un buen amigo mío de ingeniería, Juan Bueno Zirión, me informó de que en El Colegio de México se abriría un doctorado de historia y me dio un pequeño folleto que me entusiasmó. Él mismo tomaba algunas clases de economía ahí. Su tío, el economista Víctor Urquidi, era el presidente de El Colegio de México. De inmediato lo fui a visitar y le dije que me apasionaba la historia pero que no tenía estudios formales. Para mi sorpresa, fue muy gentil y no me disuadió. «¿Por qué no entra de oyente a algunas clases?» Y eso hice. Me presenté a los cursos de José Gaos y también a los de Luis González, que sería el más amado de mis maestros. Gaos leía a Montesquieu y Luis González hablaba de la afición del dictador Santa Anna por las peleas de gallos. Filosofía e historia, sabiduría y humor, combinación irresistible.

Gaos es conocido en España, desde luego, por haber sido rector de la Universidad de Madrid y discípulo de Ortega. ¿Cómo era y cómo eran sus clases?

Gaos había sido por muchos años el maestro venerado de filosofía en la UNAM pero en 1966 renunció a su cátedra como protesta por la forma brutal en que se había expulsado al rector Ignacio Chávez. Y se había concentrado en El Colegio de México, donde desde 1964 impartía un curso de historia de las ideas. Fui el último alumno que pisó su cátedra. Aunque era oyente, intervenía un poco en las clases. Gaos era delgado, parsimonioso, formal, etéreo. Tenía algo de monje seráfico en su aspecto. (Luego supe que era nadador, lo cual no contradecía su actitud solitaria y estoica.) Leíamos *El espíritu de las leyes* y solía detenerse largamente para comentar cada página. No pasaba las páginas, las acariciaba. Era una liturgia que yo desconocía, pero una liturgia abierta a los comentarios de los siete u ocho alumnos sentados alrededor de esa mesa. Fue Gaos –me enteré después, por Luis González– quien tuvo la idea heterodoxa de incorporar al doctorado de historia a estudiantes egresados de diversas escuelas y facultades, no solo historiadores, filósofos o estudiosos de las ciencias del hombre. Creía que para ha-

José Gaos nos decía: «He vivido a caballo entre la historia y la filosofía».

cer la historia de la música, de la prensa periódica y otros medios de comunicación y difusión, etcétera, era necesario contar con quienes cultivaran y tuvieran experiencia en esas profesiones. A eso se debió que se presentaran «hasta ingenieros», como advirtió sorprendida la directora del Centro de Estudios Históricos, doña María del Carmen Velázquez, cuando me entrevisté con algunos profesores. Después de concluir esas clases de oyente presenté mi solicitud de ingreso al doctorado y pensé que la aventura se había terminado. Para mi sorpresa, a principios de 1969 me llamaron para decirme que había sido aceptado y que ya había empezado el ciclo. En mi caso, se esperaba que yo escribiera la historia de la ingeniería en México. Tema muy respetable, pero preferí la historia intelectual.

El movimiento estudiantil

Has escrito sobre el movimiento estudiantil de 1968, la importancia que tuvo para México, para tu generación, para la difícil construcción de la democracia en un país dominado por un presidente todopoderoso y un partido hegemónico. En esos primeros años en ingeniería, ¿tenías una conciencia política definida respecto a México?

Aunque a algunos nos importaba la cultura, con mis amigos de ingeniería, al menos hasta 1968, no discutíamos de política. Pero había corrientes políticas de derecha e izquierda que se disputaban espacios de influencia. Yo no pertenecía a ninguna, quizá por eso en 1968 mis compañeros me eligieron consejero universitario. No pude ejercer como tal hasta poco después del crimen del 2 de octubre. En unos meses el mundo entero cambió, y nuestro pequeño mundo también.

Has escrito también sobre la importancia de ese movimiento en tu vida. ¿Cómo lo recuerdas ahora?

Fui solo uno de los cientos de miles de estudiantes que en las calles y en los mítines dijimos no al gobierno autoritario, a su vieja retórica y sus mentiras, a sus crímenes, y al presidente Gustavo Díaz Ordaz, uno de los más autoritarios de la historia mexicana. Las imágenes no han cambiado mucho. Fue como una erupción volcánica. Estábamos conscientes de la ola «contestataria» que recorría el mundo, de París a las universidades de Estados Unidos. Leímos con entusiasmo la crónica ilustrada *París, 1968*, de Carlos Fuentes. Sabíamos que esa ola llegaría a México. Recuerdo la marcha encabezada por el rector Javier Barros Sierra en protesta contra el «bazucazo» del ejército que derribó el portón virreinal de la Escuela Nacional Preparatoria en San Ildefonso para apresar estudiantes. Isabel y yo nos unimos a esa manifestación, atraídos por el imán de la historia. Exaltados, recorrimos las calles al grito de «¡Únete, pueblo!». La inocente porra deportiva de la universidad –llamada «Goya»– que coreamos en la avenida Félix Cuevas –mientras los militares nos acechaban– se volvió un acto de rebelión. Luego, por tres meses alucinantes, participamos en las marchas y mítines, ayudamos con materiales mimeografiados y boletines. El líder del movimiento en la facultad era Salvador Ruiz Villegas, un norteño grandote, recio y elocuente cuyas arengas nos encendían. Un día, en la explanada contigua al Auditorio de Ingeniería, escuché por primera vez al maestro Heberto Castillo, ingeniero eminente y militante de izquierda, que

En un podio improvisado y con vivas al movimiento estudiantil, a los héroes y a México, Heberto Castillo dio el grito de Independencia. Isabel y yo lo presenciamos con emoción.

venía de la Tricontinental de Cuba. La tarde del 15 de septiembre acudimos al grito de Independencia que dio Heberto en la explanada de la rectoría. Nunca gritamos «¡Viva México!» con mayor pasión. Tres días después el ejército allanó la UNAM.

¿Estuviste presente el 2 de octubre en Tlatelolco?

No estuve en la matanza, pero esa misma mañana había recorrido la zona aledaña a Tlatelolco. Los soldados limpiaban sus bayonetas. Sentí un mal augurio en el ambiente. Por la tarde, escuché la noticia terrible por NBC, única estación que transmitió (en inglés) los hechos. Dos días después, en su artículo de *Excélsior*, periódico dirigido por Julio Scherer, el historiador Daniel Cosío Villegas (a quien había comenzado a leer por esos meses) profetizó que el gobierno caería en un descrédito que nada ni nadie lavaría jamás. Octavio Paz renunció a la embajada en la India y publicó su poema «La limpidez».

¿Cuál fue el saldo del 68 para México? ¿Cómo lo ves ahora, a medio siglo de distancia?

Como historiador, lo juzgo de manera menos romántica de como lo viví. Por un lado, estoy cierto de que al 68 le debemos el ensanchamiento de nuestras libertades. En un país supuestamente «revolucionario», acostumbrado a la obediencia y el silencio, la discusión pública de los problemas era ya en sí misma una novedad extraordinaria. Ese impulso de libertad prendió. Gracias al 68, México fue conquistando espacios de libertad de expresión, de movimiento, de protesta. Y gracias al 68, las mujeres –que eran un contingente numeroso– ingresaron en la vida pública, lo cual, en un país machista, fue un avance, aunque en ese capítulo –el del respeto y la equidad de género– México sigue siendo un país salvaje. Ese es el saldo positivo, perdurable, del 68. Pero hay un saldo negativo. Y es que no entendió ni consideró a la democracia. El movimiento de 1968 fue festivo, irracional, emotivo, imaginativo, maniqueo, generoso, romántico, expansivo, contestatario, destructivo, irreverente. La verdad es que su liderazgo no conocía los argumentos complejos, los claroscuros de la vida real. Todo lo contrario: rechazaba por completo el orden establecido. Quería todo o nada. No tuvo noción de sus propios límites, no imaginó un proyecto constructivo de transición política para sí mismo y para México, tenía aversión a la prudencia, la autocrítica, la negociación, la racionalidad. Nunca se propuso, por ejemplo, la creación de un partido político, que sin duda habría podido nacer entonces. Exclamábamos «¡Únete, pueblo!», pero el pueblo necesitaba mucho más para unirse, para participar: una estructura, una institución, un cauce, un partido. Esas nociones, y aun la idea misma del voto, eran ajenas al movimiento estudiantil y en general a la vida política mexicana. Este analfabetismo democrático tendría consecuencias muy graves para el país. Graves y de largo plazo.

Me dijiste que el 68 fue el episodio seminal de tu generación, pero ¿qué significó para ti, en lo personal?

No vi en él, o no quise ver en él, un movimiento revolucionario. Yo preferí vivirlo y recordarlo como una rebelión libertaria que, en mi caso, pasado el tiempo, derivó hacia convicciones democráticas y liberales. A menudo me llega a la memoria la canción «Que vivan los estudiantes», de Violeta Parra, que escuchábamos por Radio Universidad:

Me gustan los estudiantes
Porque son la levadura
Del pan que saldrá del horno
Con toda su sabrosura

¿Qué hiciste en la UNAM, *después del 68?*

Era consejero universitario en activo. A fines de 1968 el rector Barros Sierra nos advirtió que el gobierno de Díaz Ordaz quería estrangular a la institución. Hubo sesiones angustiosas, pero resistimos. Vino el nuevo gobierno de Echeverría y un nuevo rector: Pablo González Casanova. En la UNAM no habían podido organizarse elecciones para nuevos consejeros, así que seguí desempeñándome como consejero por mi facultad después de haberme recibido. Allí conocí a Fausto Zerón-Medina, consejero por la Facultad de Ciencias Políticas, mi gran amigo. Trabajamos juntos en los estatutos del Colegio de Ciencias y Humanidades. En el Consejo había muchos maestros que yo admiraba. Para mi sorpresa, cuando llegó Echeverría al poder varios de ellos se incorporaron al gobierno dizque «revolucionario». Y comenzó a querer cooptar a los consejeros universitarios. Recibimos una invitación (que el rector nos aconsejó no rechazar) a la campaña del candidato Echeverría por Zacatecas. Nunca olvidaré el tratamiento de tlatoani que se le daba al candidato. Los camiones, las filas interminables, la obsequiosidad general, el servilismo. Ahí estaban todos: el líder sindical Fidel Velázquez, el empresario Carlos Trouyet y una parvada de jóvenes aspirantes a políticos y «jilgueros», es decir, oradores. En un templete bajo las columnas salomónicas de la soberbia catedral de Zacatecas, escuché al cantante Tony Aguilar azuzar a los campesinos acarreados para que vitorearan al candidato. Y por todos lados se escuchaba la cancioncita «¡Que viva, que viva Echeverría / es el grito justiciero de la gente!». Un asco. Era, para colmo, una atmósfera puramente masculina y machista, donde las mujeres solo aparecían para servir la comida o adornar los actos. Un personaje que iba a ser funcionario de Echeverría me ofreció ser su secretario particular. «No, gracias.» Me regresé a los dos días. Por lo menos me di el gusto de conocer Jerez, el pueblo natal del poeta Ramón López Velarde.

¿Creíste alguna vez en Echeverría?
Ni un minuto. Me repugnaban los discursos, las ceremonias, el besamanos, el informe presidencial, la retórica, el lenguaje engolado y gastado, las promesas falsas, la corrupción evidente, la impunidad. Echeverría hablaba de autocrítica y apertura, pero los estudiantes no creímos en sus palabras.

Adiós a la imprenta

En 1969 estabas concluyendo tus estudios de ingeniería y aprestándote a dirigir la imprenta de tu padre. ¿Tiene sentido que te pregunte por ella para entender tu vida intelectual?
Tiene todo el sentido. Una vida intelectual no ocurre en las nubes. Una biografía intelectual no atañe solo a las ideas y creencias de una persona sino a su vida real, en la cual la dimensión material del trabajo es fundamental. No estoy hablando aquí de una determinación marxista, en el sentido de una estructura que explica la superestructura. Estoy hablando de una experiencia que no puede desligarse de las ideas. Yo me gané la vida siempre como empresario independiente. Desde hace más de medio siglo lo soy. Pero mucho antes de ser un empresario cultural que hace revistas, libros y documentales fui un empresario que servía a la industria de la perfumería y los cosméticos. Y esa experiencia es inseparable de mi vida intelectual. Mi trabajo era una fuente empírica de conocimiento, una ventana al mundo. Y de esas empresas viví, principalmente, hasta que fundé las mías, en los años noventa. Años atrás, mi padre había fundado cuatro fábricas pequeñas, complementarias de Etiquetas e Impresos. En 1965 me hice cargo de una de ellas. Se llamaba Screen Process, que se dedicaba a la impresión en serigrafía de botellas. Yo salía de la escuela y me iba a administrarla. Se me

ocurrió producir unas flores «psicodélicas» para los coches. Y forros rayados para los libros que vendía en escuelas. Tuvieron cierto éxito, pero me sucedieron cosas tragicómicas por la mezcla de la ideología y la empresa. Un día decidí subir drásticamente el sueldo a los trabajadores. Esto provocó un elogio en el diario del Sindicato Nacional de Artes Gráficas que se llamaba *Rumbo Gráfico*: «Joven capitán de la industria aumenta 50% el sueldo de sus trabajadores». Tres semanas después no podía pagar la raya. Fui al sindicato y su líder, que se llamaba Antonio Vera Jiménez, me jaló las orejas. Él no había pedido ese aumento ni estaba en el contrato ni lo exigían los obreros. Sabía que era imposible. Y me ayudó a ajustar un poco los salarios para que la empresa siguiera siendo viable.

Eras un empresario de izquierda.

Así me sentía. Sobre eso tengo otra anécdota un poco posterior. Me reuní con los obreros y les dije que confiaran en mí porque conmigo no había «plusvalía». Sí, usé el término canónico. Como no entendieron lo que significaba la palabra, añadí que en mi empresa «no hay ganancias». Entonces un obrero de Oaxaca llamado Reyes Juárez levantó la mano y me dijo: «Oiga, joven Enrique, pues

Mi padre Moisés: noble, luminoso, trabajador.

ese es el problema, que no tiene usted ganancias. Porque si usted no gana nosotros no ganamos, se acaba la fábrica y todos perdemos. Así que mejor tenga ganancias». Me desconcertó. Lo que yo no entendía por entonces, a pesar de mis estudios, era la implicación de ser empresario. La responsabilidad, la tensión, la incertidumbre, el esfuerzo. Tampoco veía que el proletariado era una noción abstracta: la realidad eran esos obreros concretos, sus vidas, sus familias. No estaban buscando la Revolución sino la mejora en sus vidas y condiciones de trabajo. En cierta forma había jugado a ser empresario, pero pronto aprendí. Debido a una crisis financiera que llevaba tiempo y que yo desconocía por completo, a principios de 1969 mi padre y su socio se separaron y de un día para el otro nosotros perdimos Etiquetas e Impresos. Esto para mí fue muy difícil. Dije adiós a un futuro posible, a los obreros, a muchas cosas. Tardé en comprender los motivos. Mi padre era un trabajador incansable: dinámico, inventivo, generoso. Pero a mediados de los sesenta se había aventurado en otros negocios que no eran lo suyo (invirtió en unas extrañas casas redondas, prefabricadas; quiso tener una empresa propia de perfumería) y descuidó su propio negocio. El grupo de empresas original que formó era sólido: él se dedicaba a las ventas y su socio Alfonso a la producción. Pero había una deficiencia evidente en la administración. Eso y algunos excesos de la buena vida que se dio, y nos dio, llevaron a que contrajera préstamos que a fin de cuentas precipitaron el cisma. Alfonso, que era un hombre frugal, sensatamente atrajo a un inversionista que se asoció con él, puso orden y levantó aquella fábrica original. Con la ayuda de su hijo, también llamado Alfonso, la hizo prosperar. Pero mi padre y yo no pensamos seriamente en esa salida, estábamos solos, y tuvimos que remontar varias crisis.

De nuevo me sorprendes, nunca has hablado de eso.

Porque no vives en México. A mis viejos amigos los agorzomé con esa historia. Y a los más jóvenes también. El hecho es que nos quedamos con esas cuatro fábricas pequeñas, con más de cien empleados y empleadas y una deuda muy significativa. Además de Screen Process, otra fábrica hacía estuches para perfumes y cámaras fotográficas, otra borlas para talcos de mujer, y otra más tarjetas e invitaciones. Pronto fundamos también una imprenta para competir, desventajosamente, con la original. Pero la carga financiera de todas ellas era muy pesada. No hay nada más pedagógico que las crisis. Yo disfruté mucho mi paso por la Facultad de Ingeniería, pero entendí que la escuela no enseña gran cosa sobre la vida práctica. «¿Para eso estudiaste?», me decía mi padre, cuando constataba mi perplejidad e inexperiencia. Y mis muchos errores. Me quedaba callado. Aprendí a vivir en la incertidumbre. Y aprendí algo fundamental: pedir ayuda. Muchas personas me ayudarían en los años siguientes. Al menos quince años me llevó sacar adelante esas fábricas, siempre junto a mi padre, que era muy esforzado. Ese tránsito de 1968 a 1969 resultó decisivo. A veces ocurre así: todo se concentra, como en una tormenta perfecta. La vida cambió a partir de entonces. A principios de 1969 murió, estoicamente, mi abuela Clara. Don Saúl la sobrevivió con serenidad por siete años. En octubre murió mi abuelo José, hundido desde hacía cinco años en las tinieblas. Al día siguiente de su muerte me recibí de ingeniero. Mi vida tomó desde ese año dos rumbos: la empresa y la historia. En 1969 comenzó la pequeña odisea personal de las fábricas y ese año también me incorporé formalmente al doctorado de historia en el Centro de Estudios Históricos de El Colegio de México.

Presagios

Hay muchos conversos del socialismo al liberalismo. En los años sesenta, cuando conversabas con tu abuelo, estabas de ida en el socialismo. Mientras, él venía de vuelta. ¿Tuviste una conversión de esa naturaleza?

No fui un converso porque nunca fui ortodoxo. Acumulé lecturas, experiencias, conversaciones y encuentros que condujeron, paulatinamente, a una toma de conciencia crítica sobre la ideología marxista que sustentaba el orbe socialista y sobre la realidad objetiva de esos países. Nunca perdí de vista el valor de la libertad. Sentía el agravio del 68, detestaba al gobierno y me preocupaban los

problemas sociales de México. Quería publicar, y desde fines de 1968 había encontrado dónde hacerlo. En esos días apareció la revista *Presagio*, que dirigió José Pagés Rebollar, hijo del «jefe Pagés», director de la famosa revista semanal *Siempre! Presagio* era de formato más pequeño, semanal también. Tuvo corta vida, pero la recuerdo con gratitud porque acogió mis primeros artículos. Hoy no se encuentra ni en las hemerotecas. Mi primera colaboración fue una serie de reportajes basados en uno de esos viajes que hicimos Isabel y yo. Fuimos al pueblo de Cherán, en la Meseta Tarasca. Esos textos míos solo tienen un interés: las fotos. Fui a pedir imágenes al Instituto Nacional Indigenista y alguien me dijo: pídaselas a ese señor. En un escritorio estaba nada menos que Juan Rulfo. Solo con su alma. Gentilmente me las prestó. Rulfo era un extraordinario fotógrafo. Tenía un ojo excepcional para revelar la desolación en la letra y la imagen.

Tu primer texto político trataba de la invasión rusa a Checoslovaquia.
Fue una defensa de la libertad en el orbe socialista. Apareció en febrero de 1969. Había seguido desde sus inicios la «Primavera de Praga», por eso me indignó la invasión soviética y el apoyo inmediato que le dio Fidel Castro a la represión de aquel promisorio «socialismo con rostro humano». Así que, al enterarme de la inmolación del estudiante checo Jan Palach en protesta contra la ocupación rusa, publiqué un artículo que vinculaba el espíritu libertario de un típico joven francés en 1968 con el sacrificio libertario de Palach. Era el testimonio de una frustración. Y un acto de fe en la libertad. ¿Había sido un sueño la rebeldía libertaria del 68? Los jóvenes aguardaríamos una nueva oportunidad. Yo no desesperaba

de la posibilidad de un socialismo libertario en Occidente. Pero justamente por eso me parecía tan injustificable la invasión rusa. Para mí Checoslovaquia ya era socialista y solo necesitaba abrir puertas a la libertad. ¿No había escrito Marcuse que los jóvenes de Praga eran «ya libres para su liberación»? Checoslovaquia –creía yo– había «emancipado al hombre del determinismo económico creando el socialismo democrático verdadero…». En ese artículo transcribí una cita de Jan Palach, citando a Bakunin, citando a su vez a Proudhon:

> El gran maestro de todos nosotros, Proudhon, dijo que la combinación más desdichada que podría tener lugar sería que el socialismo se uniera con el absolutismo: la lucha del pueblo por la libertad económica y el bienestar material a través de la dictadura y la concentración de todos los poderes políticos y sociales en el Estado. Que el futuro nos proteja contra los favores del despotismo; pero que nos libre de las desgraciadas consecuencias y entontecimientos del socialismo adoctrinado o de Estado… Nada vivo y humano puede prosperar sin libertad, y una forma de socialismo que acabara con la libertad, o que no la reconociera como único principio y base creadores, nos llevaría directamente a la esclavitud y a la bestialidad.

115

Yo la suscribiría ahora. Lo que temían Bakunin y Proudhon se había hecho realidad en Praga. Los rusos habían aplastado la posibilidad del socialismo libre. La invasión rusa a Checoslovaquia constituía «el más grave error soviético después de la barbarie de Stalin».

Leías a Marcuse, dijiste, como toda tu generación en Estados Unidos y Europa.

Sí, pero no sin crítica. Primero, en 1968, *El hombre unidimensional* y luego *Eros y civilización*. No era el filósofo más relevante de la Escuela de Frankfurt, pero en ese momento, sin duda, era el más famoso. Marcuse había encontrado el tono preciso, una exaltación, un aliento mesiánico, la promesa de una liberación total, Marx y Freud hermanados. Pero yo no lo admiraba tanto. También sobre él escribí en *Presagio* un textito titulado «Marcuse, el inquisidor de la sociedad actual». Se trataba de una nota sobre su libro *Eros y civilización*. Me atrevía a criticar el lado freudiano y el lado marxista. El freudiano, porque me parecía dudoso que la liberación total del *ello* («del elemento estético-erótico», decía Marcuse) y la supresión del represivo *superego* condujeran a nada bueno y nada práctico. ¿Dónde quedaba el *yo*, es decir, el intermediario entre eros y civilización? ¿Dónde estaba el principio ético al que debía asirse el hombre? La formulación era torpe, pero trataba de reivindicar el humanismo. Respecto al lado marxista de Marcuse, quise objetar su concepto de alienación. Yo no veía a las clases obreras estadounidenses particularmente alienadas ni reacias al «American way of life» que Marcuse despreciaba (viviendo en La Jolla, California, nada menos). Al final me preguntaba si su negación absoluta de lo establecido podía «apuntar a una alternativa concreta en el orden político». La juventud del mundo reclamaba esa alternativa y Marcuse, el inquisidor, no la aportaba.

¿Qué opinión tenías del «American way of life», de Estados Unidos?

Teníamos familiares en San Antonio y los visité de muy joven, pero no envidié su vida cotidiana y detesté el trato a los afroamericanos y los mexicanos. En *Presagio* escribí algo contra el armamentismo estadounidense y contra Nixon.

Filósofos en la familia

Perteneciendo a una generación predominantemente de izquierda, me llama la atención tu distancia temprana de la corriente marxista, que era la principal, y que estaba representada entonces por Marcuse.

Esa distancia tiene su origen en las conversaciones con otro nieto de don Saúl, mi primo Miguel Kolteniuk. Fue él quien me llevó a *Presagio* y los textos que publiqué sobre Marcuse ahí tienen el sello de nuestras pláticas y lecturas. Dos años menor que yo, Miguel es hijo de Rosa, hermana de mi padre. Ambos tuvieron la presencia aún más cercana de mi abuelo Saúl, porque por un tiempo la familia vivió en su casa. Déjame hablarte un poco más de mi tía Rosa. Fue de las primeras mujeres en México en estudiar filosofía y graduarse como tal. Tres luminarias de entonces fueron sus maestros: José Gaos, Antonio Caso y Samuel Ramos. Mi tía transfirió el amor filosófico de mi abuelo en amor por la filosofía mexicana. Gaos dirigió su tesis, precisamente sobre la filosofía de Antonio Caso. La publicó en 1957, y años después compiló en varios volúmenes las

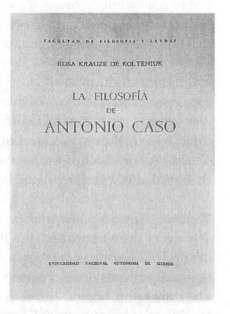

Rosa era brillante y metódica, pero también llena de dudas, como buena filósofa. El primer borrador de la que sería su obra meritoria.

obras completas de Caso en la UNAM. Desde los años sesenta (y durante toda su vida, más de medio siglo) mi tía dio clases en la Facultad de Filosofía y Letras de la UNAM.

¿Conversabas con ella sobre Spinoza?

No que yo recuerde, porque esa materia era la especialidad de su padre el sastre. Rosa me enseñó a hacer fichas de investigación y me dio nociones de historia de la filosofía, que era la clase que impartía a los recién llegados a la Facultad de Filosofía en la UNAM. Un día me explicó con toda claridad el idealismo mediante el mito de la caverna de Platón y la noción del *topus uranus*, y acto seguido pasó a la diferencia con el realismo de Aristóteles. Tenía un don pedagógico natural que combinaba con una actitud maternal, y una gran experiencia. Sus intereses fluctuaban entre la literatura y la filosofía, y terminó escribiendo su tesis de doctorado sobre un tema que las vinculaba a las dos. Se tituló *Los seres imaginarios. Ficción y verdad en literatura*. Tenía casi setenta años de edad cuando se recibió. Mi tía fue una mujer de inmenso mérito, no reconocida suficientemente por su condición de mujer. Ahora mismo, ser mujer intelectual en México es difícil. Serlo en ese tiempo lo era aún más. Tenía que lidiar con intelectuales depredadores, displicentes, arrogantes. Navegó en esas aguas con fortaleza y dignidad. Y dejó una obra muy valiosa. Sin su amorosa edición de Antonio Caso, ese gran filósofo mexicano habría sido más olvidado de lo que ha estado. Caso, por cierto, fue el maestro principal de la generación de 1915, la de Manuel Gómez Morin, Vicente Lombardo Toledano y Daniel Cosío Villegas (entre muchos otros). Así que, en cierta forma, mi trabajo de historiador se desprende de la obra de mi tía Rosita.

Tu primo Miguel hablaba también con su abuelo Saúl.

Miguel me ha contado que iban al Bosque de Chapultepec, y caminaban por unas veredas rodeadas de ahuehuetes milenarios llamadas Calzada de los Poetas y Calzada de los Filósofos. Y le decía, como a mí: «Mira, ¿no te parece que es un milagro la naturaleza? Somos la naturaleza. Es curioso, nacemos, crecemos, nos casamos, tenemos nuestros hijos, envejecemos, morimos y seguimos siendo parte de la naturaleza; cuando uno muere va a formar parte de la naturaleza de otra forma, nosotros formamos parte de esto. Entonces no importa morir, no importa porque vamos a seguir siendo parte de la naturaleza». Creo que a Miguel lo marcó hondamente el espíritu contemplativo de don Saúl. A mí menos. Miguel tuvo una niñez más centrada en la cultura que la mía. Nada de empresas en su caso. De niño, y hasta la juventud temprana, fue concertista (todavía tiene un piano de cola y toca maravillosamente). Estudió en el Colegio Israelita, pero los temas judíos de la historia y la tradición le interesaban menos. Al salir de la preparatoria ingresó a la Facultad de Medicina (siguiendo al padre, que era el médico Luis Kolteniuk); al poco tiempo se cambió a la Facultad de Filosofía (siguiendo a la madre). Ella le explicó el existencialismo de Sartre: por qué la existencia no tiene sentido, por qué estamos condenados a la libertad ontológica y por qué el hombre es presa de una pasión inútil: la pasión de ser Dios. Esos eran los temas de Miguel. Fluctuaba entre la náusea de Sartre y el pesimismo de Schopenhauer. Yo había leído a Sartre en la preparatoria y escribí algunos malos poemas de temor y temblor existencial, pero para entonces no sentía ya esas angustias, quizá por estar lleno de exigencias prácticas. Digamos que fui un estudiante vicario de filosofía a través de mi primo. Me dio a leer la historia de la filosofía de Manuel García Morente. Creo que es un libro notable por su claridad.

A partir de Spinoza (judío español, al fin al cabo) entrabas a la filosofía por la puerta de España.

De los maestros españoles de filosofía que vivieron en México. Y es que en ese tiempo ya acudía a las clases de Gaos en El Colegio de México. Y comencé a leer ensayos de Ortega y Unamuno, y las lecciones de Juan de Mairena y Abel Martín, los heterónimos de Antonio Machado. Pero en 1969 lo importante eran las conversaciones filosóficas con Miguel: tenían una tensión que provenía de las polémicas de su facultad alrededor del marxismo. El hereje preferido era Karl Popper. A propósito de sus críticas al marxismo, se libraba en la universidad una tremenda batalla intelectual.

La miseria del historicismo

¿Cómo era esa batalla? Parece el presagio de tantas en las que tú mismo intervendrías en las décadas siguientes. Y me interesa mucho que hayas leído a Popper tan temprano. No hay filósofo liberal más importante. Estarás de acuerdo.

Estoy de acuerdo. Nadie se le compara. Te cuento lo que Miguel me decía sobre esas batallas. En el 69, la Facultad de Filosofía y Letras estaba dividida en dos bloques: los filósofos analíticos influidos por la escuela filosófica de Oxford, que pertenecían al Instituto de Investigaciones Filosóficas, y los marxistas que daban clases en la facultad. El plan de estudios era muy rico y variado; se enseñaba a Husserl, Heidegger, Dilthey, Hegel, pero la discusión que estaba a la orden del día era en torno al marxismo: unos defendían su carácter científico y otros negaban que fuera una ciencia, más bien la consideraban una «seudociencia». Para los marxistas ese cargo era intolerable, y acusaban a sus adversarios de ser ideólogos burgueses, enemigos de la lucha de clases. Miguel asistía a la cátedra de Adolfo Sánchez Vázquez, transterrado español de gran prestigio y honestidad intelectual. Gracias a él pudo estudiar algunos textos de Marx con seriedad y sin prejuicio, y descubrió lo evidente: que Marx es un pensador absolutamente indispensable y esencial. Pero, en ese contexto de debate, Miguel conoció al joven filósofo Hugo Margáin, discípulo de Alejandro Rossi, el mayor exponente de la filosofía analítica en el instituto. Margáin le recomendó leer dos obras de Popper: *La sociedad abierta y sus enemigos* y, de manera esencial, *Conjeturas y refutaciones. El desarrollo del conocimiento científico*. Miguel me pasó esas recomendaciones. *La sociedad abierta y sus enemigos*, editada en dos tomos por Paidós, se volvería años después una lectura de cabecera, pero tardé en asimilarla. En ese tiempo me concentré en los capítulos finales –que en realidad eran conferencias– de *Conjeturas y refutaciones*. Popper criticaba al marxismo desde su especialidad, la filosofía de la ciencia. Miguel me explicó sus tesis centrales. Primero, que la teoría marxista carecía de precisión conceptual. Segundo, que las hipótesis y las leyes que según esa teoría rigen la historia no tenían fundamento empírico ni consistencia lógica y, sobre todo, no podían señalarse las condiciones que las harían falsas.

Esto era lo importante: que fuera imposible someter las hipótesis y leyes del marxismo a un proceso científico de refutación. Por eso siempre podían acomodarse o transferirse al futuro.

Yo no entendía las fórmulas matemáticas y lógicas del libro, pero me atraía la crítica, el método científico, la idea del «ensayo y error» y la refutación como instrumento de progreso en el conocimiento. Simplemente comprendí que la filosofía tenía una aplicación directa en el conocimiento histórico y, a partir de ahí, en el pensamiento político: servía para desmantelar el dogmatismo *historicista* (así lo llamaba Popper), desmontar los sofismas de la dialéctica, desmentir la idea de que existen leyes en la historia. No es posible profetizar nada. Por lo demás, como aprendí ese mismo año en El Colegio de México, lo importante en el quehacer histórico es comprender el sentido de los hechos.

En esto, Dilthey era más pertinente que Marx. ¿No crees? Dilthey hace una división entre las ciencias naturales y las ciencias del espíritu; las primeras solo buscan explicaciones causales por medio de leyes generales y su modelo es la física. Las otras, que él llama ideográficas, no buscan explicaciones causales ni leyes históricas, sino la comprensión del sentido de los acontecimientos históricos que son únicos e irrepetibles, y por tanto no se pueden generalizar como si fuera un experimento de laboratorio.

Precisamente. El historiador debía buscar el sentido, no las leyes. Eso era tema de los filósofos de la historia. Me interesó antes la historia, pero desemboqué en la filosofía de la historia porque el marxismo era el fundamento del socialismo revolucionario que era el horizonte ideológico de nuestra generación y también de muchos maestros. ¿Qué era el marxismo: ciencia, profecía, ideología? Miguel usaba la palabra «delirio» y me decía: «el problema no es Marx sino los marxistas». Respetaba como es obvio a Marx, cuyo estudio requería gran conocimiento de la economía, pero le incomodaba que se hablara de su obra como si fuera un catecismo. Le molestaba el adoctrinamiento ideológico, tan parecido al religioso,

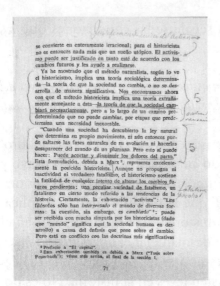

¿Podemos hablar de «leyes de la historia» como de la naturaleza? El libro de Popper fue de mis primeras lecturas que me llevaron a cuestionarme por el sentido de la historia.

y las ideas fijas como dogmas repetitivos. Miguel, mi primo poppe-riano, llevó muy lejos esas elucubraciones, al grado de escribir una tesis que criticaba a Marx a partir de Freud. Llegó a la conclusión de que ningún sistema político ni ideológico ni económico podía modificar la condición del hombre (dualidad de Eros y Tánatos) y que, por tanto, la imposición de una doctrina seudocientífica solo desencadenaría la siempre latente pulsión de muerte. La historia soviética ha comprobado con creces ese dictamen. Escribió un libro sobre el tema: *Cultura e individuo*.

¿Avanzaste por tu cuenta en la lectura de Popper? ¿Publicaste algo en esa línea?

No publiqué nada. Popper para mí fue un asidero científico, un fundamento para comenzar a tomar distancia crítica de las ideologías predominantes, las mismas que enfrentaría, al cabo de los años. Hice una presentación sobre Popper en mi grupo de doctorado en El Colegio de México. A mediados de 1969, se me volvió a presentar la oportunidad de leer a Popper, ya en un curso formal de «Teoría y método de la historia». Se trataba de elegir un libro sobre esos temas y yo escogí *La miseria del historicismo*, que es la versión ampliada de los capítulos finales de *Conjeturas y refutaciones*. Aún conservo el cuaderno de apuntes del curso y el libro con los lomos negros, descarapelados, y los márgenes llenos de subrayados, apostillas y exclamaciones. Lo publicó Taurus, en 1961. ¿Conoces el epígrafe? «En memoria de los incontables hombres y mujeres de todos los credos, naciones o razas que cayeron víctimas de la creencia fascista y comunista en las Leyes Inexorables del Destino Histórico.» Popper era el crítico supremo de esos dos totalitarismos.

Es verdad. No solo el marxismo estaba en su mira. Varias de sus críticas eran aplicables al nazismo, pero en 1957 (cuando publicó el libro en Inglaterra) ya solo un totalitarismo quedaba vivo. Popper se concentraba en la noción de historicismo. Refutaba la creencia típicamente marxista de que la historia es la sustancia orgánica de la vida, que por tanto responde a ciertas leyes y es predecible.

Mira. Apunté en los márgenes del libro algunas categorías historicistas que desmontaba con un lenguaje seco y directo, propio de la investigación científica: El «holismo» (la idea de que hay sujetos colectivos, un «todo» abstracto que subsume a las personas concretas o los procesos mesurables). La comprensión intuitiva (que colinda con la magia). La profecía histórica (que es lógicamente imposible, ya sea porque el profeta no puede anticipar el estado de conocimiento futuro o porque ella misma incide en el desarrollo de las cosas). El utopismo (la creencia en una sociedad ideal).

El historicismo tiene un atractivo emocional, pero es demostrablemente falso. Su refutación del historicismo parece una demostración matemática.

A mis compañeros en El Colegio de México no les gustó mi presentación. Uno de ellos me dijo: «Marx es lo único que tenemos». A mí me entusiasmó Popper. Además, en ese libro proponía el concepto de «ingeniería social fragmentaria» como alternativa asequible para el progreso humano. La traducción al español de ese concepto no era afortunada. En inglés es *piecemeal social engineering*. Se refería a la aplicación puntual, razonada y paulatina de mejoras prácticas, nunca absolutas o definitivas. Con el tiempo, me di cuenta de que el concepto era utilísimo porque lograba reformas concretas y asequibles, justo lo contrario a las utopías abstractas, inalcanzables, contraproducentes y opresivas. Gracias a esas lecturas tuve más elementos para criticar al filósofo que estaba en las antípodas de Popper: a Marcuse, el filósofo historicista, holista, utopista, profético, mesiánico.

Y sin embargo, seguías pensando en el socialismo como horizonte histórico.

Sí, porque pertenecía a una generación que estaba en esas creencias, y es muy difícil escapar de ambas. Digamos que por un tiempo no muy largo viví una disonancia cognitiva.

Amigos de juventud

¿Quiénes fueron tus amigos intelectuales?

Uno de ellos era un marcusiano de carne y hueso. Se llamaba José María Pérez Gay. Me lo presentó un amigo suyo, que era mi compañero en El Colegio de México: Héctor Aguilar Camín. Gracias a ellos me acerqué a dos escritores un poco mayores que nosotros que se volverían amigos de por vida: José Emilio Pacheco y Carlos Monsiváis. En ese tiempo conocí también a mi mayor compañero intelectual, Hugo Hiriart. No formaban un grupo, propiamente. A quien conocí primero fue a Monsiváis. Debió de ser en 1969. Mi madre, periodista ya entonces, me consiguió su teléfono. A pesar de su juventud, Carlos era tan célebre que ya había publicado su *Autobiografía precoz*. Tenía una sensibilidad única para apreciar y retratar la cultura popular, un temible filo sarcástico y una cultura literaria enciclopédica, sobre todo en habla inglesa. Le llamé, lo visité en su casa de San Simón #62 en la colonia Portales. Vivía con su madre y una tía. Recuerdo sus gatos, sus libros forrados de plástico transparente. Tiempo después lo volvería a ver ya con Héctor y José Emilio Pacheco. Carlos se hizo cargo de la dirección del suplemento cultural de *Siempre!*, *La Cultura en México*, del que José Emilio había sido secretario de redacción por largo tiempo, y nos invitó a colaborar a Héctor y a mí.

¿Cómo conociste a Aguilar Camín?

Lo conocí antes de conocerlo, en los años sesenta, porque escribía crítica literaria en *El Gallo Ilustrado*, suplemento cultural de *El Día*, diario de izquierda dirigido por un viejo comunista amigo de juventud de Octavio Paz llamado Enrique Ramírez y Ramírez. Yo leía ese periódico. Era muy distinto a los periódicos «burgueses» que recibíamos en la casa: *Novedades* (donde publicaba mi mamá) y *Excélsior*. *El Día* traía buenas crónicas históricas, y contaba con especialistas en política internacional. A principio de 1969, el primer día de clases en El Colegio de México, conocí en persona a Aguilar Camín. Como estudiante de comunicación en la Universidad Iberoamericana, había participado muy activamente en el 68. Trabamos una buena amistad. Vivía en una casa del extremo poniente frente al Parque México. Debajo había un taller donde el dueño, don Hilario, rentaba bicicletas. Por años, cada domingo, mis primos y yo íbamos con don Hilario para escoger la nuestra y recorrer el parque. ¿Cuántas veces me habré cruzado con Aguilar Camín? No lo sé, pero cuando lo vi en El Colegio su rostro me pareció familiar. Agradecía el respeto que tenía a mi condición judía. A veces pienso que, a pesar de vivir frente al Parque México, en el que se reunían tantas familias judías, Héctor no había tratado de cerca a ninguno. Nunca se lo pregunté, pero el caso es que fue él quien me acercó por primera vez a la obra de autores judíos estadounidenses. Me dio a leer *El dependiente*, de Bernard Malamud, que casi me derrumba porque es la historia de un pequeño empresario que se pasa la vida tratando de sacar adelante su negocio y el día que lo logra vender, borracho de alegría, en una nevada, muere de pulmonía. Y fue él también quien me regaló *Los diez mandamientos de Moisés*, de Thomas Mann, que contenía una frase inolvidable: «Su nacimiento fue irregular. De allí que amara apasionadamente el orden, lo inviolable, lo que debe y no debe hacerse». Héctor fue quien me reclamó mis tesis popperianas pero guio mis lecturas de novela, género que ha sido su gran pasión. Me dio a leer a Mann y a Hesse. Disfrutaba leyendo en voz alta a Cortázar, pero creo que su modelo mayor era Onetti, cuyo cuento «Bienvenido, Bob», metáfora de las vidas quebradas y las ilusiones perdidas, admiraba mucho.

¿Quién era Pérez Gay, aquel marcusiano que mencionaste hace unos momentos?

Te cuento por qué fue importante para mí. Un día, Héctor nos invitó a conocer a un íntimo amigo suyo que estaba de visita de Berlín, donde estudiaba filosofía. Isabel y yo fuimos con Héctor al modesto apartamento de planta baja donde vivían los padres y hermanos menores de Chema, en la callecita de Cadereyta, a espaldas de un gran edificio nunca concluido en la colonia Condesa, muy cerca del Parque España, que era, en realidad, una extensión pequeña del Parque México. Chema comenzó a hablar y quedamos hechizados. Tenía ya entonces su gran melena casi plateada, una sonrisa ancha y perfecta, hablaba con voz grave y pausada, intercalando términos en alemán. Era un gurú de la filosofía. Aquella noche y las muchas veladas que siguieron, nos habló de su maestro Theodor Adorno. Para mí esa vertiente alemana de Chema fue una revelación. Esa noche nos refirió el trabajo del Institut für Sozialforschung y sus representantes principales: Adorno, Max Horkheimer, Karl Wittfogel y Marcuse, a quien yo había criticado. La resistencia intelectual de este grupo al nazismo había sido permanente, pero tras la guerra, fieles a su formación marxista, combatieron al orden capitalista. Hijos pródigos de la Ilustración y el Romanticismo alemanes, herederos paralelos de Marx y Freud, quisieron fundir todas esas corrientes en el crisol de un idealismo social generoso y utópico, la liberación integral del hombre. Me parece interesante la trayectoria de Chema. Luego de estudiar ciencias de la comunicación en la Universidad Iberoamericana (de los jesuitas), se había ido a Berlín y se matriculó en la Universidad Libre, donde vivió el 68. En Alemania el embajador era un intelectual muy fino de la generación de Paz, el filósofo Manuel Cabrera Maciá, que fue mentor de Chema y lo atrajo a la embajada. Entre 1970 y 1975 Chema volvió a Alemania pero regresaba por temporadas a México, así que nos veíamos, casi siempre con Héctor. Tengo grabados momentos de exaltación. Películas (*Morir en Madrid*, en el Cine Roble), veladas de música de protesta con temas de Violeta Parra o Daniel Viglietti, cantados por el «Negro Ojeda»; cenas filosóficas en el restaurante Cardini. Pero más importantes que su prédica ideológica

–que me interesaba, aunque no me convencía– fueron sus actos de generosidad intelectual. Y es que Chema me acercó a la vida y obra de autores judíos de entreguerras que yo desconocía y de ese modo me reconectó, por otro camino, con una vertiente compleja y rica de mi tradición original. Me refiero a la constelación literaria de la Europa Central, sobre todo la de Berlín, Múnich, Viena y Praga.

Que nada tenía que ver con la tradición del ídish, que era la tuya.

Los judíos de Europa Central por lo general despreciaban la tradición del ídish; la consideraban atrasada, provinciana, sentimental, supersticiosa, vulgar. Pero hubo excepciones importantes. Martin Buber, por ejemplo. Chema me regaló *Las leyendas de Baal Shem Tov*, un santo jasídico del siglo XVIII en el que Buber y sus discípulos creyeron ver una fuente de sabiduría y conexión divina impenetrable para el «frío y decadente» racionalismo spinoziano del siglo XIX. Buber fue un autor importante para Kafka. Chema y Héctor me regalaron también un precioso libro sobre el *shtetl*, el pequeño pueblo típico de los judíos en Polonia. Era el mundo de mis abuelos, pero abordado desde un enfoque histórico y sociológico moderno. Ahora que lo pienso, yo quería pertenecer al mundo mexicano, pero Chema y Héctor me devolvían a mi raíz.

¿Pérez Gay te introdujo a Walter Benjamin?

Quizá fue el primero que me habló de él, pero la primera inmersión en Benjamin la debo a José Emilio Pacheco, a quien conocí también por ese tiempo. En la Navidad de 1971, la editorial Era regaló a sus amigos una preciosa edición del famoso ensayo de Benjamin *París, capital del siglo XIX*. José Emilio escribió la introducción, tradujo y anotó el texto. Debió de ser él quien me regaló esa obra un día que conversamos en su casa. Benjamin aplicaba el materialismo histórico a la recreación de toda una época y una ciudad emblemática del ascenso histórico burgués. Gracias a Benjamin, decía José Emilio, podíamos *leer* el Segundo Imperio en un poema de Baudelaire y en una foto de Nadar, en un diorama de Daguerre o en una caricatura de Grandville. Era muy emocionante la historia de la

Comuna de París en 1871: cómo el famoso barón Haussmann había destruido al viejo París para construir las avenidas y bulevares que abrirían la ciudad al progreso (y prevenir las barricadas, con la sorpresa de que la Comuna levantó barricadas hasta el primer piso de los edificios en aquellas avenidas). Obviamente, esa lectura se conectó con la experiencia de París en 1968 y nuestra propia experiencia en México ese año. Yo leí el librito aquel como una justificación histórica a nuestra ansia de libertad. Y, naturalmente, seguí leyendo a Benjamin. Por esos días compré una de las primeras ediciones en español de sus *Iluminaciones*, con prólogo de Hannah Arendt.

¿Desde entonces fuiste amigo de Pacheco?

Hasta su muerte. José Emilio, como te dije, nació y vivió siempre a una o dos cuadras de la calle de Ensenada, donde yo nací. Su casa era una torre de Babel levantada no con palabras sino con libros: no había espacio en las paredes, el piso, las escaleras, las recámaras para nada que no fueran libros. José Emilio era ocho años mayor que yo, es decir, apenas pasaba los treinta años, pero para entonces su reputación como poeta, novelista, cuentista y editor estaba ya plenamente establecida. Mi generación leyó sus novelas con la misma devoción que las generaciones siguientes: nos veíamos reflejados en los jóvenes atormentados de *Batallas en el desierto*. Por si fuera poco, José Emilio publicaba cada semana en *Excélsior* una columna de historia literaria, llena de erudición y curiosidad mexicana y universal, titulada «Inventario». Hicimos una amistad de por vida. Era omnisciente, sabio, sensible. Trabajaba entonces en una antología del modernismo. Compartíamos el gusto biográfico por la literatura mexicana, el amor por la vieja Ciudad de los Palacios y la nostalgia de la ciudad de los cincuenta, que se perdía año tras año ante nuestros ojos.

¿Qué otros autores les interesaban a tus amigos?

Por Chema tuve las primeras noticias de autores que, sin estar ligados a la Escuela de Frankfurt, fueron por momentos amigos de ese grupo y pertenecieron a la misma generación. Me refiero sobre todo a Gershom Scholem, el gran historiador de la Cábala que para mí se volvería esencial para entender el fenómeno del mesianismo.

Scholem fue el gran amigo de Benjamin. He leído hace poco De Berlín a Jerusalén, *su autobiografía, donde se refiere a él con detalle y también con tristeza, por no haber logrado atraerlo a Jerusalén, donde se habría salvado.*

Hacia 1976, ya alejado de Chema y Héctor, comencé a releer con mayor empeño a esos dos autores por motivos diversos, de búsqueda de identidad pero también con el empeño de revisar críticamente la idea revolucionaria. Y de entender el siglo XX a través de sus vidas y sus ideas.

¿Hablaba Pérez Gay de Hannah Arendt?

De ella y de su romance con Heidegger. En esos años Chema me regaló la biografía escrita por Hannah Arendt de Rahel Varnhagen, una dama judía de principios del siglo XIX convertida al luteranismo y casada con un personaje alemán, que fue anfitriona del más exitoso salón literario en Berlín, una especie de vestal de Goethe. Hannah Arendt se veía un poco en el espejo de aquella mujer.

Te estaba poniendo al tanto de las lecturas que había hecho en Alemania.

Y en retrospectiva, se lo agradezco mucho. En el Colegio Israelita nunca nos hablaron de esos autores. Para nosotros, la historia se había detenido en el siglo XIX en Polonia y Rusia. Y la historia del judaísmo centroeuropeo se detenía en la Ilustración. No recuerdo que nos hayan hablado de Heinrich Heine, por ejemplo.

¿Cuáles eran las convicciones y las actitudes políticas de Pérez Gay?

Era hijo del 68 alemán. No recuerdo haberlo escuchado mencionar a Rosa Luxemburgo, Karl Liebknecht o Gustav Landauer, mártires de la Revolución alemana de 1919 con quienes se identificaban los jóvenes berlineses de 1968, pero se refirió alguna vez con exaltación a Ernst Toller, un famoso dramaturgo y poeta judeoalemán que intervino en esa malograda revolución en Múnich de 1919. En cuanto a sus actitudes, no era militante pero tenía ciertas pulsiones teatrales, simbólicamente revolucionarias. Una vez, sentado junto a mí en mi coche, me dijo: «Un día el muchacho que acaba de limpiar tu parabrisas te arrojará una bomba». No supe qué pensar. Creo que era amigo de Rudi Dutschke, el tremendo líder alemán del 68, y tenía, al menos en teoría, ese espíritu revolucionario. Y no hay duda de que se identificaba con Adorno, Marcuse y Ernst Bloch. Este último llevaba el marxismo a un plano casi místico. A mí, de manera natural y no solo como lector de Popper, ese radicalismo no me convencía en absoluto.

Un personaje romántico, me parece también Pérez Gay.
Le impacientaba la vida práctica, sus minucias, sus dificultades e imperfecciones, sus mezquindades. No sabía manejar, le daban pánico los elevadores. Un platónico irredento, a la primera provocación (o antes) se remontaba al mundo de las esencias que lo redimía. Lector del mesianismo, aspiraba a él.

¿Qué ocurrió con esos amigos de juventud en los años siguientes?
Con José Emilio la amistad siguió intocada. Nos reuníamos a comer en un restaurante lleno de simbolismo llamado El Pabellón Suizo, localizado frente a la Plaza de la Cibeles en la colonia Roma. Digo eso porque era un sitio tradicional al que terminó por arrasar la fatalidad urbana, incluida la de los terremotos. Desde 2005 coincidimos cada mes en las reuniones y comidas de El Colegio Nacional. Nuestro tema fue siempre el mismo: la historia literaria de México. Murió en 2014. En cuanto a Monsiváis, la historia es similar. A pesar de haber militado desde 1975 en trincheras intelectuales distintas y opuestas, nunca reñimos. Por el contrario, a menudo nos reuníamos para desayunar en la YMCA donde yo solía nadar por la mañana. La gente lo saludaba con cariño. «¿Usted aquí, don Carlos?» «Sí, acá nado.» Nos vimos los últimos días de su vida en Cuernavaca, y cantamos juntos –con mi esposa Andrea y mi amiga entrañable Joy Laville– canciones de Cole Porter, sobre todo una que le encantaba: «So in Love». Tengo correos suyos muy afectuosos, días antes de morir. A Chema simplemente lo dejé de ver, así, sin aspavientos. Nuestros caminos no se volvieron a cruzar. Él era muy

cercano y muy afín a Héctor, y yo me alejaría de Héctor en 1975, básicamente por cuestiones ideológicas. Yo me inclinaba al liberalismo, él seguía fijo en una mentalidad de izquierda. Pero tuvimos juntos una experiencia que nos marcó: la matanza del 10 de junio de 1971.

Conversaciones en San Remo

El quinto amigo fue Hugo Hiriart.

Nuestra amistad se fue construyendo poco a poco, pero comenzó en los años setenta. Hugo ha estado siempre cerca. Una amistad insólita, me ha dicho él, porque Hugo es contemplativo y yo tiendo a la acción. Filósofo, ensayista, cuentista, dramaturgo, novelista, guionista, pintor, ¿qué no ha sido y qué no es Hugo Hiriart?

Susan Sontag definía al polímata como «la persona que se interesa en todo, pero en nada más».

Ahí tienes la definición de Hugo Hiriart. Entre más cercano es un amigo, más difícil hablar de él. Es cinco años mayor que yo. Yo lo leía desde los años sesenta, cuando escribía en *Excélsior* textos sobre la vida cotidiana desde un ángulo insólito, personal. Era un filósofo en toda forma pero no estaba afiliado a ninguna escuela de pensamiento. Había tomado todas las clases que impartía José Gaos en la Facultad de Filosofía y Letras. En ese sentido, era un filósofo ecléctico, un nieto de Ortega y Gasset interesado en la historia de la filosofía. Pero, a diferencia de Ortega, no creía en los sistemas filosóficos. Y menos aún en el marxismo y el existencialismo que según Karl Jaspers eran las dos grandes necedades intelectuales del siglo xx. A Hugo lo exasperaban las ideologías de cualquier índole, y por eso estudió lógica y leyó concienzudamente a Wittgenstein.

Un filósofo del lenguaje, analítico…

No propiamente. La filosofía analítica y la lógica le importaban como instrumentos insustituibles de racionalidad, sobre todo en un medio propenso a la mala argumentación y el dogmatismo. Debido a la influencia de don Fernando, su padre –un ingeniero civil notable que pertenecía a una generación de eminentes matemáticos–, Hugo se aficionó a las ciencias exactas, al grado de tomar cursos en la Facultad de Ciencias. Y alguna vez me contó su entusiasmo –que me resultó natural– por las clases de geometría analítica y cálculo diferencial que le había dado un teniente de corbeta retirado en la vieja Escuela Nacional Preparatoria.

Un filósofo de la ciencia...

No en sentido estricto. Una influencia mayor de Hugo fue el padre José Manuel Gallegos Rocafull, filósofo español transterrado que escribió obras maestras de filosofía tomista e historia del pensamiento católico en España y México. Hugo no estudió en colegios católicos sino en escuelas oficiales, y quizá por eso pudo entablar una relación libre, gozosa y fructífera con su fe católica y con el pensamiento católico, todo al margen de la estructura clerical. Hugo es un pensador religioso muy original.

¿Qué clase de filósofo es, entonces, Hugo Hiriart?

Un escritor filosofante. En la mente creativa de Hugo todo se vuelve literatura filosófica: los sueños, las lecturas, las minucias de la vida, los animales, las nubes. Gaos decía que había vivido «a caballo entre la filosofía y la historia». Su discípulo Hiriart ha vivido a caballo entre la filosofía y la literatura. Hugo siempre fue libre y lúdico. Tiene un espíritu curioso y juguetón, como el de Alfonso Reyes, aunque es menos sistemático y más libre que aquel maestro supremo. Además, a diferencia de Reyes, es novelista.

¿También novelista?

Sus novelas inventan mundos, aventuras, seres mitológicos, como Stevenson o Swift. Me gusta *Galaor* por su atrevida reconstrucción de la novela de caballerías, que en la década de los setenta era una rareza. Y *Cuadernos de Gofa*, que es de 1981, porque es la construcción de una civilización imaginaria de principio a fin, llena de caracteres que pueden parecer una actualización del mundo grecolatino que él conoce tan bien. *El agua grande* es una novela corta llena de sabiduría sobre las maneras de narrar y una reflexión del género que es muy difícil de encontrar en lengua española.

Vaya polímata, no hay muchos en nuestro tiempo.

Hay algo de niño asombrado en Hugo, por eso ha escrito obras de teatro para niños y hasta ha reinventado en México el teatro de marionetas. Dicho lo cual, es un supremo dramaturgo de temas bergmanianos. Como guionista, ha colaborado en películas extraordinarias de Guita Schyfter, su mujer, como *Novia que te vea* y *Huérfanos*. Solo le ha faltado –que yo sepa– ser actor.

Me recuerda al doctor Johnson.

Su paraíso –me consta– son las librerías y ha leído bibliotecas. A veces su omnisciencia adopta formas y tonos socráticos. Le gusta dar ejemplos y dar clases, aclarar y explicar. Pero sobre todo conversar. Sí, es nuestro doctor Johnson.

¿Cómo lo conociste?

No recuerdo bien. Un día irrumpió en mi casa y le puse un disco de Brahms, que ha sido mi compositor favorito. «¡Tú qué vas a saber nada del gordo Brahms!», me dijo. Y se fue o lo corrí. Pero no peleamos, y al enterarse del tema de mi tesis me dio aquel consejo de oro: leer *To the Finland Station* de Wilson. Ya cuando trabajaba en *Vuelta*, me invitó al Club Italiano a conocer a sus amigos vasconcelistas, veteranos de la campaña de 1929 como Mauricio y Vicente Magdaleno, Juan Bustillo Oro, y otros como el epigramista Pancho Liguori. Eran divertidos e ingeniosos. Hugo y yo comenzamos a reunirnos a comer en un pequeño restaurante italiano de la avenida Insurgentes llamado San Remo. El restaurante aquel ya no existe, pero nuestra amistad ha seguido a lo largo de cuatro décadas. En Hugo encontré un bálsamo cultural. Podíamos pasarnos un buen rato hablando de música. Yo le refería mis pasiones mahlerianas de entonces y él recordaba cuando Gieseking tocó en México los preludios de Debussy. Tuvimos siempre, hasta ahora, una animada conversación sobre libros. A veces pienso que los hados me mandaron a Hugo: «Te lo encargamos, oriéntalo, necesita descubrir la literatura universal. A los griegos y los latinos, no sabe nada de eso; dale a leer a Aristófanes y a Cicerón. Discute con él a Tolstói y Dostoyevski. Acércalo más a la literatura inglesa y, como le gusta la biografía, que lea al doctor Johnson y a Lytton Strachey. Conversen mucho sobre Borges. No hablen de política».

Un polímata católico y un historiador judío conversan en San Remo.
En los ochenta Hugo se casó con Guita, que es judía. Y el judaísmo se volvió un tema de sobremesa. Hugo es católico, pero tiene fascinación por la historia judía. Yo soy judío, y tengo fascinación por la historia cristiana. Hay un sustrato religioso en nuestra conversación, que se ha reproducido en la amistad de nuestros hijos Daniel y Sebastián, dos mestizos judeomexicanos.

III. Maestros humanistas

Biblioteca de Cuernavaca.

El enigma

¡Qué bien venir a Cuernavaca!

Hay un poema de Alfonso Reyes, «Homero en Cuernavaca», que comienza así: «A Cuernavaca voy, dulce retiro»:

Ni campo ni ciudad, cima ni hondura;
beata soledad, quietud que aplaca
o mansa compañía sin hartura.
Tibieza vegetal donde se hamaca
el ser en filosófica mesura...
¡A Cuernavaca voy, a Cuernavaca!

Cuernavaca fue un imán cultural en el siglo xx. ¿Quién no pasó por acá? A Cuernavaca llegaron cineastas y guionistas huyendo del macartismo. En Cuernavaca Malcolm Lowry escribió *Bajo el volcán*, esa metáfora del paraíso y el infierno que siempre ha sido México. Transcurre cerca de aquí, frente a esta misma barranca, con el horizonte lejano de los volcanes que en días claros se pueden ver. Cuernavaca es un buen lugar para pensar en México.

En Ámsterdam tienes la biblioteca judía, y acá la biblioteca mexicana...

La comencé a reunir cuando salí de aquella vida inmersa casi exclusivamente en la educación judía. Acá tengo mis libros de historia universal, europea, latinoamericana; filosofía, historia de las ideas, biografía, literatura universal, latinoamericana y mexicana. Historias y biografías de la Revolución rusa. Colecciones de la revista *Plural* y *Vuelta*. Obras completas de autores que me han importado siempre: Ortega y Gasset, Alfonso Reyes, Octavio Paz, Bertrand Russell, George Orwell, Isaiah Berlin. Mis libros sobre socialismo y la URSS. Y desde luego la biblioteca de historia mexicana. La hice de adelante hacia atrás, primero con libros sobre la Revolución mexicana y la historia contemporánea, y a partir de ahí fui remontando los siglos. Fui formando un pequeño acervo alrededor de los libros que escribía. Vamos a recorrerla rápidamente, ¿te parece? Mi amigo Guillermo Tovar de Teresa, hermano de Rafael, gran amigo también, era un hombre sabio, el mayor erudito en historia colonial. Era diez años menor que yo. En los años ochenta le dije: «Guillermo, ya tengo una biblioteca sobre la Revolución mexicana, ayúdame a armar una de los siglos anteriores». Entonces se vendía la biblioteca de un señor Noriega. Era nieto o bisnieto del albacea de Lucas Alamán, gran historiador del siglo XIX. Guillermo me ayudó a comprarla. Noriega era un hombre muy conservador. La biblioteca colonial era pequeña pero contiene los libros básicos. La parte del México liberal (que seguramente detestaba) es más rica. No se diga el acervo del Imperio de Maximiliano y Carlota. Tengo poco de historia prehispánica, no me he ocupado de ella. Desde luego la obra magna de mi maestro Miguel León-Portilla. Pero aquí empieza el siglo XVI. Tengo gran admiración por Joaquín García Icazbalceta. Muy pocos se acuerdan de él. En solitario y de su peculio rescató la bibliografía histórica mexicana. Imprimió a lo largo de no sé cuántas décadas documentos fundamentales del siglo XVI. Acá están sus obras. Y ves la foto y las obras de José Fernando Ramírez, otro héroe de la historiografía, que descubrió y recopiló fuentes sobre el mundo prehispánico valiosísimas. Al lado están los cronistas y misioneros del XVI. También colecciones diversas de documentos para cada siglo, historias generales de México que datan del XIX y la revista *Historia Mexicana* fundada por Daniel Cosío Villegas en El Colegio de México en 1951. Y, como ves, siguen los temas y géneros: libros sobre la conquista, la historia regional de México, luego el largo virreinato en sus dos etapas, la Independencia, la

Reforma, la Intervención, el porfiriato y una colección amplia sobre la Revolución mexicana. Además algunas revistas satíricas célebres del siglo XIX, como *La Orquesta* o *El Ahuizote*. No es una biblioteca grande. Es la biblioteca de un historiador, no de un bibliófilo, menos aún la de un bibliómano.

El grueso del acervo parece ser sobre la Revolución mexicana.

Porque fue mi tema principal. En los años cincuenta, como te dije, estábamos rodeados de imágenes revolucionarias en el cine, sobre todo de Pancho Villa. Mi padre compró la *Historia gráfica de la Revolución mexicana* de los hermanos Casasola cuyas abigarradas fotografías veía yo con una mezcla de horror y fascinación. Teníamos una visión mítica de ese movimiento. Pero ya en la preparatoria leímos la llamada novela de la Revolución mexicana, género muy fértil que había dado obras clásicas, como *Los de abajo* de Mariano Azuela y *El águila y la serpiente* de Martín Luis Guzmán. Estas obras no exaltaban a la Revolución, más bien recreaban vívidamente la tragedia que significó. Ese era también el contenido desolador de dos películas de los años treinta, *El compadre Mendoza* y *Vámonos con Pancho Villa*. Así que para mí la Revolución era, menos que un mito, un enigma dentro del enigma que es México.

¿Por qué te interesaste en escribir sobre la Revolución mexicana?

Creo que influyó el movimiento estudiantil. Mi generación quiso entender el siglo XX mexicano, para entenderse a sí misma, para vislumbrar su lugar y su posible misión. Fue una generación condenada a pensar en la política. Eso a la larga empobreció nuestro horizonte literario, pero era inevitable. El 68 fue el laboratorio social y político de una generación que de pronto se sintió llamada a cambiar el país, y hasta cambiar el mundo. La Revolución pareció entonces la clave para salir del laberinto, la solución al enigma de México. Ya no creo que lo haya sido. Pero por momentos lo pensé y por eso, igual que toda mi generación de historiadores, me propuse estudiarla.

Si tuvieras que resumir en una palabra o en una frase qué preocupaba a tu generación, ¿qué dirías?

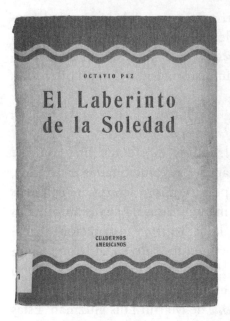

Te contesto con una palabra. México. Podíamos hablar de la Revolución o del imperialismo, de autores europeos o de los novelistas del *boom*. Pero en esencia quisimos «pensar a México». No solo investigar o conocer sino pensar ese enigma. Y por eso Octavio Paz fue un autor central para nosotros. *El laberinto de la soledad* es la piedra de Rosetta del enigma o, más ampliamente, del jeroglífico que es México. Paz escribió que el mexicano se manifestaba esencialmente en su dualidad: la fiesta y la violencia, la ferocidad y la ternura, la piedra sacrificial y la inocencia evangélica. Y escribió que la historia mexicana tiene un libreto: la herida abierta de la conquista, el orden ecuménico pero asfixiante de la colonia, la engañosa utopía de la democracia liberal y el republicanismo clásico y, por fin, la comunión histórica de la Revolución en la que México se había encontrado a sí mismo. Escrita en 1950, era una visión no solo mítica sino casi mística de la Revolución como el «abrazo histórico» de reconciliación de un mexicano con otro y consigo mismo. Nos atraía mucho esa visión en los años sesenta. Páginas intensas e imborrables. Páginas de enorme fuerza poética y penetración psicológica. Sobre esas páginas, con ellas y contra ellas, las generaciones siguientes pensamos en México, pensamos a México. Y no solo con ellas, con toda la obra ensayística y poética de Paz, cuyo lugar histórico es México.

Paz fue para ustedes en 1968 una figura casi heroica, ¿no es así?

Nos había emocionado su renuncia a la embajada de la India tras el crimen de Tlatelolco. Era uno de los nuestros y esperábamos que volviera para encabezar la oposición al régimen, la revolución, algo así. Pero en 1970 publicó su libro *Posdata* que decepcionó a mis amigos por su interpretación simbólica del crimen de Tlatelolco como un sacrificio de los sedientos dioses de la historia antigua...

Lo conozco. Era una analogía, y tu generación probablemente esperaba un escrito de denuncia y confrontación. ¿Posdata les parecía un error, una claudicación?

A pesar de la influencia de *El laberinto de la soledad*, quizá por efecto del 68, a mis amigos les impacientaba el pensamiento analógico. A mí no, quizá porque, viniendo de una cultura tan antigua como la judía, ese recurso me parecía normal. La analogía es una forma de la imaginación histórica. La analogía es una forma de hacerse del pasado y reconocer vínculos que no se hallan por vía de la lógica de los hechos.

No concuerda con Popper.

Quizá. Pero no lo contradice. En *Posdata*, Paz quiso mostrar una gran analogía que no depende del tiempo sucesivo. Como el mural de Tamayo «Dualidad», que está en el Museo de Antropología: un jaguar y una serpiente que también son, al mismo tiempo, el espíritu de los mexicanos. Una buena analogía. Dualidad o contradicción o tensión no son lo mismo que dialéctica. La intuición poética puede servir a la comprensión histórica, y es algo muy distinto a la profecía o la rigidez de las supuestas leyes históricas, a las que Popper refutaba. A mí me gustó la interpretación analógica de Paz: yo también creía en el río subterráneo de violencia que corre en la historia mexicana y a veces irrumpe con fuerza descomunal.

Has aludido a un paralelo entre la historia judía y la mexicana. ¿Cómo convivió tu pasión por la primera con tu dedicación posterior a la segunda?

Creo que operó en mí una transferencia muy natural. Hay entre esas historias, si te fijas, paralelos interesantes: ambas son muy antiguas y dramáticas, con choques tremendos y tensiones nunca resueltas entre la tradición y la modernidad. Hay coincidencias mitológicas, como la idea de un éxodo en el origen de ambos pueblos.

Hay también figuras de dimensión mesiánica, no solo libertadores. Hay una gravitación permanente de lo religioso. Hay una obsesión semejante por la historia. Como el pueblo judío, en México estamos también rodeados de supervivencias y costumbres, de reliquias y antiguallas. Y cargamos a cuestas un peso, excesivo quizá, pero enriquecedor, del pasado.

Dijiste: «pensar a México». No solo investigar o conocer sino pensar.
　　Mi inolvidable amigo Alejandro Rossi dijo una vez que mi tema ha sido «la biografía de México o, mejor aún, el enigma de México». Y puntualizó: «No es estrictamente lo mismo». Tenía razón. No es lo mismo. El tema de Octavio Paz es el enigma de México. Mi tema ha sido una parte de ese enigma: la tensión entre el poder y el saber en México encarnada en biografías.

La Casa del exilio español

El Colegio de México es una institución respetada y conocida en España. La huella de los transterrados españoles había quedado impresa desde su fundación: su nombre original fue la Casa de España en México.
　　Era la casa del exilio español en México. Todos los que estudiamos ahí somos herederos de los transterrados. El gran héroe de esta historia, y de muchas historias, fue Daniel Cosío Villegas. Editor, historiador, ensayista, don Daniel (así le decíamos) fue quien concibió la idea de traer a México a los intelectuales españoles.

Lo conozco bien por la biografía que escribiste sobre él, pero pocos lo recuerdan en España.
　　Pues debería tener un monumento. Fui su alumno, luego su biógrafo. Por eso tengo la carta de octubre de 1936 dirigida a un alto funcionario mexicano en la que le pide que hable con el presidente Lázaro Cárdenas para acoger a los intelectuales españoles que la guerra había marginado y cuya vida corría peligro. Es notable la clarividencia de don Daniel, su generosidad y su capacidad práctica.

140

Previó muy pronto que el resultado de la Guerra Civil sería adverso a la causa republicana, leyó la oportunidad de salvar a varias personas notables de la cultura española y concibió un plan para reintegrarlas a la vida creativa en un suelo hospitalario, el de México. Cuando en 1939 comenzaron a llegar, Cosío Villegas ya tenía un proyecto para ellos: la Casa de España en México, que presidiría don Alfonso Reyes, recién llegado de su largo periplo diplomático. Pero, además de su labor de secretario en esa institución (que en 1940 se convertiría en El Colegio de México), muchos de los transterrados empezaron a trabajar como autores, editores y traductores en el Fondo de Cultura Económica, la editorial que Cosío Villegas había fundado en 1934. Allí estuvieron por tres décadas. Fueron nuestros abuelos intelectuales.

¿Crees que el exilio intelectual español ha sido debidamente valorado en México y en España?

Definitivamente no. Los españoles, porque sufren una extraña amnesia de su historia americana, reciente y remota. Los mexicanos, por ingratitud. En cambio aquellos hombres y mujeres tenían el mayor agradecimiento hacia México. Dieron a México tanto o más de lo que México les dio. Aunque hay libros muy estimables sobre el tema, no hay memoria viva de su legado. Alguna vez hice la lista de los transterrados que dirigieron diversas colecciones en el Fondo de Cultura Económica e hicieron labores titánicas de traducción. Esos nombres y tantos más no deberían quedar en una nota al pie de página. Cada uno de ellos merece una biografía.* En una década se publicaron casi trescientos títulos.

En tu libro sobre Daniel Cosío Villegas muestras que cubrieron varias escuelas de pensamiento.

---

* José Medina Echavarría, Sociología; Javier Márquez, Economía; Wenceslao Roces y Ramón Iglesia, Historia; Manuel Pedroso y Vicente Herrero, Política y Derecho; Juan Comas, Antropología; José Gaos, Filosofía; Adolfo Salazar, Música. Otros transterrados traductores: Eugenio Ímaz, Francisco Giner, José Carner.

Tengo el catálogo a la mano. Es fácil hojearlo. En economía, por ejemplo, la socialista, marxista, liberal, clásica, revolucionaria, neoclásica. En sociología, a Weber, Durkheim, Pareto, Tönnies, Comte, Veblen. Para mi tesis sobre los intelectuales y la Revolución estudié *Ideología y utopía* de Karl Mannheim, en una edición del Fondo. Estos libros se leían en El Colegio de México. Fueron el sustento bibliográfico de nuestra formación.

Ya veo. En filosofía, Heidegger, Husserl y Dilthey. En política, Burke, Hobbes, Paine, Locke, Milton, Tocqueville.

La de Historia fue la reina de las colecciones: historias generales de todas las épocas, historias nacionales, historias clásicas, biografías.

Este catálogo se parece al de las editoriales inglesas: Oxford, Cambridge...

No es inferior, créeme, y quizá más universal, porque los transterrados tenían formación alemana. Un fondo editorial comprensivo, hecho con apertura, buen criterio, equilibrio, sabiduría. Puede decirse que una parte del capital humanístico de España se transfirió a México, y desde México irradió a América Latina.

Otros países recibieron a intelectuales y escritores: Venezuela, Argentina, Chile, Cuba, pero quizá ninguno en la proporción y variedad de México.

En El Colegio de México estudiamos con libros del Fondo de Cultura Económica, editados o traducidos por aquellos maestros y bajo la dirección de historiadores formados por ellos. El Colegio contaba con varios centros de estudios: Internacionales, Lingüísticos y literarios, Sociológicos, Económicos y demográficos, Orientales. Nuestro Centro de Estudios Históricos tenía la marca rigurosa de don Silvio Zavala, autor de una obra inmensa sobre el mundo colonial. Lo había fundado en 1941. El linaje era ilustre, como ves, porque don Silvio había sido discípulo de Menéndez Pidal, que a su vez lo había sido de Menéndez Pelayo. Los estudiantes no éramos conscientes de ese abolengo, pero nos beneficiábamos de él. No fuimos alumnos de don Silvio porque en aquel tiempo era embajador de México en París. Por nuestro centro habían pasado grandes luminarias de la historia latinoamericana, casi de cada país.

La bienvenida, por así decirlo, te la dio Gaos.

Además de maestro, historiador y filósofo, Gaos fue un extraordinario traductor, por ejemplo, de *El otoño de la Edad Media* de Johan Huizinga. Justamente sobre esa línea entre las dos disciplinas recuerdo su ensayo «Notas sobre la historiografía», en *Historia Mexicana*. Es la mejor guía que conozco para que un historiador entienda, en unas cuantas páginas, el lugar, el sentido, la teoría y el método de nuestro oficio. Murió el 10 de junio de 1969, poética o filosóficamente, al final del examen profesional de José María Muriá, un querido alumno suyo. La huella de Gaos en México fue profunda y benigna: formó a generaciones de historiadores y filósofos.

Estamos hablando del exilio intelectual español porque es el que fundó el Colegio y trabajó en el Fondo, pero estaba también el exilio literario y artístico.

Tan generoso y fructífero como el exilio intelectual. Basta pensar en Buñuel, Larrea, Cernuda, Bergamín, José Moreno Villa. Autores, maestros, editores. Para ellos Octavio Paz fue una figura similar a la de Cosío Villegas, no como empresario sino como presencia que los congregó y honró, por ejemplo en su revista *Taller*. El gran poeta y geómatra Rafael Dieste vivió en Monterrey, fue vital para la formación de Gabriel Zaid. Quizá el más cercano para mí (además de León Felipe, que había pertenecido a la Casa de España, en su origen) fue Ramón Xirau, humanista, poeta, maestro y filósofo. Hombre dulce, místico y sabio a la vez.

Provenías de un humanismo particular, el humanismo judío. Pero en El Colegio de México encontraste el humanismo universal.

Imagínate la experiencia de libertad. En El Colegio de México se respiraba cultura universal en todos sus espacios: las aulas, los pasillos, la animada cafetería, los restaurantes de la zona donde comíamos y discutíamos, los cubículos de los maestros. Y luego, el sanctasanctórum, la biblioteca. La del Colegio era ordenada y riquísima, con sus acervos mexicanos y universales. Podías recorrer libremente sus estantes, sacar libros prestados. Leerlos en casa. Yo me sentía, de verdad, en Alejandría. Y había más. Gozábamos de una beca modesta. Teníamos contacto con profesores del extranjero, ingleses, hindúes, franceses. Recuerdo también que a fines de 1969 se celebró en Oaxtepec un congreso de historiadores mexicanos y estadounidenses al que acudieron los más relevantes profesores del Colegio, la UNAM y la provincia. Y vinieron luminarias de Estados Unidos. Cosío Villegas riñó con un viejo historiador de la Revolución no académico pero muy sólido, José Valadés. Llegaron figuras legendarias de Estados Unidos: Charles Gibson, Robert Potash, John Leddy Phelan, Stanley Stein, Woodrow Borah, Nettie Lee Benson, Howard Cline. Nombres que quizá no te dicen nada pero que representaban plenamente al gremio de historiadores especializados en México, que hizo enormes aportaciones. Vi a Edmundo O'Gorman, que era el profesor estrella de la UNAM y dejó escuela. Hubo seminarios de diversas materias además de las que te mencioné: historia general, historia biográfica, síntesis de la historia. Se abordaron temas de historia diplomática, hubo mesas redondas sobre métodos y técnicas de investigación.

¿Cómo era el currículo de ese doctorado?

Intensivo, exigente. Los cursos duraron año y medio, aproximadamente. Estaban muy bien diseñados, tenían una doble índole: un recorrido cronológico muy claro por las etapas de la historia mexicana (con sus respectivas y amplísimas bibliografías), y otro por los diversos géneros o especialidades de la historia: historia del arte, social, económica, política, de las ideas. El objetivo era que, al final de ese ciclo, eligiéramos un tema de tesis y un director. Se trataba de escribir una obra original. No una mera tesis: una obra.

Cuéntame un poco de tus maestros, para seguir la pauta...

El elenco era de lujo. Y me permitirás un recuento. Cada profesor era el mayor experto mexicano en su área, y nos transmitía (en diez sesiones, quizá más) el panorama general y el estado actual de su materia. Miguel León-Portilla, sabio y ocurrente, heredero de los cronistas e historiadores de la conquista, nos dio historia prehispánica y de la conquista. Estudiamos los libros de literatura náhuatl de su maestro Ángel María Garibay. Susana Uribe nos dio un panorama de los cronistas y misioneros del siglo XVI. Andrés Lira, el discípulo predilecto y editor de Gaos, nos impartió el curso «México de la Ilustración a la Independencia». Berta Ulloa, un recorrido puntual sobre la Revolución mexicana. Josefina Zoraida Vázquez, un curso de la primera mitad del siglo XIX, con un énfasis en la guerra entre México y Estados Unidos, tan notable que guardo sus apuntes. Teresa Aveleyra nos impartió clases de creación literaria. Jorge Alberto Manrique, un curso que comprendía todas las artes. Enrique Florescano nos introdujo a la novísima historia económica. Alejandra Moreno Toscano nos enseñaba a descifrar documentos virreinales. Un lugar especial tenía el infatigable Moisés González Navarro, nos daba historia social. Sus clases avivaron mi tácito interés en la religión, mejor dicho en la filosofía, la historia, la sociología de la religión. Además de la lectura de *Economía y sociedad*, de Max Weber, nos encomendó leer *La ética protestante y el espíritu del capitalismo*. Me convencí de que la religión –tanto como la economía– es una clave maestra para descifrar a las sociedades.

Tus libros de historia mexicana y latinoamericana contienen claves religiosas.
El historiador israelí Amos Elon me dijo alguna vez: «Todos los historiadores judíos somos historiadores de la religión». Pero lo cierto es que en México las claves religiosas no son exógenas, las estructuras religiosas están ahí, siempre.

¿Te dio clases Cosío Villegas?
En mayo de 1970 llegó el momento de tomar con él un seminario sobre la República Restaurada y el porfiriato. Su curso fue una síntesis de su obra magna, la *Historia moderna de México*. Diez volúmenes en total. Corresponden respectivamente a la historia política, social y económica. Cosío escribió los cinco volúmenes de historia política (mil páginas cada uno) y los prólogos de los tomos de historia social y económica que escribieron autores jóvenes como

Luis González, Moisés González Navarro y Francisco Calderón. La obra cubría dos etapas. Primero, la llamada República Restaurada en la que México ensayó, fugazmente, con las presidencias sucesivas de Benito Juárez y Sebastián Lerdo de Tejada, un gobierno liberal y democrático. La segunda fue la era de Porfirio Díaz. Al final, nos encomendó a cada uno escribir sobre alguno de sus libros. Yo escribí sobre *Estados Unidos contra Porfirio Díaz*, un estudio que probaba la astucia de Díaz, sus ministros y sus representantes en Washington, para restablecer relaciones con Estados Unidos, tras su golpe de Estado de 1876. Una joya de historia diplomática escrita por un diplomático de carrera.

¿Tus compañeros?
No llegábamos a diez. Un grupo muy variado y democrático. Ya hablamos de Aguilar Camín. Recuerdo a Álvaro López Miramontes, un poeta sensible, incursionando en la historia; a Primitivo Rodríguez, un exseminarista del Bajío, excéntrico y de gran corazón; a la buena y sonriente Carmelita Castañeda, que hizo una tesis magnífica sobre la historia de la educación en Jalisco. Se me escapan varios, queridos todos. En nuestro seminario había estudiantes de América Latina, historiadores ya formados que venían a hacer el doctorado. Hicieron tesis excelentes.

¿Cuáles fueron las obras de referencia para tu generación de historiadores?
No tengo duda: *Zapata*, de John Womack, y *La Cristiada* de mi amigo y maestro Jean Meyer. Publicadas por Siglo XXI Editores, ambas obras se contrapunteaban: una recreaba el idealismo más puro de la Revolución, su raíz campesina, autárquica, nostálgica de la protección a las comunidades indígenas en la era virreinal. Otra recreaba la vertiente más oscura, intolerante y mortífera de la misma Revolución: la represión del régimen jacobino a los campesinos católicos del occidente mexicano en los años veinte. Ambas trataban de campesinos. Para Womack el tema estaba arraigado en su biografía, que según creo tenía raíces en los nativos americanos. Le iba la vida en conocer y reivindicar al zapatismo, esa revuelta del campesino mexicano para defenderse de los invasores atávicos

de sus tierras y sus pueblos. Significativamente, el libro se imprimió el 10 de abril de 1969, en el cincuentenario del asesinato de Zapata. Es una obra maestra. No hay manera de no emocionarse con la autenticidad de la revuelta zapatista reflejada en esas páginas, no solo por la extraordinaria investigación que llevó a cabo sino por el aliento literario. Con Womack, la historia alcanzó y rebasó a la novela de la Revolución. Womack entendía la rebelión de Zapata y compartía su soledad, su dolorosa marginalidad. Quizá por eso se volvió marxista. Lo mismo, en un sentido inverso, cabe decir de Jean Meyer. El tema estaba arraigado en su propio origen familiar católico del que se había apartado un poco como buen hijo de los sesenta, aunque su convicción de izquierda era la típica del catolicismo posconciliar cercano a la teología de la liberación. En México, Jean tuvo una reconversión, una vuelta al origen y una revelación de un catolicismo mexicano: sencillo, piadoso, caritativo, fervoroso. Es difícil no conmoverse ante esa fe, a mí me ha conmovido desde niño. Jean llegó a México y convivió años con los campesinos cristeros en Michoacán y Jalisco, se compenetró con su vida cotidiana y su memoria. Toda la riqueza de la historiografía francesa, con su sabiduría para cubrir cada aspecto de la vida, está en los tres tomos admirables titulados *La Cristiada*. Womack narra una saga, Meyer reconstruye un mundo. Otro caso de una obra admirable es el de Friedrich Katz. Era mayor en edad que nosotros y su *Guerra secreta en México* apareció después. Pero para mí es claro que su método marxista (aplicado con infinito rigor) es hijo de la pasión revolucionaria de su padre Leo. Lo mismo pienso de su dedicación al revolucionario Villa. Esos eran los ejemplos que teníamos enfrente. Emularlos era imposible pero representaban un buen desafío.

Te dio mucho la casa que construyeron los «abuelos españoles»…

Dichosa época la de aquel colegio en la calle de Guanajuato #125. El edificio se derrumbó en el terremoto de 1985, pero para entonces El Colegio de México se había mudado ya a su sede actual, en el sur de la ciudad. La que me tocó era una institución pequeña, donde lo fundamental era el saber. Una casa de las humanidades.

Guanajuato #125. El Colegio de México, un templo del saber.

Una biblioteca prodigiosa. Maestros excelentes, nuevos amigos, discusiones libres. La mejor herencia de España en México. Perdida la República española, El Colegio de México, fundado por don Daniel Cosío Villegas, presidido hasta su muerte en 1959 por don Alfonso Reyes (y después por don Daniel, don Silvio y don Víctor Urquidi), fue la república vicaria de esos hombres. Una república de las ideas. Digamos que fui ciudadano de esa república a través de sus libros, sus cátedras y sus alumnos, que fueron mis maestros. Y entre ellos, nadie superó a Luis González y González.

Luis González y González: el sabio de San José

Has escrito sobre él, y me has contado muchas veces sobre tu relación con él. Es poco conocido fuera de México, ¿por qué fue tan singular?

Personajes así ya no existen en el siglo XXI. Descubrirlo fue determinante para toda la promoción de jóvenes que estudiamos aquel doctorado. Era algo gordito, con una gran melena y bigote negro, tenía el aire de un Clark Gable michoacano. Un hombre del pueblo, sencillo, amable, irónico, desbordaba inteligencia, curiosidad y sabiduría. «Los historiadores tenemos el alma vieja», decía mi maestro, que había crecido como hijo único entre sus padres y tíos, hijos todos de los venerables fundadores del pueblo pequeño donde nació en 1925: San José de Gracia, en Michoacán. Se había educado

148

en El Colegio de México con don Silvio Zavala y con los transterrados españoles (José Miranda, Ramón Iglesia, entre muchos otros). Por consejo de don Alfonso Reyes y con apoyo de don Daniel (presidente y secretario de El Colegio de México), partió a estudiar a Francia con Marcel Bataillon y François Chevalier. Allí se familiarizó con las grandes corrientes historiográficas, como la Escuela de los Annales. Ya de vuelta, y a lo largo de medio siglo, escribió sobre cada etapa de la historia mexicana obras y ensayos originales con temas variadísimos: religión, magia, evangelización, ilustración, insurgencia, liberalismo, indigenismo, revolución. Se concentró sobre todo en la era moderna y contemporánea. Fue autor del primer volumen de la historia social en la *Historia moderna de México*, de Cosío Villegas. Recopiló heroicamente (con Susana Uribe, Luis Muro y Guadalupe Monroy) los tres tomos de las *Fuentes de la historia contemporánea de México* (libros, folletos, revistas), con cerca de veinticinco mil entradas. Cuando lo conocí, en 1969, acababa de publicar *Pueblo en vilo*, la historia de aquel pueblo suyo, que fue traducido al inglés y al francés y se volvió un clásico.

¿Qué libro suyo recomiendas?

Precisamente *Pueblo en vilo*. Es el correlato de *Pedro Páramo* y *El llano en llamas* de Juan Rulfo en el género de la historia y, por cierto, ocurre en la misma región del occidente mexicano. Con esa obra de Luis González la historia local se elevaba a la condición de historia universal. Hilvanando las generaciones, echando mano de todas las fuentes imaginables (historia oral, recortes de periódico, archivos familiares guardados en baúles), abarcaba todo el tejido de la vida pueblerina. Modos de nacer y morir, alimentación, ocio y negocio, fiestas, mentalidades, tradiciones antiguas, influencias externas. La llegada del progreso, la luz, el teléfono, el huracán de la Revolución, los desastres naturales, la Guerra Cristera. Un pueblo de rancheros industriosos y combativos. Ese pueblo, intrascendente pero típico, era una metáfora de México. Yo lo visitaba ahí, pero menos de lo que hubiera debido y querido hacerlo. Era una delicia convivir con don Luis en su casa ancestral, con su gran patio mexicano lleno de macetas. Comer en su casa los platillos de la región (quesos, corundas, chongos, uchepos) que preparaba Evelia, la cocinera que había perdido, como en un cuento de Rulfo, a toda su familia. Luego seguían las largas charlas de sobremesa con su esposa Armida, sabia compañera oriunda de Sonora, en el norte de México, y sus seis hijos. Y los rituales: visitar su biblioteca, caminar por la tarde en la plaza. Junto a la estatua del padre Federico –su tío, el venerable fundador del pueblo–, nos sentábamos a escucharlo hablar sabrosamente de historia. Era un patriarca.

Me recuerda a Macondo…

Exacto, *Cien años de soledad*, no en el lujurioso trópico colombiano sino en un seco, duro y yermo llano de México. *Pueblo en vilo* puede leerse como una saga bíblica: la memoria del Génesis y del paraíso perdido; los horrores del crimen, la peste y el hambre; el dolor del exilio (que don Luis vivió de niño) y, finalmente, la vuelta y la reedificación de la tierra prometida. Quizá de esa experiencia extrajo su vocación constructora. El hombre sabio, apacible y bueno que había visto crecer y multiplicarse a su progenie y a su pueblo a partir del fuego y las cenizas, solo podía concebir la vida para celebrarla, respetarla, enriquecerla, recrearla. Por eso escribió sus libros, educó a generaciones, fomentó y casi inventó la microhistoria. Por eso criticó la periodización de nuestra historia en episodios destructivos (la Independencia, las guerras civiles del XIX, la Revolución) y concibió una teoría radicalmente opuesta: «México –nos decía– es *una construcción cultural*». Su clave para entender la historia era la cultura vista como conjunto de valores materiales, vitales, intelectuales, estéticos, éticos, religiosos, a través del tiempo. Pensaba que el crisol de México fue la era barroca.

¿Qué curso suyo recuerdas?

Los cursos más provechosos eran en el café y en su casa. Pero recuerdo el curso de «Teoría y método de la historia». Tocaba cada aspecto (cada «recámara», digamos) del taller del historiador: desde la elección del tema, el análisis y la crítica de las fuentes, la comprensión, la explicación, la arquitectura, el estilo. También recorrimos a los teóricos de la historia y leímos a algunos clásicos de la historiografía. Nos hizo leer a Collingwood, Croce, Gardiner, Marc Bloch y a otros historiadores y filósofos. Debíamos escoger temas para hacer una presentación, por ejemplo «Carácter científico de la historia», «Lo único y lo repetitivo», «Lo individual y colectivo», «Posibilidades y límites de la explicación histórica», «Profecía en la historia». Yo elegí –como te dije– un libro polémico que comprendía muchos de estos temas: *La miseria del historicismo*, de Karl Popper. Don Luis estaba a la vanguardia de la enseñanza histórica, en cualquier sitio del mundo.

Detengámonos en su visión específica de la misión del historiador.
Te la resumo en una palabra: comprender. No explicar, comprender. Nos dio a leer un libro fundamental de Marc Bloch: *Introducción a la historia*. Dice Bloch: «Robespierristas, anti-robespierristas, os pedimos: por piedad, decidnos, simplemente, cómo fue Robespierre». Ahí desarrolla Bloch su concepto de la comprensión. Ese libro era uno de los Breviarios del Fondo de Cultura Económica, esa colección de libros pequeños, de bolsillo, con toda la gama de estudios históricos de la que te hablé.

Bloch, con Lucien Febvre, fundador de la revista Annales.
Así es. Era un historiador judío francés autor de obras extraordinarias sobre la Francia medieval y feudal, los reyes taumaturgos y otros temas inmensos. Libros como catedrales.

Decías que contiene una discusión sobre la comprensión en la historia…
«Una palabra domina e ilumina nuestros estudios: "comprender".» Así decía Bloch. «Comprender, es una palabra cargada de dificultades, pero también de

Mi querido maestro Luis González y González, el patriarca de San José de Gracia.

151

esperanzas. Palabra, sobre todo, llena de amistad.» Ese ha sido mi ideal siempre. Comprender es un fruto de la empatía. Consiste en averiguar el *cómo* de los actos. Buscar el *sentido interno* de otros tiempos y otras vidas. Tratar de pensar y sentir lo que los hombres de esos tiempos pensaron y sintieron. Revivir sus experiencias hasta casi confundirse con ellos, pero dejar que ellos nos hablen también. En Bloch hay una reflexión sobre el pasado que ilumina al presente y cómo el presente ilumina al pasado. Si lo piensas en concreto, la lectura de una guerra antigua puede aclarar aspectos de una guerra moderna que parecen inéditos y no lo son, pero la experiencia directa de una guerra da otros ojos para comprender, por ejemplo, la Guerra de Troya.

Hablas de comprender, pero también importa explicar.

La explicación, nos decía don Luis, es la intrusión de la ciencia y las leyes en lo humano. Buscar explicaciones en la historia es más propio de los filósofos que de los historiadores. ¿Es siempre necesario buscar el porqué? Los historiadores –nos decía– siguen debatiendo sobre las causas últimas de la Primera Guerra Mundial y no aciertan a encontrarlas. Hay estallidos incomprensibles. Nos hizo ver que antes del «porqué» viene el «cómo». Primero comprender, luego quizá explicar, y en lo posible tratar de no prejuzgar ni juzgar. Un ideal difícil, pero no imposible, si pones en práctica esa palabra «llena de amistad».

Mencionaste el concepto de generación. Obviamente, proviene de Ortega y Gasset: «las variaciones de la sensibilidad vital que son decisivas en la historia se presentan bajo la forma de la generación».

Don Luis utilizó con gran provecho, en varios libros, la teoría de Ortega, de quien era lector asiduo. Para mi tesis, me dio a leer la obra de Julián Marías, el discípulo de Ortega que mejor la desarrolló. La idea, como sabes, es esta: la sinfonía de las generaciones tiene cuatro movimientos: creación, conservación, crítica y destrucción. Aquel método histórico prescribía la identificación de una primera generación fundadora marcada por un acontecimiento eje. A partir de la zona de fechas de su nacimiento, con un ritmo de quince años (intervalo natural de la relación maestro-alumno), irían sucediéndose, en convivencia siempre difícil, las generaciones. La primera sería la fundadora de un orden nuevo. La segunda lo consolidaría. La tercera lo criticaría. La cuarta se rebelaría contra él, lo reformaría o destruiría. El ciclo total era de aproximadamente sesenta años. Esa teoría y ese método aplicados a la historia mexicana están en su obra *La ronda de las generaciones* que es la historia de las élites (militares, políticas, religiosas, intelectuales, artísticas) del siglo XIX y principios del XX. Su sustancia explicativa es sorprendente. Siguiendo a mi maestro, apliqué esas ideas a mi tesis y más tarde a la historia cultural y aun política de México en el siglo XX.

Pero esa visión cíclica de la historia contradice el concepto abierto de la historia, propio del pensamiento liberal. ¿No te parece?

El método parece historicista y quizá lo es, pero sin un determinismo rígido. Las generaciones se caracterizan por tener vigencias comunes, aires de familia, actitudes históricas compartidas. Y el concepto funciona muy bien para la comprensión de grupos culturales. Es uno de los inventos geniales de Ortega en su papel de sociólogo, de observador de las sociedades a través de la historia.

Veo acá las obras completas de Luis González.

La editorial Clío (que fundé en 1992) las publicó a lo largo de varios años junto con El Colegio Nacional. Son dieciséis títulos, y en ellos ves claramente su horizonte: *Atraídos por la Nueva España, La magia de la Nueva España, El indio en la era liberal, Los artífices del cardenismo, Los días del presidente Cárdenas,* etcétera. Le interesó Lázaro Cárdenas. Era su paisano y lo conoció en persona. Lo veía como un presidente humanitario pero también como un zorro político. Tenía razón. Es el único revolucionario que le simpatizaba.

¿Qué me dices? ¿Don Luis no era revolucionario?

Don Luis decía: «Sabemos lo que pensaban de la Revolución los revolucionarios, pero no lo que pensaban "los revolucionados"».

Y recordaba que en el momento álgido de la Revolución mexicana hubo quizá ochenta mil hombres en pie de lucha, en un país de quince millones de personas. La verdad –nos decía– es que «todos caracterizaban ese movimiento como una calamidad, un terremoto o un cambio muy perjudicial en el clima». Esa visión no podía ser más heterodoxa. Frente a la imagen oficial de los héroes, don Luis documentaba el hambre, la vejación, el despojo, el terror, la peste, el sacrilegio, el abuso, el pillaje, la violación, el sadismo, la profanación, la xenofobia, el asesinato que caracterizó a todas las facciones revolucionarias, sin excepción. Quiso darles voz a los que no tuvieron voz. Don Luis era un crítico implacable de la mitología revolucionaria.

Y en ese sentido, estaba lejos de la visión de Octavio Paz.

Muy lejos. Pero compartían la convicción de que México, la construcción cultural que llamamos México, se forjó en los tres siglos coloniales.

Pocas veces te he escuchado hablar con tanto afecto de una persona.

Fue generoso e indulgente conmigo. Tan generoso que toleró mi desvío de la historia a la biografía. Luis González fue el historiador más completo de México en el siglo XX, el más sensible y comprensivo, el de mayor empatía con la entraña histórica de México. No te imaginas cuánto lamenté su muerte en 2003. Aún lo extraño.

Luis González ¿alentó tu trabajo de biógrafo?

No. Soy biógrafo a pesar de la opinión de mi querido maestro. A don Luis le gustó el tema de mi tesis y fue un maravilloso director, pero ya en el curso de «Teoría y método de la historia» nos advertía contra el género. Nos decía que quienes practicaban la biografía eran novelistas sin imaginación, que además «utilizaban» a los personajes, porque se identificaban con ellos. Para don Luis la biografía era un género que esencialmente leían los adolescentes. Bueno, yo desobedecí a mi maestro, no solo por lo que respecta al género sino a los temas. Mi tesis era una biografía colectiva de una generación intelectual. En una etapa siguiente, me dediqué a escribir biografías de personajes destacados de la Revolución mexicana y del siglo XIX. Tema trillado, pero sobre el cual me propuse trabajar con una mirada distinta: revisionista y comprensiva. Creo que, en ese intento por comprender, mi maestro no me desaprobaba.

El biógrafo como cariátide

Tu acercamiento a la Biblia estuvo marcado por el interés biográfico de sus personajes. ¿Atribuyes tu inclinación por la biografía a tus lecturas bíblicas?

Solo en el origen. Plutarco y Suetonio me atrajeron desde joven: el biógrafo de las vidas paralelas de griegos y romanos, y el biógrafo de los Césares, casi todos brutales; el ensayista moral y el cronista de la inmoralidad extrema. Y, llevado por una edición y un prólogo de Borges, leí pronto a Thomas Carlyle, sobre todo sus héroes literarios. Pero es cierto, también leí biografías noveladas de la Biblia. Parte al menos de *José y sus hermanos*, de Thomas Mann. Por cierto, ¿has notado que el género de la biografía se dio mucho entre escritores judíos de toda Europa?

Es verdad, ahora que lo dices: Stefan Zweig, Emil Ludwig, André Maurois. ¿Hay alguna explicación?

Es un tema de sociología literaria. En *Mi camino como alemán y judío* (1921), libro dramático si los hay, Jakob Wassermann apuntó que los judíos –siempre hacinados, aislados, religiosos, gregarios– no habían podido desarrollar su imaginación con libertad, no habían podido ser verdaderos creadores. Cuando en el siglo XIX arribaron, tardíamente, a la civilización de Occidente, traían consigo esas limitaciones atávicas, pero en cambio resultaron «descubridores, receptores, heraldos, biógrafos: eran y son las cariátides de la gloria». Esta descripción de Wassermann me impresionó porque en efecto, en el siglo XIX y el arranque del XX, encuentras pocos novelistas, compositores, pintores judíos. Pero en cambio abundan los biógrafos, esas «cariátides» de la gloria europea.

Zweig es el prototipo del biógrafo europeo, el más celebrado quizá.

Cuando consideras la bibliografía de Zweig, adviertes que lo movía un entusiasmo inagotable por los personajes de la Europa occidental a la que él había accedido pero que sus remotos ancestros judíos no avizoraban siquiera. Había también un fondo de inseguridad, un deseo vehemente de ser aceptado. Era como decir: «¡Miren, yo, que soy judío, soy el primero en reconocer a sus genios!» Esta práctica no terminó con la Primera Guerra Mundial, porque la República de Weimar pareció una vuelta a la razón y el orden. Pero fue una quimera, la última quimera. Wassermann lo presiente. Sabe que el entusiasmo cultural de las cariátides era sincero, pero ha entendido que la integración de esos autores judíos a su sociedad y su cultura era imposible. Eran judíos que tenían el propósito de olvidar que lo eran, y de que los demás olvidaran que lo eran, pero la sociedad les negó esa imposible transmutación. Y Wassermann tuvo razón: los primeros libros que quemaron los nazis fueron los suyos y los de aquellos escritores que estamos recordando. Las cariátides al fuego.

Dices que Wassermann sostenía que esas generaciones intelectuales judías estaban impedidas para la escritura creativa, pero él mismo refutaba su tesis, porque era muy buen novelista. Ahí está El caso Maurizius *o* Caspar Hauser, *entre tantas otras.*

Es cierto, pero Wassermann también escribió biografías. Curiosamente, extrajo sus personajes de la historia española: Cristóbal Colón, Juana «la Loca» y otro que nos toca de cerca a mexicanos y españoles: Jerónimo de Aguilar, aquel náufrago que encontró Cortés al tocar tierras de Champotón y que se convertiría en su primer intérprete. Wassermann fue una cariátide de las glorias españolas.

Además, estaba Kafka.

Kafka es un caso aparte, único. Su obra no es la cariátide de Europa, sino el augurio de su destrucción. Su amigo Max Brod fue su biógrafo, y el de Heinrich Heine. Y, por cierto, a Kafka le gustaba leer biografías.

Tampoco Joseph Roth fue biógrafo.

Sí, pero ¿qué es *La marcha Radetzky* sino el gran Partenón del Imperio austrohúngaro? Lo único que subrayo ahora en esos autores es el entusiasmo cultural del escritor judío que ha llegado tarde a la cultura que lo circunda. Una de sus reacciones naturales es la de reconocer y admirar vidas. Escribir biografías.

Tu primer libro, Caudillos culturales en la Revolución mexicana, *fue entonces una de esas cariátides. La biografía colectiva de una admirable generación de intelectuales en México.*

Eso creo.

Ya en el proceso de escribir tu tesis, ¿qué lecturas biográficas hiciste? Después de todo, la biografía es un género anglosajón.

Por eso quise ceñirme a la tradición biográfica inglesa. Hice dos lecturas que recuerdo entonces. La primera fue *Eminent Victorians*, de Lytton Strachey. Me cautivó su irreverencia. Por desgracia, no la puse en práctica. La otra fue *Hacia la estación de Finlandia*, de Edmund Wilson, que, como te he contado, me recomendó Hugo Hiriart. Es la historia biográfica de la Revolución desde Michelet hasta Trotski: los hombres escribiendo y haciendo historia. Una vez más, las actitudes de los personajes, pero también las minucias de la vida, los azares del destino incidiendo en la historia. Las biografías hilvanadas con la historia. Al conocer el drama del hermano de Lenin, preso y fusilado en Siberia, y el ostracismo que por ese motivo vivió el joven Lenin, uno lo *comprende*. Mientras lo leía, pensé que necesitaba acercarme a las vidas tempranas, a las vidas íntimas de los personajes que estudiaba (no solo a sus ideas o sus obras), para comprender su modo peculiar de incidir sobre la historia.

Por varias vías desembocaste en el género biográfico: sus antecedentes bíblicos, su nacimiento en el mundo helenístico, su práctica en el orbe literario sajón y ese elemento judío propenso a volverse una «cariátide».

Para mí, la biografía era un género irresistible. Un género tácito en mi vida. Es un género infrecuente en México, como lo ha sido, hasta hace poco, en España. La biografía es la hermana menor de la historia y la novela. Una hermana menos agraciada pero digna. Siendo como soy incapaz de escribir ficción, aficionado a leer vidas, quise contar la historia de México a través de la vida de sus hombres más representativos. Quise salir al encuentro del *otro*, conocerlo, entenderlo, leerlo. Descubrir la historia detrás de cada vida. Comprender la actitud detrás de los actos. Me refiero sobre todo a las biografías literarias o intelectuales, libros o ensayos de ese género, que he escrito. Ante esos personajes mi disposición primera fue reconocer su valor, su calidad. Creo que aquella idea de Wassermann sobre las cariátides se aplica un poco al impulso que me movió.

Si la historia trata de la persona particular y única, ¿la biografía es un género liberal?

Necesariamente. Por eso mi epígrafe favorito proviene de Antonio Machado (es decir, de Juan de Mairena): «Por muchas vueltas que le doy, no hallo manera de sumar individuos».

Segunda parte
HISTORIADOR Y EDITOR

IV. Biografiar fundadores

Biblioteca de Cuernavaca.

La generación de 1915

Para preparar estas conversaciones releí tus dos primeros libros, Caudillos culturales en la Revolución mexicana *y* Daniel Cosío Villegas. Una biografía intelectual.* *Los dos tratan a la generación de los «Siete Sabios», conocida también como «generación de 1915».*

En realidad hay un tercer libro que no conoces: *La reconstrucción económica.*** Lo he reeditado hace poco con un nuevo título: *El nacimiento de las instituciones.* Lo trabajé entre 1975 y 1976. Los tres forman un conjunto que se desprendió de mi tesis original titulada *Los siete sobre México.* Su tema es el mismo: la historia de la generación de intelectuales que creó las instituciones que aún sostienen a México.

El tema de la responsabilidad del intelectual había estado de moda desde la República de Weimar. Gramsci había escrito sobre los intelectuales y el poder, lo mismo que Ortega y Gasset y desde luego Max Weber.

Leí varias teorías al respecto a partir de las clases de historia social. Te resumo las preguntas que entonces me hice. ¿Qué debe hacer el intelectual? ¿Volverse filósofo rey, como hizo Platón? ¿Ser ideólogo del poder? ¿Ser consejero áulico, como Fouché? ¿Escaparse a una torre de marfil? ¿Tomar distancia frente al poder, escribir

---

*   Publicados en 1976 y 1980, respectivamente.
** La edición original es de 1977.

y ejercer la crítica? Eran asuntos candentes en ese momento. Me allegué libros teóricos como los que mencionas y me enfoqué en el grupo de intelectuales que se reunió poco antes del estallido de la Revolución en una institución llamada «Ateneo de la Juventud». Algunos fueron famosos fuera de México, como José Vasconcelos y Alfonso Reyes. Destacaban también el filósofo Antonio Caso y el humanista dominicano Pedro Henríquez Ureña. Caso me era muy familiar, porque había yo leído el libro de mi tía Rosa sobre él. Pero no conocía mucho a Henríquez Ureña.

Has escrito repetidamente sobre él. Lo incluiste en Mexicanos eminentes. Entiendo que este dominicano, admirado por Menéndez Pelayo, era el Menéndez Pelayo de América.

He rozado apenas su importancia. Sí, fue el verdadero maestro de América. Lo fue en Cuba, en México, en Argentina. Nadie lo igualaba en erudición humanística. Todos los campos eran su campo: la filosofía, el arte, la literatura, la música. Vivió en México de 1907 a 1914, y más tarde de 1921 a 1924. En México, su magisterio marcó a dos generaciones: la suya propia y la llamada de los «Siete Sabios». El universo literario de Alfonso Reyes, la prosa elegante de Martín Luis Guzmán, la ironía de Julio Torri tienen la impronta de Henríquez Ureña. Nacido en la isla dominicana, la primera que tocó Colón, fue un exiliado eterno. Hay muchos libros parciales sobre él, existe su archivo en su país natal, pero falta una biografía suya a la inglesa.

Y supongo que el protagonista principal debía ser Vasconcelos, entre otras cosas porque era el revolucionario del grupo.

Te cuento algo curioso. Mis padres, no sé por qué, tenían en su exigua bibilioteca el más famoso de sus libros: *Ulises criollo*. Lo recuerdo de muy niño, porque mi papá me llevó a ver la película *Ulises* (con Kirk Douglas como Ulises y la divina Silvana Mangano como Penélope) y le pregunté si el libro era el tema de la película. Se rio a carcajadas, pero no olvidé el libro; lo leí de muy joven, y en 1970 lo devoré. Fue la primera vez que sentí un contacto real con la Revolución mexicana. Por supuesto, yo había estudiado la historia oficial en la escuela (llegaba hasta 1910). Había leído al menos *Los de abajo*, quizá la mejor novela de la Revolución; había visto películas, recorrí alguna vez los murales de Diego Rivera en la Secretaría de Educación Pública y los de José Clemente Orozco en la Escuela Nacional Preparatoria, pero nunca me había adentrado en ese tiempo. Lo logré gracias a Vasconcelos y su libro, la mayor autobiografía escrita en México y, quizá, en lengua española.

Lo leíste con el criterio sociológico del intelectual y el poder.

Que en realidad no me sirvió de mucho, porque la historia, y menos aún la biografía, pueden ajustarse a patrones de las ciencias sociales. A Vasconcelos lo atrapó el torbellino de la Revolución. ¿Qué importaban las generalizaciones o categorías sociológicas frente a una vida así? Esa epopeya no era indigna de su título: una Odisea mexicana. Todo en Vasconcelos era apasionante: su vocación místico-filosófica, sus tribulaciones familiares y religiosas, su ascenso profesional como abogado, su absurdo matrimonio, sus amores furtivos con «Adriana», la musa, la sufrida y hermosa «Adriana», cuyo nombre real era Elena Arizmendi. En ese contexto, de pecado y pasión, la historia del Ateneo palidecía y los «marcos teóricos» se desmoronaban. La conciencia del género biográfico comenzaba a tomar forma gracias a esa lectura. Y la política aparecía desde luego, pero no como una abstracción sino como una realidad tangible, hecha de decisiones, riesgos, iluminaciones, errores, traiciones. Y si lo que yo quería era estudiar la pasión revolucionaria, ahí estaba en estado puro, con Vasconcelos. Y si yo simpatizaba con Madero (el Apóstol de la Democracia) ahí estaba junto a él Vasconcelos. La narración se detenía en 1913. Seguirían nuevas peripecias revolucionarias con el gobierno de la Convención de Aguascalientes, contra Venustiano Carranza, torturas amorosas, exilios inacabables pero fructíferos, revelaciones filosóficas, que son los temas de *La tormenta*, el segundo volumen y para mí el más interesante de los cuatro que integran sus memorias y que llega hasta 1920. Al terminar *Ulises criollo*, estaba convencido de que quería estudiar a los intelectuales en la Revolución, y a Vasconcelos antes que ninguno.

Y para hacer tu tesis, como has narrado algunas veces, te pusiste en las manos del mayor intelectual de tu tiempo: Daniel Cosío Villegas.

De mi tiempo, de muchos tiempos. Le dije que pensaba escribir mi tesis sobre la generación de sus maestros. Me disuadió inmediatamente. «Ya hay muchos estudios sobre el Ateneo. Yo le recomiendo a usted que estudie a la generación que siguió a la del Ateneo, es decir, mi propia generación, la generación de los "Siete Sabios".» Yo había oído hablar vagamente de ellos: «Además de usted, ¿quiénes fueron los otros seis?», le dije, y me corrigió más o menos así: «Se equivoca. Los "Siete Sabios" fueron Manuel Gómez Morin, Vicente Lombardo Toledano, Alberto Vásquez del Mercado, Alfonso Caso, Antonio Castro Leal y dos personajes menos conocidos, Teófilo Olea y Leyva y Jesús Moreno Baca. A Narciso Bassols, a Miguel Palacios Macedo y a mí, que éramos un poco más jóvenes pero miembros del grupo, nos decían "los monosabios". Le voy a dar unas cartas de presentación para Alberto Vásquez del Mercado, Antonio Castro Leal, Manuel Gómez Morin y Alfonso Caso, que aún viven. Le aconsejo que vaya inmediatamente a verlos porque tengo noticias de que están enfermos». En aquella entrevista en su oficina, don Daniel me sugirió leer un pequeño libro de Gómez Morin titulado *1915*, y me regaló dos tomos de sus *Ensayos y notas** que venían precedidos de un ensayo titulado «Justificación de la tirada». Lo leí esa misma tarde. Ahí expresaba, en un tono melancólico, el deseo de que alguna vez se estudiara ese «fenómeno capital» de la historia reciente. Y ese fenómeno era la biografía colectiva de su generación, cuyo designio había sido «hacer algo por México», moverse «tras una obra de beneficio colectivo». Así comenzó todo el proceso.

Una generación no se compone de siete o diez personas. ¿Conociste a muchos de ellos?

Es verdad, y entrevisté a una docena o más de miembros de esa generación y recogí sus vidas muy escuetamente en mi libro, porque decidí concentrarme en Gómez Morin y Lombardo Toledano.

---

* Publicados en 1966.

Pero déjame darte un bosquejo al menos. Duele tanto que no tengan una biografía. Por ejemplo a doña Palma Guillén. Fue una fundadora de la educación mexicana. «¿Para que estudia usted ese grupo?, no tiene caso. De nada sirvió lo que hicimos.» Sin embargo, trajo de su estudio los cuadernos originales de sus apuntes de filosofía que les daba Antonio Caso en 1915. Doña Palma fue una gran diplomática y la mejor amiga de Gabriela Mistral. También entrevisté a la viuda de Narciso Bassols. Él había muerto de un absurdo accidente de bicicleta en 1959. Se llamaba Clementina Batalla, y tenía el mérito enorme de haber sido una de las primeras (si no es que la primera) licenciada en derecho de México. Bassols era hijo y nieto de la más católica familia de la muy católica ciudad de Puebla. Habían sido los editores de la revista eclesiástica y de un manual maravilloso: la *Cocinera poblana*. Él había estudiado en una escuela religiosa. Como ocurrió con mucha frecuencia en México, los pupilos de esas escuelas se volvieron rabiosos jacobinos. Bassols tuvo una trayectoria notable como ministro de varios ramos en los años treinta, y fue quien impulsó la educación socialista en México. Otro gran personaje fue Miguel Palacios Macedo. Un hombre seráfico, apasionado, inteligentísimo. Tenía una biblioteca extraordinaria. Era un año menor que Gómez Morin, muy cercano al grupo. Un revolucionario intelectual en estado puro. Participó en todas las rebeliones militares y movimientos civiles de los años veinte y treinta. Vivió en París y fue discípulo del filósofo católico Éttienne Gilson. En Europa vio los estragos de la inflación y se propuso pensar de un modo nuevo la política económica de México. Fue, en muchos sentidos, el principal consejero de la campaña presidencial de Vasconcelos en 1929. Era un filósofo de la economía y un economista filosófico. Reformó la ley del Banco de México en 1936. Fue el cerebro detrás de la fundación del Instituto Tecnológico Autónomo de México (el ITAM) y maestro de esa institución por varias décadas. Yo lo visitaba en su casa y pasamos horas revisando cuidadosamente sus cartas y libros. Cuando salió mi libro, a pesar de los pasajes de intensa admiración sobre su vida llena de episodios peligrosos e ideales limpios, sencillamente no volvió a hablar conmigo.

Ahora sí cuéntame sobre los Siete Sabios.

No recuerdo por qué no vi a Alfonso Caso, que murió al poco tiempo. Castro Leal, muy seco, me dijo que no me diría ni una palabra porque él mismo estaba escribiendo la historia de esa generación, que desde luego no escribió. Así que me concentré en Alberto Vásquez del Mercado y Gómez Morin. El primero era un jurista eminente, el único ministro de la Suprema Corte en México que ha renunciado por un atropello del ejecutivo. Ocurrió en 1931. Fue un fundador jurídico de México, editor de una gran *Revista de Derecho y Jurisprudencia*, pero en nuestras pláticas (que conservo) me pintó un panorama detallado de México entre 1907 y 1915, cuando fue estudiante. Me hablaba de José Vasconcelos, con su «mandilito» de masón; del estudiante de leyes Alfonsito Reyes, vestido de pantalón corto; de las costumbres prostibularias de los miembros del Ateneo de la Juventud con poemas hilarantes e irrepetibles. Yo sentía vivir esa época. Era miembro de la Academia Mexicana de la Lengua, en su juventud había sido maestro de Ramón López Velarde y tenía una erudición literaria portentosa. «¿Conoce usted la palabra "bivio" o el término "plúteo"?» E iba por el «tumbaburros» y me leía el significado. Era un quijote del derecho: presentaba demandas eruditas, circunstanciadas y perfectas contra los gobiernos por cualquier ilegalidad en la ciudad. Su despacho en el edificio del Banco de Londres y México estaba abajo del de Gómez Morin. Cuando coincidían en el elevador, no se saludaban.

¿Averiguaste por qué?

Se lo mencioné a don Daniel Cosío Villegas, el miembro más joven del grupo, y no se sorprendió. Como toda generación, en la de 1915 abundaban las guerras intestinas, pero compartían un mismo temple.

José Ortega y Gasset escribió varios ensayos sobre generaciones, por ejemplo, En torno a Galileo *y* El tema de nuestro tiempo.

Yo leí esas obras de Ortega por sugerencia de Luis González y me fueron muy útiles para describir el ciclo de las generaciones culturales en México, un arco de aproximadamente sesenta años dividido en cuatro generaciones: la que funda un nuevo orden, la que lo consolida, la que lo critica y la que lo rompe. Las generaciones se forman alrededor de un acontecimiento, un «tiempo eje» que las marca, del que parte el ciclo. Así ocurrió en Europa en 1789, 1848, 1914. Una generación es una constelación, una élite rectora como la definía (orteguianamente) Luis González. Octavio Paz, muy orteguiano también, desarrolló un concepto de generación literaria en el que sugiere que una generación se distingue de otra no tanto por las ideas como por la sensibilidad, por los gustos y las antipatías, por el temple. Temple y actitud aluden a lo mismo: una disposición de una persona o un grupo. La actitud precede al acto, la idea o la creencia. Es la respuesta integral a una situación personal o histórica. Es un concepto tan central que mi libro tiene un epígrafe de Julio Torri: «Toda la historia de la vida de un hombre está en su actitud». Yo apliqué a mi tesis el método de las generaciones y la idea del temple o actitud.

¿Cual era el temple o la actitud de esa generación?

Hacedora, creadora, constructiva. Te cuento cómo llegué a ella. Un día, al verme extraviado en los vericuetos de la teoría sobre los intelectuales, me dijo don Luis González: «¿Ha notado usted que todos son fundadores?». Y me dio la clave. Su actitud generacional se resume en la palabra *fundar*. Fue fundadora porque buscó crear instituciones que hicieran realidad las ideas de la Revolución mexicana y las leyes que a partir de ella se plasmaron en la Constitución de 1917. Esas ideas eran la democracia política y las libertades individuales, la atención prioritaria a los campesinos mediante la dotación o restitución de la tierra, la defensa de los derechos obreros, la recuperación de los recursos naturales del subsuelo, la reivindicación de las raíces y los valores culturales mexicanos, y la educación universal. En 1920, el gobierno de México dio inicio a ese ciclo constructivo. En ese ciclo, quizá el hombre más representativo fue Manuel Gómez Morin. Fue él quien bautizó a su generación como la de 1915 en el libro titulado precisamente así, que conseguí en una librería de viejo. Lo tengo aquí. Muy breve como ves, casi un opúsculo. Está subrayado y casi por deshacerse. Cuando lo escribió,

a mediados de los veinte, Gómez Morin estaba leyendo *El tema de nuestro tiempo*, de Ortega y Gasset. Bajo ese influjo, postuló la existencia de su generación y la convocó a unirse en un proyecto político transcendente alrededor de dos conceptos que en una primera lectura me parecieron extraños pero que fui entendiendo: «el dolor» y «la técnica».

Quería reunir a esa élite rectora, igual que Ortega en España.

Y para justificar su idea, invocó primero la experiencia común del dolor en el año de 1915. Hay que recordar que la Revolución duró diez años, de 1910 a 1920, que dejó un millón de muertos, la cuarta parte resultado directo de la guerra y el resto del hambre, la peste de tifo y la influenza española. Ese año de 1915 había sido particularmente cruento.

Pero justamente en ese año, según explicas, los jóvenes estudiantes habían tenido una revelación. México estaba aislado del mundo (Europa estaba en guerra) y por eso había volteado hacia sí mismo, hacia dentro. Una observación histórica notable, me parece.

Esto escribió Gómez Morin. He citado muchas veces este párrafo clave sobre esa epifanía:

Y con optimista estupor nos dimos cuenta de insospechadas verdades. ¡Existían México y los mexicanos! ¡Y qué riqueza de emociones, de tanteos, de esperanzas, nacieron de este descubrimiento! [...] El problema agrario, tan hondo y tan propio, surgió entonces con un programa mínimo definido ya, para ser el tema central de la Revolución. El problema obrero fue formalmente inscrito, también, en la bandera revolucionaria. Nació el propósito de reivindicar todo lo que pudiera pertenecernos: el petróleo y la canción, la nacionalidad y las ruinas. Y en un movimiento expansivo de vitalidad, reconocimos la substantiva unidad ibero-americana extendiendo hasta Magallanes el anhelo […] Del caos de aquel año nació la Revolución. Del caos de aquel año nació un nuevo México, una idea nueva de México y un nuevo valor de la inteligencia en la vida.

La angustia y la violencia del año 1915 despertaron en ellos la vocación de reconstruir a México.

Y de usar la «técnica» para redimir ese dolor en las generaciones siguientes, construyendo un país mejor. Técnica, que no equivalía a ciencia, que la suponía pero a la vez la superaba realizándola subordinada a un criterio moral, a un ideal humano.

A los miembros de esa generación los llamaste «caudillos culturales». Pero a su vez tuvieron un caudillo: precisamente, José Vasconcelos.

Más que un caudillo, Vasconcelos había sido casi un líder religioso. Eso fue lo que descubrí en los prolegómenos de mi investigación, sobre todo en aquella «Justificación de la tirada» de Cosío Villegas y otros textos suyos. Me di cuenta de que esa acción fundadora, producto del dolor y orientada por la técnica, ocurrió en el marco de una cruzada educativa y cultural. Esa cruzada tenía un líder visible y deslumbrante: José Vasconcelos. Regresó a México en 1920 y por un breve tiempo fue rector de la Universidad. México nunca había visto nada así desde el esfuerzo evangélico del siglo XVI, y no vería nada igual en el futuro. Los jóvenes iban a las vecindades a enseñar a leer y escribir. Se creaban escuelas de artes y oficios en los barrios de delincuentes. Y hubo una fiebre de fundación: bibliotecas, escuelas de todo tipo, edición masiva de revistas y libros, festivales de teatro, música y danza y, sobre todo, la pintura mural. Vasconcelos ideó dar a los muralistas Rivera, Siqueiros, Orozco los muros de la Escuela Nacional Preparatoria y la Secretaría de Educación Pública, para plasmar en ellos su visión (muy distinta entre sí) de la Revolución mexicana.

En ese México lleno de esperanza comenzaron a actuar los jóvenes de la generación de 1915. Pero ellos ya estaban «haciendo algo por México» en otras áreas.

En aquel ensayo, Cosío Villegas cuenta un episodio significativo sobre la expresión «hacer algo por México». Alfonso Reyes, que vivía en el exilio madrileño, pasó fugazmente por la ciudad en 1923. En una *séance* –así la llama Cosío– en casa de Lombardo Toledano, los jóvenes le narraron todo lo que estaban haciendo en tantas áreas: educativas, artísticas, culturales, financieras, laborales, hacendarias, crediticias. A la salida Reyes le confió a Cosío que entendía y aplaudía el entusiasmo juvenil de convertirse en hacedores de un México nuevo, pero que a su juicio beneficiarían más al país «con la pluma que con la pala». No lo escucharon. Ni siquiera Cosío, el de mayor vocación intelectual. Entonces solo pensaban en la pala, y con el tiempo lamentarían el olvido de la pluma.

Me llama mucho la atención el sentido religioso que describes, como el advenimiento de una edad dorada.

Me enamoré de esa época, José María. Ese era para mí el espíritu original de la Revolución. No el dolor sino la redención del dolor. No la violencia sino el capítulo siguiente a la violencia. El capítulo de «la técnica». El capítulo que mis biografiados habían escrito cuando eran jóvenes, cuando tenían mi edad. Una utopía constructiva que les pareció alcanzable. Y lo fue. Don Daniel me recalcó desde el principio que los mexicanos éramos deudores de las instituciones creadas por su generación. No lo olvidé y años después hice el recuento de esas fundaciones o empresas, y me sorprendí. Instituciones culturales, educativas, científicas, académicas, editoriales, de salud y asistenciales, políticas, sindicales, industriales, comerciales, financieras, bancarias, hacendarias. ¡Qué ímpetu constructivo! Son decenas, en el sector público y en el privado, y muchas de ellas sobreviven. Son, aún ahora, a un siglo de distancia, el andamiaje institucional de México.

¿Cómo construiste tu tesis?

Para empezar, con entrevistas. Tú y yo usamos el celular para grabar. Yo iba con mi aparatosa grabadora y mis cassetes a entrevistar a mis biografiados y sus amigos, parientes, allegados o discípulos. La historia oral se puso de moda entonces para el estudio de la Revolución. James y Edna Wilkie, dos historiadores americanos, hicieron grandes contribuciones al género. Entrevistaron a los personajes que terminarían por ser los protagonistas de los libros (Lombardo Toledano, Gómez Morin y Cosío Villegas) y a varios otros políticos e intelectuales, cuyos testimonios fueron de gran ayuda. Si lo ves, era una herramienta natural, porque en efecto, muchos protagonistas estaban vivos pero también por otro factor que pesaba mucho para desanimar a los estudiosos del México posrevolucionario. Y es que muchos archivos personales permanecían cerrados. La historia oral es solo una fuente más, pero creo que es muy útil para la biografía, porque permite llegar a los detalles, detenerse en ellos, dialogar platónicamente sobre la vida. Por supuesto, tiene que cotejarse con otros testimonios y completarse con una gama de información documental. Sin acceso a archivos, cartas o diarios, el testimonio personal es solo una ventana al biografiado. Y claro, hay que recurrir a libros, revistas, periódicos. Yo tuve la suerte de que mi amigo Fausto Zerón Medina me franqueara el acceso a libros de la biblioteca de su abuelo, el licenciado José Medina Hermosilla, un carrancista coetáneo de la generación de 1915, que contenía muchísimos folletos de la época. Fausto venía cada semana con su cargamento de libros encuadernados, los más interesantes tenían el título «Miscelánea», y había joyas: los informes de la Universidad Popular fundada en 1912, un discurso de Antonio Caso, una conferencia de Henríquez Ureña, el boletín de la universidad, una revista estudiantil.

Y las cartas que reproduces o glosas en tus biografías. Son otra fuente elemental.

Para un biógrafo nada es comparable con las cartas. Son utilísimas, más aún que los testimonios orales porque son obviamente contemporáneos a los hechos que uno estudia y por su aparente falta de sesgo. Digo aparente, porque hay autores de cartas que escriben «para la historia» y es preciso ser cauto. Respecto a los personajes de mi tesis, era evidente que necesitaba entrevistarlos, no solo a ellos sino a sus compañeros de generación, amigos, familiares. Pero siempre fui en busca de las cartas. Fueron tiempos de una gran pasión por el género epistolar. Lástima que se perdió.

¿Qué otras fuentes son útiles a un biógrafo?

Los telegramas, las tarjetas postales, las dedicatorias de libros. Las fotografías son muy importantes también, yo diría que fundamentales si se sabe leer el contexto y descifrar el rostro. A veces es importante lo que tienen escrito detrás. Todo ello, más el trabajo de archivo. Era maravilloso contar con las *Fuentes para la historia contemporánea de México* de Luis González. Sus índices temáticos, de autores, personas citadas, lugares y materias permitían entrar directamente a un asunto y una época, un episodio o un personaje. Cada ficha tenía un comentario brevísimo del contenido y la referencia de la biblioteca nacional o extranjera donde se podía hallar. Fue lo más cercano a una búsqueda en Google. La diferencia, claro, era que había que ir físicamente a buscar el artículo, folleto, libro en cuestión. Esas fuentes siguen siendo de inmensa utilidad porque es obvio que aún con los instrumentos actuales, la visita a las bibliotecas y archivos es imprescindible. Con mi lista de documentos yo iba por las tardes a la Biblioteca Nacional, que estaba en la antigua iglesia de San Pedro y San Pablo. Un placer incomparable. ¿Pero sabes qué era lo mejor de biografiar a esos personajes? Escucharlos. Recuerdo ahora una frase que me dijo don Daniel: «Si los jóvenes supieran, si los viejos pudieran». Estudiando la vida de esos viejos que ya no tenían poder, yo, que era joven, al menos quise saber.

A principio de los años setenta tu abuelo aún vivía. Él era un puente con el pasado judío. Pienso que los personajes que estudiaste –coetáneos de tu abuelo– tendían un puente con el pasado de México. Eran los abuelos de México. ¿Estás de acuerdo?

Aprendí con mi abuelo a escuchar a los viejos. Y lo que escuché con los abuelos mexicanos fue valioso, porque concibieron un proyecto pacífico y constructivo para México y se aplicaron a él. Me concentré en estudiar tres fundadores: el demócrata Manuel

Gómez Morin, el socialista Vicente Lombardo Toledano y el liberal Daniel Cosío Villegas.

Manuel Gómez Morin:
las instituciones del demócrata

Para ti, Gómez Morin fue el epónimo de esa generación. ¿Cómo lo conociste? ¿Qué idea tenías del Partido Acción Nacional que había fundado?

A los pocos días de mi visita a don Daniel –debe haber sido en octubre de 1969– fui al despacho de Gómez Morin. Yo no sabía mayor cosa sobre él ni tenía más noción del PAN que la de un partido de derecha que siempre perdía las elecciones. Por azar, había visto de lejos en la plaza mayor de Puebla un mitin de Efraín González Morfín, su candidato presidencial para las elecciones del año siguiente. Esperando en aquel despacho, leyendo el libro *1915* de Gómez Morín, vi que salía un señor del brazo del candidato. Tras despedirlo, el señor me dijo: «Y usted, ¿por qué lee ese libro?». «Estoy esperando al licenciado Gómez Morin.» «Yo soy Gómez Morin.» «Pues se ve usted muy joven», le dije, y se rio de buena gana. Le di la carta de don Daniel, hablamos un poco de mi proyecto y le conté que quería ser historiador, y que trabajaba en unas fábricas llenas de problemas. «Yo quisiera abandonarlas, pero no puedo», me quejé. «No sea usted romántico», me contestó, y me sugirió poner el mayor empeño en salvarlas porque eran mi fuente posible de independencia intelectual. Tenía razón, pero entonces no me consoló. Me invitó a verlo nuevamente esa semana. A partir de esas fechas hasta su muerte en abril de 1972, lo visité varias tardes en su casa en San Ángel, un lindo rincón colonial de la ciudad.

¿Cómo era Gómez Morin?

Era más bien bajo de estatura, moreno claro, se parecía a Gene Kelly (¿recuerdas? El gran bailarín de *Cantando bajo la lluvia*). Él mismo había sido de joven un buen bailarín. Vestía formalmente de traje o con una chaqueta de cuero. En el vestíbulo de su casa había una capilla con una imagen de la Virgen de Guadalupe. Al fondo, tras los ventanales, se adivinaba el jardín que algunas veces recorrimos con sus fresnos centenarios, algunos cedros y buganvilias. La biblioteca era un gran recinto rectangular de altas paredes tapizadas de libros ordenados por materia. En el centro había una mesa redonda de madera fina donde conversábamos con libertad, pero en su caso sin grabadora. En la primera cita me mostró las ediciones originales de Ramón López Velarde, su amigo y vecino de la colonia Roma, dedicadas al «poeta Gómez Morin». Me enseñó el ejemplar del *Tratado de Metafísica* que Vasconcelos le enviaba por entregas durante la campaña presidencial de 1929 para que lo corrigiera, lleno de apuntes majaderos de su genial maestro. Una y otra vez me decía «escriba su biografía con cartas». Yo me entusiasmaba. De inmediato iba don Manuel a su archivero para sacar unas cartas cruzadas con Vasconcelos, por ejemplo, verdaderas joyas; me las empezaba a leer, pero hasta ahí. Solo después de su muerte pude consultarlas. En el cortejo fúnebre doña Lidia, su mujer, me dijo, con toda compostura: «Manuel me dejó la orden de abrirte el archivo». Gracias a él pude hacer mi tesis como me había aconsejado, con cartas. Trabajé en ese archivo un año.

Me interesó mucho la figura de Gómez Morin en Caudillos culturales en la Revolución mexicana. *En los años veinte fue el fundador de instituciones perdurables. El Banco de México, por ejemplo, una institución que se ha mantenido por más de noventa años, ¿no es cierto?*

Su fundación ocurrió en el cuatrienio presidencial del general Plutarco Elías Calles, que llegó al poder en 1924. Más que un caudillo o un militar, Calles era una mente racional, un antiguo maestro de escuela, un gobernante adusto que creía en las instituciones. Apreció de inmediato el talento de Gómez Morin, a quien le decía «Morincito». Y vaya que lo tenía. En 1922, antes de que México y Estados Unidos restablecieran relaciones, «Morincito» había sido agente financiero de México en Nueva York (casi un embajador). Fue una experiencia clave porque estudió la Reserva Federal y trató con banqueros, no con académicos. En 1923 elaboró las primeras leyes fiscales y hacendarias de la nueva etapa mexicana. En 1925, a

«La pala» y la técnica al servicio del país. Plutarco Elías Calles escucha a Gómez Morin que lee el acta de inauguración del Banco de México.

los veintiocho años de edad, creó las leyes y la estructura del Banco de México. A los veintinueve hizo lo mismo con el Banco Nacional de Crédito Agrícola (que iba a reformar con sociedades de crédito la economía rural en México). A los treinta, en 1927, terminó los esbozos del Seguro Social (que iba a reformar la vida obrera) y de un Banco de Crédito Popular (que nunca se hizo). Te hago notar algo importante: Gómez Morin no era funcionario público. Su vocación era el servicio público desde una posición independiente. En ese tiempo había abierto ya su despacho de abogados y desde él trabajaba sometiendo sus proyectos.

A esas instituciones que creó Gómez Morin dedicas capítulos centrales…

Y también, en parte, mi segundo libro: *La reconstrucción económica*. Creo que tiene interés, porque ahí abundo en la historia institucional (no solo biográfica) del Banco de México y del Banco

175

Nacional de Crédito Agrícola. Quise estudiar cómo usaron «la pala», cómo crearon bancos, carreteras, escuelas para indígenas, presas y métodos de irrigación, leyes fiscales. Mi libro es la historia de ese frenesí creativo, con todo y la contabilidad de esos proyectos. Finalmente Gómez Morin se desencantó del gobierno y rompió con él. En mi libro transcribo algunas cartas que dan cuenta de su decepción. Escribió que México era «una nación traicionada» por la mentira y la corrupción. Los líderes «revolucionarios» no habían liberado al campesino y al obrero: los habían usado como fuente de capital político.

Es evidente la vocación fundadora de la generación de 1915. Eso que él llamaba «técnica». Pero ¿podían sostener su impulso sin contar con el apoyo del presidente en turno o tenían ellos mismos que hacer política? Por eso Vasconcelos quiso ser presidente.

Vasconcelos quiso más, quiso ser un redentor. Al estudiar los papeles de Gómez Morin comprendí que todos ellos terminaron por reprocharle a Vasconcelos esa actitud mesiánica porque siempre es disruptiva y porque crear una especie de religión no es lo mismo que fundar instituciones estatales o privadas que funcionen y perduren. Eso argumentaba casi textualmente Gómez Morin. Y tenía razón. Se necesitaba un esfuerzo largo, penoso, difícil, continuado, detallado, paciente, honesto y desinteresado, todo eso y más, para reconstruir un país o para construirlo sobre bases mejores. Se necesitaba eso que Gómez Morin llamaba «técnica». Eso de por sí requería una vocación casi apostólica. Pero aun suponiéndola –y muchos la tenían– se necesitaba algo más, que tú señalas: la venia presidencial. Lo cual, hablando de instituciones públicas, implicaba una dependencia, una supeditación a la buena voluntad presidencial. Por eso Vasconcelos no se conformó con ser ministro de Educación. Para que todo dependiera de él. Y, en efecto, en 1928 se lanzó a una infructuosa campaña presidencial. Pero en ese momento era una mala apuesta. Gómez Morin le advirtió que era necesario hacer política, pero en un sentido democrático. Y con su sentido práctico, le dio a Vasconcelos un consejo de oro: fundar una institución política duradera. Fue un visionario.

Pero no convenció a Vasconcelos.

«No soy Gandhi», les dijo, y tras el fraude electoral en su contra se fue del país. Así se perdió esa oportunidad. Quien no la perdió fue Plutarco Elías Calles que también, a su manera, era un hombre institucional. Luego del asesinato de Álvaro Obregón en julio de 1928, el último gran caudillo, Calles (inaugurando su papel de «Jefe Máximo de la Revolución»), declaró «el fin de la era de los caudillos y el principio de la era de las instituciones». Se refería a las instituciones políticas, en particular al Partido Nacional Revolucionario que Calles creó en 1929 como un conciliábulo de generales disciplinados con reglas muy claras de obediencia y orden para acceder al poder. Gómez Morin tenía la misma lectura de Calles. Calibró la importancia de las instituciones y quiso crear un partido de civiles, pero Vasconcelos –el último caudillo, un caudillo cultural– no lo secundó. Fue una lástima. Imagínate si el PAN, que Gómez Morin fundó en 1939, hubiera nacido diez años antes como un partido laico y civilista encabezado por los intelectuales de la generación de 1915, personas con vocación de servicio y conocimiento técnico en temas económicos, educativos y agrícolas. Imagínate a esa «organización bien orientada», opuesta al partido de los militares. No digo que los conocimientos de esa generación garantizaban el éxito, pero sus obras, mientras pudieron hacerlas, hablan por sí mismas. Y políticamente el beneficio habría sido mayúsculo: en vez de un partido hegemónico, hubiéramos tenido, desde 1929, un sistema bipartidista.

¿Siguió aplicando la «técnica», fundando instituciones?

Muchas, en el sector privado. Ya no entré en esa parte de su vida, pero resalté el año en que fue rector de la Universidad de México: de octubre de 1933 a octubre de 1934. Un capítulo heroico porque el gobierno quería acabar con ella, y Gómez Morin la salvó. No exagero al afirmar que sin su liderazgo no existiría esa institución, quizá la de mayor prestigio en México. Y finalmente en 1939 fundó la institución política que había soñado: el PAN, Partido Acción Nacional.

Un partido democrático.

Sí, democrático, pero no liberal. Nacer en 1929, antes de la caída de Wall Street, la Guerra Civil española, el ascenso de Hitler y Stalin, era distinto que nacer en 1939. Era muy difícil habitar la zona liberal en ese mundo polarizado, porque ser liberal suponía enfrentarse a los dos totalitarismos. Y el hecho es que uno de ellos, el soviético, estaba aliado a Occidente y la prioridad absoluta era vencer a Hitler. Yo puedo entender la indulgencia frente a los comunistas en esa coyuntura. Lo que nunca pude justificar son las simpatías fascistas de varios panistas. Para mí son personalmente inadmisibles y desde luego contrarias al liberalismo.

Te dejó enseñanzas la vida de Gómez Morin.

Invaluables. Inolvidables. La cercanía de un constructor, un patriota, un demócrata. Y el repudio al México bronco. Cuando en 1927 Gómez Morin vio que México seguía siendo un país violento, escribió una carta que comenzaba así: «México, mi pobre México». Yo compartí y comparto esa convicción: la violencia ha sido la llaga de México. Por eso mismo, al estudiar la vida de Gómez Morin aprendí a respetar la actitud constructiva, que no debe confundirse (como Vasconcelos) con la actitud redentora. Vertebrar un país no es lo mismo que fundar una religión. Fue una pena que el espíritu auroral se perdiera. Podía haberse hecho más, mucho más, con la «técnica». Algunas instituciones se perdieron, otras permanecieron. Y pudo haber nacido antes la democracia mexicana. Pero privó el poder, privaron los caudillos. Y corrió mucha sangre.

Vicente Lombardo Toledano: predicador socialista

El otro personaje central de Caudillos culturales en la Revolución mexicana *fue Vicente Lombardo Toledano. No lo conociste.*

Pero Lombardo Toledano fue una figura muy presente en mi juventud. Mi abuelo me contó que Lombardo había sido muy cercano a la comunidad judía de México. Y me narró un acto en Bellas Artes en el que participaron muchos miembros de la comunidad, angustiada por la guerra y el ambiente progermano de la prensa mexicana. Lombardo había pronunciado un discurso de apoyo y esperanza: «Habló tanto de las tesis de Hitler que estábamos desconcertados, creíamos que lo estaba apoyando, pero luego atacó una por una esas ideas, y ya nos sentimos mejor». Por otra parte, mi amigo Jaime Grabinsky me compartió su entusiasmo por Lombardo. Debe de haber sido en 1964. Acababa de escucharlo hablar en el Anfiteatro Bolívar, anexo a la Escuela Nacional Preparatoria, y lo había cautivado. Admiraba su equilibrio, su ponderación, su pausada y erudita discusión de ideas. Jaime acudía a sus conferencias y se volvió lector asiduo de sus libros de filosofía marxista y temas de política internacional. Por Jaime supe que en los años treinta y cuarenta Lombardo había difundido en México las ideas de la izquierda antifascista europea y defendía la «verdadera» cultura alemana opuesta al antisemitismo nazi. Jaime tenía gran simpatía por Lombardo. Me la transmitió y la compartí. Tiempo después, le pregunté qué opinaba del apoyo de Lombardo a Díaz Ordaz en 1968. Me contestó con una interrogación: «¿Senilidad?». Le objeté el acoso de Lombardo a Trotski y sobre todo su apoyo incondicional a Stalin. Aceptó que con Trotski Lombardo había sido «intransigente» pero me dijo –casi textualmente– que la visión que tenía Lombardo de la Unión Soviética estaba sin duda marcada por el terrible sacrificio que significó para ese país «ser el gran y principalísimo destructor de la bestia nazi». Es un argumento muy poderoso. Con esos antecedentes de simpatía, me acerqué a su familia. Su hija Adriana, directora de la Universidad Obrera de México, me abrió su archivo y me refirió a un acervo particular que valoraba mucho: el copiador de las cartas manuscritas que su bisabuelo, don Vincenzo Lombardo Catti, mandaba a la familia desde Italia, donde se había exiliado en 1914. Las leí de cabo a rabo, fascinado por la historia que contenían.

La historia de su abuelo don Vincenzo y su mina La Aurora al principio del libro es un buen arranque. Una historia de ascenso y caída.

Había llegado de Italia décadas atrás, había descubierto una mina de cobre en Teziutlán, en el estado de Puebla, y se había vuelto inmensamente rico. Bautizó a la mina La Aurora. Con el tiempo se asoció con unos estadounidenses y se creó una empresa, la Teziutlán Copper Company. Esa historia la complementé cuando fui a ver a doña Elena, la hermana de Lombardo. A sus setenta años era una mujer bellísima. Me narró la historia idílica de su infancia, las vacaciones en Chapala. De pronto llegó la Revolución, la mina suspendió sus trabajos, el abuelo se exilió, los estadounidenses se aprovecharon de la situación y la familia se arruinó. Hablando con Elena yo me sentía como el personaje de *Aura*, de Carlos Fuentes. Hechizado por esa mujer que fumaba cigarrillos largos, lentamente, como Marlene Dietrich.

La de los Lombardo es una historia de novela, así la leí.

«Aurora y crepúsculo de los Lombardo», así la titulé. Pero para mí tuvo un interés particular como biógrafo. John Womack me había aconsejado: «Cuéntanos todo de esa familia: cómo era la casa, la comida, la vida cotidiana, las costumbres religiosas, las fiestas, los negocios». Y eso me liberó. Me metí hasta la cocina. Al estudiar el ascenso y la caída de los Lombardo vi cómo la historia material de una familia puede influir y a veces determinar la ideología de uno de sus miembros más sensibles, en este caso el primogénito. «Infancia es destino», diría Freud pero también un poco Marx. Sin esa quiebra familiar y sin el abuso de la empresa estadounidense no se entiende el agravio social de Lombardo ni su posterior y genuina espiritualidad marxista.

«Espiritualidad marxista»… Es extraño que uses esas dos palabras juntas, pero eso prueba tu obra: Lombardo era un sacerdote del marxismo.

Más bien un predicador.

Leí su trayectoria: de maestro de ética a los veintitrés años a director de la Escuela Nacional Preparatoria a los veintiocho, de filósofo a gobernador del estado de Puebla. Fue diputado y líder obrero, pero en los años veinte no se perfilaba aún propiamente como marxista.

Era un filósofo cristiano con preocupaciones sociales y aspiraciones políticas. Estas aspiraciones las canalizó por la vía sindical.

No era marxista entonces. En los treinta se declararía marxista pero no comunista. Nunca se afilió al Partido Comunista Mexicano, que hacia 1929 estaba ya proscrito y perseguido. En esa circunstancia, Lombardo vio la posibilidad de construir una organización sindical con tintes socialistas y no solo laboristas, como era la Confederación Regional Obrera Mexicana, la poderosa CROM a la que pertenecía y de la que salió para crear su propio sindicato.

Me llamó la atención el espacio que dedicas a su vocación de maestro socialista y marxista.

Ahí entra Max Weber: el papel de la religión en la vida. Un papel que en el caso de Lombardo está directamente conectado con sus clases de ética y sus estudios del cristianismo. Octavio Paz –que era alumno suyo en esa época y era un marxista apasionado– me contó que Antonio Caso, el gran filósofo que también le daba clases, le aconsejó: «Mire, Octavio, usted puede ser todo lo socialista que quiera pero debe ser cristiano, como Vicente». Esto fue en 1931 o 1932. Luego Lombardo cambió en apariencia, pero no hay duda de que gracias a Caso tuvo una formación sólida en la filosofía cristiana. Te aclaro que es un cristianismo social muy distinto al de la teología de la liberación.

Su estrella ascendía, y lo narras en tu libro sobre los caudillos: participaba en congresos, escribía discursos, dictaba conferencias, creaba sindicatos.

Se dice fácil, fundar sindicatos. Pero ¿conoces a muchos intelectuales arremangándose la camisa para llegar al piso mismo de la actividad económica, a las fábricas, conocer a los obreros concretos, no al proletariado abstracto? Yo no conozco a ninguno. Pero eso precisamente hizo Lombardo por muchos años. Y no conozco a otro intelectual así, en ese tiempo y casi en ningún otro. Es verdad que su sindicalismo, como todos en el México de entonces, tenía una segunda intención política. No era anarcosindicalismo sino la consolidación de una fuerza obrera y también campesina que le daba al líder poder de negociación política. Pero ese poder de regateo no lo usó Lombardo únicamente para acumular poder sino para beneficio de sus agremiados. Eso es un hecho. En mi libro

Líder sindical y profeta del marxismo, Lombardo Toledano fue un polémico fundador de la izquierda mexicana.

abordo ese aspecto central de su biografía, y reconozco que tuvo el mismo impulso institucional característico de su generación. Fue un creador de instituciones sindicales. Y de muchas otras: escuelas, universidades obreras, revistas, todo para propagar el pensamiento socialista. ¡Vaya que Lombardo usó la pala, pero también la pluma!, aunque al servicio de una ideología.

Y en el libro refieres anécdotas curiosas sobre sus caminatas con sus discípulos a los cerros aledaños a la Ciudad de México, donde les predicaba el evangelio marxista.

Se sentía ungido. Como Vasconcelos, pero desde la otra ribera ideológica. Llegó a extremos. Escribió una epístola a Jesús que también reproduje.

Dices que se sentía ungido, pero me parece que era un hombre más práctico que Vasconcelos. Más terrenal y político.

Es totalmente cierto. En los años treinta y principio de los cuarenta creó poderosas federaciones y confederaciones obreras mexicanas y latinoamericanas. Y escribió mucho más que Gómez Morin, aunque no obras realmente perdurables.

Y sin embargo, tu libro lo pinta como un guía espiritual.
No es una biografía integral. Es la biografía de su juventud creadora, inspirada por ideales cristianos y marxistas. Me impresionó visitar su casa por el rumbo de San Ángel. Una construcción austera, típica de la época, que imitaba vagamente, con un aire campestre, el estilo Tudor: maderas y trabes, techos altos en V. Grandes piezas de cacería, producto de sus viajes a África. No vi, aunque al parecer era cierto, que tenía muchísimos trajes grises idénticos. Y revisé con cuidado su biblioteca. Esperaba encontrar los cuarenta y tantos tomos de Lenin, y quizá estaban en algún sitio, pero lo más visible era la colección completa y riquísima de autores cristianos. Era un experto en patrística.

Terminaste por tomarle afecto a Lombardo.
Nunca olvidé su postura ante el nazismo. Y por supuesto reconocía su ímpetu creativo y su obra, injustamente relegada. Aunque hacia 1973 o 1974, cuando redactaba la tesis, influido por las lecturas de entonces, me sentía cada vez más ajeno a su dogmatismo ideológico, no dudé de su sinceridad. No solo el agravio de la mina La Aurora lo movía secretamente. También el agravio de la miseria mexicana. Para afrontarlo no se refugió en un cubículo: predicó su evangelio y fundó instituciones.

Escribir la historia de Lombardo y Gómez Morin fue un curso de historia mexicana.
Y un curso de biografía, la aventura de entrar en la vida personal y familiar de los protagonistas y comprender –o intentarlo– sus vidas e ideas. No aprendí a leer vidas leyendo biografías sino escribiéndolas. Y sí, también fue un curso de historia mexicana. Un curso inductivo: conocer al país en esas décadas de 1910 a 1940 llevado por la óptica particular de esa generación de fundadores vertida en entrevistas, cartas, documentos, libros, papeles, testimonios. Esa óptica constructora supone ya una postura ante la historia

mexicana: la de valorar a quienes enseñan y crean. Es una óptica reformista y yo la adopté. Quise extraer una moraleja de esas vidas y la planteé así: ¿qué significa ser intelectual en un país con tantas carencias? Y mis biografiados me respondían: significa fundar, crear, «hacer algo por México», «moverse tras una obra para el beneficio colectivo». A ellos les fue posible hacerla al amparo del Estado, pero en mi tiempo sería preciso intentarla por vías independientes. Valorar a los constructores fue, creo yo, la mayor lección.

¿Cómo fue el examen profesional?

Me recibí de doctor en historia en octubre de 1974 con un jurado de lujo: el propio don Daniel, Luis González, Jean Meyer y Mario Ojeda, el gentil secretario de El Colegio de México. Se habló naturalmente del intelectual y el poder. Jean le preguntó a don Daniel: «¿Deseó usted alguna vez ser presidente de México?». Don Daniel contestó, textualmente: «Nunca, en ninguna circunstancia, jamás… negaré que quise ser presidente de México». ¿Era una broma? Quizá no tanto. Pero todos rieron de buena gana. Creo que estaba satisfecho. También mi abuelo Saúl, que estaba en el público. Al poco tiempo, don Arnaldo Orfila Reynal contrató mi libro en Siglo XXI y le puso el título. Desgraciadamente, don Daniel no lo pudo ver, porque apareció en librerías semanas después de su muerte en marzo de 1976.

Para entonces, muchas cosas habían ocurrido en tus «otras» vidas.

En enero de 1975 nació León, mi primer hijo. Dediqué el libro al «León reciente» y a Isabel. Las fábricas seguían hundidas. Profesionalmente, en marzo de 1977 me incorporé a trabajar como secretario de redacción de la revista *Vuelta*. Y retomé el tercer tramo de mi proyecto original sobre esa gran generación: escribir la biografía de mi maestro Daniel Cosío Villegas.

Daniel Cosío Villegas: las casacas del liberal

¿Quién era Cosío Villegas para ti, antes de que fuera tu maestro?

La primera noticia que tuve suya fueron los artículos que comenzó a publicar en agosto de 1968. Después supe que se había jubilado de su relación con la cancillería (tenía el rango de embajador). Quizá conservaba su trabajo de asesor en el Banco de México, pero ya era un hombre sin ataduras. Me gustó, recuerdo bien, su propuesta de reformar los medios de comunicación en México para invitar a los estudiantes a participar en debates abiertos. Pedía que las autoridades intentaran comprender a los estudiantes. ¿Qué motivaba la insatisfacción, la rebeldía? Resumía el programa de la futura transición a la democracia en una frase: «Hacer pública de verdad la vida pública del país». Es decir, ser una república verdadera, no simulada. El gobierno, por supuesto, no entendió a qué se refería esa frase genial.

¿Tienes presente, aunque sea de manera esquemática, sus ideas políticas?
¿Cómo las asimilaste?

Cada sábado lo leía en su página del *Excélsior*. Lo cierto es que nunca había leído razonamientos políticos como los suyos, ajenos a la ideología y la dialéctica, argumentos claros en defensa de un orden republicano. Escribió que la democratización del sistema tenía como condición necesaria ese acotamiento del poder presidencial. La suerte de los mexicanos no dependía de un acuerdo institucional sino de una voluntad personal, del arbitrio de un «Señor del Gran Poder», como llamaban los sevillanos a Jesucristo. Este elemento religioso le parecía lamentable porque bloqueaba la maduración ciudadana y la construcción institucional. Por eso México no era una república, sino una «Monarquía Absoluta Sexenal y Hereditaria en Línea Transversal». Yo celebraba esas frases, sin penetrar en su hondura política e histórica. Sin entender plenamente que estaba proponiendo una vuelta al proyecto liberal y maderista plasmado en la Constitución pero no en la práctica. Don Daniel me parecía un valiente. Pero había mucho más que valentía en su actitud. Había una lectura liberal de México. Y comencé a aplicarme a entenderla.

Te llevó muchos años escribir Daniel Cosío Villegas. Una biografía intelectual. *La comenzaste en 1970 y la publicaste en 1980. ¿Por qué tanto tiempo?*

Escribí ese libro no como una tarea sino como la recreación de una vida pública ejemplar. La investigación se desarrolló en dos etapas. Entre 1970 y 1976 conversé muchas veces con él, leí algunas de sus obras, pero sobre todo lo vi actuar en la arena pública. Te advierto que no tuve con él mayor familiaridad (me invitó a comer una sola vez). Entre 1976 y 1979 trabajé en su archivo y en acervos relacionados con su vida. Me propuse leer toda su obra sobre la historia mexicana y su obra ensayística, comprender su visión de México, América Latina y el mundo, y su idea de la libertad. Salvo Luis González, Octavio Paz y Gabriel Zaid, con ningún autor tuve mayor cercanía de lector, aunque en el caso de ellos también fui y he sido su amigo.

Estudiar aquellas vidas de la generación de 1915 era tu forma de enseñarte historia de México. Pero no eran historiadores. ¿Cómo fue ese proceso con un historiador como don Daniel?

En el caso de Cosío Villegas la travesía era especialmente rica porque no solo incluía todo el siglo XX, en el que él había sido y seguía siendo actor y testigo, sino la etapa larguísima que estudió como historiador. Una etapa que va desde 1867, el inicio de la República Restaurada, hasta el fin del porfiriato en 1911. A través de la mirada liberal de Cosío Villegas pude recorrer toda la historia moderna y contemporánea de México.

¿Tuviste un modelo al escribir su biografía?

Pensaba en Cosío Villegas como una vida plutarquiana, pero no era comparable casi con nadie de su generación. Y en cuanto al método, mi modelo de trabajo fue la *Vida de Johnson*, de James Boswell. Yo había leído partes de esa obra y me esforcé en registrar hasta los más mínimos detalles de la vida de don Daniel, pero no los registré en el libro cuando eran demasiado personales. Esa fue una diferencia. Y esta otra: Boswell y Johnson se emborrachaban en el *pub*. Yo vi decenas de veces a don Daniel, apenas me invitó un vaso de agua. ¿Te imaginas a Boswell con grabadora? Grabé quizá veinte horas o más de entrevistas biográficas con él. Nos veíamos a las 4:30 en su casa estilo Tudor (como la de Lombardo) en San Ángel. Caminábamos al comedor. De lejos se veía la pequeña piscina y el amplio jardín. Presidía la escena un retrato suyo que le pintó José Moreno Villa y el cuadro *Retrato de un poeta* de Diego Rivera. Todo era muy austero. Ponía yo la grabadora sobre la mesa de su comedor y me contaba pausadamente y con todo detalle cada etapa de su vida. Hablaba como si estuviera escribiendo, con una prosa impecable. No titubeaba en lo absoluto.

La palabra «casaca» aparece mucho en el libro.

Él la inventó. Se refiere a las distintas vocaciones y sobre todo a las distintas tareas que tuvo a lo largo de su vida. Tareas que él se impuso, que él creó. Papeles vitales. El símil es correcto porque no son trajes hechos sino «casacas» que no existían en el mercado de trabajo y que él mismo se confeccionó. La prueba es que las casacas de sus maestros no le quedaban del todo. Quería ser humanista como su maestro más cercano, Pedro Henríquez Ureña, y compartía su curiosidad universal, pero no tenía la necesaria disposición contemplativa. Quiso ser escritor y escribió abundantemente en varias revistas de la época, en varios géneros y sobre los temas más diversos, pero carecía del inmenso bagaje de lecturas que tenía, por ejemplo, Alfonso Reyes. Llevado por el filósofo Antonio Caso, el joven Cosío Villegas fue profesor de sociología pero las aulas no lo atraían demasiado. Pensaba que para «hacer algo por México» había que alcanzar un público mucho más amplio. Quien de verdad lo atraía era Vasconcelos. Esa casaca le gustaba, pero colindaba peligrosamente con la política.

Difícil cercanía, porque su vocación intelectual era la crítica.

Claramente. Y además se había casado y de algo había que vivir. Entonces abandonó esos afanes literarios para los que decididamente no estaba dotado, y emprendió un camino inexplorado: estudiar economía agrícola, después economía en general y finalmente ciencias políticas, en varias universidades de Estados Unidos, Inglaterra

El mayor orgullo de don Daniel, según me confesó, era haber fundado instituciones que lo habían sobrevivido.

y Francia. Nadie tuvo a su edad una preparación similar. De vuelta a México fue uno de los fundadores de la Escuela de Economía y por varios años fue profesor de esa materia. Se ganaba la vida como economista asociado al Banco de México y consultor de la Secretaría de Hacienda. Y entonces vislumbró por primera vez una casaca propia, inspirada en la «inundación de libros de Vasconcelos»: la casaca de editor.

Ya te referiste al Fondo de Cultura Económica y a El Colegio de México, dos instituciones culturales creadas por Cosío Villegas que te formaron en los libros y las aulas. Si recuerdo bien, fue al inicio de la Guerra Fría cuando cambió «la pala por la pluma».

Comenzó a publicar ensayos de política internacional en la revista *Sur* de su amiga Victoria Ocampo. Y en *Cuadernos Americanos*, que dirigía Jesús Silva Herzog. Eran los ensayos de un liberal: muy distante de la URSS pero no por eso proclive o acrítico con Estados Unidos, sobre todo por su vieja y abusiva irresponsabilidad frente a América Latina.

Me detuve en el largo capítulo donde abordas su célebre ensayo «La crisis de México». Para Cosío Villegas, todos los generales y presidentes de la Revolución, sin excepción, habían sido «magníficos destructores».

Él creía en la construcción. Por eso desdeñaba a los destructores. He citado decenas de veces ese ensayo, quizá el más relevante escrito en México al menos hasta 1968. En ese ensayo probaba con sobriedad y argumentos irrefutables varios puntos. La democracia y el ideal liberal de Madero eran letra muerta. La revolución constructiva que habían soñado para los campesinos necesitaba constancia, visión, técnica, coherencia y honestidad. No las había habido. La libertad sindical, condición para el crecimiento sano de la clase obrera, no existía. La educación había perdido su inspiración, como su fundador Vasconcelos. La cultura nacional era ya una mercancía para el turista. La corrupción había «tronchado» el tronco mismo de la Revolución mexicana. Pero era tarde para corregir el rumbo.

Era una declaración temeraria para la época. Me llama la atención que él mismo decía que «tenía una N en la frente. Una N de No». ¿Cómo reaccionó el gobierno mexicano, tan afecto a su origen revolucionario?

Lo llenó de insultos porque decretaba «muerta o *in articulo mortis*» a la Revolución mexicana, pero Cosío Villegas tenía razón.

El editor, el ensayista sobre temas mexicanos y latinoamericanos, el crítico de la política mexicana. La siguiente casaca fue la de historiador. Dejó el Fondo de Cultura Económica y obtuvo financiamiento de la Fundación Rockefeller para crear el gran equipo de jóvenes historiadores que trabajó con él en una obra intelectual monumental, la Historia moderna de México. *Otra empresa cultural. Y así como tu generación estudió la Revolución para comprender el presente, don Daniel estudió toda la era liberal y el porfiriato. Lo hizo para entender el régimen que había servido. ¿Es así?*

Sí. Para ello emprendió esa larguísima travesía que llegó hasta los años en que lo conocí. Hacia 1947, don Daniel cayó en la cuenta de que el problema específico de México, el que no permitía el avance sólido en el buen sentido, era de índole política. Y por eso delegó en un amplio equipo de jóvenes historiadores la historia económica y social: para concentrarse en la política.

Acá veo en tu biblioteca, frente a nosotros, los diez tomazos de la Historia moderna de México. *No me digas que la leíste toda.*

Buena parte, aunque no lo creas. Sobre todo las introducciones escritas por don Daniel –tituladas «Llamadas»– y desde luego los cinco tomos que a lo largo de veintitrés años escribió sobre la vida política interior y exterior de ambos períodos.

Fue un curso adicional de historia de México.

Escribir la biografía de Cosío Villegas me acercó como ninguna otra experiencia al México de los liberales, esos personajes que «parecían gigantes», como dijo Antonio Caso. Sin afiliarme al jacobinismo de sus posiciones ni a sus afanes de hacer «borrón y cuenta nueva» con el pasado prehispánico y virreinal, yo hice mío el proyecto político liberal en la historia mexicana. A partir de esa «apropiación», comencé a dialogar con las diversas teorías históricas sobre México, por ejemplo las de Octavio Paz, un diálogo que ha durado toda la vida. Paz en *El laberinto de la soledad* tenía una visión muy negativa del México liberal: la imitación de valores que no eran nuestros. En cambio Cosío Villegas reivindicaba al México liberal. Lo reivindicaba, a pesar de la dictadura de Porfirio Díaz, a quien comenzó por ver como un «militarote» pero terminó por considerarlo como un gobernante que dio un sitio de respeto internacional a México, no se plegó a Estados Unidos, presidió un progreso económico real, desdeñó (como muchos en su época) el progreso social pero finalmente contribuyó a consolidar la nacionalidad mexicana. Con un colofón: Cosío Villegas admiró a Francisco I. Madero, el demócrata liberal que dio inicio a la Revolución, y nunca transigió con el aspecto dictatorial de Díaz. Te he resumido cinco mil páginas en cinco líneas.

Pero quizá haya algunas convergencias entre la visión histórica de ambos.

Ninguna en lo que respecta a la teoría de la historia. Paz era historicista, no en cuanto a predecir el curso de la historia ni a privilegiar sus determinaciones materiales, pero sí en cuanto a causas culturales. En cambio el liberal don Daniel no creía en las determinaciones sino en la capacidad del hombre para enfrentarlas. El de Paz era un pensamiento histórico inspirado en el Romanticismo, con ecos riquísimos y múltiples de la literatura del siglo XX, de Freud, del surrealismo, de Caillois, de Ortega y Gasset. Quizá la diferencia entre ellos es de actitud: el poeta buscaba la esencia, la sustancia; el ensayista buscaba el cambio, el movimiento.

¿Quién pesó más en ti?
En las décadas siguientes quise compaginar ambas visiones, la del ensayista y la del historiador, hacerlas dialogar: no todo en la historia es poesía pero hay poesía en la historia. Hay algo *atrás y debajo* de la historia, un subsuelo que los hechos desnudos no ven y a veces ocultan. Existe la presencia del pasado: latente, secreta, pendiente. Pero finalmente prevaleció la visión de don Daniel. Traía a cuento a los liberales no por una nostalgia escapista sino porque le preocupaba el progreso político de México. Tenía razón, y Paz al final se la dio en *Posdata*: México no es una esencia, es una historia, y su vocación es la libertad.

¿Qué libro de Cosío Villegas es tu favorito?
La Constitución de 1857 y sus críticos. Ese libro es mi biblia liberal. Es una obra maestra de historia polémica. Cosío en el papel de abogado del liberalismo. Lo publicó en 1957, en el centenario de la Constitución liberal, y fue su solitaria defensa de ese código impecable frente a esa dupla autoritaria de nuestra historia: el monarca don Porfirio y el estatismo presidencialista del PRI. Ahí, más que en ningún otro, aprendí la función específica del poder legislativo, el judicial, el sistema federal, las elecciones y la libertad de expresión. Entendí el papel de la prensa crítica y del ensayo político. De ahí proviene el epígrafe de mi biografía de don Daniel: «eran fiera, altanera, soberbia, insensata, irracionalmente independientes». Ese retrato que hizo de los hombres de la Reforma era un autorretrato. La República Restaurada (1867-1876), única etapa en la que México se había acercado a una vida democrática y moderna, le parecía la mejor página de la historia mexicana. Era su arcadia y, leyéndolo, se volvió la mía. Un día, conversando en su jardín, me dijo: «A veces me parece haber vivido esa época liberal, junto con esos grandes

personajes, Juárez, Lerdo, Iglesias, Ocampo, Zamacona, Mata». Era la encarnación solitaria de esos hombres en el siglo XX. Creía ser el último liberal.

Se definía a sí mismo como un «liberal de museo». Una rara avis, porque llegan hasta él los ecos del liberalismo mexicano del siglo XIX.
En efecto, así se definía, agregando: «puro y anacrónico».

Mientras entrevistabas a don Daniel sobre su vida y leías sus artículos, ¿hablaban sobre el pulso político?
En esa etapa se había puesto la casaca final: la de articulista combativo. Fue emocionante y aleccionador verlo actuar en la vida pública, leerlo y charlar con él sobre lo que estaba viviendo. Era una cátedra viva de republicanismo en un entorno de monarquía absoluta, y una clase de liberalismo en un entorno adverso a las libertades. En los artículos semanales de don Daniel en *Excélsior*, y sus ensayos mensuales en *Plural*, la revista de Octavio Paz, entendí la libertad. No solo como un tema abstracto leído en Locke o Stuart Mill sino como un tema concreto y urgente. Su crítica al poder fue una hazaña de independencia intelectual, no exenta de momentos desagradables, porque el gobierno lo difamó repetidas veces. No perdió la compostura ni se dejó intimidar. Escribió un breve libro sobre Echeverría: *El estilo personal de gobernar*. Vendió como cien mil ejemplares. Ahí apareció el presidente en la fábula del rey desnudo, desnudo en su monomanía, su megalomanía, sus torpezas e irresponsabilidades. La desaforada gestión de Echeverría le había confirmado una de sus más antiguas convicciones: desde la Independencia, el poder en México era la biografía presidencial. Esa idea, José María, se volvió un dogma para mí. México dependiendo de la biografía presidencial. Creo que es una fatalidad de la historia mexicana.

Pero tardaste en verte tú mismo como liberal, ¿no es así?
Yo no venía de una familia liberal sino socialista. Y aunque mi trabajo de empresario, atribulado y todo, me ponía en contacto con la vida real, yo no podía asumirme como liberal porque pertenecía

a una generación, a una tribu intelectual de izquierda. Uno nace dentro de una atmósfera de opiniones, de creencias, y poco a poco va encontrando su voz. E, incluso si no la encuentra, está siempre buscándola. Yo era un muchacho miembro de una generación contestataria, radical. Pero Cosío Villegas me intrigaba, me convencía. No era, obviamente, de derechas, pero tampoco propiamente de izquierdas. Era un liberal en una era de polarizaciones. A mediados de los setenta, al comenzar a escribir su biografía, entendí que su actitud intelectual era la más sensata y racional, o la única sensata y racional. Esa actitud tenía un nombre: liberal.

Pienso que don Daniel inspiró tus «casacas».

Recuerda la teoría de las cariátides. Yo solo quise ser una cariátide. Él era un gigante, pero no se veía como tal. A principios de 1976 le pedí leer los dos primeros capítulos de la biografía, relativos a El Colegio de México y al Fondo de Cultura Económica, que publicaría yo cuatro años más tarde. Hasta ahí había yo avanzado. Y dos días antes de su muerte lo visité en su pequeño cubículo del Colegio. «No sé si tengan interés para el público», me dijo entonces. Lo noté inusualmente sombrío. Murió el 10 de marzo de 1976, súbitamente, durmiendo una siesta. La muerte en el sueño, la mejor muerte. Lo enterramos sus familiares, amigos y discípulos en el Panteón Jardín. El secretario de Educación dijo unas palabras huecas. Iba yo de salida, y de pronto alcancé a ver entre unos cipreses a Octavio Paz. «Señor Paz, tengo un avance de la biografía de don Daniel», le dije. En abril apareció en *Plural* (núm. 55) mi ensayo sobre don Daniel: «El empresario cultural». En el mismo número, Paz publicó otro, que tituló «Las ilusiones y las convicciones», más centrado en sus ideas sobre México. El ensayo de Paz venía precedido de un epígrafe perfecto de W. B. Yeats: «*Imitate him if you dare, / World-besotted traveler; he / Served human liberty*». Yo terminé por escribir un libro plutarquiano, una vida para imitar, una vida sin paralelo.

Conocer a Octavio Paz fue el último regalo de don Daniel.

Así me gusta pensarlo. Entenderás por qué mi segundo hijo se llama Daniel. Por cierto, doña Emma, su viuda, fue su madrina en el registro civil.

Vidas paralelas

A propósito de Plutarco, en Caudillos culturales en la Revolución mexicana *pusiste en paralelo las vidas de Gómez Morin y Lombardo. ¿Fue tu modelo desde el principio?*

Plutarco no escribe vidas para contar chismes extravagantes, deliciosos o aterradores (como Suetonio). Comparaba vidas con criterios de ejemplaridad republicana: ¿quién había servido más y mejor a la *polis*? Y extraía una moraleja. No es casual que Plutarco, escritor griego en tiempos romanos, haya sido un gran filósofo moral. Llevó su platonismo al estudio de vidas para ver qué tanto se aproximaban al ideal de perfección que muchas veces rebasa el tema público y toca valores privados, más aristotélicos: el equilibrio, el valor, el carácter, la coherencia, la constancia; en una palabra, la virtud. Yo leí las *Vidas paralelas* y me resultó natural aplicar su método a los protagonistas de mi libro. He seguido leyendo a Plutarco, y coleccionando sus ediciones.

En el epílogo de tu libro trazas los paralelos, pero yo quisiera que abundaras en ellos a la luz de lo que ambas vidas te dejaron como enseñanza. ¿Qué paralelo fundamental encontraste?

«Lo característico de Vicente es su espiritualidad», me dijo alguna vez Gómez Morin, y esa frase era una descripción de sí mismo. La idea de la «técnica» en Gómez Morin era aplicable a la creación de sindicatos. Y la ética que enseñaba Lombardo, volcada al bien común, animaba las instituciones de Gómez Morin. Una sola actitud fundadora, con derivaciones paralelas: la espiritualidad de Gómez Morin se orientaba a vertebrar la vida económica; la de Lombardo, a vertebrar la vida sindical.

Pero en los años treinta esas vidas paralelas se cruzaron hasta ser contrarias. Sus temas entroncaban con tu historia familiar: el fascismo, el nazismo, el estalinismo... ¿Cómo se entreveraron tus reflexiones sobre ellos con tus ideas? Te lo pregunto porque tu libro se detiene en 1933 pero esas vidas paralelas siguieron siendo influyentes por décadas. Después de todo tus abuelos eran coetáneos de estos sabios, y vivieron la misma época. Es interesante explorar cómo hubiera sido la segunda parte de Caudillos culturales en la Revolución mexicana.

Después de la caída en Wall Street, la distancia entre aquellos sabios se ahondó. La pregunta en ese momento fue ¿cuál es el camino? Hasta en Estados Unidos e Inglaterra había corrientes intelectuales poderosas, casi milenaristas, que consideraron inevitable el fin del capitalismo y la llegada del comunismo. En México ocurrió algo similar. Gómez Morin trabajaba entonces construyendo instituciones en el sector privado de México. Esa fue su respuesta. Lombardo Toledano estudiaba seriamente el marxismo, publicaba una revista titulada significativamente *Futuro*, donde escribió un texto famoso: «El camino está a la izquierda». Esa fue su respuesta. Hubo momentos de colisión memorables, sobre todo cuando, a instancias (entre otros) de Lombardo, en 1933 el gobierno implantó la educación socialista en México y se encontró con Gómez Morin, su antiguo colega, para defender la educación libre. Lombardo pensaba que ninguna otra resolución del Estado mexicano podría tener la trascendencia histórica de la escuela al servicio del ideal socialista. La transformación del régimen social quedaba asegurada si las nuevas generaciones se formaban en el conocimiento de los vicios del régimen y en la convicción de que su felicidad dependía de la felicidad de las masas.

Instaurar el socialismo desde la superestructura, la educación, la cultura, no desde la realidad. La opción menos marxista y materialista, la más idealista.

Hubo una polémica muy famosa que estudió mi tía Rosa entre Lombardo y su antiguo, venerado maestro Antonio Caso. Lombardo (junto con el ministro de Educación Narciso Bassols) quería instituir el marxismo como canon en la Universidad; Caso defendía la libre cátedra. Al negarse a asumir ese canon, la Universidad de México, nominalmente autónoma, estuvo a punto de desaparecer por falta de presupuesto, hasta que entró a salvarla nada menos que el rector Gómez Morin, que bajo el lema de «Austeridad y trabajo», y en un solo año, consolidó esa casa de estudios como una institución plural y libre donde lo importante era la formación profesional, no el adoctrinamiento ideológico. ¿Cómo lo hizo? Cerró su despacho, hizo una serie de colectas públicas, logró el apoyo de maestros y alumnos, reorganizó radicalmente la estructura de la institución, racionalizó los planes de estudio, fundió materias, evitó duplicaciones, creó institutos de investigación (el de Ciencias, por ejemplo) y perdió diecinueve kilos (eso me lo contaba). Cuando renunció, el gobierno recapacitó y poco a poco restableció el apoyo a la Universidad sin detrimento de su autonomía y libertad. Gómez Morin la había salvado.

El conflicto se daba entre el pensamiento socialista y el liberal.

Más precisamente, entre la educación dogmática socialista y la libertad de cátedra. Ese era el dilema. No funcionó del todo entonces pero sí después, en los años sesenta y setenta, cuando el canon socialista se volvió predominante en las universidades públicas. Nosotros en la revista *Vuelta* –revista independiente sin ligas con la academia– defendimos la libertad académica contra varios profesores e intelectuales de diversa orientación nacional revolucionaria, socialista y aun marxista que no veían mal una universidad al servicio de una ideología.

Es claro que para Lombardo el liberalismo era una ideología anacrónica, para decir lo menos. ¿Sostuvo Gómez Morin su postura liberal?

Me temo que no. Ambos se fueron a los extremos. Conforme avanzaron los años treinta, Lombardo se volvió abiertamente estalinista. Viajó a la URSS en 1935 y escribió un librito que es una oda a la URSS de Stalin. Por su parte, para la fundación de su Partido Acción Nacional, Gómez Morin se acercó al ideario de Action Française, corriente nacionalista francesa.

¿Qué pensabas del PAN?

Yo estimaba a don Manuel, pero me dolían los orígenes del PAN. Yo sabía que Action Française era creación de Charles Maurras, el intelectual antisemita que había apoyado la persecución contra Dreyfus a finales del siglo XIX. Pero creía (o quise creer) que esa decantación a la derecha había sido obra del ala más conservadora y católica del PAN. Por otro lado, me consta que Gómez Morin no era antisemita y mucho menos nazi, como lo fue desgraciadamente Vasconcelos. Gómez Morin sabía que yo era judío y hacía referencias amables a ese hecho.

¿Tenía arraigo el nazifascismo en el México de los treinta y cuarenta?
Mucho. La raíz era la germanofilia, ligada al antiamericanismo, una vieja pasión de la clase política e intelectual mexicana. El ascenso de Hitler alentó muchísimo esa germanofilia. Hasta Plutarco Elías Calles –que ya no era presidente pero ejercía el poder tras el trono– era un lector ávido de *Mein Kampf*. La mayor parte de la prensa y no pocos empresarios eran germanófilos. Pero Vasconcelos fue el extremo. Había cambiado mucho desde sus años en Educación. Entre los libros que fui consultando encontré uno suyo de esa época en el que hay un cuento que revela el pacto entre Wall Street y Moscú para dominar el mundo. ¿Y quién crees que está detrás de ese pacto? Los judíos. Te aclaro que para entonces Gómez Morin se había distanciado de Vasconcelos, quien en 1940 dirigió la revista *Timón*, pagada por la embajada nazi.

Te pregunto directamente: ¿era filonazi el PAN?
Revisé mucho después la correspondencia publicada de Gómez Morin con Efraín González Luna –el otro destacado fundador del PAN– y hallé una sola mención a Hitler. Y son cuatro mil páginas. Hay alguna referencia al nazismo: salió un reportaje acusando al PAN de tener esa proclividad, que Gómez Morin se apresuró a desmentir. No hay más. Pero sí, en el PAN había filonazis, sobre todo en el occidente mexicano. En esas fechas –en mis viajes por Michoacán para visitar a Luis González– conocí panistas que admiraban a Hitler, ¡y me lo decían! Y Gómez Morin tuvo cerca, no cabe duda, a personajes muy afines no solo a la Iglesia sino al sinarquismo, un movimiento popular en el occidente del país que Jean Meyer definió como un fascismo mexicano. Recuerdo, por ejemplo, a Salvador Abascal, un extraño cruzado del catolicismo medieval que años más tarde escribió decenas de artículos antisemitas contra mí en los que me acusaba de «talmúdico». En los años cuarenta, Abascal –cuyos conocimientos en la patrística eran notables– dirigió Jus,

una editorial de cultura católica, fundada por Gómez Morin. Jus republicó obras muy valiosas, por ejemplo, a Lucas Alamán (que llevaba casi un siglo agotado), pero la filiación de Abascal era fascista. Ese era un reparo mío al PAN.

En estas vidas paralelas vayamos a Lombardo. Era un marxista ortodoxo, al menos así se presentaba.

Y nunca dejó de serlo, aunque dudo que muchos marxistas académicos o intelectuales lo reconocieran como tal. Su teoría y método correspondían más a la forma y el espíritu de un catecismo que al análisis económico de Marx. Pero desde luego leyó a Lenin y seguramente a Stalin. Creo que se apegaba a la visión soviética, más aún después de su viaje de 1935. Su librito sobre la URSS se me cruzó tiempo después, cuando me enfrasqué en lecturas sobre la Revolución rusa y el régimen soviético.

¿Vale la pena recordarlo?

Yo creo que sí, porque es representativo de un dogmatismo ideológico que parece inmortal. Emprendió ese viaje en el verano de 1935, coincidiendo con el VII Congreso del Partido Comunista en la URSS. Ningún intelectual de su rango lo había intentado. Al regresar dictó una serie de conferencias que causaron revuelo y que luego reunió en ese pequeño libro, casi un folleto, que tituló: *Un viaje al mundo del porvenir*. Lo tengo en la edición original. Bien escrito, serio, claro y estructurado. Su información proviene seguramente de fuentes soviéticas e incluye historia, geografía, economía y sociedad, política y cultura. En la URSS se cumplía por «primera vez […] el ideal demócrata, el gobierno del pueblo para el pueblo y por el pueblo». Cuando

lo leí me pareció coherente con su marxismo evangélico, no mucho más. Pero volví a leerlo y quedé horrorizado.

¿Lo tienes a la mano?

Subrayado. En la visión lombardiana, la colectivización forzosa había sido difícil debido a la mentalidad conservadora de los campesinos: «Llegaron hasta a quemar sus pastos y sus cosechas, a destruir sus arados rudimentarios, a matar su ganado, azuzados por mil ideas y mil procedimientos arteros y habilidosos de los *kulaks* (propietarios individuales como ellos, pero de mayor dimensión) [...] que se aprovechaban de su ignorancia». Para colmo, estaba el problema de las «viejas y atrasadísimas nacionalidades», un apego a la lengua, a la tradición, a las costumbres, particularmente hondo en Ucrania. A esas «naciones antiguamente oprimidas por el zarismo» no se les podía dar «la simple libertad para que vivieran la vida que quisieran [...] sin haberles dado una cultura política, sin haber levantado su espíritu armónico y su nivel». ¿Qué hacer para emanciparlas de sí mismas? Por fortuna, Stalin había ideado la solución: un cambio súbito y estructural que Lombardo resume en una línea: «liquidación del problema de los *kulaks*» y «éxito material». Y ahora sí, «en las poblaciones (ucranianas) como Kharkov, se aplaude y se vive con interés y con convicción la nueva vida [...] una adhesión [...] al comunismo [...] que vibra y se manifiesta a cada instante».

Acababa de ocurrir la hambruna de 1932 y 1933. Los ucranianos la llaman Holodomor, *que quiere decir, literalmente, «matar de hambre». Stalin ordenó la hambruna a sabiendas, minuciosamente. Se llevó a cabo con unidades policiales soviéticas por diversas vías, incluido, por supuesto, el asesinato masivo: requisa casa por casa de todas las cosechas, sellado de las fronteras, aislamiento de los pueblos, prohibición de importaciones. A quien hallaban pescando lo encarcelaban. Al parecer fueron 3.3 millones de muertos.*

En la prensa mexicana de la época había aparecido información que Lombardo no pudo no haber visto. En 1972 tenía yo una conciencia vaga de aquella hambruna (mucho más de la anterior, la de 1921, por testimonio de mi tío Luis Kolteniuk, que la padeció de niño), pero pronto vi referencias suficientes en la obra de Orwell. En algún sitio leí que la gente en los andenes de las ciudades ucranianas gritaba: «*Jlib, jlib!*» («¡Pan, pan!»). La orden era no darles nada.

Pero además de eso fue un genocidio, por su motivación étnica. Buscó arrasar con el idioma, la cultura y la nacionalidad ucranianas. Se atribuye a Stalin la frase: «Un muerto es una tragedia, un millón de muertos es una estadística».

¿Qué tanto de esto sabía Lombardo? ¿Qué tanto vio en aquel viaje? ¿Qué tanto no quiso ver? ¿Qué tanto ocultó? Creo que en la biblioteca del autoengaño hay un lugar especial para *Un viaje al mundo del porvenir*. Muchas cosas estaban claras en la década de los treinta como para cantar una elegía semejante. Por eso pienso que para entonces la credulidad de muchos intelectuales era no solo sospechosa sino francamente culpable. Además, en 1937 tuvo lugar en México la Comisión de la Verdad que presidió John Dewey y que exoneró a Trotski. Todos estos datos, que leí en los libros de Deutscher, eran públicos en México. En 1938 la verdad sobre los juicios de Moscú llegó a las planas de los diarios mexicanos. Ni una palabra de Lombardo. Y por si faltara, en 1939 se firmó el pacto Ribbentrop-Molotov. Era indefendible, pero Lombardo lo vio como un acto de prudencia pacifista en su periódico *El Popular*. Después la URSS se alió a Occidente y ganó tiempo adicional. Por fortuna, porque sin su concurso Hitler habría triunfado.

No solo Lombardo, muchos intelectuales de Occidente compartieron esa actitud de indulgencia ante Stalin. Me pregunto si había lugar para otra.

Algunos tuvieron distancia crítica. Orwell la tuvo. En los años siguientes me dediqué a leer sobre el tema.

Volvamos a la moral de Plutarco. ¿Qué ideal platónico aplicarías ya con esa perspectiva de los treinta a Gómez Morin y Lombardo?

Yo creo que el mismo ideal republicano. En su etapa de expansión creativa fueron excelentes, pero en los años treinta sucumbieron, en diverso grado, a las pasiones ideológicas. Creo que Lombardo murió con ese esquema mental y aliado a la URSS, pero la obra de Gómez Morin en el PAN sirvió a la democracia. En 1939 fue un acierto histórico que Gómez Morin fundara el PAN. Al menos un embrión democrático. Sus militantes fueron quijotes de la democracia. Perdieron –no exagero– miles de elecciones locales, estatales, ejecutivas, legislativas a lo largo de las décadas y no cejaron.

¿Cuándo valoraste el lugar del PAN en la democracia?

De hecho, fue hasta la segunda mitad de los setenta, cuando la circunstancia de México me llevó poco a poco a concluir que la democracia era la mejor salida para la vida política mexicana. Pero cuando hablaba con Gómez Morin no tenía claras esas ideas. Había leído sus discursos y una larga entrevista de historia oral que le hicieron los esposos James y Edna Wilkie. En ella hablaba del esfuerzo de concientización cívica que había desplegado su partido en el decenio en que había sido su presidente (de 1939 a 1949). Ahí leí que los militantes del PAN sufrieron matanzas similares a la de Tlatelolco; que sus escasos diputados presentaron iniciativas de reforma electoral (denegadas todas) como la credencial de elector o la organización ciudadana de los comicios. Gómez Morin acuñó un sintagma para ese esfuerzo casi sin esperanza: «brega de eternidades». Esas iniciativas fundamentales se retomarían en México medio siglo después.

¿Pudiste conocer la opinión de Lombardo sobre el México contemporáneo, el de tu juventud?

Ni falta me hizo. Lombardo siguió siendo un estalinista puro. Su Partido Popular Socialista apoyó la represión de Díaz Ordaz al movimiento estudiantil. No fue senilidad, como creía Jaime Grabinsky: le ganó su apego al poder y su dogmatismo.

¿Recogiste la opinión de Gómez Morin sobre el país al final de su vida?

Le narré la matanza del 10 de junio, de la que fui testigo. Su mirada se perdía en el horizonte interior y se resolvía en un gesto característico: mover hacia un lado y otro la cabeza, levemente, en un acto que denotaba negación y lamento. El país había ido mal, sobre todo para la gente del campo, sobre todo en la vida política, secuestrada

201

por la pandilla del PRI. Me decía: «Y, sin embargo, muchas de aquellas instituciones que creamos han sobrevivido a administraciones ineptas, torpes o corruptas». Nos despedíamos en la puerta. Tenía una sonrisa luminosa.

¿Qué pensaba uno del otro al final?
No sé qué pensaba Lombardo. Cuando murió, Gómez Morin montó una guardia ante el féretro de su viejo amigo.

Vidas divergentes

Más allá de haber sido, como todos en esa generación, constructores de instituciones, ¿qué une a Cosío Villegas con aquellos personajes? ¿Qué los separa?
Entre los extremos, entre Escila y Caribdis, ha fluido siempre la corriente que las separa. Esa corriente es el liberalismo. Don Daniel navegó en ella. Y navegó solo.

Hemos hablado de la postura de Lombardo frente al marxismo y la URSS. ¿Cuál fue la de Cosío Villegas en los años treinta? Lo tocas muy brevemente en tu biografía.
Cosío Villegas presidió una mesa redonda entre marxistas y antimarxistas que tuvo lugar en la primavera de 1934. En su síntesis de aquellas jornadas repudió absolutamente al fascismo, pero dejó clara su distancia del comunismo y la URSS. Se inclinó, eso sí, por dar la razón a los marxistas, no por su defensa doctrinal –que no compartía– sino por el evidente fanatismo nacionalista y racista de los partidarios de Hitler y porque, como economista y discípulo directo de socialistas ingleses como Harold Laski (con quien mantenía correspondencia), Cosío Villegas tomaba en serio el marxismo y reconocía su riqueza y evidente pertinencia en el análisis económico.

¿Qué proponía?
Una salida liberal. La que correspondía a un intelectual: editar, publicar, traducir, escribir. Leer seriamente sobre economía, política

y sociedad. Por eso fundó en 1933 la revista *El Trimestre Económico* y creó el Fondo de Cultura Económica en septiembre de 1934. ¿Qué mejor manera de superar el fanatismo y la polarización que informar al lector, traducir a los clásicos y a los autores presentes, abrir el debate de ideas? Tardó tiempo en arrancar, pero en los años treinta publicó una lista muy significativa de autores. Tengo el catálogo. Abarca las publicaciones de tal año a tal año, y en él podemos ver esa variedad de la que te hablo. En 1935 publicó *Karl Marx*, de su maestro Harold Laski. En 1937, *Doctrinas y formas de la organización política*, de G. D. H. Cole (traducido –qué lujo– por Alfonso Reyes). Luego una biografía de Proudhon, John Strachey sobre la *Naturaleza de las crisis*...

Predominan las obras sobre economía, los títulos de izquierda. Pero es interesante la inspiración del llamado socialismo utópico y también del anarquismo proudhoniano.

A mí no me extraña: entre los libros de juventud de Cosío Villegas encontré una introducción al anarquismo en francés. Tenía más de una gota anarquista en sus venas. La colección se enriqueció cuando más se necesitaba: durante la guerra. Y se volvió más amplia, clásica y ecuménica. Sería aburrido quizá recordar los títulos. Pero créeme que era un catálogo plural.

Ya lo veo. Demos juntos una ojeada rápida por años. 1940, el Leviatán, *de Hobbes. 1941,* Ideología y utopía, *de Karl Mannheim;* Ensayo

  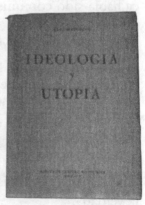

sobre el gobierno civil, *de Locke. 1942*, Anatomía de la revolución, *de Crane Brinton;* Textos políticos, *de Edmund Burke. 1943*, Responsabilidad de la inteligencia, *de José Medina Echavarría;* El federalista, *de Alexander Hamilton et al. 1944*, Economía y sociedad, *de Max Weber;* Los derechos del hombre, *de Thomas Paine;* La igualdad, *de R. H. Tawney.*

Hasta 1948 llevaba publicados 313 títulos. Esa oferta editorial que llegó a todo el continente era la respuesta adecuada a la circunstancia. Fue un prodigio de ponderación y equilibrio. Un momento extraordinario del humanismo liberal.

En la Guerra Fría, Lombardo siguió alineado con la URSS. ¿Cuál fue la actitud de Cosío?

Divergía de Lombardo. Su postura fue nítidamente prooccidental y no simpatizaba con la URSS. Declaró con todas sus letras: «no compartir hasta por razones físicas, orgánicas, ni la fe, ni la teoría, ni los métodos comunistas». La URSS era «la primera dictadura que no se avergüenza de su nombre». Pero por otro lado no era anticomunista y repudiaba a los anticomunistas profesionales, como los que pululaban en Estados Unidos durante el macartismo.

Parecería que todo liberal es, por fuerza, anticomunista.

No es así. Y el caso de don Daniel lo prueba. Por lo general los más furibundos anticomunistas son los antiguos comunistas, que tienen la ira del converso. Don Daniel no tenía esa ira porque nunca había sido comunista.

¿Su postura frente a Cuba?

En 1947 formuló una profecía: por el odio a Estados Unidos, América Latina, aparentemente pasiva, hervirá de desasosiego y estará lista para todo. Era un gran profeta. Entre sus papeles encontré una nota manuscrita que copió con su puño y letra de la *Historia del pueblo de Israel*, de Renan: «Los espíritus estrechos acusan siempre a los clarividentes de desear las desgracias que prevén. El deber de Casandra es el más triste que puede recaer sobre los amigos de la verdad».

¿Cómo reaccionó entonces frente al nuevo gobierno en Cuba?

Le dio el beneficio de la duda, aunque por poco tiempo. Dijo que la Revolución despertaba la simpatía latinoamericana por sus objetivos de «cambio social justo y de fondo»; por ser una acción tomada con «firmeza al servicio de una buena causa: beneficiar resueltamente al pueblo». Pero faltaba demostrar si el «David cubano» era tan bueno para construir como lo estaba siendo para hablar y destruir. Faltaba demostrar, también, qué tanto podía construir por sí mismo, sin depender del «Goliat» soviético. Cuando Cuba se inclinó decididamente al comunismo soviético, concluyó que lo ocurrido había sido lamentabilísimo para Estados Unidos y para toda América Latina. Pero nunca dejó de responsabilizar a la arrogancia, la ignorancia, la estrechez de la diplomacia estadounidense, siempre ligada a los negocios, nunca orientada a fines de convivencia, conocimiento mutuo, comprensión y cooperación. «El odio al americano será la religión de los cubanos», escuchó decir a un cubano en los años veinte, en su juventud. Lo comprobó en su vejez.

Veo que su ideario liberal se formó también en la arena latinoamericana.

Su ideario liberal se fraguó contra las tiranías de nuestra historia. Don Daniel creía que la libertad individual era un fin en sí mismo y que, a la vista de la historia reciente –el sacrificio de millones de personas que murieron por defender la libertad–, ese fin era «el más apremiante que podía proponerse al hombre».

¿Cuál era la izquierda que prescribía? ¿Le importaba el tema?

Le importaba mucho, aunque nunca se definió de izquierda, o quizá por eso. Le parecía triste el final de Lombardo, preso de su dogmatismo y su ambición política. Lamentaba que el Partido Popular Socialista, fundado y controlado siempre por Lombardo, fuese un mero apéndice del gobierno. Tampoco lo convencía la proclividad de las nuevas generaciones hacia Cuba. Ellas soñaban con la revolución, él creía en la reforma. Imaginaba una izquierda que propusiera ideas prácticas sobre problemas económicos o políticos reales del país, no una izquierda que copiara recetas ajenas. Pero no tuvo eco. La izquierda lo respetaba pero guardaba silencio. Sus ensayos circulaban solo en círculos académicos. Pensar que de los dos tomos de *Ensayos y notas* solo hubo una edición. Se imprimieron tres mil ejemplares. Los míos tienen el número 1020.

Tu interés primordial era definir la responsabilidad de los intelectuales. ¿Qué tipo de intelectual necesitaba México, según tu maestro?

En 1965 Cosío había escrito un artículo sobre «El intelectual mexicano y la política» que creo haber leído veinte veces para escribir la biografía, y otras tantas después. Así de importante fue para mí. Le incomodaban sobre todo los jóvenes escritores encandilados con la Revolución cubana, que predicaban un cambio revolucionario para México. Tiempo después, supe que tenía en mente a Carlos Fuentes, a quien consideraba un extremista obsesionado con denunciar a la burguesía desde una posición burguesa. Pero, además de Fuentes y otros escritores que compartían su actitud y sus ideas, Cosío notó que casi todos los intelectuales jóvenes eran profesores de la UNAM y, en menor grado, de otras universidades. Y vio que a muchos de esos universitarios no les interesaba mejorar a la Universidad, fortalecer su labor de difusión e investigación del conocimiento. La mayoría usaba a la Universidad: unos como trampolín político para llegar al gobierno, otros como «tronera» para protestar contra él. Quienes llegaban al gobierno servían de técnicos en altos puestos, pero se engañaban. Los técnicos no eran intelectuales: «vivían de las ideas y para servir o […] halagar al jefe superior, al presidente. Los intelectuales, en cambio, vivían para las ideas».

¡Qué excelente definición! ¿Respondía aquel ensayo de don Daniel a tu pregunta inicial sobre los intelectuales?

Sí, sobre todo en su moraleja. En los años setenta no había mejor tarea política para el intelectual que la de ejercer la crítica para el público olvidando los papeles de filósofo-rey, eminencia gris, ideólogo u opositor político. Ni Vasconcelos, ni Gómez Morin, ni Lombardo, ni los jóvenes militantes denunciantes u «homenajeantes» fuera o dentro de la Universidad. Había que trabajar fuera del gobierno y atreverse a pensar heterodoxamente.

Dime qué piensas ahora de Lombardo.

Fue un fundador sindical e ideológico. Escribió decenas de volúmenes, pero nadie los recuerda. Desperdició ese talento o lo puso al servicio de la ortodoxia. No creo que haya sido un agente de los rusos pero pensó como si lo fuera. Era un creyente cuya historia personal y cuya circunstancia lo llevaron a abrazar y predicar la nueva religión marxista. Hubo otros como él, y los respeto. Lo que no respeto es que, conforme comenzaron a acumularse las evidencias de los crímenes de Stalin, Lombardo y otros devotos siguieran propagando que la URSS era «la tierra del porvenir». Podían haber sido más cautos. Esa fue su falla moral. Lo que nunca ejercieron fue la crítica simple y llana. La primera responsabilidad del intelectual es la crítica. Pero te confieso algo. Hace poco descubrí en el anuario del Colegio Israelita un artículo de Lombardo Toledano traducido al ídish. Y recordé a mi amigo Jaime. Lombardo contribuyó a la destrucción «de la bestia nazi», y eso me basta para guardarle gratitud.

¿Y de don Daniel?

Que sus libros y su ejemplo me acompañan siempre. Ni izquierda ni derecha. Ni ideología ni dogmatismo. La salida entonces y ahora es la liberal.

Vidas convergentes

¿Qué caminos tomaron don Manuel Gómez Morin y don Daniel? Quizá conversaban.

Vivían en San Ángel, muy cerca uno del otro. A doscientos metros escasos. A partir de la sobria casa de don Daniel (Segunda Cerrada de Frontera #9), doblando a la derecha cuesta arriba hasta una risueña fuente, uno podía recorrer la barda de una gran propiedad que desembocaba en la calle del Árbol, dar unos pasos y tocar una puerta de madera con el #6: la casa de Manuel Gómez Morin. Supe que solían reunirse los domingos para tomar whiskey y hablar de México. Hasta que la marabunta de nietos cayó sobre don Manuel, y las reuniones cesaron.

¿Vidas paralelas o divergentes?

Convergentes. Unidos en los años veinte, se separaron en los treinta y cuarenta. Cosío, liberal jacobino, no podía ver con buenos ojos al PAN, porque creía que lo apoyaba la Iglesia y la plutocracia. Pero con el tiempo matizó su opinión. Es cierto que el PAN nació con un sector afín a la Iglesia, pero esa corriente no era la de Gómez Morin. Entre 1939 y 1949, en los años en que presidió al PAN, Gómez Morin se concentró en la tarea de construir ciudadanía. Su «brega de eternidades». Y, aunque en los cincuenta el PAN se inclinó de nuevo a la corriente ultramontana, en los sesenta entró a presidirlo un abogado crítico de los «meadores de agua bendita». En cuanto a la plutocracia, ni siquiera sus amigos del Grupo Monterrey apoyaron al PAN. La plutocracia mexicana apoyó al PRI; es más, desde los años cincuenta estaba en el PRI, y en buena medida era el PRI, comenzando por el multimillonario presidente Miguel Alemán. A principio de los sesenta, Gómez Morin buscó a Cosío Villegas para tratar expresamente el problema toral de México: la política. Lo sé por referencias epistolares y porque contamos con los testimonios de ambos que recogieron los esposos James y Edna Wilkie. Esas conversaciones complementaron mis libros y me ayudaron a comprender a ambos personajes. La entrevista con Gómez Morin se publicó en 1969, pero la de don Daniel no. La encontré en su archivo y Wilkie la publicó mucho después. En ella corregía sus

Para alcanzar la democracia hay «una brega de eternidades», decía Gómez Morin.

opiniones: «La Iglesia católica nunca le ha dado un apoyo abierto, ostensible, a Acción Nacional, y dudo mucho que se lo dé, aun callada o silenciosamente». En cuanto a Gómez Morin, el demócrata católico que nunca había sido clerical, retomó el temple liberal de su juventud, hasta admitir frente a los Wilkie: «Juárez fue un hombre admirable,

«Soy un liberal de museo, puro y anacrónico», me dijo alguna vez, en su jardín de San Ángel, don Daniel, recordando a los gigantes de la Reforma cuyas vidas sentía haber compartido más que las de sus contemporáneos.

que supo mantener el espíritu republicano y liberal, hasta los confines de la República». ¿Qué le achacaba a Juárez? No un pecado contra la Iglesia sino un pecado contra la democracia: haber sido «autor de los primeros fraudes electorales».

Ambos estaban cumpliendo la edad que tienes ahora.

Y por eso quizá entraron –como yo ahora contigo– en un período de introspección. Gómez Morin hizo el recuento de su vida y sus obras, explicó con detalle sus críticas al régimen (que venían desde tiempos de Lázaro Cárdenas) y parecía resignado. Cosío Villegas, a pesar de su extraordinaria labor editorial, histórica y ensayística, manifestaba una cierta tristeza, solo paliada por la obra tangible de su generación. Fue entonces cuando escribió: «… yo no vacilaría en decir que sin nuestro concurso el México de hoy no sería lo que es hoy, o que habría llegado allí, pero bastante más tarde». ¿Y a quién destacaba? A Gómez Morin.

Y al poco tiempo entraste tú al cuadro.

Me sentía como un cartero que llevaba de una casa a otra las buenas nuevas de un documento, una confidencia, un descubrimiento. Me hablaban con respeto uno del otro. Gómez Morin festejaba los artículos de don Daniel. Y don Daniel me preguntaba cómo iban las charlas con su amigo. Al morir Gómez Morin, en abril de 1972, yo seguí conversando casi cuatro años con don Daniel, que con frecuencia lo recordaba. Tras su muerte, fui trazando en mi mente la historia de sus divergencias y convergencias con don Manuel.

¿Qué ha significado para ti, en todos estos años, tu encuentro con Gómez Morin y Cosío Villegas?

No podría resumir esa experiencia, pero hemos podido evocarla. Dos grandes fundadores de la cultura y la economía, que terminaron por serlo también de la civilidad política. Con don Daniel aprendí a valorar la libertad y después, con don Manuel, aprendí a valorar la democracia. Siempre pienso en ellos. Creo que ambos fueron continuadores de Francisco I. Madero, el Apóstol de la Democracia, el presidente que quiso la libertad y la democracia para México, pero cuya opción quedó cerrada tras su asesinato en 1913. Posdata plutarquiana: uno leía el maderismo desde el polo liberal, como un límite al poder absoluto; otro leía el maderismo desde el polo democrático, como una hazaña de participación popular.

Has traído la historia de tus libros a tu propia vida.

Se trata de sus vidas, que obviamente no son la mía. Pero, al escribirlas, quise aprender de ellas. Y enseñar con ellas. Como Plutarco.

Nunca viste juntos a tus protagonistas.

Una sola vez. Caminando una mañana con don Daniel por la histórica calle de Madero hacia la American Bookstore, vimos acercarse a Manuel Gómez Morin. «¡Manuel!», «¡Daniel!», exclamaron al mismo tiempo, estrechándose en un gran abrazo. Alguien en la acera contraria identificó a Cosío y le gritó festivamente: «Don Daniel, ¡ya suelte al PRI!». Todos reímos alborozados. «Ahí lo espera el whiskey de siempre», le dijo don Manuel. «¡Pues habrá que tomárnoslo pronto!», respondió su amigo. Volvieron a abrazarse. «¡Qué viejo se ve Manuel!», me dijo don Daniel esa mañana. «¡Qué viejo se ve Daniel!», me dijo don Manuel esa tarde.

¿Se tomaron el whiskey aquel?

Creo que no, me lo hubieran dicho. Pero tomémonos uno tú y yo, a su salud.

José Vasconcelos: el héroe caído

Finalmente, ¿dónde quedó tu entusiasmo por Vasconcelos?

Nunca dejé de sentirlo, aunque con el tiempo se atenuó cuando descubrí facetas del personaje que me desconcertaban y entristecían. Entre los papeles de Gómez Morin encontré una carta que Vasconcelos dirigió a Teófilo Oléa y Leyva en 1933. En realidad iba dirigida a todos. Una carta llena de amargura y soberbia, de ira. Les reclamaba en esencia no haberlo seguido ciegamente en 1929 y haber continuado sus vidas mientras él, el héroe solitario, había abandonado el país en protesta al fraude electoral. Vasconcelos para entonces cargaba con una losa en la conciencia: los jóvenes vasconcelistas asesinados por el régimen en el pueblo de Topilejo y varios otros mártires de su movimiento. Él había llamado a la rebelión, como un nuevo Madero, y había sido el primero en desertar. Pero no asumía su responsabilidad en esos hechos y, como un profeta hebreo, culpaba al pueblo por no haberse levantado en armas. Y culpaba sobre todo a sus propios seguidores, a sus allegados y amigos. Recuerdo la impresión que me causó esa carta en la que lanzaba anatemas contra cada uno. Hacia Gómez Morin –que casi lo veneraba, pero con cuyas fundaciones siempre fue despreciativo– tuvo expresiones particularmente crueles. Lo más impresionante era su condena final. Le llamé anatema: les decía «pequeños hipócritas». Les advertía que leyendo la revista *La Antorcha*, que había publicado en su exilio, llorarían alguna vez, si no sus hijos, por lo menos sus nietos: «Llorar de vergüenza, de impotencia; de vergüenza y rabia por lo que perdieron perdiéndome».

Está en tu libro. Es el remate dramático.

Creo que Gómez Morin respondió con una carta que refleja el dolor pero también el noble carácter de don Manuel. Le pedía que dijera concretamente qué cargos tenía contra él. Y que no lo culpara a él, ni a sus amigos, del afecto que él mismo pisoteaba.

Ahí quedaban ya planteadas para siempre las dos actitudes: el caudillo y el fundador. Y ahí también dejaste a Vasconcelos, cuando comenzaba a escribir Ulises criollo, *el libro que te había abierto las puertas a la historia de la Revolución mexicana.*

Ahí lo dejé en el libro, pero seguía pensando en el personaje. Había acariciado la idea de escribir una biografía, pero llevaba tiempo de tratar con mi amigo John Skirius, cuyo proyecto de vida era ese también. Y le ayudé cuanto pude, presentándole por ejemplo a Palacios Macedo. Skirius sacó muy pronto a la luz un magnífico libro sobre Vasconcelos y la campaña presidencial de 1929, que yo reseñé en la revista *Vuelta*. Para mí estaba claro que él era el historiador llamado a escribir esa obra monumental. No obstante, pasaron los años y vi que por algún motivo la obra de John no avanzaba. Había llevado a cabo entrevistas invaluables, había recabado una gran documentación pero por algo se detuvo. Y entonces, al concluir mi biografía de don Daniel, yo mismo empecé a hacer lo mismo: entrevisté a los vasconcelistas que quedaban, comencé a reunir materiales, a localizar correspondencia, a reunir poco a poco una bibliografía y formar una biblioteca. Skirius, por cierto, siguió trabajando en su libro y en *Vuelta* publicamos sus dos capítulos iniciales. Luego guardó un largo silencio. Escribió una antología del ensayo latinoamericano moderno. Y no hace mucho me enteré que murió.

Habías vuelto al origen...

El Ateneo de la Juventud. Y escribí ensayos biográficos sobre Vasconcelos, Antonio Caso, Henríquez Ureña, Alfonso Reyes y Julio Torri. Todo esto fue a principio de los años ochenta, zona de fechas que coincidía con el centenario de casi todos ellos. Pero mi verdadera obsesión era Vasconcelos. Y Octavio Paz, con quien para entonces ya trabajaba, me la alimentaba: «era un hombre tocado por el absoluto», me decía, y me regaló el título de mi ensayo biográfico: «Vasconcelos: Pasión y contemplación».

Escribiste el largo ensayo biográfico para el libro Redentores, *pero es solo eso. No es una biografía a la inglesa.*

«Usted nos debe y se debe esa biografía», me decía siempre Paz. Es cierto. La debo y me la debo. He trabajado en ese proyecto en dos períodos muy específicos: a principios y a fines de los ochenta. Y a partir de entonces fui formando una biblioteca y archivo vasconceliano.

¿Qué te detuvo o qué te ha detenido?

Me desvió la vida, los proyectos, las distintas casacas, la pluma y la pala. Pero quizá hubo algo más. Desde que comencé mi investigación, Miguel Palacios Macedo me confió su desconcierto y molestia ante el antisemitismo feroz de Vasconcelos. Odiaba a los judíos. Los culpaba de todos los males del mundo. Eso me entristeció…

Y mermó tu interés.

En realidad no, ni mi interés ni mi admiración, que se reflejó en aquel ensayo biográfico de *Vuelta*. Pero el dato del antisemitismo debió pesarme. Tiempo después ocurrió un episodio que debo contarte. Me llamó por teléfono un señor llamado Izhak Bar Levav, que quería verme. Me dijo que era un profesor de historia israelí especializado en la cultura mexicana y latinoamericana que daba clases en la Universidad de Toronto. Había leído mis libros y quería conversar conmigo. Lo cité en las oficinas de *Vuelta*. Al escuchar su nombre sospeché que lo conocía, pero quise cerciorarme. Al verlo entrar, alto y corpulento como era, confirmé de inmediato mi sospecha y le dije: «profesor Bar Levav, usted no me recuerda, pero fue mi maestro de hebreo en 1960 en el primer año de secundaria en El Colegio Israelita». Se alegró. No le dije lo que sus alumnos pensábamos de él: nos parecía un tipo carismático pero irascible, atormentado, que fácilmente estallaba en ataques de iracundia. ¿Qué pasaba en su interior? ¿Quién era Bar Levav? Nunca supimos. Él y yo nos llevamos muy mal en la escuela, por algún motivo me había tomado cierta tirria, pero nada le dije. Entonces me contó algo que me dejó estupefacto. Era un sobreviviente del Holocausto, nacido en Polonia a principio de los veinte. Había huido con su esposa a pie, no sé hacia qué zona de libertad. Se estableció en Israel y luego en América Latina. Finalmente llegó a México. Así recuerdo lo que me dijo:

Yo daba clases de hebreo para sostenerme, pero mi verdadero trabajo era escribir la biografía de José Vasconcelos. Para eso había llegado a México. Y lo conocí muy bien. Iba a visitarlo a la Biblioteca México, que dirigía. Fue muy amable conmigo. Después de que murió me fui de México y a mediados de los sesenta escribí dos libros sobre él. Pasó el tiempo, y descubrí algo que me entristeció. Vasconcelos en 1940 había colaborado activamente con los nazis, editando la revista *Timón*, pagada por la embajada alemana y varias empresas alemanas.

Y me dio el libro: *La revista* Timón *y José Vasconcelos*. Una edición modesta, muy documentada, con facsímiles y fotos, de 1971. Bar Levav había charlado dos años con Vasconcelos pero no conocía ese aspecto. Nunca le habló de él. Lo descubrió después. La revista contenía elogios rendidos a Hitler, de la pluma de Vasconcelos.

Leí sobre estas actividades de Vasconcelos en tu libro Redentores. *No podías ni debías dejarlo pasar. ¿Lo leyó Bar Levav?*

Lo leyó, y me recriminó el tratamiento a Vasconcelos. Lo consideraba tímido. Y cesó para siempre nuestra conversación. Murió hace poco. Lo comprendo o creo comprenderlo. No imagino lo que habrá sufrido.

Por eso detuviste tu investigación…

Nunca la detuve realmente. Y nunca sentí odio. Quise comprender. Por eso desde los años ochenta me acerqué a la familia de Vasconcelos, me volví muy amigo de sus hijos del primer matrimonio, José Ignacio y Carmen, y de Héctor, el hijo de su segundo matrimonio, casi coetáneo mío. Con todos tengo grabaciones sinceras, desgarradoras, entrañables. Entrevisté a sus nietos, a sus últimos viejos seguidores. Y redoblé mis investigaciones. Y aquí, en Cuernavaca puedes ver el producto de ese trabajo. Creo que es el espíritu más complejo y apasionante de nuestro siglo XX. Tenía razón Octavio: «tocado por el absoluto».

«Quien todo lo comprende», todo lo perdona, decía Madame de Stael.

Vasconcelos es un espíritu extraordinario, que hizo inmenso bien a México, que dejó una obra cultural perdurable, que escribió la mayor autobiografía de nuestro idioma. Una figura como la de San Agustín, un místico de la acción, un alma complejísima. No se si entenderé su descenso al nazismo. Pero debo intentarlo hasta como una lección histórica. Con ese mal radical comulgaron muchos lectores en México. Y ese mal radical siguió vivo en las dictaduras del Cono Sur.

¿Escribirás esa biografía?

Como decía mi abuela Eugenia: «Si Dios me presta vida».

V. La tertulia de *Plural*

Oficinas de Letras Libres.

Jueves de Corpus

Leer, ver actuar, conversar con Cosío Villegas fue tu escuela formativa como liberal. Pero volvamos el reloj a principio de los años setenta. A raíz del movimiento estudiantil te decantaste por Popper frente a Marcuse y escribiste tus primeros artículos con esa vena embrionariamente liberal, o más bien libertaria. Quiero entender cómo fue el tránsito del socialismo que heredaste de tu abuelo, y en el que creías –como toda tu generación–, al liberalismo.

Esa conciencia liberal tardó un tiempo en arraigar. Aunque nunca he profesado «religiosamente» una ideología, lo cierto es que por un tiempo, digamos hasta fines de 1972, no integraba mis lecturas popperianas, mis experiencias empresariales y mis vagas convicciones ideológicas. Esa confusión se resolvería a la larga a favor de una postura liberal, pero quiero aclararte que mis opiniones políticas, más que socialistas, eran antisistema, antiestatistas. Y el origen como hemos dicho está en el 68. El movimiento plantó en mí una solidaridad generacional que se profundizó aún más por la sangrienta réplica de Tlatelolco que atestiguamos Héctor Aguilar Camín y yo: la matanza del Jueves de Corpus, el 10 de junio de 1971. Para entonces ambos escribíamos en el suplemento *La Cultura en México*, de la revista *Siempre!* Estuvimos presentes en aquel episodio y cuatro días más tarde publicamos en el suplemento una crónica titulada «La saña y el terror». El presidente Echeverría había decretado una amnistía para los presos estudiantiles del 68. Ya libres, estos

217

convocaron a una marcha. Muchos acudimos para probar si el gobierno estaba dispuesto a respetar la libertad de manifestación. Por supuesto, no lo estaba. Nuestra narración daba cuenta precisa de la represión de los grupos paramilitares, llamados «Halcones», contra los estudiantes. Fuimos espectadores azorados de sus métodos y de sus crímenes. Desde una azotea donde nos refugiamos gracias a la ayuda de un maestro, vimos toda la operación. Las balaceras, las ráfagas, los golpes de fusiles en la cabeza, las instrucciones que transmitían los tanques antimotines, los movimientos de mujeres provocadoras para capturar estudiantes, y sobre todo la irrupción de decenas de falsos estudiantes que gritaban consignas «de izquierda» mientras arrojaban piedras sobre los cristales de tiendas y casas. Todos llevaban en la mano unos garrotes o varas de kendo. Todo fue una celada. Décadas después pude comprobarlo cuando entrevisté a un capitán que era el jefe de los «halcones» –así se llamaban los garroteros– y me contó cómo los entrenaba en la azotea de Palacio Nacional.

Leí en La presidencia imperial *que Echeverría prometió una investigación para encontrar a los culpables, pero esa investigación, obviamente, nunca ocurrió.*

No ocurrió porque el culpable era él. Y lo sabíamos. En agosto de 1971, dos meses después del Jueves de Corpus, tras la muerte del rector Barros Sierra (un héroe del 68), el nuevo rector Pablo González Casanova me encargó que diera el discurso en un acto solemne de homenaje a Barros Sierra en el Auditorio de Ingeniería. En el acto estaba presente el secretario de Obras Públicas de Echeverría. Eduardo Mata dirigió a la Orquesta de Cámara de la UNAM con la *Serenata para cuerdas* opus 48 de Chaikovski. Me tocó el turno de hablar, y comencé por recordar la matanza de la plazoleta en *Cien años de soledad*, de la que nadie (en la trama de la novela) parecía guardar memoria. Y relacioné ese pasaje con los crímenes del gobierno. A diferencia de la novela, nosotros sí recordaríamos que en nuestra plazoleta de la estación también había habido una matanza. En suma, al agravio del 68 se sumaba el del 71. Muchos jóvenes de mi generación se sumaron a la guerrilla. Yo no comulgaba con las ideas revolucionarias pero sí con el rechazo al gobierno. Por eso formé parte, por un tiempo, del equipo de escritores de aquel suplemento cultural dirigido por Monsiváis.

La expulsión de los liberales

¿Cómo aceptaron que escribieras en el suplemento?
Mi presencia era marginal. Lo dirigía Carlos Monsiváis. ¿Quién más estaba? Recuerdo al escritor Héctor Manjarrez, al ensayista José Joaquín Blanco, al poeta David Huerta, al filósofo marxista Carlos Pereyra, al historiador y ensayista Jorge Aguilar Mora. Solo Pereyra era, en sentido estricto, marxista. Pero todos eran de izquierda. Yo también, porque compartía con mis amigos la indignación política que nos dejó el 68 y el deseo de pensar un país mejor. Quise estar con ellos porque eran los intelectuales de mi generación. Por otro lado, mientras me formaba como historiador en El Colegio de México, ¿dónde más podía publicar? Pertenecer al grupo de Monsiváis era una opción natural, por el afecto que le tenía a Carlos, por el prestigio del suplemento y el ímpetu de los

colaboradores. Después de aquella crónica sobre el 10 de junio asistí a unas pocas reuniones pero participé en una especie de escaramuza generacional contra «los liberales» de la revista *Plural*, que Octavio Paz acababa de fundar. Te preguntarás por qué contra Octavio Paz, que había sido tan importante para nosotros. El desencuentro comenzó con su libro *Posdata*. Ahí señaló que el sistema mexicano se había petrificado (como el ruso) y apuntó la necesidad de una apertura democrática. Pero mi generación quería que Paz viniera a encabezar la oposición revolucionaria al régimen o cuando menos una revolución en la cultura. Y de hecho, cuando Paz pasó por México en 1971 (daba clases en universidades de Estados Unidos), sondeó la posibilidad de fundar un partido político. Pero finalmente –gracias al consejo de Gabriel Zaid, según supe después– tomó la decisión de fundar *Plural*. La revista dependería del periódico *Excélsior* dirigido por Julio Scherer, que apoyó resueltamente la idea y le dio una absoluta libertad. Ahí congregó Paz sobre todo a los escritores de la generación que le seguía. Y congregó también, por supuesto, a decenas de escritores de varias lenguas. Fue un avance enorme para la cultura, pero nosotros lo vimos con gran recelo.

Se sintieron ustedes excluidos de Plural, *¿algo así? ¿Vieron esa revista como su competencia?*

No propiamente, porque algunos autores nuestros como Manjarrez publicaban en *Plural*, pero el hecho es que nuestro grupo en algún momento se propuso confrontarlos. Y hubo una reunión en la que alguno del grupo dijo textualmente: «hay que darle en la madre a Paz». Yo propuse que mejor lo releyéramos con ojos críticos. Creo que había en el aire una pulsión parricida. Finalmente, a principio de agosto de 1972 salió a la luz un número del suplemento titulado «En torno al liberalismo mexicano de los setentas». Te propongo hojearlo, lo tengo subrayado. Contenía una introducción de Monsiváis; enseguida un ensayo de Carlos Pereyra, el filósofo marxista joven de mayor prestigio entonces; otro texto del escritor Héctor Manjarrez, amigo de Fuentes y de Paz que traía un sólido bagaje intelectual francés e inglés.

Me llaman la atención las caricaturas.

Geniales, ¿verdad? Las hizo Rogelio Naranjo, era un dibujante magistral. Su finísimo lápiz, bañado en tinta de humor ácido, congeniaba con Monsiváis, que le agregaba el toque irónico. Me consta que planeaban juntos las ilustraciones. Las de este número representaban a tres autores famosos del Ateneo de la Juventud. José Vasconcelos, lanzando sus invectivas montado sobre una especie de hidra. El filósofo Antonio Caso, maestro de la generación de 1915, fundido con su podio de orador. Y Martín Luis Guzmán, el gran novelista, cincelando afanosamente su propia estatua ecuestre. Eran imágenes perfectas para burlarnos de los tres grandes personajes que aparecían en el texto que publicamos Héctor y yo. Estaba basado parcialmente en mis investigaciones sobre los intelectuales y la Revolución mexicana. Se titulaba precisamente «De los personajes». Éramos nosotros, los jóvenes puros y radicales de la generación del 68, contra «los liberales».

¿Qué entendían ustedes por «los liberales»?

La palabra *liberal*, en el mejor de los casos, parecía decimonónica; en el peor, despreciablemente «burguesa». A mis amigos les parecía no solo anticuada sino reaccionaria. El título provocador correspondía sobre todo al texto de Pereyra, que, desde una postura marxista, y dado el supuesto estadio histórico de México, consideraba superadas las posturas «liberales» de *Plural*. La frase final de

Pereyra causó un escándalo, porque fue interpretada como una expulsión de los liberales del discurso político: «En la medida en que se va configurando un auténtico discurso político en oposición a la ideología dominante, esos intelectuales liberales quedan cada vez más aislados y no expresan sino su propia ausencia de realidad nacional. Lo totalizador de sus sentencias no les da ya presencia alguna». Seguía el ensayo de Manjarrez, un largo y complejo alegato contra los «intelectuales humanistas», el reformismo, el liberalismo, el «término vaguísimo» de democracia. En un punto defendía la Revolución Cultural china, como una propuesta «inmensamente prometedora». En otro, citando a Gramsci, escribió: «lo que hay que destruir, obviamente, es cierta idea de cultura; la que hace de ella una tradición liberal –«libertaria»– y no un medio de liberación». Eran ensayos escritos en el espíritu contestatario de la época. En nuestro texto, Héctor y yo aludíamos sin mencionarlos a Paz y Fuentes. Les achacábamos una especie de impostura. Su «independencia relativa» –término extraído de Karl Mannheim– nos parecía falsa y sospechosa. No eran independientes, no podían pretender estar por encima de las clases en pugna. Negábamos su «difuso capital cultural» y sus supuestos atributos de «blancura social, racionalidad pura y superioridad emocional». Eso implicaba que nosotros sí representábamos a las clases proletarias. Lo cual era ridículo, sobre todo en mi caso. Pero, además, la noción de Mannheim que despreciábamos tenía sentido: esa independencia relativa del intelectual era necesaria y valiosa. El intelectual debe buscarla no para sentirse «por encima» de la sociedad sino para ejercer la crítica del poder. Yo lo entendería poco después.

Supongo que hubo una réplica de los liberales de Plural.

Tengo la colección completa y lo podemos ver. Sí hubo respuesta. Ese mismo mes, en el número 11 de *Plural*, de agosto de 1972, apareció sin firma un pequeño texto titulado «La crítica de los papagayos». Según Monsiváis, lo escribieron Paz y Fuentes. Déjame leerlo, porque esta escaramuza fue un presagio de muchas que sobrevendrían en las décadas siguientes:

Desprestigiar términos como «libertad de expresión» y «democracia», tildar peyorativamente de «liberales» a quienes defienden y practican concretamente, sin excesivas ilusiones, pero con la intención política de ofrecer alternativas, la libertad de expresión y la opción democrática, ha sido táctica de todos los movimientos totalitarios de nuestro tiempo. Los grandes teóricos del socialismo, de Marx y Engels a Kołakowski y Kosík, pasando por Rosa Luxemburgo («La libertad es siempre la libertad del que no piensa como usted»), jamás difamaron los conceptos de libertad de expresión y democracia; los consideraban, dialécticamente, conquistas humanas inseparables de la vida interna de los partidos revolucionarios, dentro y fuera del poder, e inseparables de la vida colectiva en el socialismo triunfante.

Una defensa de las libertades dentro de la tradición socialista, eso me parece.
Y tenían razón, incluso en el caso de Marx, como prueban sus escritos de los años cuarenta y desde luego *El 18 brumario de Luis Bonaparte*. Pero sigamos…

No es ese el caso de Lenin, cuyas tendencias autoritarias fueron la semilla de la perversión estalinista. Desde entonces cierta «izquierda» ha considerado que «libertad de expresión» y «democracia» son palabras sucias. Sucias y peligrosas: su ausencia, en el régimen soviético, ha sido la causa de fracasos prácticos inmensos, de nuevas formas de explotación política y económica y de una irreparable degradación humana. Revolución sin libertad de expresión y sin práctica democrática no es revolución. En cambio, esta dicotomía entre la teoría original y la práctica histórica jamás se manifestó en el movimiento fascista. Desde un principio, líderes y epígonos, Hitler y Rosenberg, Mussolini y Wyndham Lewis, Maurras y Corradini, Franco y Primo de Rivera convirtieron en blanco de sus ataques más furibundos y de su saña a palabras como «democracia», «libertad de expresión», «intelectuales liberales».

Aquí claramente se deslindaban de los bolcheviques, y sugerían que eran ustedes quienes pensaban como fascistas.
Paz estaba de verdad indignado. A sus casi sesenta años, con toda su obra inmensa, se sintió ninguneado. Más que negado, ninguneado,

relegado a la posición de «nadie». Lo ofendió aquella frase de Pereyra que, es verdad, sugería una expulsión de los liberales del discurso, una forma extrema del ninguneo. No debió sorprendernos que Paz no se dejara ningunear. Le parecía inadmisible nuestro desdén por las libertades. Y nuestra ignorancia de la historia reciente y real del socialismo. Tenía razón.

¿Era Paz un liberal en ese tiempo?

Recordando el episodio, Manjarrez me escribió no hace mucho que el término *liberal* (en su acepción anglosajona del momento) era un término despectivo y que ni *The New York Review of Books* ni *The New Statesman* –por mencionar publicaciones muy prestigiosas en inglés– tenían el liberalismo como su credo. Tenía razón en parte, aunque ambas revistas tenían la libertad de expresión como un valor tácito y te aseguro que no hubieran publicado nuestros textos militantes. Por otro lado, visto a la distancia, comprendo a Manjarrez. Hacía apenas cinco años, en *Corriente alterna*, Paz seguía escribiendo como un pensador esencialmente marxista. Quizá por eso Manjarrez, que lo leía con cuidado, debió sentirse sorprendido con esas críticas. Pero también, visto a la distancia, comprendo a Paz, que en 1972 comenzaba a ser un socialista desencantado. No se apegaba entonces al perfil de un liberal a la inglesa pero eso no quita fuerza a sus argumentos a favor de la libertad.

En suma, nadie era liberal, salvo don Daniel.

Cosío Villegas sí lo era y había algunos más, aun en el gobierno, como el historiador del liberalismo Jesús Reyes Heroles. Pero la discusión sobre ser o no ser liberal es lo de menos. Lo importante eran las posiciones que iba tomando cada uno frente a la Revolución con mayúscula, frente al orbe socialista, frente al Estado mexicano. Lo importante es precisar quiénes valoraban la libertad y quiénes no. En Cosío Villegas esa valoración era muy antigua y consustancial. Octavio Paz valoraría la libertad política como un fin en sí mismo, no como un medio, hasta mediados de los setenta. Pero siempre tuvo una noción clara de la libertad, hasta en el título de su gran libro de poesía *Libertad bajo palabra* publicado en 1950. Nuestros textos no valoraban la libertad. Punto.

¿Qué pensaste entonces de la escaramuza? ¿Y ahora?

Nosotros preparamos un coctel explosivo contra los liberales y lo echamos a su casa. Ellos nos respondieron con razones pero también con injustificado menosprecio. A Aguilar Camín y a mí nos insultaron. A la distancia, creo que la polémica fue lamentable, no tanto por su tono sino por nuestra incapacidad de escuchar razones y debatir hechos.

Estabas con Cosío Villegas y leías a Popper pero eras parte de ese grupo de intelectuales jóvenes, combativos, algunos de los cuales se reconocían en una ideología marxista. Un dilema evidente. ¿Lo veías como una contradicción?

No del todo, o no entonces. Me sentí perplejo. Yo no creía necesario ni sano ni posible «darle en la madre» a Paz ni compartía las ideas de mi generación. Pero quería formar parte de ese grupo, aunque fuera marginalmente. Nos unía el agravio del 68 y el repudio al PRI. Yo sentía que lo que nos unía era más importante que lo que nos separaba. Y asumí el acto de provocación contra *Plural*. Cuando apareció la invectiva de Paz, me incomodó y entristeció. Pero ¿qué esperaba? Había una diferencia abismal entre *Plural* y *Siempre!*, y esa diferencia era el respeto a la libertad. Mi generación seguía anclada en el horizonte de la revolución socialista y Octavio venía de regreso de esa historia, por eso valoraba la libertad. Que se definiera como liberal es lo de menos. Todo esto lo vi claro poco después. Mi reacción de entonces fue concentrarme en mi tesis de historia.

¿Hubo vencedor y vencido?

En las polémicas el triunfo lo decide el tiempo. Octavio Paz tuvo razón, nosotros no. ¿Por qué lo afirmo? Porque mis compañeros, al cabo de muchos años, adoptaron en buena medida las posiciones críticas que proponía *Plural*. Yo las adopté muy pronto. Pero lo que me ayudó más a reconocerme en ellas fue la vida de empresario en las fábricas.

Elogio de la práctica

Por un lado, colaborabas en un suplemento de izquierda, nada liberal. Por otro, eras un empresario, atribulado, pero empresario al fin. ¿Vivías esa experiencia como un aprendizaje? Parece una postura esquizofrénica.

Una contradicción de la que estaba saliendo. Ya no les hablaba a los obreros de plusvalía. Ahora me concentraba en que las empresas sobrevivieran. Había leído a Popper, pero aún no integraba esa lectura con mi vida diaria. No obstante, al reino de la ideología llegaba poco a poco la realidad. Mi abuelo me hablaba del libro de Gorki *Mis universidades*. Bueno, mis pequeñas fábricas fueron un poco eso. Aprendí en la práctica, más que en las aulas. La ingeniería industrial me fue útil siempre pero la verdad es que, cuando enfrentas un problema real, los conocimientos teóricos sirven de poco. Aprendí cometiendo errores, algunos garrafales. Aprendí en cada actividad de la empresa (me refiero a las pequeñas empresas que teníamos, en términos genéricos). Por ejemplo, el significado de vender. Suena prosaico, ¿verdad? Aburrido, mercantil. ¿Qué intelectual lee libros sobre «ventas»? Ninguno, es una temática capitalista. Pero te quiero decir que hay un tema moral en la figura del vendedor: un desafío al carácter, la incertidumbre, la necesidad de vocear tu producto, de convencer, la humillación de no lograrlo, la dicha de cerrar un trato. Ocurre en cualquier mercado desde hace milenios. Vender es una clase de humildad, una práctica (y una metáfora) de la necesidad humana. Siempre me conmovió *Death of a Salesman*, la obra de Arthur Miller. En el primer acto, Linda, la esposa, defiende al pobre y atribulado de Willy Loman con estas palabras: «*Attention must be finally paid to such a person*». Y en el entierro de Willy que se ha pasado la vida vendiendo seguros para sostener a su familia, el vecino dice, conmovido: «*Willy was a salesman!*». Y explica la incertidumbre, la dificultad, la angustia de salir a vender. Así recuerdo yo a Moisés, mi padre, como un incansable vendedor, exitoso por muchos años, hasta que llegaron tiempos difíciles.

¿Cuál era el problema?

El problema era una inmensa deuda heredada de los tiempos

alegres y las malas decisiones de los sesenta. Mi padre trabajaba para vender y yo para producir y administrar, pero las utilidades no alcanzaban para cubrir la deuda. La alternativa era invitar a un socio (no tuvimos a nadie en mente, o quizá no era posible), subir las utilidades (cosa difícil, porque nuestras empresas tenían altos costos de mano de obra y porque no era sencillo vender más) o ganar tiempo destapando un agujero de deuda para tapar otro. Los intereses sobre intereses nos devoraban. Quebrar estaba fuera de nuestro horizonte. Había que seguir. Por fortuna, tuvimos apoyos, como el de Fausto Zerón-Medina, mi compañero en el Consejo Universitario. Fue en 1973. Un banco cuyo dueño era un viejo amigo de mi padre nos demandó el pago inmediato de nuestro pasivo. Era la quiebra en tres días. «¿Por qué estás tan apachurrado?», me preguntó Fausto por teléfono. Le conté que habíamos ido a suplicar al banquero que nos diera plazos, sin lograrlo. No solo eso, se burló de nosotros. «Dame un ratito», me dijo Fausto. A los quince minutos me llamó: «Ya te deposité el dinero». Apenas lo podía creer. Yo no le había pedido nada. Al día siguiente fui a ver al banquero y le dije: «Malas noticias para usted: aquí está el pago». Fausto me siguió apoyando por largo tiempo. Nunca resarcí (suficientemente) su apoyo. Fue mi ángel de la guarda.

La crisis te reconcilió con la idea de ser empresario.

Yo no rehuía mi labor de empresario, solo lamentaba que me impidiera dedicar más tiempo a lo que de verdad me gustaba: investigar, leer y escribir. Luis González me decía que estaba equivocado en ver mi condición como un problema, porque era la ruta para lograr mi independencia personal. Y descubrí que tenía razón. Estaba aprendiendo cómo funciona la vida real y lo valoré. Adquirir saberes que mis amigos intelectuales no tenían. Manejar una empresa es siempre difícil. Supone tomar contacto con la vida real: obreros, empleados, sindicatos, proveedores, clientes, bancos, inspectores fiscales, inspectores de toda especie, abogados, juzgados. Significa leer reportes, interpretar balances, calcular riesgos. Hay una abismal ignorancia en el mundo universitario de lo que entraña ser empresario. Ignorancia y desdén. Es una enorme

responsabilidad porque decenas de familias dependen de ese trabajo. Hay que pagar un salario cada semana. Y mientras aprendía cosas
concretas, dejaba de pensar en términos abstractos. Así me acerqué,
por ejemplo, a la vida laboral en México: no a través de libros y artículos de especialistas.

Los sindicatos mexicanos tenían o tienen fama de corruptos.
   Te cuento mi experiencia. Conocí al líder del Sindicato de Artes Gráficas que, como te dije en otra conversación, se llamaba
Antonio Vera Jiménez. Era un hombre menudo, de ojos vivaces,
astuto como un zorro. Tuve que tratar con él los problemas relacionados con las empresas (que llegaron a tener doscientas obreras y
obreros): desde la revisión de los contratos colectivos de trabajo
hasta los más mínimos reclamos de trabajadores específicos. En las
muchas juntas que tuvimos hubo amagos de huelga, conflictos,
reuniones en Conciliación y Arbitraje, pero jamás me pidió un
centavo. En el curso de nuestra relación aprendí muchas cosas. Me
llamó la atención, ante todo, el conocimiento *personal* que tenía
Vera de cada obrero. ¿Cómo sigue tu hija?, ¿ya metiste tus papeles al
Seguro Social?, ¿ya te indemnizaron? Eran preguntas habituales a
las mujeres y hombres que recibía en la pequeña oficina de la calle
de Héroes. No había en él sentimentalismo paternal sino una noción directa y práctica, una vocación de ayuda y, sobre todo, un
reconocimiento a las personas en concreto, por su nombre, su
apellido y hasta su apodo. Don Antonio (así le decía yo) me había
ayudado a corregir mi novatada aquella de los sueldos, y ya en los
setenta interpuso una demanda laboral para proteger las máquinas
de las demandas que podían sobrevenir por parte de los acreedores.
Lo hacía para proteger los intereses prioritarios de los obreros, pero
también la fuente de trabajo. Tenía genuino ascendiente con los
obreros. En suma, la práctica me despertó a la realidad. Tardamos
muchos años en salir adelante. Ayudó la comprensión del cliente,
de los proveedores, del sindicato, la solidaridad de mis amigos y mi
familia y el descubrimiento de un ensayista que era también un
empresario: Gabriel Zaid. Sin sus consejos prácticos, las fábricas
no hubieran sobrevivido.

¿Cómo? Zaid es un escritor que admiro muchísimo. Pero no conocía esa faceta suya.

Yo tampoco. A mediados de 1972, estaba compartiendo mis problemas de las fábricas con José Emilio Pacheco. Estábamos en su biblioteca. Me dijo entonces: «Te veo tan mortificado, ¿por qué no consultas a Zaid?». Le respondí, sorprendido: «Pero Zaid es ensayista y poeta». Entonces me miró con seriedad: «Además, es ingeniero y un gran consultor de empresas». Lo llamé por teléfono a su empresa, invoqué mi amistad con Pacheco y le pedí que me visitara. Me preguntó si era yo el mismo que había escrito el texto en *Siempre!* Le dije que sí, y respondió: «Es muy malo, francamente». A pesar de eso, aceptó. Llegó una mañana, me acuerdo bien, en un modesto Volkswagen amarillo. Recorrió las fábricas por largo rato, hizo muchas preguntas y me recomendó tomar algunas decisiones tajantes y difíciles. Transmitía una inmediata autoridad profesional. Zaid era ingeniero industrial del Tecnológico de Monterrey. Le pregunté si podía seguir consultándolo y aceptó. Era socio en un despacho internacional de consultoría de negocios. Yo lo visitaba ahí, y revisábamos mis problemas minuciosamente, en todas las áreas: ventas, finanzas, producción, administración. Y en muchos momentos de aguda crisis tenía el consejo preciso, la actitud correcta. Cuando le hice caso, me fue bien; cuando no, pagué las consecuencias. Me ayudó por muchos años, hasta que las empresas salieron a flote. Nunca me cobró un peso.

¿Te leía?

Le pedí que me hiciera el favor de leer un borrador del capítulo inicial de mi tesis sobre «Los Siete Sabios», que iba sobre la línea de aquel texto pedante «De los personajes». Lo leyó y me habló por teléfono. (El teléfono es su vehículo natural de conversación.) El diálogo lo recuerdo como si fuera ayer:

—¿Tiene un instante?
—Por supuesto.
—La leí, y déjeme decirle que no se salva nada.

—Lo leyó Monsiváis, y le gustó.

—No distingue los hechos de sus opiniones.

—Caray, ¿no se salva nada?

—Nada. Perdóneme, pero para un escritor, yo creo en la importancia del «*décourager*» que recomendaba André Gide.

Colgué, desolado. Me resistí por unas semanas. Pero yo sabía que tenía razón. ¿Por qué, si las categorías de Popper como «holismo» me convencían, no las aplicaba a mi propio trabajo? Lo importante era descubrir la verdad, no afirmar «mi verdad». Y entonces tiré literalmente a la basura lo que llevaba escrito, ordené la investigación separando los hechos de las opiniones. Simplemente me puse a leer los documentos y me dispuse a narrar la historia que emanaba de ellos. Y su orientación era también moral. Me recomendó leer *La formación del carácter*, de Künkel. Un día me citó en el centro deportivo YMCA del poniente de la ciudad, cercano a su oficina, a las 14:55. Había terminado su sesión de natación y comía ahí mismo. Lo alcancé para hablar de algún problema serio. «¿Usted no acostumbra nadar?» Le respondí que no. «Pues nade diariamente. Es una inversión que se paga sola.» De inmediato me inscribí en la YMCA del sur de la ciudad. Pronto me di cuenta de que los problemas se veían distintos antes y después de nadar. A veces me he preguntado por qué me ayudaba. Supongo que veía con simpatía mis esfuerzos. Nos hicimos amigos, pero le hablé de usted por más de treinta años.

Gabriel Zaid: ingeniero social

He leído mucho a Zaid, cada mes en Letras Libres. *Un ensayista de alcance universal. He leído* Los demasiados libros, Cronología del progreso, El secreto de la fama, *obras originalísimas. Lo mismo discute a Condorcet que a Aristóteles. Entrelaza ideas económicas, sociológicas, filosóficas y literarias a través de un hilo fino: el sentido común. Pero nada de eso me habría dado una idea de lo que me cuentas. Es misterioso Gabriel Zaid.*

¡Es curioso que utilices ese adjetivo! Un día don Daniel me dijo: «Óigame usted, ayúdeme a resolver el misterio Zaid». Evidentemente lo leía y quería conocerlo. Y logré que don Daniel nos invitara a comer, y que Gabriel –que es el hombre más reservado del mundo– aceptara la invitación con su esposa, la pintora Basia Batorska. Debe de haber sido en el otoño de 1974.

¿Cómo recuerdas su perfil intelectual de entonces?

Fui descubriendo ese perfil. En los años sesenta, había publicado libros de poemas y una teoría sobre la creatividad, no solo en la literatura y el arte sino en la vida: *La poesía, fundamento de la ciudad*, que después incluiría en *La poesía en la práctica*. En 1971 compré su antología *Ómnibus de poesía mexicana* que apareció por entonces y que, como indica su nombre, incluía una selección de toda la poesía mexicana: desde la poesía náhuatl –y, de hecho, poemas de muchas lenguas indígenas– hasta el siglo XX, desde la vanguardia hasta las canciones románticas y populares. Es un libro de cabecera para todas las generaciones, y se sigue vendiendo. Cuando lo conocí acababa de publicar *Leer poesía*, una lección de crítica de poesía: textos breves, puntuales, nítidos, que van al corazón del poema y revelan los elementos formales: no solo el qué, sino el cómo del poema. De principio de los setenta es también un libro suyo que se volvería *bestseller* internacional: *Los demasiados libros*. Tiempo después, cuando leí *Cómo leer en bicicleta. Problemas de la cultura y el poder en México*, pude valorar mejor la crítica literaria y cultural que había publicado en los años sesenta. Lo que más me llamaba la atención era su independencia. No se detenía ante los consagrados: podía elogiar *Blanco*, el poema de Octavio Paz, y con igual naturalidad encontrar confuso el libro de Paz *Corriente alterna*. Por influencia de C. Wright Mills, según me dijo, aplicó la imaginación sociológica al aparato cultural. No solo las obras se convertían en temas legítimos: también las editoriales, las librerías, los procedimientos de difusión, los lectores. Así comenzaron a aparecer sus críticas al poder en la cultura: la pedantería académica, los golpes bajos entre escritores, la profusión de premios inútiles, el protagonismo, la superficialidad, la inane poesía de protesta, las malas antologías, la falsa crítica académica y otras prácticas de la «canalla literaria», término proveniente de la correspondencia entre Marx y Engels que Zaid –buen lector de ambos– retomó para describir la atmósfera literaria mexicana. Todo eso era notable, pero muy pocos apreciaron la adaptación lúdica que hizo de géneros insólitos: convertir, por ejemplo, la astrología en crítica literaria. Un hallazgo de humor e ironía. No me precio de haber valorado ese aspecto esencial de su crítica. De la eficacia no me queda duda.

¿No aparecía la política en su obra de entonces?

Aparecía y ejercía la crítica política. Publicó un poema contra Díaz Ordaz cuando aún era presidente. Hay un texto suyo de 1969 muy importante. Es una crítica al libro *El intelectual y la sociedad*, que había coordinado el poeta salvadoreño Roque Dalton, en el que un grupo de intelectuales declaraba que por amor a la Revolución cubana eran capaces de dejar de ser intelectuales. Del lema castrista «Dentro de la Revolución, todo; contra la Revolución, nada», Zaid desprendía sucesiva y lógicamente, como en una demostración matemática, que ningún intelectual podía ir contra la verdad, contra el sentido de la historia, contra el poder revolucionario, contra el bloque soviético, contra el deber de obedecer. Y bajo esas premisas, en efecto, era mejor dejar de ser intelectual. Esos intelectuales proponían una especie de Revolución Cultural china autoimpuesta. Como decía Étienne de La Boétie, el amigo de Montaigne: «la servidumbre voluntaria». Ese texto –según me contó– irritó a los cubanos, al grado de que le pidieron a uno de sus hombres en México que lo rebatiera. Don Arnaldo Orfila Reynal, el editor de Siglo XXI, se enteró y le ofreció a Zaid detener la respuesta. Orfila era un gran empresario editorial y un hombre de izquierda, conocido y reconocido; pudo haber intervenido recurriendo a su autoridad. Zaid, claro, se negó. No quería deberles favores a los cubanos. La respuesta aquella apareció (redactada por Federico Álvarez, intelectual comunista español de la vieja guardia y muy afín a Cuba), lo mismo que una carta de varios autores contra Zaid. «Así fui excomulgado», me dijo un día con toda naturalidad, al recordar esos hechos.

Si Orfila era de izquierda activa, ¿cómo es que era tan amigo de Zaid?

Como consultor de empresas, autor y amigo de la casa, Zaid era una pieza clave en Siglo XXI. Un hombre honrado como era Orfila (que en Argentina se había ganado la vida como productor agropecuario) valoraba todo lo que Zaid aportaba: sus libros, su crítica y su consejo. El mundo editorial siempre le interesó mucho a Zaid. Había escrito en 1955 una tesis sobre la industria editorial. Orfila me dijo alguna vez: «Aprecio muchísimo a Gabriel. No juega a ser de izquierda». Sus amigos en la revista *Siempre!* se sorprendían cuando les decía, simplemente: «No soy revolucionario». ¿Cómo era posible? No creía en el socialismo, nunca se entusiasmó por la Revolución cubana.

Representaba un tipo distinto de intelectual.

Sin duda. Antes de conocerlo fui testigo de un episodio que lo pinta de cuerpo entero. Fue en el verano de 1971. Echeverría, ¿recuerdas?, había prometido que se castigaría a «los responsables» de la matanza del 10 de junio. Dos intelectuales salieron a defenderlo. Carlos Fuentes dijo que había que elegir entre «Echeverría o el fascismo». Y el editor Fernando Benítez dijo que no apoyar al presidente era un «crimen histórico». Estaba yo en casa de Monsiváis, y sonó el teléfono. Era Zaid. Carlos, verdaderamente avergonzado, le dijo: «Lo siento, Gabriel, pero no podemos publicar el texto que mandaste. El director Pagés no quiso». Escuché la gran carcajada de Zaid por teléfono. Colgaron, y Monsiváis me lo mostró. Decía simplemente: «El único criminal histórico es Luis Echeverría». Desde ese momento, Zaid dejó de colaborar en el suplemento de *Siempre!* Esa era la imagen que tenía de Zaid: un valiente. Luego vino ese malhadado número contra los liberales. Y un mes después, en septiembre de 1972, Zaid publicó en *Plural* una famosa «Carta a Carlos Fuentes». Había pasado casi año y medio desde el 10 de junio. Y de la investigación, nada. Sin embargo, Fuentes (y, junto con él, un grupo amplio de escritores e intelectuales) seguía defendiendo públicamente a Echeverría. Zaid argumentó que Fuentes hacía un desfavor al modesto poder de los escritores poniendo su autoridad intelectual (su único y limitado poder) al servicio del poder omnímodo del presidente. Y, dado que el propio Fuentes había sugerido que su apoyo estaba condicionado a la investigación prometida, Zaid le sugirió fijar una fecha límite a su paciencia. La que él quisiera. Fuentes se rehusó. Su apoyo a ese gobierno fue permanente. En 1975 se convirtió en embajador de México en Francia. Zaid proponía y representaba lo contrario: no solo un intelectual «valiente» sino un intelectual lúcido, sólido, original, sin ligas con el poder. Su actitud me llevó a una toma de conciencia. Confirmaba la idea del intelectual que proponía y ejercía Cosío Villegas: alguien que trabaja al margen del gobierno, tiene un pensamiento heterodoxo y ejerce la crítica sin cortapisas. Zaid era más definido y claro frente al poder en México que muchos revolucionarios. Existían vías alternas legítimas de ser intelectual que no eran las habituales y hegemónicas de la izquierda. Podía uno ser crítico y opositor sin ser «de izquierda».

La conversación con Zaid y su actitud independiente terminó por disolver tu disonancia cognitiva.

En varios sentidos. Por entonces circulaba un libro de C. P. Snow, *Las dos culturas*, que delimitaba y separaba las humanidades, por un lado, y las ciencias y técnicas, por el otro. Zaid escribió un ensayo breve, «Las dos inculturas», en el que mostraba la profunda inconsistencia de andar separando conocimientos: un físico se enriquece mucho leyendo poemas y un historiador gana si puede comprender los modos de producción. La disonancia podía, debía, ser resuelta. Y eso quedaba claro desde su libro *La poesía en la práctica*. Pero mis lecturas serias y hasta sistemáticas de Zaid comenzaron con sus textos en la revista *Plural*. He repetido muchas veces que esos textos no solo me convencieron, sino que me convirtieron. Recuerdo en particular «El Estado proveedor», el ensayo con que dio principio a su columna mensual «Cinta de Moebio» en esa revista. Es de octubre de 1973. Contra la opinión convencional de que el Estado (nacido de la Revolución) estaba ahí para proteger a los pobres, Zaid pensaba que la persistencia de la pobreza mostraba lo contrario: la gran insuficiencia de la oferta estatal para los pobres. Dejando al margen las *intenciones teóricas* o los deberes constitucionales del Estado, Zaid conectaba su experiencia de consultor de empresas con un conjunto inmenso y variado de lecturas y análisis, para auditar el *desempeño práctico* del Estado mexicano. Y el dictamen resultó negativo. Ese análisis no se parecía a ningún otro, porque los libros convencionales que se publicaban en la academia de México o Estados Unidos estudiaban al Estado mexicano bajo premisas puramente políticas y algunos hasta lo consideraban un caso ejemplar, una especie de milagro. Era, en esencia, una crítica al Estado. A su pobre desempeño social y al alto costo y bajísima productividad de sus ministerios, instituciones e industrias paraestatales. Probó que los entes estatales viven, sobre todo, para sí mismos.

¿O sea que el Estado construye más Estado, pero no mayor bienestar? Esto dicho en los años setenta era un atentado de «lesa revolución». ¿Dirías que era una crítica liberal al Estado «revolucionario»?

Sí, en la medida en que los liberales por principio desconfían del Estado, pero yo más bien asocio esa crítica con una postura de responsabilidad social y de genuina preocupación por los pobres y por los campesinos que proviene de la cultura católica, en particular de la encíclica *Populorum progressio*. El Estado se fincaba en la mentira de que ayudaba a los pobres. Zaid hizo la auditoría de esa mentira. Doble auditoría: a la ideología de la concepción general del Estado y al caso mexicano, en particular. Y lo más notable, daba salidas. ¿Recuerdas la fórmula de Popper «ingeniería social fragmentaria»? Zaid es algo así como Popper aplicado a México. Un ingeniero social. Varios de sus artículos mensuales proponían justamente eso: una «ingeniería social fragmentaria» para México.

En *Posdata*, Paz había planteado la necesidad de un modelo alternativo de desarrollo, pero no tenía ideas concretas y en *Plural* propuso volver a Fourier. Zaid le tomó la palabra, pero no apelando a las ideas del llamado «socialismo utópico» sino creando un modelo propio. Un modelo no socialista para el México tradicional. Un modelo de progreso productivo y desarrollo humano dentro del mercado y exportable a otros países atrasados. Zaid no negaba al mercado ni demonizaba a las empresas. Sus textos alentaban la apertura económica de México al exterior cuando nadie proponía esa salida.

¿Por qué te interesó esa «ingeniería social fragmentaria»?

Porque me dio ojos para ver el tema social con ojos distintos. Porque era la alternativa al socialismo. Así de simple. No un liberalismo económico ciego (con el que nunca ha estado de acuerdo), sino una ingeniería social que no considera a los pobres como si fueran menores de edad, ni a los campesinos como si fueran proletarios, sino como personas perfectamente capaces de saber qué necesitan y cómo construirlo en el lugar donde viven: finanzas cooperativas, negociaciones locales, inversión comunitaria, tecnología eficaz, barata. Y no necesitan ayuda sino libertad, que se les libere de restricciones y paternalismos, aquí y ahora, no en el reino de la utopía o mediante el crecimiento ilimitado de un Estado burocrático. Frente al modelo estatista, corporativo, piramidal y centralista de desarrollo, Zaid propuso un adelgazamiento y una racionalización productiva del aparato del Estado, pero desde luego no la abolición del Estado. Sobre todo planteó ideas prácticas dentro de la economía de mercado para favorecer la autonomía de los pobres del campo sin forzarlos a salir de sus pueblos, sin orillarlos a convertirse en nómadas de la ciudad o en migrantes. Te pondré un ejemplo que él mismo ha invocado: la obra de un religioso español que nadie recuerda en España. Me refiero a Vasco de Quiroga, que llegó a México después de leer la *Utopía* de Tomás Moro. Estableció en 1540 en los pueblos de Michoacán el más cumplido experimento de utopía, mucho más exitoso que los promovidos por los llamados «socialistas utópicos», por Owen o Fourier, en la Europa del siglo XIX. La división estricta del trabajo que estableció en los llamados «pueblos hospitales» de la Meseta Tarasca subsistía hasta hace poco. Cada pueblo tenía una especialidad: cobijas, muebles, madera laqueada. Yo visité el pueblo indígena de Cherán en 1968, y me admiraron sus textiles y delantales bordados. Cuando la gran escritora Sybille Bedford pasó por ahí en los años cuarenta, tuvo casi una iluminación sobre el sentido de la vida: los habitantes de aquella meseta no eran ricos, pero vivían en una armonía casi idílica con su entorno. Ahora la región entera vive en vilo debido al crimen organizado que arrasa al estado de Michoacán, pero aquel espíritu comunitario persiste, por ejemplo, en la escuela de lauderos, guitarras y artesanos de instrumentos musicales de Paracho, muy reconocida en el mundo. Así que, como ves, el modelo que proponía tiene raigambre. La utopía de Tomás Moro solo se hizo realidad en un lugar: la Meseta Tarasca de México.

¿Lo estás afirmando como una realidad o estás haciendo una analogía? Es decir: Moro habla de un lugar imaginario e imposible, y esto que me cuentas parece muy optimista...

Zaid sostuvo que había que dejar de ver al hombre del campo o de los pueblos como protagonistas de un estadio anterior, superable por el progreso en las ciudades e industrias. Había que reconocer a las pequeñas comunidades en su valor integral (como una forma de vida, una cultura, una ecología, una tradición, no solo como una forma «superable» de producción) y apoyarlas para que no buscaran el espejismo de las ciudades. El anarquismo constructivo de Zaid –eso es lo que era– tenía mejores ideas para el campo mexicano que el socialismo universitario. Por ejemplo, diseñar una oferta pertinente y barata de medios de producción que llegara a las comunidades rurales y las zonas marginadas. Pozos y bombas que no

necesiten electricidad, rediseños de bicicletas, fabricación de ropa. Dio decenas de ejemplos. Hasta tenía en su oficina una biblioteca entera con libros y folletos sobre estos inventos, enciclopedias de tecnología intermedia. Advierte que ofrecía soluciones de mercado, no de Estado. ¿Sabes cuál es el ejemplo perfecto? Las máquinas de coser. No las inventó Lenin, por cierto, sino el señor Singer, que las vendió por centenares de miles en el México rural de los cuarenta. Leí ese dato en un ensayo de Tannenbaum de 1944 y al enterarse Zaid lo celebró. Otra idea que desarrolló Zaid en *Plural* fue el reparto en efectivo del 5% del PIB entre todos los mexicanos. El carácter universal de ese reparto lo hacía inmune a la corrupción o a la manipulación política. Cumplido ese requisito, la tesis central es la siguiente: si cada mexicano recibe una cantidad igual de dinero (unos miles de pesos al año) por el solo hecho de serlo, las familias de clase media o alta no variarán su posición. Pero para las familias pobres ese ingreso (multiplicado por los cuatro miembros que la integran) hará toda la diferencia. Y también desarrolló la idea de los créditos a la palabra. Zaid aseguraba que la gente pobre los pagaría porque eran inferiores a los usurarios y porque la productividad del capital en una familia pobre es inmensamente superior a la de una familia acomodada o una gran empresa. Hasta ideó un teorema que fue validado por el doctor José Adem, matemático de prestigio mundial. Con el tiempo estas ideas se volverían muy exitosas, no solo en México, en el mundo. Zaid se adelantó al concepto del Banco Grameen de Bangladesh por el cual obtuvo el Premio Nobel Muhammad Yunus. Zaid era la prueba viva de cómo la «ingeniería social fragmentaria» es más humana que las visiones holísticas, utópicas, mesiánicas del hombre y la historia. En pocas palabras, su preocupación social no se traducía en lamentos, discursos, teorías farragosas o denuncias sino en propuestas. En 1979 reunió sus ensayos publicados en *Plural* y *Vuelta* en su libro *El progreso improductivo*.

Me ha sorprendido mucho lo que cuentas de Zaid. Siendo un ensayista literario universal es también un ingeniero social popperiano, adelantado a su tiempo, creador de un proyecto de desarrollo alternativo. No en balde don Daniel quería conocerlo. Y, al tiempo de leer sobre estos temas, pudiste juntar al viejo historiador con el ingeniero poeta.

Ambos eran autores de *Plural.* Don Daniel tenía 76 años y Zaid cuarenta. Ese día de la comida, al verlo, don Daniel le dijo: «Yo lo imaginaba a usted gordo; las imágenes que uno se forma». Y comenzaron a hablar de esas teorías fisiognómicas, para luego pasar a temas más graves, que ya no recuerdo. Zaid escribió un texto sobre *El estilo personal de gobernar* en el que elogiaba su sana y liberadora impertinencia y su liberalismo, nada anacrónico y muy actual.

¿Por qué se habrá imaginado don Daniel a Zaid de esa manera?

Quizá porque Zaid ha rehuido siempre cualquier reflector: no hay fotografías suyas, no da entrevistas. Yo mismo no sé mucho de su vida. Su biografía son sus libros.

Literatura, arte y crítica

Octavio Paz, el director de Plural, *la casa de enfrente, era ya un referente mayor para ti.*

Siempre lo fue, desde que leí *El laberinto de la soledad.* No era el único en mi generación que sabía de memoria largos pasajes de su poema «Piedra de Sol». Yo no tenía querellas con él. Lamenté aquel intercambio. Pensé que me impediría escribir en *Plural.* Me gustaba mucho la revista. Yo leía libros y suplementos culturales que aparecían cada semana en algunos diarios, pero frecuentaba menos ese instrumento o vehículo intermedio, o ese medio equidistante entre el libro y el periódico que es la revista. *Plural* cambió mis hábitos. Me volví un lector de revistas. No solo culturales como *Plural, The New York Review of Books* y *The Times Literary Supplement* sino de interés global como *Time, The Economist* y otras. Leer una revista es leer muchos contenidos en un solo viaje y, si es una revista cultural, es como entrar a un museo vivo de obras y autores. Existían en México otras revistas culturales, como la *Revista de la Universidad,* la mejor revista de los años sesenta, pero yo recuerdo haberla

leído sobre todo por sus textos sobre Cuba o por ensayos sobre pensadores políticos. Y estaba *Diálogos*, la revista cultural que dirigía Ramón Xirau en El Colegio de México, muy esmerada, cultísima, como era Ramón, con ensayos, poemas, cuentos. Pero ninguna de las dos tenía la vivacidad, la originalidad de *Plural*. La primera tenía algo impersonal y académico, un tono ideológico o partidista; la segunda tenía un sello personal, poético, filosófico, religioso. *Plural* era distinta. *Plural* era claramente la obra de un editor de dimensión universal y temple combativo, y de un grupo de escritores en plenitud, activos y entusiastas.

¿Qué te decía la palabra «plural»?

Hermosa palabra, ¿no? Casi tanto como la palabra «liberal». Con sus consonantes y vocales, sus dos *eles*, musicales, *Plural* expresaba una actitud infrecuente en nuestro medio. Algo relacionado a la libertad. Tengo acá conmigo la colección, los cinco tomos. La he consultado a lo largo de la vida. Debemos verlos. Mira la portada de su primer número. De gran tamaño pero discreta. Un ensayo inédito de Claude Lévi-Strauss, padre del estructuralismo; unos «ideogramas chinos» de Henri Michaux. Una mesa redonda sobre la modernidad de la literatura mexicana en la que participaron, entre otros, el propio Paz, Carlos Fuentes, Juan García Ponce; un ensayo de Ramón Xirau sobre José Lezama Lima; un ensayo-reportaje de Elena Poniatowska acerca del festival de Avándaro. Mes con mes, hasta su número final (el 58, de julio de 1976), *Plural* publicaría a cientos de autores y ampliaría el espectro de sus temas. Con el tiempo adoptó el tamaño tabloide. Participaron grandes ilustradores: Manuel Felguérez, Vicente Rojo y sobre todo el pintor y escritor argentino de ascendencia japonesa Kazuya Sakai, que por un tiempo fue también secretario de redacción. Parecen tsunamis multicolores, olas geométricas, Hokusai con colores mexicanos.

Tú has sido editor ya casi por medio siglo. ¿Cómo definirías a Plural?

Plural era ante todo una revista de literatura: ensayo, poesía, prosa poética, crítica y teoría literaria y, en segundo plano, la ficción. Era, claramente, la revista de un poeta y lo fue más ante el fenómeno del *boom* de la novela latinoamericana que Paz reconocía literariamente pero quizá recelaba un poco por el detrimento que suponía para la poesía. En *Plural* la poesía tuvo un lugar prominente hasta en términos tipográficos. No se la relegaba a un recuadro o para suplir un anuncio que no había llegado, se le daba la página entera, lo cual era magnífico porque permitía leerla de verdad. En *Plural*, las artes visuales eran tan importantes como la literatura: cada número incluía un suplemento de arte a todo color o un suplemento literario, a veces ambos. Era una revista de autores, como se ve en las portadas, pero ocasionalmente se dedicaba a un tema focal: la relación de los escritores y el poder, la joven literatura mexicana, el ocaso de la vanguardia (el tema de Paz en esos años), el presente y el futuro de México, entre otros. No creo que haya habido una revista en español que haya congregado autores más diversos y plurales que *Plural*. Solo se compara con *Sur*, la revista de Victoria Ocampo, que fue un modelo deliberado en la mente de Paz. Hay una historia de *Plural*, escrita por John King, un historiador de la Universidad de Warwick que también es autor de la historia de *Sur*. King consultó el archivo de *Plural* que conservamos junto al de *Vuelta*. Es difícil hacer la historia de una revista. No puede ser un inventario. ¿Cómo volar por encima de los nombres y materias e identificar tendencias, modas, temas importantes, momentos? King logra un buen equilibrio, sin perder el detalle da un panorama general.

¿Cómo la veías tú, en esos años, y cómo la recuerdas ahora?

Borges me regalaría años más tarde una definición inolvidable de lo que es o debe ser una revista literaria o intelectual: «La única manera de hacer una revista es que unos jóvenes amen u odien algo con pasión. Lo otro es una antología». Creo que se refería a las revistas que hizo en su juventud. Quienes hacían *Plural* ya no eran jóvenes, y los jóvenes de mi generación apenas publicaban en *Plural*, pero a los escritores de *Plural* los unía el apasionado amor a la literatura, la crítica, la poesía y las artes visuales (la música y el cine siempre fueron zonas casi ciegas para Paz). Y en *Plural* había también tensión y discusión, pero menos que en *Vuelta*, en la que predominó el temple combativo. Digamos, para usar el término acuñado por Zaid, que en temas culturales *Plural* fue una «animada tertulia» a la que llegaban autores de todo el mundo. *Plural* reflejaba el mapa intelectual de Paz, el mapa de los autores que había conocido a lo largo de su vida. Un mapa de muchas lenguas.*

Sigamos hojeándola. ¿Cómo estaba representada la literatura mexicana?

Predominaba la generación siguiente a la de Paz, pródiga en poetas y novelistas. Los más asiduos colaboradores, además de sus secretarios de redacción (Tomás Segovia y Kazuya Sakai), eran José de la Colina, Alejandro Rossi, Gabriel Zaid, también Julieta Campos, Ulalume González de León, Juan García Ponce y Salvador Elizondo. Ya hemos hablado de la contribución fundamental de Zaid en su «Cinta de Moebio», pero escribió en casi todos los números: comentarios, crítica política, crítica de los usos culturales, notas al paso y, en momentos contados, poemas. José de la Colina hacía reseñas de cine con una prosa digna de los clásicos españoles por su gracia y elegancia. Y Alejandro Rossi publicó su «Manual del distraído», ensayos inclasificables que a los pocos años reuniría en un

---

* El elenco fue casi total. Solo faltó Gabriel García Márquez, alejado, creo, por su franca simpatía por Castro, aunque esa misma simpatía la tenía Cortázar, buen amigo de Paz, que publicó en *Plural*. Estuvieron presentes Borges, Sabato, Onetti, Vargas Llosa, Bianco, Edwards, Fuentes. Alrededor de *Plural* giraban diversas constelaciones. Había una planta magnífica de críticos literarios, escritores, sobre todo, no académicos (que yo recuerde, José Miguel Oviedo, Emir Rodríguez Monegal, Pere Gimferrer, Guillermo Sucre, Danubio Torres Fierro), y excelentes críticos de arte (Damián Bayón, Juan Acha, Dore Ashton).

libro con el mismo título. Todos ellos –junto con Jorge Ibargüengoitia– integrarían años más tarde el consejo editorial de *Vuelta*.

La fuente de esa riqueza y diversidad, de esa pluralidad, era obviamente Paz.

Al final de *El laberinto de la soledad* escribió que los mexicanos éramos, «por primera vez en nuestra historia, contemporáneos de todos los hombres». *Plural* convertía esas palabras en creación editorial.

Pronto formarías parte de esa animada tertulia.

Por lo pronto, la escuchaba a distancia, como si estuviera sentado en una mesa de al lado.

Octavio Paz: poesía de expiación

¿Cómo recuerdas, a la distancia, el temple de la revista?

Crítico. Y ese temple fue muy importante para mí, ya no como un tertuliano posible sino después, como un soldado que reclamaba ir al frente. No obstante, los tiempos de *Plural*, sobre todo en comparación con la tensión permanente de *Vuelta*, fueron relativamente plácidos. Si exceptuamos la crítica de don Daniel Cosío Villegas (guerra solitaria de un «liberal a la antigua»), la obra de Zaid (más que una lucha, una crítica del progreso improductivo, un programa alternativo para México), *Plural* libró sobre todo una gran batalla: desmitificar al socialismo real, a la Unión Soviética. Esa batalla fue el prolegómeno de una guerra intelectual y política entre el liberalismo democrático y el socialismo autoritario que, con sus mutaciones populistas, llega hasta nuestros días. Y en esa batalla Octavio Paz fue un titán. Pero fuera de *Plural* estaba solo. Y aun en *Plural* había oposición. En el archivo de *Plural* leí que Octavio había intentado hacer en la revista una encuesta sobre la naturaleza del régimen soviético: ¿el sistema represivo descrito por Solzhenitsyn es parte integral del sistema soviético o una «deformación»?, ¿el sistema represivo es inherente al marxismo-leninismo o es solo una característica rusa?, ¿es posible distinguir entre los sistemas de represión soviético y nazi? Paz quería que este cuestionario fuera remitido a los escritores más importantes de América Latina y a un grupo de intelectuales mexicanos. El secretario de redacción de *Plural*, que en ese momento era Kazuya Sakai, lo desaconsejó, y esa iniciativa quedó en el olvido. Es conocida la recepción negativa que tuvo en la izquierda esa postura de Paz. Autores muy respetados como José Emilio Pacheco lo tildaron de «reaccionario» y se distanciaron de él. Paz siempre se consideró un hombre de izquierda y le ofendía profundamente que no se le viera así. Era como negar su pasado. Pero no se detuvo en criticar a la URSS ni en publicar profusamente en *Plural* a autores de izquierda desencantados como él, incluidos autores soviéticos más liberales que Solzhenitsyn, que abordaban el tema con una óptica semejante a la suya. Algunos lectores lo agradecieron porque abrió sus ojos a una realidad desconocida. Es lo que me ocurrió a mí.

En tu libro Redentores. Ideas y poder en América Latina, *he leído algo de los orígenes de esa crítica solitaria de Paz al régimen soviético.*

La obra de Solzhenitsyn fue determinante para Paz. Aunque llevaba más de dos décadas de ejercer la crítica del estalinismo, a raíz de esa lectura rompió definitivamente no solo con ese régimen sino, más ampliamente, con la revolución misma, casi hasta poner en entredicho a Lenin y Trotski. Ese fue el sentido del número de *Plural* de marzo de 1974. Para mí, fue el número más impresionante de la revista. Se me quedaron grabados los poemas que escribió Paz a la manera de los disidentes soviéticos como Ósip Mandelstam y fue muy significativo que además de esos poemas publicara el ensayo «Polvos de aquellos lodos» en el que llamó a la Revolución «la gran Diosa, la Amada eterna, la gran Puta de poetas y novelistas». Sobre el *Archipiélago Gulag* escribió: «ahora sabemos que el resplandor, que a nosotros nos parecía una aurora, era el de una pira sangrienta». El número, como te digo, me cimbró. Comprendí mejor su sentido después, cuando comencé a trabajar con él, cuando tuve el contexto biográfico. Hablamos muchas veces del tema a lo largo de los años. Pero algo entreví al leerlo por primera vez. No era difícil advertir que algo muy hondo se libraba en su conciencia. «Polvos de aquellos lodos» fue quizá el ensayo definitorio de su rompimiento con la URSS. Creo que es el ensayo más apasionado que escribió en su vida. Era un balance de su vida intelectual. Y un balance crítico.

La fecha en que lo firma es significativa: marzo de 1974. Paz estaba cumpliendo sesenta años.

Constaba de varias partes: una admisión de su ceguera o credulidad ante el gulag, cuyos campos no tenían –como en algún momento creyó– una función económica sino primordialmente política y de terror; una defensa de Solzhenitsyn contra sus lectores dogmáticos y malintencionados; una crítica detallada al leninismo como antecedente directo y natural del estalinismo; una discusión sobre las raíces culturales del poder absoluto en Rusia; un homenaje a los pocos «inmaculados» (Russell, Souvarine, Gide, Camus, Silone, Aron, Koestler, Orwell) que se habían atrevido a criticar al régimen cuando estaba vivo, personajes entre los que, valientemente, se excluía. En «Polvos de aquellos lodos» se distanció también de Trotski, hacia quien siempre mantuvo una cierta debilidad. Salvaba «las semillas de libertad» en el marxismo, pero reprobaba prácticamente todo lo ocurrido a raíz del triunfo bolchevique. Le molestó mucho que en México se hablara de Solzhenitsyn como un novelista perteneciente al «realismo socialista», cuando su obra era un testimonio histórico (de dimensión tolstoiana) sobre la tragedia del pueblo ruso. Paz entendió que el carácter dostoyevskiano del libro

no estaba en la interpretación de Solzhenitsyn sino en los hechos espantosos que revelaba, de los cuales yo mismo me enteré por primera vez en los ensayos de aquel número. Ante la enormidad de esos crímenes que él, como tantos intelectuales de Occidente, había tardado en advertir, no había más opción que la expiación, no solo la contrición, la expiación.

¿Cuál es la diferencia? ¿La contrición es privada, íntima; la expiación es pública, histórica?

Precisamente, y ese es el sentido de ese ensayo, y de los poemas que publicó en ese número, después de leer *Archipiélago Gulag*. Poemas desoladores. Este es uno de esos poemas de aquel número extraordinario de *Plural*:

Mientras yo leo en México, ¿qué hora
es en Moscú? Ya es tarde, siempre es tarde
en la historia. Ya es noche. El papel arde,
Solzhenitsyn escribe. Nuestra aurora
es moral: escritura en llamas, flora
de incendio, flora de verdad. Cobarde,
nunca vi al mal de frente. Es solo un par de
ojos sin cara. El siglo corrobora
al filósofo: el mal es el vacío
repleto. Un alguien nada, un algo nada.
¿Stalin tuvo cara? Una idea
le comió cara y alma. Y el impío

luego la idea. Mi pasión quemada
en el libro del ruso. Ya alborea.

El poeta reconoce que ha llegado tarde a la verdad. Lee a Solzhenitsyn y esa verdad aflora en llamas. Paz lee a Solzhenitsyn y se
culpa de haber sido cobarde (usa esa palabra, cobarde) por no haber visto al mal de frente. Paz lee a Solzhenitsyn y atisba el misterio del mal –el vacío repleto– en la cara vacía y el alma sin alma de
Stalin. Y vuelve la imagen del fuego: «en el libro del ruso» ve su
pasión juvenil, quemada. Y sin embargo, termina con una aurora,
«ya alborea». Alborea la verdad. Al menos en su conciencia. Pero
esto no quiere decir que Paz se identificara plenamente con Solzhenitsyn. Paz era un hombre de ideas, complejo, increíblemente
informado, y a veces fluctuante. Frente a la URSS, concedía el mayor valor histórico al testimonio terrible (todo adjetivo es débil
para describirlo) de Solzhenitsyn, pero no compartía sus ideas pa-
neslavistas. Simpatizaba con Sájarov, pero sin su entusiasmo por el
liberalismo occidental.

Te acercabas cada vez más a la tertulia...
Por el contrario, a partir de ese momento no se dio tregua. Poco
después, en septiembre, publicó «Nocturno de San Ildefonso», un
lamento sobre las ilusiones perdidas y el desdichado amor a la Revolución. ¡Cómo me impresionó cuando lo leí por primera vez! Es
un poema muy conocido, tanto o más que «Piedra de Sol» quizá,
pero no muy bien comprendido y, hasta la fecha, poco asimilado
por una izquierda ciega a su propio pasado. Es un *mea culpa* ante la
verdad mucho tiempo eludida, un *mea culpa* que lo honra. En América Latina muchos se inventaron, como Paz y sus amigos en 1931,
«sinos de relámpago», jóvenes arrastrados por «el viento del pensamiento» que se sintieron «Aliocha K. o Julián S.». Pero muy pocos
fueron capaces de una confesión como la que Paz publicó al cumplir sesenta años. Leamos un fragmento:

todos hemos sido,
en el Gran Teatro del Inmundo;

jueces, verdugos, víctimas, testigos,

                        todos

hemos levantado falso testimonio

                        contra los otros

y contra nosotros mismos.

                        Y lo más vil: fuimos

el público que aplaude o bosteza en su butaca.

La culpa que no se sabe culpa,

                        la inocencia,

fue la culpa mayor.

                Cada año fue monte de huesos.

Conversiones, retractaciones, excomuniones,

reconciliaciones, apostasías, abjuraciones,

zig-zag de las demonolatrías y las androlatrías,

los embrujamientos y las desviaciones:

mi historia,

               ¿son las historias de un error?

La historia es el error.

Parece más clara la similitud con el justiciero Sorel que con el místico Alio-cha, ¿verdad?

Cuando era joven, Paz no preveía que su fe marxista desembocaba en figura diabólica de su hermano Iván, el intelectual. Paz volvería a Dostoyevski para explicar la naturaleza del mal en el régimen soviético: un mal ideológico y religioso más que nacionalista o étnico, como el nazismo, el otro mal radical del siglo. Paz es un poeta inteligente y contenido, pero en ese poema el dolor se desborda, «la culpa que no se sabe culpa...». Cuando lo leí en *Plural* me sacudió, pero pensé que se refería genéricamente a los juicios de Moscú, aludidos en la cadena verbal del poema. Me pareció la comprobación dostoyevskiana de que el marxismo soviético se había vuelto una gigantesca réplica de la Santa Inquisición. Esa interpretación era válida, pero incompleta. Paz terminaba con la pregunta y la respuesta sobre la Historia, pero no escribió solo «la Historia», sino «mi historia». Y los versos que anteceden aluden claramente a un «nosotros» que lo incluye. El pasaje no es genérico sino específico. Había un nudo en esa culpa. Lo entendí después. Y lo he descrito recientemente en mi libro sobre Paz.

Ahí me enteré que el poema alude al Congreso de Escritores Antifascistas reunido en Valencia, en julio de 1937, en el que participó.

Ahí ocurrió el pandemónium que refiere en las primeras líneas. Paz lo contó muchas veces. Se discutía el libro de André Gide *Retour de l'URSS*. José Bergamín propuso una resolución de censura a Gide llamándolo «enemigo del pueblo español» y a sus libros «propaganda fascista». La delegación mexicana –a la que pertenecía Paz– no la objetó. ¿Por qué? Quizá él mismo no lo dilucidó plenamente. Pero se culpó por ello, no cabe duda. En el poema se refiere a esos hechos. La vileza del «aplauso o el bostezo en la butaca» es el silencio que guardó él mismo ante la condena que se hizo en ese Congreso al libro de Gide. En el poema asume y purga todos sus silencios. Él sí, a diferencia de Gide, era culpable de la culpa mayor, la de la falsa conciencia de sentirse bueno e inocente mientras en la URSS se acumulaba cada año un monte de huesos.

¿Esa culpa fue un motor de su pasión crítica?

Yo así lo creo, la culpa y también la honesta confrontación de la realidad. Sintió que entre esos hechos de 1937 y su ruptura con la Revolución rusa en 1974 habían pasado demasiados años, casi cuarenta. Al leer en el *Archipiélago Gulag* la dimensión del horror en aquel universo penitenciario que había esclavizado a cerca de veinte millones de seres humanos y matado a la cuarta parte, se le vino encima junto con todo lo que sabía y se había ocultado a sí mismo: las hambrunas, los juicios, el terror. Cierto,

en 1950 había denunciado en la revista *Sur* la existencia de campos de trabajo en la URSS. Pero aún en los años sesenta su opinión sobre Lenin, Trotski, la Revolución y Marx seguía básicamente intocada. Por eso se culpaba. Tenía una conciencia moral profunda, era muy severo consigo mismo. Todo eso lo engrandecía ante los lectores, a quienes apelaba. Yo era uno de esos lectores. Sentí que al hablar al joven que había sido, les hablaba a los jóvenes de mi generación. Nadie lo escuchaba. Yo sí. Y quise acercarme a él. Sabía que ocurriría. Por lo pronto, seguí leyendo *Plural*.

Persona non grata

Veo que Plural *publicaba a Raymond Aron, cuya postura me parece similar a la de Paz.*

Publicar a Aron era una señal inequívoca de ese movimiento hacia el liberalismo político. Ese revisionismo sereno y reflexivo que uno podía leer en *Plural* era estimulante no solo porque transpiraba honestidad y buena fe sino porque iba acompañado de una intransigencia y un desprecio no menos firmes hacia los regímenes militares que predominaban en el Cono Sur (Brasil, Bolivia, Uruguay). En ese sentido, fue significativo el texto «Los centuriones de Santiago», que publicó Paz contra Pinochet inmediatamente después del golpe contra Allende. Una condena sin cortapisas. No se trataba, obviamente, de un equilibrio político calculado. Las dictaduras arraigadas en el militarismo histórico de la región y cobijadas por Estados Unidos eran despreciables e injustificables. Por eso *Plural* denunció la prisión de Onetti, el cierre en Uruguay de *Marcha* (la revista de Carlos Quijano) y, en su momento, repudiaría también el asalto al poder de los militares en Argentina. Pero la misión delicada e impopular de *Plural* (que la vinculaba con la legendaria revista *Partisan Review*, donde escribía Orwell) era la crítica de la Unión Soviética cuyo régimen seguía contando con simpatías a pesar de todas las evidencias acumuladas sobre sus crímenes. Eso era lo difícil. Cruzando esa línea de lo políticamente correcto, *Plural* y el propio Paz se atrevieron a deslizar críticas a la gestión de Allende. *Plural* irritaba, pero me quedaba claro que en *Plural* había pocos tabúes.

Recuerdo el sonadísimo caso de Heberto Padilla. Era un poeta revolucionario que, de pronto, por un poema levemente crítico, cayó de la gracia de Castro, sufrió arresto y terminó por confesar su pecado contrarrevolucionario. ¿Paz escribió sobre él? ¿Recuerdas la postura de Plural ante ese caso y ante Cuba?

Plural apareció en octubre de 1971, poco después del caso Padilla. Paz dijo que era una farsa ominosa, una caricatura de los juicios de Moscú. Stalin invocaba conspiraciones internacionales para dizque defender la supervivencia de la URSS, Castro invocaba insignificantes enredos literarios para defender su reputación. Paz veía un síntoma más de que en Cuba ya estaba en marcha el fatal proceso que terminaría convirtiendo al partido revolucionario en casta burocrática y al dirigente en César. En su libro sobre *Plural*, King reproduce un intercambio de cartas muy temprano entre Octavio Paz y Tomás Segovia, primer secretario de redacción de *Plural*. «Había que ganarse el derecho de criticar a Cuba», opinaba Paz, criticando a los regímenes de la región, incluyendo al de México. Segovia estuvo de acuerdo, «pero no sin haber mostrado ni interés ni amor por el país». La solución fue la pluralidad. En *Plural* publicó, como te he dicho, Cortázar, pero también Severo Sarduy y Guillermo Cabrera Infante, quien para entonces era ya el exiliado más conspicuo del régimen. No obstante, King dice que la crítica a Cuba se subsumió en la crítica a la URSS. Yo no sé. Lo que sí recuerdo son dos reseñas sobre *Persona non grata* de Jorge Edwards escritas por Mario Vargas Llosa y Emir Rodríguez Monegal, gran crítico literario uruguayo. Las leí en paralelo con la obra de Arthur Koestler. Esas reseñas, distintas entre sí y en su apreciación del régimen cubano, muestran un avance en el sentido de romper el tabú que representaba Cuba. Son de fines de 1974. Un año decisivo para *Plural*, como estamos viendo. También para mí.

El libro de Edwards fue un hito. Había aparecido a fines de 1973. Es uno de los libros más importantes del siglo en nuestro orbe político y cultural.

Edwards, partidario de la revolución intelectual de izquierda, había llega-
do a Cuba como encargado de negocios del gobierno de Allende, pero el ejer-
cicio de su libertad de expresión –siempre privada, nunca pública– no era
bien visto por las autoridades. La pesadilla que vivió –toda la parafernalia
del espionaje, el acoso, el miedo– es muy conocida ahora, pero fue Edwards
quien la retrató por primera vez con perplejidad.

Para Emir, la *persona non grata* en *Persona non grata* vivió una experiencia similar a la del condenado de *El proceso*. Exageraba, claro.
El veredicto para Josef K. fue distinto al del autor chileno, que solo
fue expulsado de la isla. Sobre «el caso Padilla», tema central en el
libro, opinó que no era relevante por la persecución a Padilla –un
desorbitado y megalómano «Stavroguin del trópico»– sino por el
ahogo a la libertad de creación que esa cacería hacía evidente. La
crítica de Rodríguez Monegal era un manifiesto contra los intelectuales latinoamericanos que, arrastrados por la pasión ideológica,
habían decidido no ver la realidad opresiva de Cuba.

¿Cuál fue la crítica de Vargas Llosa?

Su caso es muy relevante. Mario ya había tenido serios desen-
cuentros con la Revolución a la que había apoyado con convicción
y entusiasmo. Escribió contra la invasión soviética a Checoslovaquia.
A raíz del caso Padilla renunció al consejo editorial de Casa de las
Américas, cuya revista comenzó a publicar ataques en contra suya, el
primero de ellos de Haydée Santamaría. Con esos antecedentes, escribió sobre Edwards. Lo elogiaba justamente por haber roto «el tabú
sacrosanto en América Latina para un intelectual de izquierda: el de
que la Revolución cubana es intocable». Con buen sentido, a sabiendas de la buena fe de Edwards, Vargas Llosa interpretaba el libro
como un servicio a la Revolución, como una señal de alerta, como la
apelación a una enmienda necesaria en favor de la libertad creativa.
De hecho percibió en el libro una secreta nostalgia por el pasado inmediato. Era la crítica de un amigo. Pero justamente por eso, reclamaba a la Revolución que pusiera a los escritores en la disyuntiva
inadmisible de ser lacayos o réprobos. Esa postura era indigna de
Cuba, digna de Stalin. Como tantos otros intelectuales de América
Latina y de Occidente, Vargas Llosa había creído en la Revolución

cubana, y su fe había sido activa, apasionada, comprometida. Por eso era difícil dejar esa creencia y por eso con el tiempo se volvería contra ella, con idéntica convicción. La nota sobre el libro de Edwards fue quizá su última llamada al régimen en el que puso su fe. Se acumulaban las evidencias, pero ante ellas estaban los argumentos de los revolucionarios, que Vargas Llosa con toda honestidad valoraba, sobre todo el bloqueo de Estados Unidos, que impedía que prosperara el socialismo en Cuba. Por eso escribió que, a pesar «del horror biológico que le inspiraban las sociedades policiales y el dogmatismo, los sistemas de verdad única», si debía elegir entre uno y otro elegía el socialismo, pero ya sin la ilusión de los tiempos pasados.

Una declaración de fe, desesperada.
Y terminal.

¿Es vigente Persona non grata?
Tan vigente como el régimen opresivo que describió hace casi cincuenta años. Nadie lee ahora a Koestler porque sus libros describen una realidad que ya no existe. Pero la Cuba que vio Edwards es, en esencia, la misma de hoy. El libro es actual.

Con Camus, contra Sartre

Hay un denominador común en lo que hablamos: el tránsito de la fe al desencanto.
Sobre estos tránsitos, hay otro texto importante de Vargas Llosa en *Plural*: «Albert Camus y la moral de los límites». Apareció en *Plural*, diciembre de 1975. Lo releí para escribir su perfil biográfico en mi libro *Redentores* (título, por cierto, que él me sugirió). Lo tengo fresco. Hay de entrada la confesión de que para él Camus había sido un autor de segunda importancia, y que por casi dos décadas lo había ignorado, entre otras cosas por su devoción a Sartre. Pero algo no empezaba a cuadrar bien en la filosofía política y moral historicista (Mario usa esa palabra) de Sartre, algo que sacrificaba

personas concretas en el altar de las ideas abstractas. Y, a partir de esa incomodidad, Vargas Llosa decidió leer o releer por completo a Camus. El ensayo no lo idealiza literariamente, lo reivindica filosófica y moralmente. Hablando de *El hombre rebelde*, puntualiza la diferencia cardinal entre el revolucionario y el rebelde. Permíteme mostrarte lo que entonces subrayé:

> El revolucionario es, para Camus, aquel que pone al hombre al servicio de las ideas, el que está dispuesto a sacrificar al hombre que vive por el hombre que vendrá, el que hace de la moral una técnica gobernada por la política, el que prefiere la justicia a la vida y el que se cree en el derecho de mentir y de matar en función del ideal. El rebelde puede mentir y matar, pero sabe que no tiene derecho de hacerlo y que el hacerlo amenaza su causa, no admite que el mañana tenga privilegios sobre el presente, no justifica los fines con los medios y hace que la política sea una consecuencia de una causa superior: la moral.

Es un texto muy importante, quizá el texto de profunda ruptura con su pasado. No por casualidad el ensayo está dedicado a Octavio Paz, que todavía en 1967 había reivindicado a la Revolución como la aurora de la historia. Paz había dado la espalda a sus viejas ilusiones luego de la lectura de Solzhenitsyn; Vargas Llosa lo hacía en la de Camus, cuya tesis era tan clara como contundente: toda la tragedia política de la humanidad comenzó el día en que se admitió la licitud de sacrificar, de matar, a las personas por las ideas.

Estaba tocando la esencia del poder totalitario.

Que Dostoyevski, inspiración de Camus, había previsto. El nihilismo heroico de los endemoniados fuera del poder en el siglo XIX se había transformado en el nihilismo criminal de los endemoniados en el poder del XX, esos justicieros incapaces de ver la vida humana concreta: «Yo no amo la vida, sino la justicia, que está por encima de la vida.» ¿No es esta frase algo así como la divisa, hoy en día, de todas las dictaduras ideológicas de izquierda como de derecha?

Ese tránsito de Vargas Llosa avaló el tuyo.

Esos cambios, no solo de ideas sino de creencias, ocurren a veces como aluviones. Se van acumulando hasta modificar el terreno de modo irreversible. En mi caso, además del magisterio de Cosío, la amistad de Zaid, las lecturas y las experiencias que te mencioné, ocurrió una toma de conciencia liberal fincada en la lectura de ensayos como los que hemos descrito en *Plural* de Paz y Vargas Llosa.

Nueva España entre nosotros

Tú estudiabas historia. ¿Plural atendía temas de historia general y de historia de México?

La verdad es que no tenía mucha cabida. Pero hubo un número de *Plural* dedicado a la historia de México que me dejó huella. Así ocurre con los libros, pero a veces también con las revistas. Se tituló «Nueva España entre nosotros». No era un número de historia sino de intrahistoria, una búsqueda del pasado vivo, latente, pendiente, soterrado, suprimido en el presente. Podemos ver la portada, es de julio de 1975: el prólogo de Paz al libro de Jacques Lafaye *Quetzalcóatl et Guadalupe*; un ensayo del propio Lafaye sobre la conciencia nacional y étnica en Nueva España; otro de Woodrow Borah, decano de la historia económica mexicana en Estados Unidos; Zaid entregó una especie de psicoanálisis liberador sobre los «Problemas de una cultura matriotera» con la idea de que los mexicanos debíamos dejar atrás la obsesión con la madre azteca, la madre tierra, y reconocer al padre cultural, al idioma español, que nos pertenecía tanto como a cualquier persona nacida en España, y en el cual llevábamos siglos de producir una literatura hija de los Siglos de Oro.

¿Un eco a El laberinto de la soledad*?*

Una continuación y una conversación: solo disipando esos fantasmas maternos y paternos, podíamos dejar el papel de víctimas pasivas e impotentes, ser padres responsables e «hijos de nuestras propias obras». Nada se dejó fuera en ese número. El historiador del arte Porfirio Martínez Peñaloza escribió sobre arte colonial y el lingüista José Pascual Buxó sobre Luis de Sandoval Zapata, un autor criollo del siglo XVII y estupendo poeta barroco. Pero el texto cumbre, para mí, fue «La herencia de América Latina» de Richard M. Morse.

¿Descubriste a Morse en Plural*? Has escrito tanto sobre él.*

Efectivamente. Morse fue un minero del subsuelo político latinoamericano y, en especial, del mexicano. ¿Por qué somos proclives al poder personal absoluto? Paz creía que por la herencia hispanoárabe. Pero Morse había descubierto desde los años cincuenta que la tensión específica que explica el *ello* –digámoslo freudianamente– del poder en estos países fue la misma que en el siglo XVI y XVII existió entre maquiavelismo y tomismo: el ideal renacentista del *condottiero* frente al diseño medieval del orden tomista, reelaborado por el teólogo Francisco Suárez en el siglo XVII.

En una palabra: los caudillos y el Estado. Paz señaló que Morse había tomado de Max Weber las categorías de dominación carismática y patrimonialista, y era verdad, pero no advirtió que el análisis de Morse había antecedido a esa aplicación. Morse, por cierto, no solo tomaba en cuenta el factor religioso –ese distingo entre protestantes y católicos, importantísimo, desde luego– sino que añadía una tradición jurídica que casi nunca forma parte de los debates políticos, pero que se perpetúa en instituciones que conforman al Estado.

¿Por qué te impresionó de ese modo?

Dejaba al descubierto el subsuelo del poder en México. La estructura política profunda del país no tenía su origen en el universo liberal y republicano ni tampoco en los pensadores socialistas del siglo XX sino en un padre fundador más antiguo: santo Tomás de Aquino. Leyendo a Morse todo caía en su sitio. La Constitución era un avatar de las Leyes de Indias; el presidente de México, un monarca Habsburgo o Borbón extraviado en el siglo XX; los intelectuales, nuevos letrados (y digo «letrados» en el sentido en que lo usaba Quevedo, o Calderón de la Barca: gente de derecho, abogados); las universidades autónomas, universidades pontificias; el PRI, un edificio corporativo con todo y sus gremios y cofradías; el sueño de Vasconcelos, una versión renovada de la evangelización franciscana; los murales de Diego Rivera, una versión moderna de los frescos en las viejas capillas mexicanas. Tiempo después, cuando ya trabajaba en *Vuelta*, Morse pasó por México, me llamó, nos hicimos amigos. Una amistad para mí entrañable.

Te reveló la intrahistoria, como decía Unamuno.

Una intrahistoria política muy antigua, medieval de hecho, frente a la cual había que construir una nueva historia, una historia de libertad.

La lectura de una revista puede cambiar la vida, la perspectiva de la vida.

Así se explica que, a mediados de 1975, haya yo tomado la decisión de abandonar a mi generación y cruzar la calle a la acera de enfrente para incorporarme a la revista de nuestros «enemigos» liberales. Significativamente, en ese número de *Plural* dedicado a Nueva España publiqué mi primera reseña. Como te podrás imaginar, la hice sobre un libro de Cosío Villegas, que aún vivía y estaba en pleno combate contra el poder.

¿Cómo ocurrió tu incorporación a Plural*?*

La debo a Alejandro Rossi, que impartía un seminario en El Colegio de México. Me presenté con él hacia 1975 y le dije que quería una oportunidad en *Plural*. Me dijo que comenzara enviando reseñas de libros, género muy pobre en México pero muy importante en la tradición inglesa, de la que él participaba. Yo ya conocía el género porque leía *The New York Review of Books* y *The Times Literary Supplement*. Y comencé a publicar reseñas sobre temas de historia mexicana.

Llevaste la historia de México a Plural...

No. Octavio Paz encarnaba esa historia y la abordaba con frecuencia. Pero quizá *Plural* necesitaba a un historiador.

Alejandro Rossi: un preceptor

¿Quién era Alejandro Rossi?

Necesitaríamos semanas enteras para evocarlo con una mínima justicia. Lo visitaba por las tardes, caminábamos peripatéticamente en el gran jardín de su casa. No he conocido conversador igual. Lo que te voy a contar de su biografía lo supe casi al inicio de nuestra amistad, porque le encantaba narrar episodios de su vida. Era bisnieto del célebre general venezolano José Antonio Páez, el rival y compañero de Bolívar, el «gran lancero», nada menos. (Por cierto, así decía Rossi siempre que quería poner énfasis, «nada menos».) Nació en Florencia, hijo de una bella y aristocrática madre venezolana y de padre florentino, amante de la buena vida y los autos de carreras. Alejandro presumía una foto de su padre al volante, junto a Juan Manuel Fangio. Vivió en Venezuela, vivió en barcos transatlánticos y pasó su juventud en Argentina. En 1951, a los diecisiete años, llegó a México para estudiar filosofía con Gaos. Fue discípulo de Heidegger en Friburgo, pero en algún momento de los sesenta se convirtió, por así decirlo, a la filosofía analítica. En los sesenta estudió en Oxford con luminarias como Gilbert Ryle. «En los cuadrángulos oxonienses encontré mi casa conceptual», decía, con esas invenciones suyas, tan típicas. Al volver a México escribió su libro *Lenguaje y significado* y encabezó una transformación del Instituto de Investigaciones Filosóficas de la UNAM que pasó de la «filosofía de lo mexicano» –muy de moda en los cincuenta– al positivismo lógico y la filosofía analítica. Con sus amigos Fernando Salmerón y Luis Villoro fundó la revista *Crítica*. Digamos que pasó de Ortega, Husserl y Heidegger a Austin y Wittgenstein.

Esa era su biografía, pero ¿cómo era en lo personal?

Un seductor intelectual. Tenía el tic verbal de concluir sus frases con una expresión interrogativa, «¿ehhhhhh?». Hablaba redactando, hasta con la puntuación, haciendo precisiones, distingos, énfasis. No lo rodeaba el aura de un gurú sabelotodo ni pontificaba. Su sentido del humor era, cómo decirlo, abrasivo. Octavio Paz decía que no había conocido a nadie con la combinación de inteligencia y sensibilidad que tenía Rossi. Yo no fui discípulo de Rossi, pero sabía de él por mi tía Rosa, su compañera en Filosofía, y por mi primo Miguel, que fue su alumno en el abarrotado curso vespertino de «Teoría del conocimiento» que impartía en la Facultad y lo sería después en el seminario que daba solo para elegidos en el Instituto de Investigaciones Filosóficas. Miguel imita aún aquella voz –con sus tonalidades argentino-italianas y esa especie de melodía irónica que usaba como estribillo– y me contaba que Rossi poseía una inteligencia descomunal. Demoraban seis meses en la lectura de tres capítulos de un libro de Rudolf Carnap. A Rossi le daba por formular preguntas letales para demoler las argumentaciones de los alumnos. Era una delicia y una tortura –decía Miguel– ver cómo destruía y disolvía las construcciones diletantes, delirantes, vagas, confusas, grandilocuentes, retóricas, demagógicas, ideológicas, contradictorias, miopes, obtusas, frívolas, fáciles. Había que verlo triturar aquellos argumentos. Por eso siempre le dije que me sentía muy afortunado de no

ser su alumno. Los estudiantes se aterraban, las alumnas se enamoraban, tanto que terminó casándose con una de ellas, Olbeth Hansberg. Pero lo notable es que Rossi era igualmente implacable consigo mismo. Tengo un grabado que perteneció a José Luis Martínez, el padre de Andrea, mi esposa, y que ella y sus hermanos me regalaron en 2007 cuando José Luis murió. Es de Julio Ruelas, pintor modernista mexicano de principio del siglo xx. Es un autorretrato llamado «Crítica». Muestra al propio Ruelas de frente. Sobre su cabeza se ha posado una especie de escarabajo de gran tamaño que lo tortura clavando su gran pico sobre su cerebro. El escarabajo de la crítica. Ese era Rossi consigo mismo. Así torturaba y se torturaba. Prodigiosamente inteligente, lector de la *Fenomenología del espíritu* de Hegel y del *Tractatus* de Wittgenstein, Rossi aplicaba hasta el límite las exigencias filosóficas que aprendió en aquellos «cuadrángulos oxonienses» a su propia escritura, y por eso escribió a cuentagotas. Pero lo que escribió es prodigioso.

¿Cuál era la peculiaridad de su «Manual del distraído», esa sección que leías en Plural*?*
Ficciones filosóficas. Reflexiones vertiginosas sobre la vida cotidiana. Invención de personajes insufribles, como su *alter ego*, el profesor Gorrondona, que torturaba a las bellas almas que lo veneraban. He escrito a través del tiempo varios textos sobre Rossi: sus ensayos, sus cuentos, sus memorias. Estudié y festejé siempre su estilo, sus adjetivos sorprendentes, su forma de calificar (como Borges) con un verbo. Igual que con Octavio Paz y con Zaid, mi amistad con Rossi fue una construcción. Fue enemigo de las teorías «gaseosas». Una fiesta de la inteligencia. Le debo el respeto del estilo y la escritura, que tardé mucho en asimilar o nunca asimilé del todo. Rossi era capaz de parar las prensas por una coma. Era un placer leer textos juntos. Y a veces una tortura. Te cuento una anécdota. Cuando lo conocí había yo comenzado a recabar información sobre Spinoza. Dediqué unos meses a escribir un ensayo de interpretación biográfica que leí en la Casa del Lago, un recinto cultural en el Bosque de Chapultepec. Pensando en publicarlo, le pedí a Rossi que lo leyera. Pasaron unos días y por fin lo visité.

Ojeamos lentamente el manuscrito, y desde la primera página vi que repetía esas letras: FB. ¿Qué sería ese FB? No tardé en averiguarlo. Mire usted, me dijo (nos hablamos de usted hasta 1989), esta expresión y este verbo, este adjetivo. Es un «falso Borges». Ahí quedó el manuscrito y sus FB. Hecho trizas por mi preceptor. No me descorazonó. Gracias a Rossi dejé de incurrir en el FB y leí y releí con pasión al VB.

Rossi era un representante de la influencia inglesa en la cultura mexicana. ¿Era algo común?

Muy novedoso. Aunque algunos poetas y novelistas de las generaciones anteriores leían inglés, no era el caso de las disciplinas históricas y filosóficas. Por eso fue tan importante Rossi. Te hago notar que mi generación fue la primera que leyó en inglés. No me refiero a obras literarias (novela, poesía), que por supuesto se leyeron siempre (por ejemplo, a Faulkner, T. S. Eliot o Joyce), sino a ensayos y obras de pensamiento político y filosófico. Desde el siglo XIX la meca intelectual de México había sido siempre Francia, pero para algunos jóvenes –pienso en mis entrañables amigos, los dos Hugos filósofos, Hiriart y Margáin, ambos discípulos de Rossi– Inglaterra se volvió la nueva meca intelectual y el inglés el idioma del pensamiento. Sin ser filósofo, gracias a mi cercanía con mi primo Miguel, me inscribí en esa tendencia. Lo hemos hablado ya. El pensamiento inglés atrajo nuestra atención, sobre todo por sus nuevas corrientes filosóficas. En mi caso, ese descubrimiento debe mucho a Rossi. Indirectamente, porque fue él quien lo trajo de Oxford al Instituto de Investigaciones Filosóficas en la UNAM. Y directamente, porque me acercó a novelistas y poetas ingleses, a Forster y a Pope. Y algo que me cambió la vida: me regaló los cuatro tomos de ensayos y notas de George Orwell. Al anglófilo Rossi le debo mi anglofilia.

¿Te hizo leer a los filósofos analíticos?

No, porque no tenía yo entrenamiento filosófico o porque, por fortuna, me veía como un historiador de las ideas. Por eso me acercó más a Russell. En ese tiempo me concentré en leer más sistemáticamente los ensayos de Russell: *In Praise of Idleness*, *Sceptical Essays*, *Unpopular Essays*.

Rossi no escribió sobre política.

Como tantas cosas de las que no escribió, pero nos dejó su literatura oral. No obstante, en el *Manual del distraído* hay páginas relevantes sobre la complejidad del drama chileno, la militancia política de los marxistas en la Universidad, una interpretación sutil de Cuba como una «isla de pesadumbre». Rossi es su estilo. Su prosa hablada igual que la escrita era precisa, elegante, sorpresiva. Era fanático de los detalles, las minucias. Todo era objeto de una teoría mínima. Y supongo que a mí me veía con la curiosidad de un entomólogo. Le contaba mis cuitas en los negocios, las presiones de mis acreedores, cosas así. Y no solo no le incomodaban esas historias, sino que lo intrigaban como si estuviera recogiendo elementos para su diario, no sé.

¿Llevaba un diario?

Puntual. Sospecho que es su obra maestra.

Despedida y bienvenida

¿Fue conflictiva tu salida del suplemento La Cultura en México?

Nada conflictiva. Yo ya publicaba en *Plural*, y nadie me lo reclamó. Ni siquiera recuerdo que mi nombre estuviera mencionado en el consejo. En septiembre de 1975 mis amigos dedicaron un número a analizar el sentido de la cultura y de la labor intelectual. Es decir, a analizar su propio lugar. Lo titularon «Facilidades y dificultades de la cultura de los setenta». Las colaboraciones fueron de José Joaquín Blanco, Héctor Aguilar Camín y Carlos Monsiváis. Lo leí y me dieron ganas de replicar. Y les mandé un ensayo: «Entre la fe y el fetichismo: la creencia en la cultura». Acá lo tengo. Fueron tolerantes en publicarlo, aunque se vengaron con una caricatura cruel de Naranjo: un profesor que se desconecta de la torre de marfil y se vuelve algo loco. Fue mi despedida generacional. El número era una nueva versión de la querella contra los liberales, pero ya sin ataques o referencias personales. Los tres autores sostenían que,

para ser auténtica, la cultura mexicana debía «incorporar la miseria,
el hambre, el desempleo, la descomposición social; en suma, el lado
enfermo de la sociedad». Y para
ser auténtico, decían, «el intelectual mexicano debía atreverse a la
esterilidad, la duda, la confusión
[...] arriesgarse –según la fórmula
de José Joaquín Blanco– a dejar de
tener cosas grandes y claras que
decir». Yo no estaba de acuerdo.
Para mí, los tres textos adolecían de
una «manía denunciante» (como
decía don Daniel). No solo mis
amigos, también la prensa de izquierda estaba llena de denuncias
sociales. Hasta Echeverría era de-
nunciante. Se denunciaba a sí mismo. Su retórica de izquierda había
devaluado la denuncia como instrumento crítico. Yo quería des-
lindarme de todo aquello. Les criticaba el método. La «manía denunciante» era una forma de autocomplacencia moral y pereza intelectual. Denunciar los males de la sociedad los hacía sentir muy bien,
pero al hacerlo hacían avanzar poco al conocimiento. Los responsabilizaba de «no creer o desatender las actividades propias de la
vida intelectual». Y trataba de probar una por una. En el fondo les
reclamaba el carácter ideológico de sus denuncias. Partían de un
concepto holístico (clase, lucha, obreros) y desde ahí construían su
denuncia. Había un mundo de diferencia entre esos textos moralistas y las propuestas concretas y originales de Zaid para mejorar
la vida de los pobres. Y finalmente me incomodaba el lenguaje.
Llevaba tiempo leyendo textos de Popper y conocía los rudimentos
de la filosofía analítica, centrada en el lenguaje. Por eso me importaba la claridad del lenguaje. «Hay cierta gloria en no ser comprendi-
dos», decía Baudelaire. Muchos de los textos de mis amigos eran
confusos. Yo no veía ninguna gloria en eso.

263

Parecería que les estuvieras reclamando no ser como Zaid, o Cosío Villegas.

Y como Rossi, cuya formación analítica privilegiaba justamente esas categorías: la investigación, la crítica, la fundamentación, la imaginación y la discusión pública. Aceptar que no hay más acepción estricta del término y el papel del «intelectual» que la del intelectual liberal. Fue entonces cuando por primera vez me identifiqué como liberal. Creo que fue un deslinde necesario y legítimo. Una despedida seria, aunque con tono pedante. Estaba convencido de que mis amigos vivían inmersos en una bruma de ideología. Necesitaba expresar y publicar mis críticas. Intentaba con ello formular una aspiración de rigor intelectual. Y por eso encontraba mucho más sustancial el contenido de *Plural* que el de *La Cultura en México*. No peleé con mis amigos. Con todos seguí manteniendo una relación cordial y respetuosa. Eran tiempos civilizados. Llegarían otros, más borrascosos, en los que algunos de ellos volvieron a pelear con nosotros, cuando ya formaba yo parte de *Vuelta*.

Los universitarios en el poder

¿Cuál fue, que recuerdes, el texto más trascendente que se publicó en Plural*?*

«Los universitarios en el poder», de Zaid. Es de mayo de 1975. Gracias a ese texto comencé a entender que en ese sexenio estaba ocurriendo, ante nuestros ojos, un cambio gigantesco, un cambio que marcaría la historia posterior de México hasta nuestros días. Con la multiplicación exponencial de los puestos y presupuestos del sector público que llevó a cabo ese gobierno, los universitarios se incorporaron al poder volviéndose una casta, en cierta medida, una *nomenklatura*. Hasta antes de Echeverría, los universitarios (médicos, ingenieros, abogados, arquitectos, etcétera) se incorporaban al mercado de trabajo. Querían practicar las profesiones liberales: médicos, arquitectos, dentistas, químicos, a veces en instituciones oficiales (como el Instituto Mexicano del Seguro Social), pero de preferencia en despachos, oficinas o consultorios autónomos. O ser empresarios o trabajar en una empresa privada. Uno se ganaba la vida de manera independiente porque era lo natural, lo sano y productivo. Hasta los políticos enriquecidos salían del poder para volverse empresarios. Echeverría cambió todo eso. El destino ideal para un joven universitario de clase media que quería progresar ya no era la vida autónoma sino la vía obediente: no el mercado sino el Estado, que pagaba mucho mejor. Progresar se volvió sinónimo de incorporarse al gobierno. Tener un puesto público se volvió más jugoso –literalmente– que tener un puesto en un banco. No eran puestos productivos, porque los principales indicadores económicos y sociales del país se deterioraron severamente respecto a las administraciones anteriores. Por eso Zaid me decía entonces de los universitarios en el poder: «Viven en socialismo, y creen que su situación es generalizable».

¿Qué motivó esa decisión de Echeverría?

Borrar su responsabilidad en el 68. Echeverría diseñó una doble política: represión y cooptación. Yo conocí tiempo después a un líder estudiantil vendido a Echeverría. Me narró cómo infiltraba grupos universitarios para identificar líderes y entregarlos a la policía, cómo eran sus reuniones secretas con Echeverría en Los Pinos. Lamentaba haber contribuido a la muerte de tantos compañeros en la llamada «guerra sucia», que desató el gobierno contra la guerrilla. Fueron tiempos oscuros. La guerrilla cometió actos aún más infames, como el secuestro de varios empresarios y el asesinato del gran empresario y filántropo regiomontano Eugenio Garza Sada. Esa era la atmósfera de polarización que siguió al 68, atizada por el gobierno. Pero mientras Echeverría hacía esto, su empeño mayor, su obsesión, fue incorporar a los universitarios de su generación y de la mía al gobierno. Por eso aumentó exponencialmente el presupuesto de las universidades públicas, urbanas y rurales, su tamaño y su número, no solo para desactivar la bomba estudiantil sino para proyectar una imagen «progresista» y para fortalecer al sistema.

¿Había otra salida para quitar presión después del 68?

Por supuesto. La lectura del gobierno fue totalmente equivocada. Lo grave era la desatención al campo y ahí estaban las ideas de Zaid.

Ya las hemos bosquejado. Y era urgente reorientar la economía para que siguiera creciendo. México necesitaba una apertura comercial como la que comenzaban a instrumentar los países asiáticos. Dar por terminada la era (fructífera pero ya anacrónica e inviable) de la sustitución de importaciones, alentar la vía de las exportaciones y desde luego no ahuyentar a la inversión extranjera y nacional. Así, habríamos seguido creciendo. Y el grueso de la clase media universitaria, en vez de buscar trabajo en el gobierno, habría buscado su progreso productivo en una iniciativa privada más competitiva. No había necesidad de crear ese gigantesco aparato burocrático. Quedaba pendiente, es cierto, el problema político, el agravio de 1968. Pero en su mayoría mi generación no optó por la vía de las armas. La solución no era la cooptación universal y la radicalización retórica del gobierno hacia la izquierda, sino la reforma política. No faltaban ideas. Desde 1969 Cosío propuso fórmulas muy concretas: limitar el poder presidencial, fortalecer a los estados y municipios, acotar el poder del PRI, darle vida y credibilidad al desprestigiado poder legislativo y al casi inútil poder judicial, alentar un debate público libre y abierto, fortalecer el federalismo. Nada de eso hizo Echeverría. Algunos personajes eminentes de la izquierda como Heberto Castillo buscaron esa salida en 1971. Y el PAN hubiera colaborado. Un gobierno sensato habría adelantado unos años una reforma política similar o acaso más profunda que la muy controlada y tibia que se haría años más tarde, en 1978.

Voy comprendiendo la crítica a la burocratización, a la improductividad, pero ¿cómo afectó al campesino?

Hay una gráfica irrefutable que Zaid publicó en octubre de 1978, a diez años del movimiento estudiantil. El subsidio a la educación superior había pasado de cerca de mil millones a más de trece mil. Mientras tanto, en ese mismo decenio, la alimentación diaria per cápita (calorías y proteínas) había sufrido un deterioro del −6%. Así que no hay duda: el populismo económico de Echeverría privilegió al Estado y a un estamento universitario ligado al Estado, pero no benefició a los mexicanos pobres, que eran el supuesto objeto de la política social de ese Estado. Hay al menos correlación en los dos hechos.

¿Por qué Zaid objetaba el apoyo a la educación superior y las universidades públicas?

Zaid tenía buenas cosas que decir de su formación en el Instituto Tecnológico de Monterrey. Pero no estaba hablando de la misión o la productividad de la universidad, que es un tema importante a debatir. Y un tema sobre el cual Zaid ahondaría mucho en los años siguientes. Estaba hablando de la distorsión de la misión de la universidad por motivos políticos. En términos económicos, esa distorsión resultó carísima, un caso de progreso improductivo. Era imposible que el mercado absorbiera a esos contingentes, que comenzaron a ver su posición becaria y privilegiada como algo natural, deseable y generalizable, algo superior moralmente al mercado. El modelo era quizá políticamente rentable a corto plazo, pero económicamente inviable y socialmente desastroso. Primero porque es imposible generalizar una posición privilegiada, hacer de todo el país un país de universitarios. Segundo, porque partía de una premisa centralista. Agrego algo: el modelo tuvo consecuencias nocivas dentro de las universidades. El *ethos* antiguo del maestro y el investigador se perdió. Las universidades se volvieron masivas, burocráticas, endogámicas, producían académicos que producían académicos. Y algo del *ethos* de las profesiones liberales se perdió también.

Cuando fuiste consejero universitario el rector Barros Sierra se quejaba de la penuria de la UNAM. Y lo lamentabas.

Yo pensaba que esa penuria era injusta. Era necesario incrementar y equilibrar los presupuestos. Tenía claro que en un país como México hay profesiones como la medicina que reclaman inversión en las universidades públicas. También en áreas como la arqueología, la ciencia. En ese punto particular tenía algunas diferencias con Zaid. Pero al mismo tiempo sentía que algo muy serio estaba pasando ante nuestros ojos. Y lo comprobó la historia. El ascenso político de esa nueva clase universitaria acarrearía distorsiones profundas en la vida mexicana. No solo las distorsiones que te he referido, la creación de un Leviatán burocrático. También hubo distorsiones culturales. Hay un párrafo casi al final de ese ensayo de Zaid que resume este tema cultural con crudeza y que vale la pena rescatar. Permíteme leértelo:

Donde sí no se ha visto una gran diferencia, esa inmensa diferencia que sería de esperarse con la llegada al poder de los universitarios, es en la vida intelectual. Las bibliotecas públicas siguen siendo una vergüenza nacional, y no por falta de dinero, evidentemente: por falta de interés en que prosperen. El nivel de la argumentación pública es tristísimo, y no por falta de gente inteligente, sino por falta de interés en la discusión: a la hora de la verdad, lo que importa es quién puede, no quién tiene razón. La gente estudia para dejar de estudiar: para adquirir las credenciales que le permitan subir a hacer cosas más importantes. Hasta quienes destacan en los estudios, quienes no se limitan a leer por obligación unos cuantos libros para sacar el título, quienes llegan a escribir, escriben para dejar de hacerlo: para llamar la atención de una persona poderosa que les dé la oportunidad de hacer cosas más importantes que escribir. Para los universitarios, la cultura es lo que las masas de campesinos, obreros o pequeños empresarios son para sus respectivos líderes: un argumento de ventas para subir. El verdadero cliente de los universitarios empleados no es el público, es el poder. Hacen lo que les mandan. Son generales, coroneles, capitanes, chícharos mercenarios que están al mejor postor en el mercado de la obediencia.

¿Qué reacciones provocó el ensayo?

A don Daniel le gustó mucho, porque coincidía punto por punto con sus críticas a la universidad como fábrica de burócratas o técnicos obedientes, o como «tronera» de intelectuales «denunciantes y homenajeantes». Pero me consta cómo el ensayo indignó a profesores de El Colegio de México. A mí me entusiasmaba pero me costó entenderlo, porque, después de todo, yo era universitario. Pero te diré que el propio Zaid se sorprendía de no haber visto antes el problema, porque «no es fácil descubrir lo que nos deja en posiciones incómodas». La argumentación no dejaba lugar a dudas. Aunque nos avergonzara reconocerlo, ante nuestros ojos se estaba construyendo a pasos agigantados la pirámide de poder universitaria. ¿Recuerdas la crítica de Popper a la tradición platónica en *La sociedad abierta y sus enemigos?* Le parecía adversa a la democracia y potencialmente dictatorial. Bueno, Zaid llegó a esa misma conclusión analizando a los universitarios que Echeverría llevó al poder. No estaba criticando el saber. Por el contrario: estaba defendiendo el saber. Estaba criticando el uso político del saber, el uso del saber para llegar al poder, la supeditación del saber al poder, el abandono del saber. Estaba de acuerdo con don Daniel y estaba profetizando las décadas posteriores. Porque ese vasto cambio sociológico crearía una casta y una ideología que se sentiría progresista, revolucionaria y de izquierda, todo a cargo del presupuesto.

Termino muy impresionado con tu perfil de Zaid. Ahora con su temperamento moral: es un autor que señala a las cosas por su nombre, sin obedecer a ningún otro interés que no sea su propia inteligencia. No tenía yo tan clara su importancia como figura pública.

La tenía ya hace cincuenta años. Y sigue teniéndola.

Las revistas nacen y mueren. ¿Cómo murió Plural?

Yo sabía –don Daniel me lo dijo meses antes de morir– que *Excélsior* tenía los días contados porque el gobierno lo detestaba. El acoso venía de muy atrás. Echeverría había orquestado un boicot de anunciantes y toleró o animó la publicación de aquellos libelos contra Cosío. Su última profecía, como de costumbre, fue acertada. A mediados de julio de 1976, ya muerto don Daniel y después de las elecciones en que triunfó el candidato José López Portillo (que no tuvo contendientes), Echeverría dio un golpe al *Excélsior* del valiente y apasionado Julio Scherer: manipuló a la cooperativa del periódico y logró que esta expulsara al director. La mayoría de los editores y colaboradores salieron junto con el director. Y nosotros en *Plural*, por solidaridad, renunciamos también. Nos quedamos sin la revista por una razón material evidente: no era independiente. *Plural* vivía de *Excélsior*, que la acogía y financiaba por entero. El acuerdo con *Excélsior*, que imprimía, distribuía y pagaba la revista, era muy bueno y Scherer daba a Octavio Paz toda la libertad editorial, pero Scherer a su vez dependía de la cooperativa de *Excélsior*, y si esta por alguna razón decidía remover al director, *Plural* correría la misma suerte. Tenía pues un sustento frágil. Era una revista cultural, pero no era una empresa cultural. Quedé desolado. Pero pronto llegaron noticias alentadoras. Scherer y su grupo convocaban a una reunión multitudinaria en el Hotel María Isabel para recabar fondos para la fundación de una nueva revista. Fuimos Octavio Paz, Alejandro Rossi, Gabriel Zaid y yo. Y cuando salimos, en el elevador los escuché decir que también nosotros debíamos hacer una revista.

Leer una revista puede cambiar una vida. Te pasó con Plural.

Plural propuso una actitud de libertad, crítica, apertura, tolerancia y debate que por desgracia no se consolidó en México. Pero nuestra lucha continuó en la revista *Vuelta*, una empresa libre en la plaza pública, una pequeña empresa cultural.

VI. La soledad de *Vuelta*

Oficinas de Letras Libres.

Empresa cultural

Alcancé a leer Vuelta, *en sus años finales. Siempre quise que habláramos de tu experiencia en esa revista de Octavio Paz. Y qué mejor que hablar aquí, en la oficina de* Letras Libres. *Al entrar me he encontrado con el mural de tu infancia. De verdad recuerda a Diego Rivera.*

Me daba la bienvenida cuando iba a trabajar y dejé de verlo en 1969, cuando perdimos la fábrica. Pasado mucho tiempo lo recobré, como un generoso regalo del socio de mi padre. Hoy me da la bienvenida aquí. En el extremo inferior puedes ver a aquel niño vestido de overol y con cachucha, es un voceador que lleva en sus manos unos impresos donde se lee: «La imprenta al servicio de la cultura». Creo que mi padre hubiera querido ser empresario cultural.

¿Qué había pasado con las fábricas en ese tiempo? Estamos ya en 1976...

Te cuento en un minuto la historia de varios años. Para mí, salvarlas era prioritario por el amor al legado familiar y porque nuestra familia dependía de esas fábricas. Pero los problemas estaban llegando al punto crítico. Habíamos cerrado tres por incosteables. En las otras dos (una empresa de serigrafía y una imprenta) todavía teníamos clientes; sin embargo, por la carga de las deudas ni siquiera fue ya posible pagar la renta y tuvimos que mudarnos a un sitio casi inaccesible rumbo a Xochimilco. Nos llovieron demandas. En 1976 rematamos la casa de mis padres. En esos días llegó a las fábricas un abogado muy elegante, con un notable parecido a Maximiliano de

271

Habsburgo. Se llamaba José Manuel Valverde Garcés. Representaba a una compañía de tintas con la que teníamos un adeudo y venía a embargar y a extraer unas máquinas. Yo no estaba presente. Mi padre le pidió que nos diera unos días y le dio el libro sobre los caudillos culturales, que acababa de salir. «Ya lo leí, no sabía que usted fuera historiador.» Mi padre le dijo que el autor no era él sino yo. A los pocos días lo conocí y nos hicimos amigos. Pagamos la deuda en plazos. Y le confié mis problemas: tenía encima varias demandas mercantiles y era necesario que un abogado me ayudara a atenderlas. «Desde ahora, tú dedícate a las empresas, a trabajar en la *Vuelta* y a escribir tus libros. Acá estoy yo.» Finalmente tuvimos que dar en pago la imprenta y cuadros valiosos de mi padre. Nos quedamos solo con la empresa de serigrafía y abrimos una nueva imprenta. Todo esto pasó entre 1976 y 1980, aproximadamente. Faltaban muchos años para salir avante. En los ochenta la situación mejoró poco a poco. Las fábricas siguieron ocupando mi atención y tiempo.

Es interesante cómo tu trabajo intelectual ayudó a tus empresas, pero tus empresas definieron también tu perfil cultural.

Ser empresario es difícil. Ser pequeño empresario es más difícil. Pero la empresa de cualquier ramo, de cualquier tamaño, es el espacio natural para la creatividad. Cada día supone riesgos, incertidumbres, pero siendo empresario eres libre. Y yo no podía concebir otra forma de ganarme la vida. Menos aún cuando había asimilado las ideas de Zaid sobre los universitarios en el poder. Por eso cuando supe del inminente nacimiento de *Vuelta* me entusiasmé muchísimo. Gabriel Zaid y Alejandro Rossi convencieron a Octavio de continuar el esfuerzo de *Plural* y emprender la aventura de una nueva revista. El grupo de Octavio en *Plural* se reunió varias veces, y yo los acompañé alguna de ellas en casa de Ramón Xirau. Les dije que tenía una imprenta y que les ofrecía producir la nueva revista. Optaron por una imprenta especializada. Al poco tiempo supe por Rossi que la revista se llamaría *Vuelta*. Hubo una rifa entre la comunidad cultural de un cuadro que regaló Rufino Tamayo. Se recabó un millón de pesos que sirvieron de capital inicial. Hugo Margáin ganó el cuadro. Se volvería muy buen amigo mío y frecuente colaborador de *Vuelta*.

Acá tienes el primer número de Vuelta, *con sus tres colores mexicanos. Y la frase de la portada: «Estamos de Vuelta».*

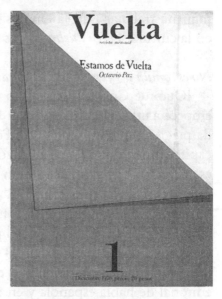

Octavio Paz lo explicó en el primer número: «*Vuelta,* como su nombre lo dice, no es un comienzo sino un regreso». Volvíamos los de *Plural,* volvíamos a la esencia de *Plural,* pero ya no éramos *Plural*: éramos *Vuelta,* «la vuelta es cambio y el cambio, vuelta». Creo además que *Vuelta* tenía otra significación profunda: la vuelta definitiva de Paz a México. Tengo, como ves, la colección completa. Recuerdo el entusiasmo con que recorrí aquel diciembre de 1976 los puestos de periódicos al sur de la ciudad hasta encontrarla. No imaginaba que, en febrero del año siguiente, gracias a la gestión que yo desconocía de Rossi y Zaid, Octavio Paz aceptaría invitarme a ser secretario de redacción. Ocurrió lo siguiente. Para dirigir la revista, Octavio Paz había puesto como condición que alguien estuviera a cargo de las responsabilidades empresariales y administrativas. El comienzo fue azaroso e incierto. Pronto sucedió que también la secretaría de redacción estaba vacante. Octavio daba clases en Harvard y, para colmo, en febrero de 1977 le hallaron un cáncer del que debía operarse. Rossi fungía como director adjunto, pero era maestro universitario y no podía ocupar ese cargo de manera permanente. El secretario de redacción, José de la Colina, peleó con Rossi y renunció. Ante esa situación, según supe después, Zaid me recomendó con Paz aduciendo mi experiencia empresarial aunque yo no tenía idea del proceso editorial ni provenía del mundo literario sino del gremio de los historiadores. Rossi secundó la propuesta. A principios de 1977 Rossi me citó en un café para hacerme la proposición: «Es un pequeño barquito», me dijo. Y sin pensarlo renuncié a ser maestro del Colmex (lo fui solo por unos meses de 1976) y me subí al barquito. En la

273

mañana trabajaba en la empresa familiar, en las tardes trabajaba en la cultura. Pero *Vuelta* era las dos cosas. Una empresa cultural.

No es común ver juntas esas palabras: empresa y cultura.

¿Qué fue Cosío Villegas sino un «empresario cultural»? Por eso empecé a utilizar la expresión en 1976 a sugerencia de Zaid y aplicada precisamente al creador del Fondo de Cultura Económica. Los capítulos que don Daniel alcanzó a leer de su biografía trataban de ese tema: su trayectoria como un empresario cultural de dimensión internacional. En su origen, el FCE fue un fideicomiso (proviene del término *trust fund*) que contó con un subsidio oficial que el Estado (al margen de quien estaba en el poder) respetaba escrupulosamente. No era una dependencia del gobierno. Y tampoco, claro está, una trinchera de oposición. Fue, en su momento, la mayor empresa editorial de habla española y en eso residía su legitimidad. Por eso don Daniel podía pedirles a los gobiernos que financiaran al FCE, sin comprometer su independencia. Todas las casas editoriales del mundo son empresas y producen cultura. El mundo está lleno de empresas culturales. Algunas dependen de fondos privados, donaciones, etcétera. Otras de aportaciones del público. *The New York Review of Books* depende de sus lectores y de anuncios de editoriales académicas. Hay muchos modelos. Creo que la cultura tiene su ámbito natural de expresión, de desarrollo, de creatividad, en la iniciativa privada. No estoy hablando solo de la publicación de libros y revistas sino de la actividad cultural en el sentido más amplio: editoriales, galerías, museos, orquestas, compañías de danza, música, teatro, cine, radio, televisión y ahora internet. Quienes sostienen que hay una supuesta antítesis han vivido y viven, exclusiva o mayoritariamente, del dinero público, por eso demonizan a la iniciativa privada cultural. Lo que el Estado debió hacer en tiempos de Echeverría era apoyar, de manera racional y sin ataduras, a la cultura libre. Zaid concibió en 1975 la creación de un fondo para apoyar con una cantidad modesta a escritores y artistas independientes y pequeñas empresas culturales de todo tipo. El proyecto incluía los criterios detallados para la conformación de un jurado, la selección de candidatos, el mecanismo que aseguraba la independencia creativa. La idea, como muchas de Zaid, prendió quince años más tarde, y tuvo éxito en la promoción de la cultura libre. El apoyo directo era mucho menos costoso y mucho más productivo que construir elefantes bancos culturales dependientes de la Secretaría de Educación.

Rechazas toda cultura oficial. ¿También la académica?

Rechazo total. En un país donde la cultura se vuelve monopolio o patrimonio del Estado, quiero decir: en un país totalitario o con tendencias de control totalitario, las artes y las letras languidecen y se extinguen, una tras otra, todas. La experiencia del siglo XX es concluyente, tanto en la Alemania nazi como en la Italia fascista, no se diga en la URSS, en China o en Cuba. Fíjate cómo la cultura se ha asfixiado en Venezuela. Por otro lado, no rechazo la cultura académica. Se puede hacer cultura desde la academia y se puede hacer cultura desde la iniciativa privada. Lo importante es la calidad, que por lo general está ligada a la libertad. En la cultura oficial no hay libertad. Punto. En las universidades privadas se produce poca cultura, y es una pena. En las universidades públicas puede producirse cultura de calidad, pero su estructura burocrática y sus fuentes oficiales de ingreso pueden constreñir la libertad y por tanto la creatividad. Por eso importa la creación de empresas de cultura libre. Es un tema interesante de la sociología cultural. Zaid argumentó desde sus textos en *Plural* que la cultura humanista occidental ha sido sobre todo cultura libre, no cultura académica. Voltaire y Diderot eran empresarios. Kant fue profesor pero se daba cuenta de las limitaciones que esa posición le imponía. Hegel fue profesor, y vaya que proyectó su visión institucional a su filosofía: el Estado resultó el fin último de la historia. Marx quiso ser profesor, y por fortuna no lo fue. Freud ejerció su profesión. Y está el caso paradigmático de Spinoza. Como historiador me gusta citar el pasaje de la autobiografía de Edward Gibbon sobre los profesores que le tocaron en Oxford y Cambridge: «de los afanes de la lectura, o del pensar o de escribir, habían absuelto a su conciencia, y los primeros brotes de saber e ingenio se secaron en la tierra sin producir frutos para los propietarios o para el público». Yo no niego la obra de grandes historiadores que trabajan en la academia. Pero su obra es importante en sí misma, no por la institución que los cobija. John H. Elliott es un ejemplo. Por supuesto que debe el soporte de su carrera a Cambridge y Oxford. Y es un maestro extraordinario. Pero su obra escrita, que es su verdadero legado, es mérito individual suyo.

¿Vuelta fue una empresa cultural realmente independiente?

Por supuesto. No era una publicación oficial, ni académica, ni dependía de ninguna empresa o cooperativa. *Vuelta* fue la primera empresa cultural en la que trabajé. Octavio Paz fue mi primer jefe y el único que he tenido. Vivió primariamente de sus lectores y suscriptores nacionales y extranjeros. Teníamos anuncios de diversas entidades públicas, sobre todo educativas y culturales, pero también de librerías, galerías, pastelerías, joyerías, editoriales privadas de México y de Sudamérica. Tuvimos unos cuantos patronos generosos, pero no dependíamos de ellos. El empresario chihuahuense Eloy Vallina, por ejemplo, nos regaló el moderno equipo de cómputo que abatió notablemente nuestro costo de producción. La independencia editorial que ejercimos fue completa, como puede confirmar cualquier persona que la consulte en bibliotecas o en internet. Vendíamos alrededor de doce mil ejemplares. Parecen pocos, pero sumados a los anuncios y suscriptores, incluidos los internacionales que se pagaban en dólares, era un ingreso suficiente para pagar nuestros costos y gastos, y operar con una pequeña utilidad. Y pagábamos las colaboraciones. Esa práctica que comenzó en *Plural* se volvió aún más profesional en *Vuelta*. Parece normal, en México no lo era. Lo usual era que los escritores publicaran en suplementos sin cobrar, o cobraran una cantidad simbólica. Lo usual era pensar que los escritores se dieran por bien servidos con verse publicados. Otra costumbre detestable en México era «piratear» textos de publicaciones extranjeras. Bastaba poner «tomado de…». No solo era poco serio, era ilegal. *Plural* y *Vuelta* cambiaron esa práctica y denunciaron el pirateo. Todo lo que publicamos fue con apego estricto a los derechos de autor.

¿En qué consistía tu trabajo en Vuelta*?*

Era secretario de redacción y apoyaba el trabajo empresarial. Celia García Terrés fue la capitana desde el principio hasta mediados de 1981. A lo largo de esos años fue tejiendo una red de anunciantes, y yo la secundé en ese esfuerzo. Fue muy difícil. Logramos que poco a poco algunos empresarios fueran convenciéndose de la importancia de la cultura libre. Nunca lo logramos del todo. Televisa, la principal televisora privada, comenzó a anunciarse al quinto año. Los grandes anunciantes públicos o privados importaban, pero no predominaban. Teníamos muchos pequeños. Cuidábamos las suscripciones nacionales y extranjeras (con énfasis en compradores de libros en Estados Unidos, bibliotecas) y la venta en librerías. Revisábamos los reportes de los distribuidores mes a mes y hacíamos visitas a los kioscos. Una labor detallada, tediosa, que tomábamos con buen ánimo y seriedad, porque la vida de la revista dependía de sus ventas. Celia organizaba campañas de suscripciones. El equipo administrativo era muy pequeño: la secretaria Estelita Ruiz (que había sido obrera en una de las fábricas), el mensajero Félix Loeza, Celia y yo.

Dices que fue rentable.

Vuelta fue rentable en una escala mínima. Una empresa cultural no es el tipo más rentable de empresa, pero para mí es el más noble. La utilidad en la revista era modesta pero suficiente. Pagábamos puntual y dignamente sueldos, colaboraciones, imprenta, renta, servicios, obligaciones laborales y fiscales. Nunca nos endeudamos. Nunca solicitamos un crédito. Y nos quedaba un pequeño margen. Nada más.

Nosotros

¿Recuerdas tu primer día? ¿Puedes narrarme un día típico? ¿Cómo era el equipo de trabajo? ¿El Consejo editorial?

Rossi me recibió en la oficina, una casita en la calle de Leonardo da Vinci #17 bis, en la colonia Mixcoac, muy cerca, por cierto, de donde había pasado su niñez y juventud Octavio Paz. Estábamos en un barrio bastante popular; en la esquina había una pulquería.

Abajo teníamos la sala de juntas y por una escalera de caracol se subía a la oficina del secretario de redacción. Tenía un precioso ventanal que daba al poniente, y era muy soleada por las tardes. En las paredes colgaban dos grandes cuadros que habían regalado a *Vuelta* Manuel Felguérez y Vicente Rojo. Sobre el escritorio encontré montañas de papeles y manuscritos, y ceniceros repletos (Rossi fumaba mucho). Había un solo archivero, con originales que se habían rescatado de *Plural*. Ese día entró una llamada de Octavio desde Cambridge. Estaba por someterse a su operación quirúrgica. «El dolor no redime, Octavio», le dijo Rossi, y le deseó suerte en la intervención. Me pasó el teléfono. Paz me dio la bienvenida. «No se preocupe, señor Paz, yo le cuido el changarro», le dije. «Changarro, te aclaro, es un pequeño negocio, una tiendita, un comercio.» Pronto me pidió que lo tuteara. No pude, pero le hablé de usted usando su nombre. Ya de vuelta a México, por largos años, me llamaba una vez al día para revisar los pendientes, pero su forma preferida eran las notas escritas. Mi primer desafío fue leerlas, porque tenía una letra casi indescifrable. Yo seguía sus instrucciones, pedía textos y los revisaba, pero no tenía experiencia en ese trabajo, y lo aprendí sobre la marcha. Trabajaba junto a mí un poeta peruano, Tomás Acosta, cultísimo y gentil, que me enseñó las artes de la edición: marcar originales, leer con atendedor, revisar pruebas intermedias y finales. Lo recuerdo, tan ceremonioso y bueno, con sus lentes de fondo de botella. Durante el primer año, el diseño de la revista lo hizo Abel Quezada Rueda. Los días de cierre trabajábamos en la oficina de su padre, el gran caricaturista Abel Quezada.* Al cabo de un año, la Imprenta Madero se ocupó de todo: diseño e impresión. Ahí se imprimió ya siempre. Para mí fue muy cómodo, porque a fines de los setenta mi padre y yo habíamos mudado las dos empresas que nos quedaban a un local vecino a la Imprenta Madero en Iztapalapa, así que yo podía atender ambas tareas por la mañana. Pero la mayor fortuna fue conocer y convivir con Vicente Rojo, que desde el número 13, por largo tiempo, se hizo cargo del diseño de la revista. Era un diseño original: cada año escogía un motivo ligado al quehacer práctico de la literatura para ilustrar la portada y el interior del número: tipografías, sellos, plumas, documentos de escritores célebres (pasaportes, carnets de identidad). Vicente era un caballero en el trato, un artista inspirado, una persona llena de bondad. El consejo editorial se reunía una vez al mes en la casita de Leonardo da Vinci. Lo integraron los principales escritores de *Plural*: Kazuya Sakai, Tomás Segovia, Alejandro Rossi, Gabriel Zaid, José de la Colina, Juan García Ponce, Salvador Elizondo. Más tarde se incorporaron Ulalume González de León, Julieta Campos y, brevemente, Jorge Ibargüengoitia. Presidía Octavio en la cabecera. Yo llevaba las actas. Revisábamos el número del mes anterior, planeábamos los siguientes. Cada uno de los miembros de ese consejo merece una biografía. Cada uno merece la edición de sus obras completas. Déjame darte un retrato rápido de ellos. Mis amigos, mis maestros. Pepe de la Colina, escritor santanderino como tú, decía que «*Vuelta* era su patria». Y lo vivía así, apasionadamente. Era un admirable prosista, cuentista

---

* Ese primer año ilustramos la revista con dibujos de pintores mexicanos, entre ellos Miguel Cervantes, Pedro Friedeberg, Manuel Felguérez, Brian Nissen, Vicente Rojo, Arnaldo Coen, Joy Laville.

y crítico de cine, que contribuyó mes a mes, por muchos años. Usaba boina y vivía con suma modestia de sus escritos. Era tierno y explosivo, un niño y un energúmeno. Salvador Elizondo pasaba por una etapa de formidable creatividad: era irónico y elegante, con su pinta de inglés y su sonrisa malévola. Juan García Ponce, escritor de novelas y cuentos perturbadores, crítico de arte, traductor de Robert Musil y Herbert Marcuse, llegaba en silla de ruedas, con su mujer Michèle Alban o su hijo Juanito García de Oteyza. Un día se enojó y se salió de la sesión diciendo: «¡Renuncio!». Octavio salió a disuadirlo. Juan volvió a entrar diciendo: «Renuncio a renunciar». Rossi, como te conté, es capítulo aparte. Era incisivo e implacable. Ulalume era una niña grande tocada por el genio poético y un dominio prodigioso del idioma. Julieta era una aristocrática criolla cubana en tierra mexicana, muy buena novelista. El poeta y ensayista Tomás Segovia era el más afín literariamente a Octavio, ramas del mismo tronco en la literatura española. Sakai no asistió a las juntas, pero siguió en el consejo editorial. Yo convencí a Jorge Ibargüengoitia, gran novelista y cuentista, de incorporarse al grupo y aceptó, pero luego de algunos meses se aburrió y se fue. No obstante, en *Vuelta* publicó por mucho tiempo su sección «En primera persona», que era muy leída. Zaid, además de escribir en cada número (sin excepción y a veces con más de una colaboración), introducía orden empresarial en las juntas; propuso que en una hoja tuviéramos el cómputo mensual del aspecto económico de la revista (ventas detalladas, saldos, anuncios, suscripciones) y hasta de las erratas.

Tú eras el responsable de cuidar las erratas.

Y eso me torturaba. Una que me valió un regaño tremendo fue poner en la portada el nombre del poeta Haroldo de Campos como Haroldo *do* Campos. «¿Cómo es posible que haya usted hecho eso?», me reclamó Octavio. «¡Seremos el hazmerreír!» Yo le respondí cándidamente que el futbolista brasileño «Pelé» se llamaba Edson Arantes do Nascimento. Me colgó. Pero no hay mal que por bien no venga. Esa errata suscitó una fe de erratas bajo la forma de un poema en prosa de Octavio en desagravio de Haroldo, que publicamos en «La vida aleve», sección de divertimentos literarios. Lo tituló: «Un do (no de pecho)». Me salvó por esa vez. La cansada vista de Tomasito y mi inexperiencia tenían esas consecuencias. Hubo más episodios de esos. No muchos. Recuerdo que incurrimos en una errata en la palabra *errata* en una fe de erratas: pusimos «erata». Hubo momentos chuscos, como el cheque que un contador emitió a nombre de un misterioso colaborador portugués que por alguna razón no llegó a su destino: Luis de Camões.

¿Hay una historia de Vuelta*?*

No es fácil escribir la historia de una revista más allá de sus autores y textos. Zaid ha escrito sobre ese tema interesante. ¿Cómo tendría que ser su historia? ¿En qué consistiría? ¿Se escribiría desde el punto de vista del lector que –como dice Zaid– «se anima, desdoblado en el texto»? ¿Se escribiría aludiendo a los temas nuevos y las nuevas formas de tematizar? ¿Recrearía «la tertulia virtual que es la lectura», ese encuentro entre el autor y el lector en la revista? Mucho de eso logró la poeta Malva Flores, que en 2011 publicó *Viaje de Vuelta. Estampas de una revista*. Malva era muy joven, pero seguía muy de cerca la publicación. Yo la veía en las conferencias de Octavio en El Colegio Nacional: atenta, gentil, concentrada, emocionada. Pasados los años, Malva consultó el archivo de *Vuelta*, leyó todos los números de la revista, hizo varias entrevistas, revisó la prensa de la época, trabajó sin descanso y escribió nuestra historia. Es un libro magnífico, hecho con inteligencia, empatía y buen uso de nuestros archivos. Malva logra mucho más que una crónica, una buena narración histórica: la construcción de la empresa, los trabajos del consejo editorial, los episodios principales, el recuento finamente discriminado de los autores y textos, la recreación de las polémicas, la vocación disidente. Su libro atiende ambas vertientes de *Vuelta*: la empresarial y la editorial. Gracias a Malva, la memoria de nuestra travesía perdura.

¿Qué modelos siguió Paz para crear Vuelta*? ¿Se compara con* Plural*?*

Vuelta, igual que *Plural*, fue la revista de Octavio Paz. Su marca personal es indeleble. Por eso *Vuelta* atendía sobre todo a la poesía, el ensayo y la crítica, los géneros preferidos de Paz, sus propios géneros. En conversaciones se refería a otros modelos. Desde luego sus propias revistas, en particular a *Taller*. Pertenece por igual a la historia cultural mexicana y española. Se fundó en 1938 hacia el final de la Guerra Civil española y en ella publicaron los escritores exiliados junto con autores mexicanos. *Taller* era deudora de *Contemporáneos*, otra gran revista literaria moderna de fines de los veinte, pero *Taller*, que tuvo una vida breve, era más reflexiva y filosófica. Paz era el director y Juan Gil-Albert el secretario. En el consejo editorial destacaban Efraín Huerta y Ramón Gaya. *Taller* tenía la combinación ideal: pasión política y vanguardia literaria. *Taller* desapareció en 1941, pero Paz siempre quiso tener una revista. Lo intentó varias veces en los años cincuenta, en los sesenta. Esa persistencia explica la energía y la fe que puso en *Plural* y mucho más en *Vuelta*, que era su propia revista. Era su último tren: una revista independiente que fundaba a los 62 años de edad. Y hubo influencias internacionales, como *Hora de España* y *Sur*, la revista argentina dirigida por Victoria Ocampo y cuyo secretario de redacción fue José Bianco. Octavio se inspiraba también en la legendaria *Partisan Review*, que leyó en su juventud, y en *Dissent*, la revista que su amigo Irving Howe había fundado en 1954 en pleno macartismo. Una revista de izquierda democrática y antiestalinista, incomprendida por la juventud del 68. Howe, por cierto, tenía una definición curiosa de lo que es una revista cultural: «Cuando los intelectuales no pueden hacer otra cosa, fundan revistas». Buena definición que no aplica a *Vuelta*, porque Octavio Paz siempre quiso dirigir revistas culturales y en *Vuelta* teníamos muy claro que nuestro papel público era ese. Por mi parte, no imaginaba ningún destino mejor. Yo hubiera cambiado la definición: «Aunque pueda hacer otras cosas, la mejor opción del intelectual es fundar una revista».

Pocos escritores, creo yo, hicieron lo mismo, fundar una revista. O, si lo hacían, duraba poco. Aunque, claro, Ortega y Gasset hizo Revista de Occidente. *Y hay varios ejemplos en España.*

Paz no tenía necesidad de hacer una revista. Hubiera podido dedicarse a dar clases en Harvard y a escribir. Pero sentía la vieja responsabilidad de «hacer algo por México», por la cultura de México, elevarla, enriquecerla, hacerla crítica, debatiente, exigente. Por eso para Paz hacer una revista era la mejor opción. Y por su linaje. Al escribir su biografía me di cuenta de que Octavio Paz tenía la tinta en la sangre. Su abuelo Ireneo había sido editor de revistas satíricas y periódicos. Su malogrado padre, también. Desde su juventud, Octavio se había imaginado ganándose la vida como editor. Pero, claro, era imposible, porque las revistas efímeras tenían poco público y dependían del subsidio del gobierno o de un mecenas que podía retirar su apoyo en cualquier instante. Así pasó con *Taller*. En cada década en México se han publicado magníficas revistas, pero les faltaba el filo crítico o la dirección apasionada de un poeta ensayista como Paz. ¿Recuerdas la definición de Borges? «La única manera de hacer una revista es que unos jóvenes amen u odien algo con pasión. Lo otro es una antología.» No era una revista de jóvenes, pero te puedo asegurar que *Vuelta* era todo menos una antología. Los autores de *Plural* amaban apasionadamente la literatura, las artes plásticas y la crítica. Sus posturas políticas, sobre todo frente a Cuba, eran dispares. También nosotros en *Vuelta* amábamos esas variantes de la cultura, pero además amábamos apasionadamente la libertad política y odiábamos apasionadamente las dictaduras y los dogmatismos, incluido el dogmatismo y la dictadura cubana.

¿Ese «nosotros» literario al que te refieres es solo el consejo editorial de Vuelta*?*

Ese «*nosotros*» ya existía en *Plural*. Yo lo veo como una cadena de generaciones literarias mexicanas. En *Vuelta* alcanzó a publicar su último poema Carlos Pellicer, de la generación anterior a Paz. También publicaron algunos autores de su propia generación, como José Revueltas, José Luis Martínez, Juan José Arreola. *Vuelta* fue sobre todo el lugar de un pacto creativo entre Paz y la generación siguiente, llamada «generación de medio siglo», integrada por personas nacidas entre 1920 y 1935. Fue una generación particularmente pródiga en la novela y la poesía. A esa generación pertenecían todos los miembros del consejo editorial, así como muchos otros autores afines y cercanos a *Vuelta* y a Paz, como Carlos Fuentes. En las artes plásticas esta generación tuvo representantes notables. Eran amigos de Paz y de *Vuelta*. (Nosotros no pudimos darles un espacio central a las artes plásticas. Esa fue una diferencia marcada con *Plural*. No teníamos los recursos necesarios para publicar páginas a color.) Además de reunir generaciones, tanto o más que *Plural*, *Vuelta* era ecuménica.* Año con año se sumaban nuevas plumas, sobre todo del ámbito inglés y del francés. Colaboraciones directas que pedíamos o traducciones. Estábamos suscritos a diversas revistas internacionales. Ahora que el mundo está tan interconectado parece fácil, pero entonces todo el proceso de entablar relación con autores era arduo y prolongado. Había que recibir muchas revistas, identificar autores, rastrear sus datos, invitarlos, atraerlos, dar seguimiento, pagarles adecuada y puntualmente. En este proceso, la red de amigos fue crucial. Paz invitaba a autores de las disciplinas que le interesaban, que eran, bueno, casi todas: la antropología de la guerra, los hongos alucinógenos, los mitos y ritos prehispánicos, el sufismo, los avances en la física, la teoría del caos, la historiografía francesa, la poesía china y japonesa. Paz tenía una curiosidad universal, no he conocido a nadie así.

¿Era plural Vuelta?

Bastante plural, con la misma tendencia de darle un lugar primordial a la poesía, no obstante que el consejo editorial estaba integrado por una mayoría de novelistas. Ese hecho fue muy afortunado. *Vuelta* era la casa de la poesía, los poetas más importantes publicaron en *Vuelta*.** Son poetas con voz muy particular cada uno, que eran bienvenidos en la revista. Y los principales novelistas publicaron también. Carlos Fuentes y Jorge Ibargüengoitia, tan

---

* *Vuelta* congregó a centenares de autores, de varias generaciones, del orbe hispano y portugués. No solo escritores consagrados, amigos de Paz (Borges, Bioy Casares, Cortázar, Bianco, Vargas Llosa, Fuentes, Goytisolo, Benet, Gil de Biedma, Pere Gimferrer), estoy hablando de autores que pudieron haber sido sus discípulos, sus hijos y hasta sus nietos. Retuvo grandes autores que ya publicaban en *Plural*, como Italo Calvino, Susan Sontag, John Kenneth Galbraith, y atrajo nuevos como Hans Magnus Enzensberger y Milan Kundera.

** Ida Vitale, Eduardo Lizalde, Marco Antonio Montes de Oca, Jaime García Terrés, Ramón Xirau, Gerardo Deniz, Jorge Hernández Campos, Álvaro Mutis.

distintos entre sí, tuvieron una sección fija en la revista. Y además, como estaba de vuelta después de tantos años, Paz publicaba su propia obra.

¿Y tu generación, la del 68, publicó en Vuelta?

Muy poco. «Tu generación vivió demasiado enamorada de la política», me decía Alejandro Rossi. Tenía razón. La política estuvo quizá demasiado presente en nuestras vidas. Por eso, se dieron pocos (aunque excelentes) poetas, dramaturgos y novelistas, y muchos historiadores, ensayistas y periodistas, la mayoría de los cuales veía a *Vuelta* como el enemigo ideológico. En el campo de la izquierda, la Revolución mexicana y el socialismo (en todas sus variedades) seguían siendo paradigmáticos. Había diferencias profundas entre la actividad intelectual de mi generación y la de *Vuelta*. Mi generación dio varios historiadores, pero no publicaron en la revista. Hubo excepciones, como mis amigos y colegas Jean Meyer y Andrés Lira. José Emilio Pacheco publicó el primer año y nunca más. En los primeros años publicaron algunos escritores, como los poetas Esther Seligson y Marco Antonio Campos, el dramaturgo Juan Tovar, los ensayistas Julián Meza y Danubio Torres Fierro (último secretario de redacción de *Plural*) y el filósofo Hugo Margáin. Varios críticos literarios sudamericanos muy fieles a *Vuelta* pertenecían a mi generación. Pero no muchos más. El principal escritor de mi generación, Hugo Hiriart, comenzó a escribir en *Vuelta* hasta 1982. El poeta más destacado, David Huerta, publicó un solo poema en 1986. Elsa Cross más adelante. Por fortuna, la ronda de las generaciones siguió. Dos años después de la fundación, comenzaron a aparecer autores un poco más jóvenes de clara vocación literaria, como Guillermo Sheridan y Adolfo Castañón. Ambos llegarían a ser grandes autores de la revista. Y poco a poco algunos autores aún más jóvenes se acercaron. Ayudó mucho que por ese tiempo, por iniciativa de Zaid, *Vuelta* convocara a una asamblea de poetas jóvenes, de la cual salió un libro y una camada de colaboradores. Eran por lo general escritores desconectados del mundo académico, nacidos para la literatura, como el poeta Aurelio Asiain, que a mediados de los ochenta llegaría a ser secretario de redacción de la revista y lo sería, de manera brillante, hasta el número final. Otro caso significativo de ese tiempo fue Tulio H. Demicheli, un joven escritor nacido en México que de muy niño había emigrado a España con sus padres a fines de los cincuenta. Después de cursar medicina y participar en la oposición antifranquista, vino a México y trabajó hasta 1985 en *Vuelta*. Aún no había aparecido Alberto Ruy Sánchez, que fue secretario de redacción entre 1983 y 1986 e imprimió a la revista su genio editorial y su talento literario. En suma, *Vuelta* era la casa de la literatura en habla hispana y una casa de la literatura universal, eso lo reconocían quienes tenían vocación literaria.

¿Escribías en Vuelta *en esos primeros años?*

Extractos de la biografía que preparaba sobre don Daniel y reseñas de libros de historia mexicana que me interesaban. Creo que acerqué la historia a *Vuelta*. No solo la reflexión filosófica sobre la historia, que era el territorio de Octavio Paz y en el cual publicamos ensayos de O'Gorman, otro orteguiano eminente. Yo reseñé en *Vuelta* esos textos y atraje otros, propiamente históricos. Luis González y Jean Meyer publicaron ensayos. También publicó el historiador del liberalismo Charles Hale y desde luego Richard M. Morse. Dos grandes maestros y amigos míos. Era un historiador en un mundo de escritores. En *Plural* veía de lejos la tertulia, en *Vuelta* me incorporé a ella. Se abrieron muchas experiencias: escuchar a los escritores discutir, divagar, y luego leerlos, editarlos, publicarlos, promoverlos. Escribir cartas y recibirlas de autores que admiraba. Era un milagro trabajar con Octavio Paz. Duramos juntos veintitrés años, fuimos buenos amigos.

Trabajar con Octavio Paz

¿Cuál era tu vínculo cotidiano con Paz?

Enviaba con un chofer periódicamente cartas, notas e instrucciones precisas en papel membretado de tamaño media carta. Yo las conservo. Hablábamos por teléfono diariamente, como a las once de la mañana. A veces también en las tardes, después de las seis. Recuerdo su teléfono: 113820. Contestaba así: «Aaaaaaló», entre saludo e interrogación. Además de revisar los temas puntuales de la revista, hablábamos de ideas. A propósito de cualquier cosa se remontaba a alturas filosóficas, pero volvía a la tierra, y en alguna ocasión me criticó los datos en un artículo mío sobre futbol de los años veinte: «No fue así, yo lo viví». Hasta en el futbol su valor fundamental era la verdad. Se quejaba de que yo no era chismoso (pero chismeábamos a gusto). Era curiosa su forma de colgar el teléfono: «Bueno, lo dejo…». Al menos era más cortés que don Daniel, que colgaba con un estruendoso «¡Aaaaaadiós!». A la oficina solo iba en las juntas de consejo pero al menos dos veces al mes nos veíamos en su casa. Lo recuerdo vestido con una chamarra verde olivo de pana y una camisa de lino azul. Primero vivió en un departamento en la calle de Lerma cerca del Ángel de la Independencia y dos años más tarde se mudó a un condominio en el Paseo de la Reforma #369, a unas cuadras de ahí. Es un edificio emblemático, construido en 1955 por el arquitecto Mario Pani. En la planta baja había un amplio vestíbulo y un mural de mosaicos, no sé de quién. Octavio compró el departamento inmediatamente superior, por eso tenía una terraza muy amplia, de baldosas rojas, que correspondía al techo de la planta baja. Las habitaciones, el comedor y la sala (con cuadros de Tàpies y Matta) estaban en un cuerpo del edificio y cruzando la terraza estaba la biblioteca. En esa terraza Marie Jo, su esposa, construyó un invernadero, y ahí tenía el taller donde hacía sus *collages*. La biblioteca de Octavio era un gran rectángulo de paredes altas, de piso a techo cubiertas de libros. Atrás de la sala de sofás mullidos y grandes cojines color claro, estaba su pequeña oficina, donde Eusebio Rojas, un secretario diligente que lo acompañó desde que era embajador en la India, pasaba en limpio sus cartas y textos. En los estantes blancos de ese cuarto estaban las ediciones de sus libros en todos los idiomas y su archivo personal. Ah, olvidaba algo importante: los gatos. Había varios gatos. Como soy alérgico a ellos, sufría mucho. Pero el whiskey resolvía el problema.

¿Me permites ver las notas y cartas que te enviaba?
Guardo hasta las postales escritas a mano. Déjame leerte al vuelo una de las cartas del primer año.

¿Sin paleógrafo?
Tratemos al menos. Esta, de marzo de 1977...

Enrique:

Le envío varios textos, a saber:

a) El ensayo de A. W. Gouldner que nos propone Zaid. Es interesante aunque un poco largo. Habría que cortarlo un poco, como lo propone Gabriel. Hay que decidir, primero, en qué número podría salir y, segundo, quién podría traducirlo. Además, ¿a quién debemos pedir los derechos? Léalo y deme su opinión. Gracias.

b) El artículo que me dejó el Embajador polaco. No acaba de gustarme. Ojalá que usted y Zaid lo leyesen y me dieran su opinión. En todo caso, si lo publicamos, hay que hacerlo con una nota y acompañarlo del otro (punto c) que nos ha enviado Zaid.

c) Una estrategia de la oposición polaca, por Adam Michnik. Interesantísimo, hay que cortarlo un poco. Si lo publicamos, debemos pedir el permiso a *Esprit*.

d) *Le Nouvel Observateur* que me envió Julieta Campos. A mi juicio, hay que publicar en Letrillas, precedida por una breve nota, más o menos inspirada en lo que publica *Le Nouvel Observateur*, la entrevista de Bukovski (páginas 26-27). (Le envío, como «documento», las increíbles y estúpidas declaraciones de Corvalán en *L. N. O.* anterior.) Hay otro artículo (página 48) sobre el caso de Huber Matos. Podríamos publicarlo como una letrilla pero me parece que el caso de los prisioneros políticos de Cuba, y en primer lugar el de Matos, requiere un texto más serio y documentado. Debemos buscar para un número próximo, muy próximo, un buen texto sobre este asunto. En el mismo número hay un excelente artículo de Claude Roy (páginas 50-52) pero si lo publicamos puede parecer que insistimos demasiado en el tema. ¿Qué piensa usted? En cambio, para el número venidero, podemos utilizar parte del artículo de Jacques Julliard (la parte sobre la actitud de los comunistas franceses). Yo podría agregar algún breve comentario refiriéndome a la actitud (mejor dicho: a la ausencia de actitud de la izquierda mexicana y latinoamericana sobre este tema). He subrayado los puntos que podrían traducirse.

Como ves, era atento, cortés, detallado y sistemático. Estaba en todo: el diseño, la carta de un espontáneo impublicable, la obra de un «buen poeta menor». En *Vuelta*, Paz se volvió el editor que siempre había querido y soñado ser.

Se percibe su animación, su pasión casi juvenil. Y su interés por los temas.
Quería que el lector descubriera algo nuevo o que el lector viera con otros ojos algo que creía saber. Zaid está presente en muchas cartas. Tenían grandes afinidades, no solo eran políticas y morales sino estéticas y literarias. En 1977 Paz reseñó el libro *Cuestionario*, en el que Zaid reunió su poesía. Una larga reseña, profundamente respetuosa y entusiasta sobre «el otro Zaid, más esencial y secreto: el poeta». «Creo que es formidable la ayuda de Zaid», me escribió en una carta. No solo se refería a las colaboraciones (poemas, ensayos, notas, críticas) sino a su incidencia como consejero en la empresa. Un día Zaid mandó una nota que publicamos sobre *Folio: The Magazine for Magazine Management*, que explicaba quiénes leían

revistas en Estados Unidos y por qué: sexo, edad, escolaridad. Dónde las compraban, qué pensaban.

Respecto a Plural, *hay una continuidad en su interés por los disidentes del Este.*

Un interés creciente. El filósofo polaco Leszek Kołakowski, el más notable entre ellos y que por entonces estaba escribiendo su monumental historia del marxismo, publicó en uno de nuestros primeros números un texto de denuncia sobre la represión cada vez más brutal y desesperada del gobierno polaco contra obreros, intelectuales e incluso sacerdotes. Está a la mano. Junto a Kołakowski, lo firmaba Adam Michnik, a quien mencionó Octavio en su carta. Michnik era un joven autor nacido en 1946, desconocido en nuestra lengua. En los setenta, Michnik se volvería un líder intelectual de la democracia en Polonia y, a fines de los ochenta, fundaría el diario *Gazeta Wyborcza.* El tema de ese texto era la constitución de un Comité de Defensa de los Trabajadores (KOR), reprimidos por el Estado policiaco tras las manifestaciones de protesta de 1976. El comité polaco tenía una peculiaridad: la convergencia, ideológicamente impensable, de obreros, estudiantes, intelectuales exsocialistas, escritores y sacerdotes católicos, todos trabajando por el rescate de las libertades que sus homólogos disfrutaban en Europa occidental. En ese texto uno podía entrever ya el surgimiento del sindicato Solidaridad. Michnik sería el héroe de la resistencia intelectual polaca. Fue muy amigo nuestro. Junto a ese texto apareció un manifiesto en favor de la resistencia polaca firmado por figuras enormes como Czesław Miłosz, Ignazio Silone, Daniel Bell, Leszek Kołakowski, Mary McCarthy, Iris Murdoch y otros.

Fue muy notable ese despertar de la disidencia en Checoslovaquia, con el Grupo de los 77.

Una de las voces que tendría una influencia creciente era Milan Kundera. En una entrevista que publicamos afirmó que el totalitarismo había aplastado toda la cultura checa: la tradición católica y barroca, pero también el ateísmo europeo (libertino, agnóstico, escéptico), y se censuraban las «perversiones occidentales»: el surrealismo, el psicoanálisis, el estructuralismo y hasta a Kafka, que no era bien visto por ese régimen. En Checoslovaquia era tabú. Desde el aplastamiento del experimento de Dubček, «el socialismo con rostro humano», privaba en Checoslovaquia el silencio. Nadie podía alzar la voz, no se podía escribir sobre Kafka a medio siglo de su muerte. No bastaba con castigar a quien lo intentara: había que borrar su memoria. Por eso a Kundera le urgía defender el arte. Por eso se declaraba europeo. Él formaba parte de Occidente, de su espíritu de duda, él era hijo de Voltaire y Diderot. Se aferraba a ese origen frente al cretinismo del «arte comprometido».

¿Publicaron finalmente aquella entrevista con Vladímir Bukovski, el disidente ruso?

Claro. Corvalán era el secretario general del Partido Comunista chileno preso por Pinochet. Tras obtener la libertad a cambio de la liberación de Bukovski, declaró que su situación no era comparable a la del disidente ruso, porque «en la URSS no había presos políticos». ¡Eso dijo! Y Bukovski le contestó como se merecía: no importaba a nombre de qué ideología se manda a los hombres a los hornos. Discutir sobre la calificación que corresponde a esos regímenes le parecía como «hacer crítica gastronómica entre caníbales». Esa ceguera ante el crimen –crímenes bendecidos por una causa «buena»– era representativa de la actitud latinoamericana ante «el socialismo real». Quizá por eso fuimos inicialmente cautos con Cuba. La nota sobre Huber Matos no se publicó.

Paz te hablaba de revistas más que de libros.

Recibía muchas revistas, empezando por las conocidas: *The New York Review of Books*, *The New Republic* y sobre todo *La Quinzaine Littéraire* y *Le Nouvel Observateur*. El debate francés en torno al eurocomunismo estaba en boca de todos, y a Octavio le indignaba que en México y América Latina la izquierda guardara silencio. Él quería romper ese silencio y para ello las revistas –además de *Le Monde* y su correspondencia con amigos franceses como Claude Roy– eran su fuente de información. Por otro lado, llama

la atención su interés por las revistas marginales, sobre todo las anarquistas. Un día me mandó una revista «surrealista» (o «postsurrealista»), bastante disparatada y divertida, otra titulada *Interrogations*, y también *El Viejo Topo*, con este agregado: «los españoles siguen *incitando*». Había otras que apenas recuerdo. Le interesaban tanto que me escribió: «Quizá más adelante, podría hacerse una buena sección de comentario de revistas –una suerte de calendario–. A los lectores les encanta enterarse de lo que pasa afuera, sobre todo si se hace la sección con gracia». Constantemente pensaba en nuevas secciones.

A veces no se entiende la creatividad específica del editor.
En palabras de Zaid esa creatividad consiste en «animar la conversación, hacer estimulante la tertulia». Era necesario innovar constantemente, no permitir que decayera la vitalidad, la actualidad, el interés. Pero no se trata de chispazos u ocurrencias, sino de una organización creativa. Cada texto pedido corresponde a un motivo, cada texto da una continuidad a la conversación. Otro aspecto fundamental en la tarea del editor es conectar temas con

autores: ¿quién es bueno para escribir sobre qué? A quién pedirle qué, a quién no. Las cartas que conservo dejan ver el magnífico momento que vivía Paz como editor. Era una dicha acompañarlo en esa expansión creativa y aprender de él. Buena parte de los autores que Paz refería en sus cartas me eran desconocidos pero de inmediato me ponía a averiguar sobre ellos. Y si estaba Paz en México, como era lo más frecuente, sencillamente le preguntaba y él con generosidad y paciencia orientaba mis lecturas. Te confieso que por muchos meses al sonar el teléfono y oír su voz, sencillamente, no lo podía creer.

Velando armas

Por lo que parece, el año que has recordado en detalle terminó sin mucha actividad política.

Sí la hubo. En 1977 ocurrió una famosa huelga en la UNAM y Octavio se sintió llamado a escribir un largo ensayo para la sección «Letras, letrillas, letrones»: «La Universidad, los partidos, los intelectuales». Creo que ese ensayo dio inicio a la hostilidad activa contra él. Se publicó en septiembre. Tenía tres partes, todas explosivas. La primera era una crítica al Partido Comunista. A lo largo de los años setenta el Partido Comunista –proscrito hasta 1978– había estado crecientemente activo en las universidades, apoyando a los nuevos sindicatos que se formaron. Se veían como la vanguardia revolucionaria, primero en la propia Universidad, pero luego más allá, en el camino hacia el poder. Tomar el poder sindical en la UNAM pareció a muchos académicos, intelectuales, profesores, alumnos, empleados, la antesala de la revolución. La Universidad sería el primer territorio socialista y de ahí saldría a las calles, las plazas y los pueblos a liberar al país. El viejo proyecto de Lombardo Toledano, pero amplificado, con el nuevo elemento del sindicalismo universitario. La intervención de la fuerza pública solicitada por el rector –que Paz no aprobó– había concluido la huelga pero no el conflicto. Paz advertía –como Gómez

Morin en 1933– que la militancia política debía hacerse en la plaza pública, no en la Universidad.

¿Qué decía de los partidos en México? Estaba el PAN, casi un fantasma, pero el PRI dominaba todo.

Sostenía tajantemente que México era un país sin partidos, una manera de decir que era el país de un solo partido. Octavio no era priista ni simpatizaba con el PRI pero favorecía su transformación interna y no veía alternativas fuera de él: despreciaba al PAN, al que consideraba una reliquia del conservadurismo del siglo XIX, y le irritaban particularmente los partidos de izquierda que habían cubierto la realidad del país con una capa de fórmulas y lugares comunes. En el pasado hubo un oscurantismo clerical; ahora había un oscurantismo progresista. «El marxismo –escribió– ha dejado de ser crítico.»

Acudía con frecuencia al paralelo entre la iglesia y el partido, entre la religión y la ideología.

Quizá porque estaba escribiendo ya su libro sobre sor Juana o por su familiaridad con esa herencia profunda de México. Por eso, en la tercera parte de ese ensayo, la medular, arremete contra los intelectuales. Acudiendo al símil clerical, en este caso musulmán, los llama «ulemas y alfaquíes». Personajes que extendían anatemas y excomuniones, como calificadores del Santo Oficio. A Paz le molestaban «los furores ideológicos» de esos nuevos clérigos, pero a la hora de representar su modo mental lo relacionaba más con idealismo platónico que con la religión: todo lo que sucedía aquí abajo en la tierra es relativo y no posee más valor y significación que su referencia a *la otra* realidad: la dialéctica, la lucha de clases, etcétera. Pero ese platonismo no era inocente, porque desembocaba en la duplicidad moral. Debemos leer lo que decía, yo casi lo aprendí de memoria:

Entre nosotros todo el mundo encuentra natural que se denuncien los horrores de Pinochet y se callen los del mariscal Kim Il-sung. A todos nos indigna y entristece lo que pasa en Argentina, Brasil, Uruguay y Nicaragua pero es de mal tono musitar que tampoco es alentador lo que sucede en Checoslovaquia, Bulgaria, Cuba, Albania. Se descarta el testimonio de Solzhenitsyn con el pretexto de que es un reaccionario, como si la veracidad de un testigo dependiese del color de su filosofía; estamos tan ocupados en defender a las víctimas del *apartheid* en África del Sur que no hemos podido enterarnos siquiera de las matanzas de Camboya.

«Ver la paja en el ojo ajeno y no la viga en el propio.» Pero esa duplicidad a la que se refiere es un rasgo muy antiguo en el pensamiento marxista del siglo XX. Era la de Trotski, en su famoso libro Su moral y la nuestra.

Octavio conocía bien esta duplicidad y a ese autor que había admirado en su juventud. Trotski relativizaba la moral: un acto era bueno si ayudaba a la revolución e inmoral si la combatía.

Creo que Paz no negaba los crímenes del imperialismo y el militarismo, pero exigía el reconocimiento genuino de los crímenes del totalitarismo soviético y sus versiones recientes.

Esa era toda su exigencia desde *Plural*. En América no había habido nada comparable a la autocrítica de la literatura francesa. Y en ese ensayo hacía la lista de autores que se habían atrevido a hacerla: Breton, Gide, el propio Trotski, Serge, Camus, Merleau-Ponty, Monod y más recientemente Sollers, Kristeva, Sartre y Althusser. Ese era el vastísimo movimiento de autocrítica de la izquierda francesa, o de un sector significativo de ella, que tenía lugar en 1977, y así se comprende la urgencia de Paz por debatir esos temas en nuestros países, en México en particular. El artículo retaba a los intelectuales y académicos de izquierda: ¿qué piensan del pluralismo político, la democracia en una sociedad socialista, la libertad de tránsito y domicilio, los derechos de las minorías (religiosas, sexuales, étnicas, lingüísticas), el feminismo, la dictadura del proletariado? No formulaba esa pregunta como un adversario. Octavio se consideraba socialista. La crítica de la izquierda era resultado de su propia autocrítica. Le desesperaba que en Europa la izquierda estuviera haciendo un examen de conciencia y en México la izquierda siguiera sorda y ciega a la realidad. No obstante, ese año inicial de 1977 no hubo réplicas de consideración. Fue como una tregua anterior a la guerra contra Paz. En noviembre celebramos nuestro primer aniversario con un número puramente literario que incluyó cuentos, poemas, ensayos, reseñas y notas de los autores más cercanos. Ramón Xirau explicó el fenómeno de los «nuevos filósofos» franceses (Bernard-Henri Lévy y André Glucksmann, sobre todo) que causaban revuelo en París por su crítica al marxismo. La pintora Joy Laville ilustró el número.

Joy Laville... Tu estudio, tu oficina, tu casa, tu biblioteca parecen un museo de Joy Laville.

Aquí te muestro aquel número 12 de *Vuelta*. Acá ves las ilustraciones de Joy: sus impúdicas damas matissianas, desnudas y recostadas en divanes, sus paisajes de palmeras y dunas, sus escenas de gatos y garzas, y una presencia persistente: aviones cruzando el cielo, aviones que ahora –cuando los vuelvo a ver contigo– me entristecen porque parecen prefigurar aquel avión en el que seis años después moriría su esposo Jorge Ibargüengoitia. Joy Laville se volvería mi gran amiga, mi mejor amiga.

Parricidios

¿Cuándo comenzó la guerra contra Paz?

A principio de 1978. No la guerra del fin del mundo pero sí una guerra sin fin. La primera batalla fue una sonada polémica con Carlos Monsiváis, director del suplemento cultural de *Siempre!* No se desplegó ahí ni en *Vuelta* sino en el semanario *Proceso*. Es difícil recobrar la tensión de una polémica. Es como revivir una pelea de box. Es mejor verla de nuevo por YouTube, aunque sea por instantes. No bastan obviamente los recuerdos, pero servirán mis recortes y apuntes.

¿Qué motivó a Monsiváis?

Nunca dejamos de ser amigos, pero no hablamos de ese episodio. Visto a la distancia, fue un acto de afirmación generacional con el que Monsiváis apostó por lograr un liderazgo, y en buena medida lo logró. Era el caudillo cultural de mi generación, aunque ya no el mío. Monsiváis abrió fuego acusando a Paz de investirse casi en un dios dispuesto a dictaminar, despojar, descalificar, distorsionar, generalizar, etcétera (son los verbos que Carlos empleó). Y enseguida criticó cada una de las teorías que Paz había abordado recientemente en una entrevista que concedió a Julio Scherer en la revista *Proceso*: la ausencia de partidos políticos, la falta de proyecto nacional en la codiciosa derecha, la falta de un proyecto nacional en la izquierda ideologizada, la persistencia en general benigna del tradicionalismo religioso en el pueblo, el inadmisible contraste entre el México moderno y el atrasado, y la responsabilidad del intelectual como conciencia crítica. Temas importantes. Algunas de sus ideas repetían las de aquel ensayo de *Vuelta*.

¿Cómo reaccionó Paz al enterarse?

Lo vimos algunos amigos esos días. Estaba decepcionado por el tono de Monsiváis y por su postura de superioridad moral. Por eso, antes de hablar de la sustancia, apuntó un problema de lenguaje y género y escribió una frase que caló: «Monsiváis no es un hombre de ideas sino de ocurrencias». La acumulación de detalles no era un defecto cuando se escribía una crónica pero sí cuando se hacía crítica intelectual y política. Y espetó otra frase tremenda sobre el «enredijo» de Carlos, en cuyos textos aparecían «las tres funestas fu: confuso, profuso y difuso». Paz quería discutir hechos e ideas, Monsiváis esgrimía opiniones y juicios. Esa es la idea que me formé entonces y confirmé tiempo después, al estudiarla. Pero ahora y siempre lo importante es *comprender*, en este caso comprender a los polemistas, antes que juzgarlos.

Dices que tenían visiones distintas sobre la ausencia de partidos políticos.

Monsiváis responsabilizaba al sistema, al PRI que, en efecto, había impedido hasta entonces la representación parlamentaria de la izquierda y mantenía aún sin registro al Partido Comunista. Desde su perspectiva, tenía razón. A mí también me parecía claro que el sistema era opresivo e impedía la pluralidad política. Paz, por su parte, no negaba la presencia excesiva del PRI, pero se preguntaba por qué en México no habían surgido partidos de izquierda modernos, autocríticos de su pasado estalinista y de la realidad en los países del socialismo real. Sus preguntas eran legítimas. Así que también Paz, desde su perspectiva, tenía razón. Existía ya la reforma política que abrió la competencia electoral sobre todo a los partidos de la izquierda y, por eso, a la distancia me extraña que en esa polémica no se hablara en extenso de esa reforma. Quizá se debe a que no se había consumado aún el registro del Partido Comunista Mexicano. Lo obtuvo en 1978 y pudo contender por primera vez en las elecciones parlamentarias del año siguiente. Existían otros partidos de izquierda que obtendrían después su registro. Por ejemplo, el Partido Mexicano de los Trabajadores, el PMT, fundado por Heberto Castillo. Representaba una izquierda menos ideológica, más mexicana y, sobre todo, más sensible al legado central del liberalismo mexicano. Creo que Octavio debió haber sido mucho más sensible y receptivo con el partido y la figura de Heberto, héroe del 68 que desde 1971 luchaba por la vía democrática desde la izquierda. Lo que Paz reclamaba era el surgimiento de una socialdemocracia en México, como la que cobraba fuerza en Europa. Aquí había grupos comunistas, maoístas, trotskistas, castristas y guevaristas y hasta admiradores del dictador albano Enver Hoxha o del amado líder norcoreano Kim Il-sung, pero no un grupo socialdemócrata. El PMT era cardenista, pero no propiamente socialdemócrata. Con el tiempo, hasta la pequeña corriente «eurocomunista» del PCM se esfumó confirmando los temores de Paz.

¿Qué entendían Paz y Monsiváis por «la derecha»?

Cosas muy parecidas y vagas. Octavio decía que la derecha mexicana no había tenido proyecto desde que fue derrotada en 1867. Y que sus representantes actuales eran los grandes empresarios, ambiciosos de poder y serviles al imperialismo. Monsiváis despreciaba visceralmente a los católicos del PAN y detestaba a los empresarios por esas mismas razones, pero los consideraba más peligrosos porque, según él, su proyecto para México era el fascismo militarista, represor, dogmático. Su voluntad era «sobrevivir históricamente haciendo que las mayorías apenas sobrevivan físicamente». Ambos estaban equivocados. Lo que más me llama la atención es su idéntico desdén por el PAN. Ambos lo despreciaban, pero el PAN sí tenía un proyecto avanzado de democracia electoral que ninguno mencionó siquiera. Así que ambos, Carlos y Octavio, se dejaban llevar por sus prejuicios. Por otro lado, ni Paz ni Monsiváis entendían en absoluto el mundo de la empresa, no solo de la gran empresa sino de la mediana y pequeña. Zaid había probado en *El progreso improductivo* que México era un país de millones de microempresarios cuyos ingresos eran notablemente menores y más precarios que los de los asalariados. Pero ni Paz ni Monsiváis tomaron nota o entendieron el significado de ese hecho inmenso. Monsiváis, desde luego, no entendía ni la O por lo redondo del complejo análisis de Zaid y sus propuestas sociales. Octavio los valoraba pero no tenía paciencia con los detalles operativos, las estadísticas o los números. Reclamaba para México un modelo original y lo tenía en la propia revista, sin reconocerlo del todo. Dicho lo cual, tenía razón en señalar que muchos de los grandes empresarios eran miopes, solo veían por sus intereses de corto plazo, y se desentendían del rumbo político del país. Por eso apoyaron al PRI, y nunca al PAN. Muchos de ellos eran concesionarios del Estado o vivían felices gracias a un proteccionismo económico insostenible.

En aquel momento, ¿Paz consideró la democracia liberal como una opción?
Octavio dudaba de que la democracia liberal fuera una salida para México. Predicaba «volver al origen», al autogobierno indígena, al municipio novohispano, a las formas políticas tradicionales. Ahí veía la raíz de una posible democracia mexicana. Es el mismo autor de *El laberinto de la soledad*, que consideraba una impostura el liberalismo del siglo XIX. Pero, por otra parte, al recordar los aspectos menos agradables de la herencia novohispana (el patrimonialismo, la conducta cortesana, la corrupción), entendía que esa «vuelta al origen» era problemática. México debía encontrar «su propia modernidad». Inventarla a partir de las formas de cultura creadas por nuestro pueblo. Esas eran sus palabras. ¿Cuál era esa modernidad? Lo único que le quedaba claro es que las ideologías simplistas

de izquierda, reflejadas en Monsiváis, no aportaban elementos para esa invención.

¿Qué diría la prueba de la historia sobre las opiniones de Paz y Monsiváis sobre la derecha mexicana?
Yo creo que es adversa a ambos. El PAN resultó un jugador político decisivo desde los años ochenta. Los grandes empresarios concesionados del Estado, miopes, eran ampliamente criticables, pero no todos estaban en esa categoría, ni mucho menos. Y no eran militaristas ni fascistas. Paz y Monsiváis amalgamaban a los empresarios con fuerzas oscuras, nunca bien determinadas. Operaba en ambos un viejo prejuicio marxista y hasta católico contra el mercado. En el fondo, era una querella entre intelectuales de izquierda.

Lo cual vuelve aún más interesante la polémica. ¿En qué términos se planteó la discusión sobre la izquierda? No me refiero a los partidos, sino a la izquierda en general.
Tienes razón. La polémica fue de verdad sustancial y significativa de dos mentalidades, y un presagio de muchas querellas posteriores. Ahora podemos hacer una disección pero entonces fue un escándalo. Déjame mostrarte los subrayados que hice en ese entonces. Paz adujo que la izquierda «sufría una suerte de parálisis intelectual. Es una izquierda murmuradora y retobona, que piensa poco y discute mucho. Una izquierda sin imaginación». Monsiváis se ofendió. Sintió que Paz ninguneaba a la izquierda mexicana y reivindicó su vitalidad combativa en muchos ámbitos: la vida académica, la lucha social, la organización sindical, los partidos. ¿Cómo podía olvidar Paz a los torturados y desaparecidos del régimen? Era una réplica fuerte, pero Paz no estaba hablando de las luchas políticas y sociales de la izquierda, con las que simpatizaba (su amigo el gran revolucionario José Revueltas fue el mejor testigo de esa solidaridad). Monsiváis hacía una trampa al acusarlo de eso. Paz estaba hablando de ideas y de posturas morales. El argumento central de Paz era que esa izquierda mexicana no había visto de frente la experiencia del socialismo soviético en el siglo XX. Nada menos que eso. Monsiváis no tuvo más remedio que aceptar que, en efecto, «el

estalinismo asesinó y reprimió bárbaramente a nombre del proletariado; en efecto, las burocracias usurpan el papel de la sociedad en su conjunto y rechazan tajantemente cualquier disidencia; en efecto, el socialismo verdadero es inseparable de las libertades individuales, del pluralismo democrático y del respeto a las minorías y a los disidentes». Pero a continuación incluía una salvedad que, según él, restaba autoridad moral a los argumentos de Paz. El no reconocer, junto a las aberraciones, «el esfuerzo épico para construir la República Popular China», «la suma de significados que en América Latina acumuló y acumula la Revolución cubana». La crítica a las deformaciones del socialismo –decía Carlos– «debía acompañarse de una defensa beligerante de las conquistas irrenunciables».

Los logros que Monsiváis señalaba fueron desmentidos por el tiempo.

Antes fueron desmentidos en las páginas de *Vuelta*, que Monsiváis consideraba mera ideología. Por eso Paz le contestó con una lista irrefutable: la realidad del gulag en Rusia, los crímenes de Mao, las matanzas de Camboya y, frente a ello, la presencia de los disidentes en todo el Este comunista, el revisionismo eurocomunista de Berlinguer en Italia y de Santiago Carrillo en España. ¿Cuándo veríamos en México un reconocimiento de esos crímenes y, sobre todo, cuándo sacaría la izquierda las conclusiones morales sobre los regímenes que cometieron esos crímenes? Paz no pedía un *mea culpa* sino un examen objetivo para aprender de esa experiencia. Y agregaba una frase que se me quedó grabada porque resume el drama de un sector de la izquierda hasta hoy: «Si la izquierda mexicana quiere salir de su letargo intelectual debe comenzar por hacerse un riguroso examen de conciencia filosófica y política». Escribió Paz, te leo: «¿Se ha preguntado Monsiváis si esos "grandes logros" se inscriben en la historia de la liberación de los hombres o en la de la opresión? Desde los procesos de Moscú –y aun antes– un número cada vez mayor de conciencias se pregunta cómo y por qué una empresa generosa y heroica, que se proponía cambiar a la sociedad humana y liberar a los hombres, ha parado en lo que ha parado». Paz tenía razón. ¿Quién niega ahora las verdades que señalaba? Solo los devotos de Norcorea, los incondicionales de Cuba.

¿Cambió Monsiváis?

A partir de los años ochenta Carlos cambió su opinión. Lentamente fue adoptando las posiciones de Paz hasta coincidir con él. Y, dato fundamental, se volvió un crítico consistente de la Revolución cubana. Crítico público y privado. Ese cambio lo dice todo respecto a la polémica. Y a la prueba de la historia.

¿Hubo otras polémicas con Paz?

Varias, pero ninguna de esa importancia. Lo cierto es que Paz era objeto de un parricidio colectivo. Estaba empeñado en abrir el debate sobre el socialismo real, pero a mi generación sus ideas le parecían execrables. En el mejor de los casos, les parecía un «conservador en el Olimpo». Así lo consideró Aguilar Camín. Le reclamaba sus «obsesiones antisoviéticas y antimarxistas», una supuesta tibieza frente a las dictaduras sudamericanas y el imperialismo norteamericano, su carácter de «intelectual orgánico» de la derecha empresarial «técnica», «moderna», su condescendencia ante «la ideología de la derecha y sus aparatos de divulgación masiva, frente a la explotación neocolonial y la miseria». Acusaba a Paz de haber abandonado «la Revolución mexicana en la misma medida en que la Revolución había abandonado sus raíces populares para entregarse a las fuerzas del capitalismo». Por eso podía decir que Paz —como el Estado de la Revolución mexicana— era «inferior a su pasado» y estaba, políticamente, «a la derecha de Octavio Paz». Eran cargos injustos. Paz nunca fue tibio en su crítica hacia las dictaduras ni hacia Estados Unidos. Su rechazo a la URSS, a China, a Cuba estaba plenamente justificado y no implicaba sumisión alguna o condescendencia con Estados Unidos, ni olvido de sus atropellos. No había un solo texto de Paz que justificara la acusación de ser un «intelectual orgánico» de la derecha. En el fondo, era una crítica ideológica convencional: yo soy de izquierda, soy bueno y desinteresado, yo me preocupo por el pueblo; tú eres de derecha, eres malo, te mueven intereses, le das la espalda al pueblo. En el transcurso de los ochenta, Héctor comenzó a publicar textos que convergían con los de Paz. Y finalmente abandonó ese género de crítica ideológica.

¿Qué efecto tuvieron en Paz esos textos que me has narrado?

Entendió que necesitaba apelar a más lectores, a un lector por fuera de las universidades. Publicó una breve serie de artículos en el periódico de más venta entonces, *El Universal*. Su tema era la libertad y la democracia, que Paz revaloraba decisivamente sobre sus antiguas pasiones históricas: la revuelta, la rebelión y la revolución. Escribió un pasaje que repito siempre: «Sin libertad, la democracia es tiranía mayoritaria; sin democracia, la libertad desencadena la guerra universal de los individuos y los grupos. Su unión produce la tolerancia: la vida civilizada». Tras esos hechos, que estallaron en el verano de 1978, dio comienzo la verdadera guerra intelectual contra Paz y contra *Vuelta* que duraría hasta el fin de su vida en 1998. Fue honroso y emocionante acompañarlo. Me decía: «La mejor respuesta es: obra, obra, obra». Se me quedó grabado. Las pasiones políticas, a menudo las más ruines, amenazaban con quitarle la serenidad esencial, pero nunca dejó de escribir. Y cuando se refería a la obra, estaba pensando en su gran libro *Sor Juana Inés de la Cruz o las trampas de la fe*, que aparecería en 1982. Ella también fue una disidente, también a ella la habían acosado. Pero aquella inmensa poeta del siglo XVII había terminado por ceder ante la presión de su confesor, había regalado su biblioteca, había renunciado al sueño de la razón. Y poco tiempo después moriría por la peste de 1695. Octavio Paz no cedería a la presión de la nueva clerecía, no renunciaría a la razón y la libertad. Eso no le ocurriría a Octavio Paz. Su obra reivindicaba la libertad de sor Juana y la suya propia. Su obra reivindicaba la libertad.

¿Qué piensas ahora, a la distancia, de esas polémicas?

El tiempo cura muchas cosas y las pone en perspectiva. Ahora que el debate público en México y en el mundo se ha degradado espantosamente, recuerdo esa polémica y otras que siguieron con nostalgia porque había en ellas un fondo al menos de respeto y no descendieron, salvo excepciones, al ataque personal. La mayoría de los críticos, mucho antes de que les llegara el momento de envejecer, reconsideró abierta o tácitamente sus posturas sobre Paz. Hasta Roberto Bolaño, que lo odiaba, declaró que Paz era un ensayista inmenso y escribió que Chateaubriand había sido el «Octavio Paz del siglo XIX». Y sin embargo, con pesar te digo que el sedimento de intolerancia persistió y persiste hasta ahora.

Los nuevos filósofos franceses

¿No tuvo ningún efecto en México la aparición del eurocomunismo?
Alguno tuvo. Nació un «mexicomunismo» ligado al eurocomunismo del Partido Comunista Francés –el más ortodoxo de Europa– y *Vuelta* le dio la bienvenida. Celebrábamos que ese órgano histórico de la izquierda entendiese que México necesitaba una liberalización política que fomentara la democratización y el pluralismo, pero nos preocupaba la paradoja de que estas nuevas posturas del PCM no permearan en los círculos intelectuales afines a ellos. Este era, en realidad, el punto que preocupaba más a Octavio. Por eso Paz pasó a la ofensiva y discurrió una idea que resultó explosiva. Invitó a México a aquellos «nuevos filósofos» franceses que se atrevían a desenmascarar (es la palabra) la ceguera ideológica de Sartre y a criticar duramente el marxismo en todas sus variedades. No conforme con eso, los llevó a la televisión. Fue muy mal recibido. ¿Cómo se atrevía? Se ahondó aún más la brecha. Lo que movía a Paz era transmitir, compartir, discutir su crítica (su autocrítica) de la Revolución, esa palabra mágica que había sido su obsesión de tantas décadas, el advenimiento que cambiaría para siempre la vida de los pueblos. ¿Por qué la Revolución había desembocado en burocracias opresivas, clerecías dogmáticas y, lo peor, regímenes genocidas? El tema se aireaba ya abiertamente en la España de la transición. Y en Francia lo abordaban intelectuales de mi generación que habían participado en el movimiento estudiantil de mayo en París. Habían sido marxistas y hasta maoístas, pero habían cambiado. ¿Por qué? Paz quiso darles voz en México para suscitar un debate.

Paz trajo entonces el revisionismo histórico a México.
Con serias consecuencias. Ocurrió en ese mismo principio tormentoso de 1978. Octavio logró interesar a Televisa para organizar

debates por la televisión abierta en los que participarían, junto a los franceses, filósofos mexicanos, sobre todo de izquierda, y apeló a su amistad con Adolfo Gilly, el historiador a quien en 1972 había enviado una famosa carta de solidaridad y reflexión política cuando Gilly estaba en prisión por su participación en el 68. Aceptó a regañadientes por su desprecio a los «nuevos filósofos» y a Televisa, que era vocera del imperialismo. Yo compartía la crítica a Televisa porque en política interior era la voz del gobierno. Pero era un avance que la televisión se abriera al debate. El debate se llevó a cabo, pero Gilly lo abandonó intempestivamente. Nunca supe por qué. Más allá de la anécdota, el episodio te ilustra la intolerancia de la izquierda, incluso entre sus mejores exponentes. Porque no hay duda de que Gilly ha sido y es uno de ellos. Finalmente, hubo un repudio general a los intelectuales franceses. Fue desolador. Publicamos un reportaje en el que dimos cuenta de la oportunidad de debate perdida. Lamentamos que un sector de la derecha usara a los nuevos filósofos como emblema del anticomunismo más cerril, pero de igual modo deploramos que en algunas publicaciones de izquierda se les caricaturizara con la cruz gamada. Era un diálogo imposible. Pero Octavio tenía razón. Frente a la generación mexicana del 68 puso a los intelectuales franceses del 68 que habían pasado por el proceso de abjuración y retractación que era parte de la historia moral e intelectual de la literatura en Francia, y que en esa década terminaría por incluir autores que parecían inamovibles, como Sartre y Althusser.

No hace mucho leí un artículo de Guy Sorman. Decía que a su generación le había quedado grabada una imagen de junio de 1979: Jean-Paul Sartre, agotado, junto a Raymond Aron, su hermano enemigo, subiendo juntos los escalones del palacio presidencial del Elíseo, escoltados por un joven alto de pelo largo, André Glucksmann. En la escalinata los esperaba el presidente Giscard d'Estaing que, cediendo a sus peticiones, aceptaría en Francia a más de 100 000 refugiados de Vietnam, que huían del régimen comunista en pateras.

Muy conmovedora imagen. Y muy significativa. Era la derrota postrera de Sartre, derrota digna, porque aceptaba finalmente la insensatez de su apoyo histórico al comunismo. Era la victoria de Raymond Aron, victoria digna, porque no la asumió con soberbia sino con su habitual flema o su escepticismo montaigniano. Y era la consagración de Glucksmann, que con valentía, buena fe e imaginación armó el acto histórico en el que Francia daba vuelta a la página de su larga infatuación con el régimen soviético y sus avatares.

No toda Francia. Seguían vigentes muchas corrientes del marxismo ligadas a Freud, al estructuralismo y otras variantes. Pero el mea culpa *de Sartre fue histórico. ¿Nunca hubo en México un acto de reconciliación semejante?*

No había ningún intelectual de izquierda a la altura de Paz. La reconciliación, en esos términos, habría tenido que ocurrir entre Paz y varios autores. Por desgracia nunca ocurrió. Pero nosotros seguimos registrando los hechos de aquel orbe. Por eso no se nos escapó el drama de los *boat people* en Vietnam que unió a Aron y Sartre. Yo publiqué una pequeña nota que recordaba una expulsión semejante de chinos ocurrida vergonzosamente en el estado de Sonora en México, hacia 1931. Se llamó, aunque no lo creas, la «solución final». Y Zaid escribió un texto irónico sobre una entusiasta crónica de Gabriel García Márquez de su viaje a Vietnam. En esa visita el novelista se había dado el tiempo para ver a todos los dirigentes y dignatarios, además de acudir a recepciones y conciertos, pero no tuvo interés ni ojos para ver a las familias lanzadas a los piratas y los elementos por las autoridades. Zaid tituló su texto: «Relato donde no se escucha a un náufrago».

El episodio debió ser aún más difícil para Paz, por su cercanía con la cultura y los medios intelectuales franceses.

Pero no se dio por vencido. En *Vuelta* publicó Jean Daniel –director de *Le Nouvel Observateur*– su valoración sobre la actualidad de Albert Camus. Cuando murió Sartre en 1980, Octavio publicó un artículo respetuoso pero muy crítico, que de forma tácita era una autocrítica, porque él, en el fondo, había sido más sartriano que camusiano. Al menos eso creo. En 1981, Paz dio la bienvenida al gobierno socialista de François Mitterrand, de quien se volvería amigo y que años después lo reconocería con el Premio Tocqueville. Paz fue ampliamente vindicado en Francia, que veía en él lo que era: una gloria de las letras universales. México tardaría en reconocerlo como tal. De hecho solo ahora comienza a reconocerlo.

La transición española

¿Qué efecto tuvo la transición española? El Pacto de la Moncloa probaba que aun los partidos más distantes y enconados podían dejar atrás sus diferencias y construir un nuevo orden democrático. La renuncia del PSOE *a sus posturas ideológicas extremas fue otra noticia alentadora. La actitud del Partido Comunista y de su líder, Santiago Carrillo, no fue muy distinta a la que en esos años estaban adoptando los partidos homólogos en Italia y Francia. ¿Cómo viviste tú esa transición? ¿Cómo la recibieron en* Vuelta*?*

Cuando se restablecieron relaciones entre México y España (rotas por casi cuatro décadas), la celebración en El Colegio de México fue una reivindicación largamente esperada. Estuve ahí. Fue emocionante escuchar el homenaje de los escritores y académicos españoles al Fondo de Cultura Económica, cuyos libros habían formado a varias generaciones durante el franquismo. Para nosotros en *Vuelta*, la significación de la transición española fue profunda porque desmentía en los hechos la hipótesis de que los pueblos del tronco iberoamericano estábamos de alguna manera condenados a la dictadura o la revolución, impedidos a vivir en democracia. Era indudable, soplaban vientos de apertura en Europa. Nosotros nos preguntábamos cuándo llegarían a nuestro país. Al principio, nos limitamos a informar sobre esos cambios, celebrarlos, y dar espacio a las voces nuevas como un joven ensayista y filósofo español llamado Fernando Savater que escribió un gran ensayo sobre Ernst Bloch y la utopía. Hubiéramos querido debatir con esos defensores racionales y civilizados de esa utopía, pero ¿quiénes eran? Del perfil de Savater, ninguno. Y te daré un dato curioso. Uno de los críticos más importantes del país, gran amigo mío desde fines de los ochenta hasta ahora, comenzó a leer *Vuelta* muy jovencito atraído por ese ensayo de Savater. Es Fernando García Ramírez. Lo sorprendió encontrar en *Vuelta* un texto sobre ese gran teórico (teólogo) judeoalemán de la izquierda ligada a la Escuela de Frankfurt. Y es que en *Vuelta* estábamos genuinamente abiertos al diálogo.

Había voces de izquierda similares a la de Paz, como Juan Goytisolo y Jorge Semprún. Goytisolo había vivido por años en un exilio voluntario en Francia, pero regresaba a España a construir una sociedad plural en la que tenían cabida liberales, democristianos, socialdemócratas y marxistas. Sé que fueron amigos de Paz.

Paz se empeñó en atraerlos a *Vuelta*. Era parte de su infructuosa pedagogía con la izquierda mexicana. Si en el caso francés Paz intentó el debate directo con los «nuevos filósofos», en el español probó la publicación frecuente de esos dos autores. Juan no era un liberal propiamente, ni siquiera, pienso yo, un demócrata. Era un disidente que defendía la libertad como un bien en sí mismo y buscaba un lugar marginal pero significativo: informar sobre las diversas formas de la opresión por cuestiones de clase, raza, sexo, nacionalidad, religión, edad, credo político, lengua, cultura. Juan reclamaba a la izquierda su falta de respeto a la verdad histórica sobre la URSS, su doble moral para juzgar los crímenes de los países según su bandera ideológica, y la propensión inquisitorial que la asemejaba a una nueva clerecía. Recuerdo que citaba un párrafo inverosímil de Cortázar en que hablaba de los problemas de la URSS como incidentes en la historia. Un momento apenas, una fase superable. ¿Te das cuenta? Esa fase, ese momento, ese incidente, había costado millones de muertos en el gulag.

Seguramente había algún ejemplo en América Latina de autocrítica.

Dos casos notables en Venezuela, que se había embarcado, desde 1959, en un proceso democrático inédito en su historia. El primero era Carlos Rangel. Tenía inmenso mérito porque escribió –antes que Paz o ningún otro disidente– el libro pionero *Del buen salvaje al buen revolucionario*. Era amigo de *Vuelta*. Otro caso fue Teodoro Petkoff. Goytisolo defendió en *Vuelta* la trayectoria y las ideas de este exguerrillero legendario. Había participado en la invasión a su país desde Cuba, pero se había decepcionado del proyecto castrista a partir de otra invasión, la de los tanques soviéticos a Praga. Tras esa experiencia, Petkoff no solo había fundado el Movimiento al Socialismo, el MAS, sino que era un autor de enjundia cuya obra convenció aún más a Goytisolo sobre la necesidad de la autocrítica. La izquierda –pensaba Juan, siguiendo a Petkoff– debía asumir la iniciativa de denunciar errores y crímenes realizados en nombre del socialismo. Usaba esas palabras.

¿Qué lugar le dieron a Semprún?
También lo publicamos desde los primeros números de *Vuelta*. Aunque era nueve años menor que Paz, Semprún vivió desde muy joven, igual que Paz, bajo la órbita de la Revolución rusa y el régimen soviético. En 1977 publicó un libro que causó revuelo y que *Vuelta* comentó con entusiasmo.

Lo conozco. La Autobiografía de Federico Sánchez *–su alter ego–. Semprún había estado en Buchenwald, había entrado al Partido Comunista de España desde el exilio en 1942. Salió de él en los sesenta.*
En el libro confiesa cosas escalofriantes de su salida del PCE. Había guardado silencio cuando en el famoso proceso Slánský de 1952, Josef Frank, secretario general adjunto del Partido Comunista de Checoslovaquia, «confesó» haber trabajado bajo órdenes de la Gestapo en Buchenwald. Él sabía que todo era mentira, porque Frank había sido su compañero en Buchenwald, había vivido lado a lado con él durante dos años. Y sin embargo calló. Esa culpa de no decir nada acompañó a muchos, a los mejores. Semprún la procesó con ese libro, y en textos que publicamos tiempo después en *Vuelta*. Uno de ellos, titulado «Seguir siendo de izquierda», contenía una afirmación que me impresionó sobre el saldo histórico de la Revolución rusa: «la victoria de los bolcheviques en octubre de 1917 ha sido un desastre para la clase obrera mundial». Un veredicto. Y no cualquier veredicto, un veredicto emitido por un hombre de izquierda que había pasado por todos los infiernos. Víctima del fascismo, había militado larga y lealmente en el comunismo del cual se había separado porque sencillamente no

podía seguir negando en conciencia las evidencias de la realidad. Desde esa legitimidad, se atrevía a juzgar no solo al régimen soviético sino a «la más vertiginosa "ilusión lírica" de la historia moderna», la obra maestra de Lenin. Porque esa construcción logró lo que ningún régimen capitalista: reducir a la clase obrera a un papel exclusivo de productora de plusvalía. Además de encarar esa verdad desde su origen, Semprún aconsejaba abandonar el dogma del marxismo como «horizonte insuperable» del pensamiento y buscar en otra parte e inventar ideas. Hasta el propio Marx, bien leído, podría ayudar en esa tarea. Y sin embargo, hasta el fin de su vida, Semprún siguió siendo un hombre de izquierda. De esa izquierda a la que también pertenecía Paz.

Vuelta, por lo que veo, estaba construyendo un cuerpo de ideas que invitaban al debate. ¿Hubo alguna reacción a Savater, Goytisolo, Semprún?

Ninguna. Silencio sepulcral. La izquierda podía cambiar en todo el mundo, no en México.

Marx en la Universidad

¿Leían Vuelta los universitarios?

A ellos, maestros y alumnos, queríamos acercarnos. No dudo de que hayamos tenido lectores universitarios, pero el problema era la atmósfera de intolerancia que se respiraba y que los predisponía en contra nuestra. Y no solo te hablo en términos políticos, también –aunque parezca mentira– en términos literarios. Le negaban a Paz legitimidad para escribir sobre sor Juana. Pero, claro, el prejuicio mayor era político. No hace mucho le pedí a un profesor que por entonces era alumno de sociología en la Escuela de Estudios Superiores de la UNAM que me narrara el ambiente de aquella época, y me escribió una carta que guardo. En ella decía que la mayoría de sus compañeros despreciaba cualquier viso de crítica, entre ellas las de la revista *Vuelta*. Casi todos estaban convencidos del «potencial liberador del pensamiento marxista» y veían con recelo a cualquiera que pusiera en tela de juicio ese ideal. «Mi pensamiento no era popular ni entre unos ni otros, mucho menos mi afición por la revista icónica de Octavio Paz.» Lo cierto es que remábamos contra una ideología hegemónica, una corriente intelectual, periodística, académica muy poderosa. Ese era el problema estructural. Si te fijas bien, en México se estaba dando, desde los años sesenta, un fenómeno gramsciano al que aludí antes: dado que la izquierda política marxista, en sus muy diversas ramas, sectas, partidos y filiaciones, era débil políticamente, y dado que la revolución parecía cada vez menos asequible (entre otras cosas porque el PRI, con sus políticas populistas de ogro filantrópico, cooptaba o controlaba a obreros y campesinos), el camino natural para la izquierda fue la captura del aparato cultural y académico. Llegar al poder a partir de la superestructura: los mitos, los relatos, las narrativas históricas, los cursos de marxismo en las aulas, los textos de esa índole en periódicos, suplementos, revistas, libros. Y tuvieron un éxito notable.

Ya Vicente Lombardo Toledano lo había intentado.

Así es, en los treinta. Pero en los años sesenta aquel proyecto fructificó. Entonces ocurrió un fenómeno que explicó Zaid en un artículo que tituló «De cómo vino Marx y cómo se fue» (1978): el marxismo universitario llegó a México por vía directa desde Francia. Y cundió debido a la influencia de Sartre, que llevaba unos años de postular la convergencia que él veía natural del existencialismo y el marxismo. Los marxistas ortodoxos no la veían tan natural, y tampoco su rival Raymond Aron, que escribió un libro sobre ese matrimonio problemático. Pero el caso es que, mientras ellos libraban sus desacuerdos, llegó a México una nueva ola de marxismo bendecido por el padre del existencialismo. Yo mismo fui testigo de esa convergencia porque exactamente así la formulaba y predicaba la maestra Cecilia Diamant en sus clases de filosofía en el Colegio Israelita, donde nos dio a leer a Sartre y Camus. En ese ensayo de 1978, Zaid apuntó que el prestigio del marxismo comenzaba a declinar, pero esa declinación se dio en Francia, no en América Latina.

¿Cómo se manifestaba esa ola marxista?

En los programas de estudio, por ejemplo. Pude comprobar la conclusión de Zaid años más tarde, en 1983, en una tesis que me llevó a la revista aquel joven que me había enviado su carta autobiográfica. Se llama Julián Castro Rea, y es profesor de la Universidad de Albany, en Montreal. Se titulaba *Universidad Nacional, política y marxismo.* Tenía en el interior una caricatura genial, nada menos que de Naranjo, el caricaturista del suplemento de *Siempre!* Marx, con su inmensa melena y barba pero muy juvenil y desafiante, un chavo universitario vestido con jeans y una chamarra de mezclilla tras la cual aparece una camiseta de la UNAM. A sus pies ha dejado un par de bombas molotov, aparentemente inservibles, unos cerillos desperdigados, un bote de gasolina cerrado. Lo que le importa ahora es ostentar su identidad universitaria y repartir el texto que lleva en la mano: «Lo que olvidó decir Marx». La tesis de Castro Rea documentaba la caricatura. Demostraba estadísticamente el aumento vertical de los cursos de marxismo de los cincuenta a los setenta en diversas facultades: no solo en Ciencias Políticas y Sociales, en Economía y en Filosofía y Letras sino en Ciencias y hasta en Arquitectura. El mismo fenómeno era perceptible en muchas universidades públicas de los estados, Puebla y Sinaloa, señaladamente, y aun en escuelas privadas dirigidas por los jesuitas.

El efecto del Concilio Vaticano II.

Que es otro factor importante para explicar el auge del marxismo o de los marxismos en México y América Latina. El molde filosófico católico, sobre todo en sus versiones más cerradas, dogmáticas e integristas, ha sido compatible con las versiones más cerradas, dogmáticas e integristas del marxismo. El enemigo común de ambas, desde Pío IX hasta Lenin, fue el liberalismo. La revista *Proceso* era un órgano muy representativo de ese catolicismo de izquierda, aunque tenía también una vertiente política contestataria que coincidía con nosotros.

¿Existía en México un catolicismo liberal?

Ese catolicismo liberal tenía un representante solitario en México: Gabriel Zaid. No por casualidad había vivido en Francia en los cincuenta, y se identificó con el «personalismo» de Emmanuel Mounier, el director de la revista *Esprit*. En *Vuelta* tomamos muy en serio el catolicismo liberal. Años más tarde con Zaid planeamos la colección «Liberales y libertarios»: libros breves, de bolsillo, con los liberales clásicos y con sus primos hermanos, utópicos y violentos: los anarquistas. Yo leí años después *The History of Freedom* de Lord Acton. Católico y liberal, pensaba que había que limitar el poder de la Iglesia católica sobre la libre conciencia individual. Fundamentaba su creencia en motivos cristianos, en el propio Evangelio. Otro liberal católico, por supuesto, es el genial Chesterton. Pero esa vertiente no prosperó, menos en las universidades.

Había otros factores adicionales que he leído en tus libros. Por ejemplo, la Revolución cubana, que consideras el hecho histórico más trascendente del siglo XX en América Latina. Generaciones de jóvenes desde México hasta la Patagonia quisieron emular al Che Guevara. Y luego la resaca del movimiento estudiantil de 1968.

Así es. Después de Tlatelolco, los hermanos menores de los jóvenes del 68 heredaron el agravio y quisieron saldarlo con una postura aún más revolucionaria. Pero el sector más numeroso del movimiento estudiantil canalizó su energía a la vida académica, y tuvo el apoyo presupuestal del gobierno de Echeverría. Estamos hablando de centenares de maestros, quizá más, no solo en la UNAM sino en otras escuelas y universidades fundadas en los setenta, como el Colegio de Ciencias y Humanidades o la Escuela Nacional de Estudios Profesionales, o las universidades de los estados. Estos maestros imbuían a sus alumnos la doctrina marxista en sus diversas modalidades y aspectos. Y esa cultura permeaba a escuelas de maestros en muchos estados del país. Sobre la significación del marxismo en la juventud universitaria de los setenta, te propongo leer trozos de un escritor marxista representativo de esa generación post 68, la de nuestros hermanos menores. Es un texto de 1984 publicado en la revista *Nexos* (la adversaria principal de *Vuelta*), que recrea la historia de la izquierda académica posterior al 68:

> El marxismo de los setentas nace en las marchas y en el fulgor del movimiento de los estudiantes de 1968. Desde entonces y cada vez más, el marxismo se ha ido convirtiendo en una vertiente fundamental de la sociedad mexicana... Los estudiantes que recorrían el Paseo de la Reforma hace quince años, abrieron la puerta de una guerra de posiciones. Ellos se convirtieron, por su peso histórico, en los portadores de las llaves de plata de la cultura democrática y socialista. A principios de los setentas, los entonces jóvenes recién licenciados se presentaban a los concursos de oposición y ganaban las plazas de profesores, enfrentados a una generación que pasaba serias dificultades en la comprensión y en el manejo de un código ético y existencial que se extendía: el marxismo. Las clases sociales, el materialismo dialéctico, las fuerzas productivas y las relaciones de producción eran los significantes de una nueva lectura de lo cotidiano realizada por jóvenes intelectuales, cuyos alumnos preparatorianos y universitarios iban reciclando la vivencia.

El marxismo dejó de ser una ideología clandestina, bandera de una izquierda reprimida, solitaria y amarga, para desbordarse. Advierte la emoción:

> Se expandía, ambiental, editorial y políticamente, un marxismo invasor de espacios, heredero de muchos dogmas y portador de revelaciones importantes y ocurrencias nacionales. Creció en la Academia, pero de inmediato fue al campo a buscar la Realidad en la teoría o a encontrarse con las guerrillas campesinas y a morir con ellas. Hizo esfuerzos por llegar a las fábricas, repartió libros y propaganda en las madrugadas, asaltó bancos y penó prisiones.

Conozco mucha gente cercana que corresponde a ese perfil, que dedicó al menos una década a la militancia. Chicos y chicas universitarios de buena fe e ideales elevados, burgueses o «pequeñoburgueses» (para emplear su terminología), se incorporaron a los diversos movimientos revolucionarios, algunos violentos, otros pacíficos. Subrayo su buena intención: de verdad les indignaba la pobreza del campesino mexicano, de verdad querían ayudar al obrero que veían desvalido y manipulado, de verdad repudiaban su origen social. Eran un poco como los *naródniki* rusos que iban al pueblo, aunque muchas veces el pueblo no entendiera para qué venían ni cuál era su intención y terminara por rechazarlos. Fue muy generalizada esa pasión universitaria. El protagonista más célebre y emblemático de esa generación que estudiaba ciencias políticas en esas mismas aulas de los años setenta era un joven marxista llamado Rafael Sebastián Guillén Vicente. Escribiría su tesis sobre Althusser, años después viajaría a la Nicaragua sandinista y finalmente se incorporaría a la guerrilla en la selva de Chiapas.

El Subcomandante Marcos. En tu libro Redentores *recoges su perfil cultural, académico y artístico. Porque no solo era un teórico sino un estudiante de diseño gráfico, y en ese sentido pudo entender y traducir la idea gramsciana de la revolución desde la hegemonía cultural.*

Ese fue su genio, además de su prosa juguetona. Un ícono posmoderno.

En suma, la ola marxista importada de Francia que arrastró a muchos católicos, reforzada a dimensiones míticas por la Revolución cubana y sus íconos, acrecentada por la interpretación revolucionaria del movimiento estudiantil, estalló en los setenta e inundó el aparato cultural y académico de México.

Nuestro escritor usaba otra metáfora, pero el fenómeno de hegemonía es el mismo:

Con la rapidez del trueno, el espíritu del 68 trastornó el rostro cultural de una nación. ¿Los resultados concretos? ¿Dónde se desarrolló la nueva cultura? En primer término, nació una burocracia universitaria receptiva a la modernización introducida. Colegios, facultades y sobre todo institutos de investigaciones, en la UNAM y en provincia, empezaron a estar dispuestos a contratar profesores marxistas extranjeros, organizar simposios de verano donde desfilaban estrellas internacionales del pensamiento socialista; se modificaron radicalmente los planes de estudio, se abrieron nuevas asignaturas; el consumo de literatura marxista, clásicos y comerciales, creció, impulsado fundamentalmente por la demanda estudiantil de todos los niveles.

Había además una gran oferta editorial. Nuestro autor cita cerca de un centenar de obras y autores de mi generación, casi todos académicos, que produjeron libros con diversas interpretaciones marxistas de la realidad mexicana y latinoamericana. Muchos de ellos se apegaban a la teoría de la dependencia, muy en boga aún. La lista de autores marxistas extranjeros editada por Siglo XXI y otras editoriales menores fue inmensa, pero te doy un solo dato: se vendieron más de un millón de ejemplares de *Los conceptos elementales del materialismo histórico* de Marta Harnecker. Aúna a todo esto la actividad en revistas y periódicos. En el diario *Unomásuno* y en la revista *Nexos* había un abanico de pensamiento de izquierda, desde el marxista hasta el nacional revolucionario. Y en las universidades se publicaban varias revistas de una tendencia marxista más pronunciada, aunque siempre diversa: *Historia y Sociedad*, *Cuadernos Políticos*, *Estrategia*. Un notable intelectual marxista de mi generación, Roger Bartra, se convirtió en director de *El Machete*, revista del Partido Comunista Mexicano a la que le dio un impulso de renovación e iconoclastia al grado de sacar una portada con Lenin y unos cuernos que provocó la reacción airada no tanto de los líderes del PCM sino del subsecretario de Gobernación de México. Se llamaba Rodolfo González Guevara y su reacción no debe sorprenderte porque el PRI y Castro tenían un pacto de origen desde antes del triunfo de la Revolución cubana.

¿Había expresiones o versiones del marxismo en la cultura popular?
Mucha gente nunca abrió un libro de Marx o no leyó más que algún manual de marxismo, pero el marxismo llegó a través de las

historietas cómicas que fueron muy populares, como *Marx para principiantes*, de Rius.

Hablaba el autor anónimo de clásicos del marxismo que visitaron México.
Clásicos muy diversos, ortodoxos y heterodoxos: Rudolf Bahro, Ernest Mandel. Pero la influencia extranjera más importante del marxismo o de los marxismos en el México académico y cultural de esos años fue la de los exiliados de las dictaduras sudamericanas, sobre todo de Chile, Argentina y un poco menos Uruguay. México honró, como en el antecedente de la Guerra Civil española, su noble tradición de asilo, y recibió a profesores, investigadores, escritores de varias generaciones que se hicieron mexicanos y dejaron una huella muy profunda. Esos académicos produjeron obras de gran seriedad y envergadura sobre la historia del marxismo latinoamericano en el siglo xx, como la del historiador cordobés José Aricó. Influido por Gramsci, Aricó vino exiliado desde el golpe de 1976 y acá publicó obras sobre Mariátegui y socialistas europeos incómodos: Bauer, Kautsky, Bernstein. Además de Aricó, se avecindaron en México grandes historiadores, el más notable, me parece, es Carlos Sempat Assadourian.

Me doy cuenta del árbol que describes, o que describe el autor: el marxismo presente en universidades, planes de estudio, maestros nacionales y extranjeros, editoriales, libros, revistas, periódicos. ¿Pero llegaba a la sociedad?
Nuestro autor veía ecos de la cultura socialista «en la ira del pueblo» –eso escribió–: «municipios de izquierda, campesinos con banderas de la hoz y el martillo, obreros sorprendidos leyendo furtivamente el *¿Qué hacer?* en el metro». ¿Qué era el marxismo? Para mí, una caricatura distorsionada de la religión. Para los jóvenes, una promesa:

Hemos insistido en que el marxismo es una extensa cultura política contemporánea, donde conviven santos y demonios, mártires y asesinos, glorias y vergüenzas. Bajo este amplio manto han sucedido tanto los episodios más nobles de la rebeldía humana como los crímenes más aterradores. En su nombre reinan tanto el terror de Estado como la eterna aspiración a la ciudad del Hombre.

Un atisbo de autocrítica.

Muy tibio, ¿no crees? Vago, indeterminado. Equivalía a decir: Stalin fue un accidente lamentable, pero siguen en pie Lenin y Trotski, no se diga Marx. Así, como por ensalmo, evitaban confrontar moralmente la espantosa realidad del régimen soviético y, por añadidura, del chino, camboyano, cubano.

Pero existía un debate entre los marxistas, siempre lo hubo.

Entre marxistas, lo has dicho bien. Lo decisivo es que el debate era endógeno, y que esas corrientes casi nunca consideraron dialogar con el mundo intelectual no marxista. Sus diferencias se dirimían incluso en sus lecturas marxistas: heterodoxias dentro de la ortodoxia. Por eso puedo asegurarte que Octavio Paz no convenció a nadie, mejor dicho, casi a nadie. *Vuelta* predicó en el desierto. El México académico era impermeable a la crítica liberal. Ya hablamos del canon marxista en la Universidad, no podía ser más ortodoxo, hubiera podido competir con el de Moscú o La Habana, quizá con ciertas heterodoxias francesas que yo no alcanzo a ver como tales, porque todas partían del esquema historicista original. Y el esquema es este: el tren de la historia es incontenible aunque por un paréntesis de veinticinco años lo haya manejado un loco como Stalin.

Quizá exageras.

Te doy una prueba. Me tocó acompañar a Octavio a la UNAM a un debate sobre el tema. Lo convocó precisamente el sociólogo Roger Bartra, uno de los más serios e inteligentes marxistas del país, que tenía una disposición de apertura. Hombre generoso y honesto, que desde hace tiempo es un gran amigo. La impresión que me llevé de su discusión fue esta. Los marxistas necesitaban averiguar dentro de la propia doctrina qué había fallado para que una idea tan hermosa hubiera desembocado en un resultado tan distinto al esperado. Y discurrían las dialécticas más intrincadas. La urgencia de la acumulación de capital, por ejemplo, había hecho necesario que el partido impusiera al proletariado una aceleración histórica que este, aún falto de conciencia, no había comprendido

318

pero había asumido. Y citaban una frase de Lukács en la cual el proletariado convocaba su propia servidumbre. Octavio no perdió los estribos y les explicó, socráticamente, que él también había creído en esa explicación economicista de la historia, pero la había abandonado por la explicación política. El tema era el poder, siempre fue el poder.

En la óptica marxista la explicación política nunca es válida, tampoco la función de las ideas o el papel del individuo.

Temas que Paz trataba en los ensayos críticos de *El ogro filantrópico*, libro que apareció en 1979. Lo leyeron con anteojeras ideológicas. Era una apelación moral: había que abrir los ojos no a la marcha de la historia sino a los muertos de la historia. ¿Habían leído a Solzhenitsyn? Quizá sí, pero lo relativizaban por ser «reaccionario» o por no ser «científico». Aunque no había diálogo posible, el encuentro terminó en santa paz. Con el tiempo, es justo agregar, Bartra convergió con la visión de Paz. Fueron buenos amigos. ¿Qué impedía entonces el acuerdo mínimo? Un bloqueo epistemológico, un bloqueo de aquello que pone en entredicho la fe. En las escuelas universitarias de entonces no se hablaba en absoluto de las dictaduras comunistas o, si se hablaba, se relativizaba su importancia considerándolas una desviación que no afectaba el corazón de la doctrina. De ahí la importancia de *Vuelta* frente a varias revistas académicas de política, economía, historia y sociología. ¿Dónde más podían enterarse del gulag soviético, con sus millones de muertos? ¿Dónde más podían leer a los disidentes europeos, polacos, checos, rusos? ¿Dónde más podían enterarse de la autocrítica que los intelectuales de izquierda, afines todos a Octavio Paz, practicaban ya en España o Francia? Solo en *Vuelta*. Pero *Vuelta* los repelía porque los invitaba a confrontar sus doctrinas con hechos incómodos, criminales, genocidas, derivados de esas mismas doctrinas. Ellos no admitían que esos hechos, por más lamentable que fuera, afectaban a las doctrinas.

¿La joven izquierda universitaria valoraba la reforma política del gobierno que había abierto tímidamente la vía democrática?

Muy poco. Esa joven izquierda universitaria despreciaba por lo general a la democracia «formal» como una excrecencia burguesa. Pero había tibias excepciones, como nuestro autor incógnito, que veía ciertas virtudes en abrazar la democracia burguesa como un medio para alcanzar la verdadera democracia. En la cultura, el marxismo debía hacerse cada vez más hegemónico y de ahí avanzar a la política y la sociedad hasta alcanzar la «democracia», pero no exactamente lo que tú y yo entendemos por ella:

> El centro del programa es la democracia, inclusive empezando por la primera democracia, la de las libertades formales. La democracia formal es muy limitada, pero solo a través de ella se accede a otras democracias.

Conceptos distintos de democracia parecen apuntar a un problema mayor, de lenguaje.

Eso dirían los filósofos del lenguaje y los popperianos, y yo estuve de acuerdo desde mis lecturas de Popper en 1969. Era muy difícil dialogar sobre la base de una terminología «holista», sustantivos vagos como «sujetos sociales», formas de lucha, fuerzas productivas, masas, y adjetivos gaseosos: «pluralista», «democrática», «popular».

Y, como dices, Vuelta *no convenció a nadie.*

Convencimos, a la larga, al anónimo autor: Christopher Domínguez Michael.

¡Vaya sorpresa! ¿Tuvo una conversión?

Apóstata, renegado, hereje, o al menos equivocado, supongo que todo le dijeron. Él lo ha narrado. A mí me interesa mucho entender ese proceso, porque no es el paso de una fe a otra o de la falta de fe a la fe sino de la fe (o de esa mácula de la fe que es la ideología) a una fe más modesta, más bien una ética, que llamamos liberalismo, y que se funda, para mí, en Spinoza, ese sí el prototipo del tránsito de la fe a un amor intelectual al mundo natural que ya no sé si llamar fe. Algo así debe haberle pasado a Christopher. Un proceso intelectual y moral arduo, doloroso, fascinante, en el que *Vuelta* fue decisiva. Pero esa golondrina no hizo verano.

¿Qué pensabas tú del radicalismo universitario?

Pensaba que la universidad debía servir al saber, no al poder. Publiqué poco después un ensayo que titulé «Tinglados ideológicos», donde lamentaba la politización en la UNAM y defendí su misión académica. En ese texto defendí también a El Colegio de México, que acababa de pasar por una huelga que estuvo a punto de hacerlo desaparecer. Todo era un teatro revolucionario, un teatro inquisitorial. Quienes apoyaban al sindicato «de izquierda» eran los «proletarios» de la «nueva cultura»: exenta de privilegios, comprometida con la nación, auténticamente popular. Quienes estaban en contra eran los «patrones» de la otra cultura: autoritaria, clasista, conservadora, elitista, espiritualista, inmovilista, opresora, reaccionaria, regresiva. Esa fue la pequeña muestra de moderación adjetival que tomé de los artículos que circulaban.

Me recuerda un poco la Revolución Cultural de Mao.

Un maoísmo de caricatura.

Tenías presentes las tensiones de los treinta, que estudiaste en tu tesis.

No había olvidado la lección de Gómez Morin ni mi deuda con la UNAM y El Colegio de México. Me parecía evidente que para cumplir mejor su misión de enseñanza, investigación y difusión del saber ambas instituciones debían someterse a un proceso de autocrítica, sobre todo después de que Echeverría, como demostró Zaid, había sido tan pródigo con ellas. El sindicalismo era desde luego legítimo, siempre y cuando no perturbara la vida de la academia y su libertad. Y las perturbaba. En esos días yo hablaba mucho sobre el tema con mi maestro y amigo Andrés Lira. Me recomendó leer *Responsabilidad de la inteligencia* del sociólogo español José Medina Echavarría. Contenía una crítica a «la universidad militante» que cité en aquel ensayo: «La Universidad –decía Medina– acaba por abandonar en su ardor militante su propia tarea [...] la Universidad militante ha sido un fermento de caos. El problema es grave porque el destino de una sociedad liberal marcha unido al destino de la Universidad libre y no puede aceptar el fácil corte al nudo gordiano que es la salida totalitaria».

Era un eco de las famosas conferencias de Max Weber en 1919 sobre las vocaciones del científico y el político. Medina Echavarría fue su traductor. Coincidían vagamente en señalar la insalvable diferencia entre la búsqueda de la verdad y la búsqueda del poder. Mientras la ética científica desmitifica al mundo, el demonio del poder lo mistifica y llena de sangre. Tan pertinentes como aquellas conferencias de Weber eran las palabras de Medina en defensa de la universidad como un reducto de serenidad y libre reflexión: «lo que en la calle circula como demagogia, como cobertura ideológica, como encuentro de intereses, puede acrisolarse en la cátedra y ser reducido a sus modestas proporciones de verdad limitada, si es que la tiene».

Parece un canto del cisne de esa universidad ideal.

Así lo veía yo, tristemente. Abundaban los académicos militantes. Pero quizá quedaba una minoría creyente en los valores humanistas y científicos. Pensé que tal vez en ella germinaría la semilla de la cultura de mañana, que por fuerza debía ser liberal. Esa semilla se dio, por ejemplo, en *Vuelta*, una pequeña institución de cultura libre. Tan libre que, desde nuestras páginas, defendimos a la universidad libre, aunque sabíamos que en sus aulas militantes éramos el enemigo.

El huevo de la serpiente

¿Cómo interpretó Gabriel Zaid las polémicas de Paz?

Aplicó el marxismo a los intelectuales marxistas o a los cuasi marxistas. Zaid veía detrás de esas críticas una búsqueda de poder académico y cultural. Veía la comprobación de su teoría sobre los universitarios en el poder. No juzgaba a los críticos por la sublimidad de sus intenciones o sus ideas sino por sus posiciones materiales y sociales concretas. Nuestros interlocutores no eran políticos ni tenían puestos en el gabinete. Percibían ingresos en el periodismo y regalías de sus libros. Pero trabajaban en antiguos y nuevos institutos de investigación, en la UNAM o en el Instituto Nacional de Antropología e Historia. Fue el caso de los intelectuales reunidos en la revista *Nexos* que Enrique Florescano y Héctor Aguilar Camín fundaron en enero de 1978. Proyectaban una autoproclamada superioridad moral sobre nosotros, lanzándonos desde el cielo de «la izquierda» al infierno de «la derecha». Integraban, en palabras de Zaid, una «nueva clerecía». Y quemaban a los nuevos herejes, a nosotros.

¿Nexos era una empresa cultural?
Sí, pero subsidiaria del Estado.

Pero también ustedes tenían una determinación material, todos la tenemos...
Sí, la de productores intelectuales independientes.

¿Cómo se explicaba Zaid el ascenso del radicalismo universitario?
Como un caso particular del ascenso de los universitarios al poder. Le dio un giro marxista al tema y discurrió una explicación material. En un ensayo que publicamos en octubre de 1978, a diez años del movimiento estudiantil, probó empíricamente que el radicalismo ideológico era directamente proporcional a los ingresos. A más ingresos, más radicalidad... y más buena conciencia. Ya no solo era la marcha de los universitarios al poder: era la marcha de los universitarios *de izquierda* al poder. Y Zaid agregó una descripción que retrataba a muchos intelectuales: «El marxismo se ha vuelto la manera académica, científica, elegante, de subirse al carro de la Revolución mexicana, sin sentirse priista: con un distintivo rojo y negro en vez de tricolor». «Subirse al carro de la Revolución» significaba integrarse al sistema político. Hay otra frase muy mexicana que viene al caso. En los años veinte, los generales revolucionarios que se quedaron con las haciendas o ranchos de los ricos porfiristas solían decir: «La Revolución me hizo justicia». Bueno, pues Zaid escribió que, con la integración de los universitarios al poder, «la Revolución le había hecho justicia al movimiento estudiantil».

Un diagnóstico que debió de suscitar muchas polémicas. Ya no solo con Paz, con Zaid, contigo...

Hubo varias polémicas a lo largo de quince años, en las que intervinimos Octavio, Zaid y yo. A final de los años ochenta varios de nuestros críticos comenzaron a virar sus posiciones hacia las nuestras. Me refiero a mis antiguos compañeros en el suplemento cultural de *Siempre!* que escribían en diarios y nuevas revistas, en especial en *Nexos*. Pero conforme ellos –que después de todo eran los más serios– cambiaban, muchos de sus alumnos y lectores siguieron firmes en esas posiciones, admirando sin fisura al régimen de Castro, por ejemplo. Y una parte al menos de las nuevas generaciones siguió impermeable a los hechos incontrovertibles de la historia. Y ahí siguen. Esa izquierda intelectual y universitaria que nos descalificó entonces y que cambió después contribuyó, entre otros factores, a incubar el «huevo de la serpiente» del populismo mexicano del siglo XXI. Sus adalides actuales fueron sus discípulos y lectores.

Hasta me parece ver exclamar a Paz: ¡soy de izquierda, soy socialista, escúchenme, vean de frente la realidad! Quería convencer a los lectores de izquierda.

Él puso de su parte y fracasó en tender puentes de entendimiento. Pero la izquierda perdió una oportunidad de diálogo y aprendizaje que no se repetiría y que tendría consecuencias muy profundas a largo plazo: nada menos que la ignorancia, la amnesia, la incomprensión de la tragedia universal que significó el totalitarismo soviético en el siglo XX y la consecuente imposibilidad de extraer lecciones de esa experiencia. Decenas de millones de muertos echados al olvido sin que se entendiera la conexión entre su sacrificio y el sistema que lo provocó. Y, como se ha dicho tantas veces, cuando se desconoce la historia se está condenado a repetirla. La izquierda mexicana, para decirlo en pocas palabras, nunca ejerció la autocrítica. En el mejor de los casos abandonó el barco (sobre todo en 1989) sin explicar cómo ni por qué. Paz y *Vuelta* proponían debatir la verdad histórica, con apego a los hechos. Nunca lo logramos. Y por eso, la serpiente creció.

El asesinato de Hugo Margáin

Por fortuna los parricidios eran intelectuales, simbólicos.
No solo fueron simbólicos.

¿A qué te refieres?
A un episodio que tiene que ver con la extrema polarización del ambiente. Fue el asesinato de Hugo Margáin, el 29 de agosto de 1978. Era cinco años mayor que yo. Te lo mencioné de paso. Discípulo de Rossi, formado como él en Oxford, tenía planes para volver allá y doctorarse en filosofía política. Hablábamos mucho de ese tema. Necesitábamos repensar la política mexicana con miradas y perspectivas frescas. Compartíamos la afición por Orwell y el pensamiento inglés. De pronto, nos enteramos de que un grupo guerrillero –la Liga Comunista 23 de Septiembre– había secuestrado a Hugo en la Universidad. Pasaron horas de angustia. Finalmente, Rossi acudió a la morgue para identificar su cadáver. Lo habían asesinado.

¿Por razones ideológicas? ¿Estaban apuntando a Vuelta?
No estaban apuntando a *Vuelta*. Me parece que veían a Hugo como un representante conspicuo de la burguesía ligada al poder. Después de todo era el hijo de aquel secretario de Hacienda que había le había renunciado a Echeverría. Nos desgarró la tragedia de Hugo. Escribí en *Vuelta* su obituario donde me referí a sus prendas intelectuales y morales. La tolerancia, por ejemplo. Supe que algún alumno lo increpó en una clase de filosofía de la ciencia. Hugo no se inmutó: «Puede ser, habría que fundamentarlo». Le importaba la opinión ajena, no por fragilidad ni inseguridad, sino por rigor crítico y convicción liberal. Te leo un fragmento de mi texto:

> Sé que le interesaban los temas filosóficos y técnicos más variados: lógica, semántica, metafísica. Personalmente, puedo atestiguar su inquietud por la naturaleza de la moral, el papel de la responsabilidad en la Historia, el laberinto de los medios y los fines, y sobre todo, el poder de las ideologías… Apenas si hacía citas. No por ignorancia –había

leído mucho– sino por elegancia. No se apoyaba en las autoridades para filosofar con autoridad.

De inmediato publicamos una pequeña carta de condolencia, un pésame público a la familia Margáin por la muerte de nuestro amigo y colaborador. No acusamos en ella a nadie. A mediados de septiembre recibimos en *Vuelta* una carta anónima. Decía que si bien «la rabia purulenta la engendra el capitalismo y no el perro» («este es solamente transmisor de la rabia»), «acabar con los perros a la larga va a traer como consecuencia que la rabia se quede sin defensa». Para ellos, «condenar la muerte lleva implícito el hecho de acabar con ella aunque sea con ella misma». No había que condenar el asesinato, sino comprender los motivos del asesino: «Jehová condenó el acto de Caín» pero «jamás investigó los motivos del acto de Caín». ¿Te das cuenta? Fue angustiante. El impulso de Paz fue escribir un poema que casi invitaba a que vinieran a matarlo. Nos lo leyó, si no recuerdo mal, en una junta de emergencia. El joven revolucionario que había en él parecía decidido a morir como un mártir y así dejar testimonio del horror moral a que conducía la fe revolucionaria.

Quería morir en manos de guerrilleros. Zaid lo disuadió. En noviembre sacamos una nota firmada por la redacción de *Vuelta*:

> Condenamos el asesinato, venga de donde venga: los terroristas o las autoridades, la izquierda o la derecha, la estupidez aventurera o el cálculo. El nihilista Nechaev nos repugna tanto como los padres Marianos [...] y todos esos intelectuales –filósofos, profesores, escritores, teólogos– que, sin tomar las armas, asumen posiciones equívocas que, tácitamente, son una justificación de asesinato. En fin, por condenables que sean los motivos de los ángeles exterminadores (trátese de los de Somoza y Pinochet o de las Brigadas Rojas), hay que condenarlos en primer lugar por sus actos.

¿Qué efecto tuvieron en ti los hechos que me has narrado?

No te imaginas la desolación que sentí por la muerte absurda e injusta de Hugo, imaginando cómo se desangró ante la vista de sus asesinos. Hubiera sido mi compañero de las batallas por la democracia que libraría en unos años. Batallas que yo apenas atisbaba pero ansiaba. Sentía que juntos, él y yo, podríamos renovar la crítica del poder en México. Hugo era mi puerta de entrada definitiva a la filosofía política, en particular al pensamiento inglés, desde Locke hasta Russell. Con Hugo podría revisar la historia de las ideas políticas desde Platón hasta Marx. ¡Qué horizonte se nos abría! Leeríamos a Popper en detalle. En cierta ocasión, Margáin me dijo que tenía sueños terribles. Creí advertir entonces su vertiente sombría. Ni siquiera pudo ver su primer libro publicado meses después por el FCE. Murió con él una gran promesa de la filosofía. Y para mí, cesó para siempre una conversación que apenas comenzaba.

¿Qué hiciste con ese vacío?

Procurar entender lo que quizá no puede entenderse: el asesinato político por razones revolucionarias. Yo conocía el *odium theologicum* de las disputas medievales pero el odio ideológico me sorprendió y me sigue sorprendiendo. Para explicármelo mi impulso natural fue voltear hacia atrás y comencé a estudiar la historia de las ideas revolucionarias en diversas tradiciones convergentes: la judía, la europea, la rusa y la latinoamericana. Me llevó años. Mi pregunta, en el fondo, era muy sencilla de plantear y muy difícil de contestar: ¿Cuál era el origen de la pasión revolucionaria que veía yo estallar en México y América Latina y que llevó a aquellos guerrilleros a asesinar a Hugo Margáin?

VII. Dictaduras

Oficinas de Letras Libres.

Tránsito por Sudamérica

Se le atribuye a san Agustín la frase: «El mundo es un libro, y aquellos que no viajan solo leen una página». Hemos hablado de libros que son viaje. Hablemos de viajes que son libros.

Es verdad. Bertrand Russell decía que viajar es una escuela de tolerancia. Lo creo también. A principios de 1979 hice un viaje intelectual y político por la Sudamérica de la intolerancia extrema y criminal. Quería conocer el continente del «trasfondo tiránico», como decía Cosío Villegas, que siempre había volteado hacia el sur, y viajado por nuestros países.

¿Alcanzaste a hablar con don Daniel de política latinoamericana contemporánea?

Te cuento una anécdota que viene al caso. En 1970 llegué muy contento a verlo tras el triunfo de Salvador Allende. Le dije con toda inocencia: «¿Qué piensa usted, licenciado? Estamos felices, ¿no?». Me contestó algo airado: «Por supuesto que no. Cualquier liberal tiene que ver con mucho escepticismo el triunfo de Salvador Allende». En su artículo siguiente explicó por qué Allende llegaba con una minoría que debía llevarlo, no a la radicalización, sino a la prudencia. Advirtió que una aceleración revolucionaria podría provocar su caída. Me dejó pensativo, dubitativo. Pero como era su costumbre, fue una profecía cumplida. Lamentó el golpe a Allende que había previsto y pudo celebrar el fin del franquismo. Un día, acabado de morir Franco, nos contó un chiste que seguro conoces: «Franco, ya muy enfermo, acude al Santuario de Lourdes y ocurre el milagro: ¡se muere!». Lo que no previó fue la vuelta brutal del militarismo en el Cono Sur. Ya no eran solo las dictaduras decimonónicas que había confrontado y denunciado desde su juventud, como la de Juan Vicente Gómez o la de Somoza. Ahora eran dictaduras de corte fascista y de inspiración nazi. No vivió para ver el golpe en Argentina en marzo de 1976.

Podemos bosquejar el contexto de aquel viaje...

Estábamos en el umbral de un lustro espantoso. En casi toda la región gobernaban los dictadores militares: Brasil, Uruguay, Paraguay, Chile, Argentina (solo Bolivia, Ecuador y Perú se encaminaban a salir de esos regímenes). Esa hegemonía militar era una reacción brutal a los diversos movimientos revolucionarios que se habían dado en la región en los años sesenta como producto o por emulación de ese hecho gigantesco en la historia latinoamericana que fue la Revolución cubana. Y también era el remache al papel funesto de Estados Unidos en la región, porque esos gobiernos militares contaban con el apoyo diplomático, político y militar americano. Yo nunca tuve duda de que Estados Unidos fue el causante principal de las desventuras de la democracia en América Latina porque deslegitimó la democracia en estos países y dejó huérfanos a sus aliados naturales, los liberales. Esa convicción la tuve desde que escribía en *Presagio*. Y la hice pública una vez más, en *Proceso* y *Vuelta*, cuando en 1978 triunfaron los sandinistas. Frente a aquel panorama desolador de dictaduras, quise ver a la Revolución sandinista con una moderada esperanza. Mi apoyo a los sandinistas no era ideológico. Se basaba en mi repudio visceral a los dictadores, y Somoza, no cabe duda, era de los más antiguos y feroces. Tal vez –pensaba yo– el sandinismo podría establecer un socialismo democrático que esquivara los horrores de Castro (y los errores de Allende). Esa era mi esperanza, que se frustró muy pronto. El sandinismo se enquistó en el poder y se endureció en el dogmatismo ideológico.

A principio de 1979 te disponías a recorrer el mapa dictatorial de América Latina. ¿Con cuál itinerario?

Iríamos primero a Perú, como embajadores literarios de *Vuelta*, y de ahí a Chile y Argentina. Dos países con tradición democrática y liberal hasta bien entrado el siglo xx. El país de Andrés Bello, el país de Alberdi y Sarmiento. ¿Qué había pasado con esa herencia? Quise ver y entender. Con Chile había un incentivo adicional. Isabel –que tenía familia en Chile, donde había nacido su abuela– había escrito para El Colegio de México una tesis sobre el gobierno de la Unidad Popular chilena en la que probaba con documentos inéditos y fuentes rusas la total indiferencia de la URSS, la alta y costosa injerencia de Castro y, por supuesto, la responsabilidad criminal de Nixon y Kissinger en el golpe de Estado. Sentíamos, como te mencioné, una simpatía muy grande hacia Allende y nos había indignado su caída, y más cuando nos enteramos de sus trágicos momentos finales. A pesar de esa solidaridad con Allende, la tesis no dejaba de señalar y documentar sus errores y su precipitación. Isabel sabía tanto de la vida de Allende –su trayectoria profesional, su elegancia, sus convicciones– que parecía haberlo conocido en persona.

Ir a Argentina en tiempos de dictadura, parece riesgoso.

Ni siquiera lo pensamos. Al contrario. Me alentó un exiliado argentino amigo, un periodista, poeta e intelectual de izquierda llamado Antonio Marimón. Había llegado a México en noviembre de 1977 y lo primero que se le ocurrió fue tocar la puerta de la revista *Vuelta*. Vestía un gabán negro. Recuerdo su melena desordenada, la pesadumbre y la dulzura triste de su mirada. Abrió su portafolios gastadísimo y me mostró una entrevista con Borges. Las posiciones políticas de Borges le parecían un disparate, pero su admiración por él permanecía inalterable. Era fanático de Cortázar y no le gustaba Sabato. Nos hicimos amigos. Nos veíamos con frecuencia a comer los buenos asados que preparaba su amigo el historiador argentino Horacio Crespo, avecindado desde antes en México. En algún momento Antonio me narró su historia. Nacido en Mendoza, había pertenecido a grupos comunistas en Córdoba donde su situación se había vuelto insostenible. Decidió partir a México.

Antonio me hizo ver la necesidad de que *Vuelta* hiciera un reportaje denunciando los horrores de los militares genocidas, inspirados por los nazis. Yo recordaba de mi infancia cómo en la escuela se hablaba de «Tacuara», la organización filonazi argentina, así que la información no me sorprendió. Con mayor razón quise ir a Argentina y documentar lo que pasaba.

Y hacía poco habías entrevistado a Borges en México, sobre Spinoza.

Sí, un par de meses antes. Fue inolvidable ese encuentro. Habíamos tenido un *Desayuno «more geometrico»* para hablar del filósofo preferido de mi abuelo, y uno de los más queridos por Borges. Ese era un interés adicional del viaje: ver de nuevo a Borges.

Escala peruana

Eras un lector de Vargas Llosa.

Desde entonces, novela tras novela. Y estudié, no te olvides, sus ensayos en *Plural*. En una de esas clásicas chifas peruanas comimos con él y con Jorge Edwards, que estaba de visita. Estaba por supuesto Patricia, la mujer de Mario, con la pequeña Morgana, el gran pintor Fernando de Szyszlo (Gody) y su esposa de entonces, la poeta Blanca Varela (que dirigía el FCE en Perú). Y también el joven escritor Alfredo Barnechea. La amistad que finqué con todos ellos entonces duraría la vida entera. Hablamos de Octavio. Blanca y Fernando habían sido sus grandes camaradas en París. Gody nos anticipó lo que veríamos en Machu Picchu: «es imposible fotografiar la sensación solar y esférica», y lo comprobamos días después, recordando el verso de Neruda: «Piedra en la piedra, el hombre, ¿dónde estuvo?».

Fue la parte histórica del viaje.

Me hice teorías sencillas. Era claro que la gravitación del mundo indígena era más visible en Perú que en México, que la herida abierta y la presencia viva de la conquista eran más profundas, que el mestizaje era menos notorio, que el arte erótico peruano contrastaba con el hieratismo azteca (que un filósofo mexicano llamó «egipticismo»), que los quechuas denotaban una actitud aún más dócil que la de los mexicanos. Por días me obsesionó el canto melancólico que, en una de las callejuelas de Cuzco, entonaban a dúo un niño indígena de no más de cinco años y su abuelo. La superposición de la ciudad española sobre la indígena es algo no visto en México: como una herida abierta. Años después, leyendo *Orbe indiano* obra maestra del gran historiador David Brading, entendí la importancia de tener una historia comparativa integral sobre el tema. Algo similar al libro que escribió John H. Elliott sobre los imperios transatlánticos de Angloamérica e Hispanoamérica. Brading avanzó gran trecho en la historia intelectual. Con él aprendí que México no tuvo figuras indígenas de la dimensión literaria del Inca Garcilaso o la hondura antropológica de Guamán Poma de Ayala. Y años después, al leer (o, más bien, al estudiar) *La utopía arcaica* de Vargas Llosa, vi que tampoco tuvimos un autor de la entraña indígena como José María Arguedas. Nuestro indigenismo fue absorbido por el PRI, se estatizó, se hizo folclor en el movimiento muralista. En el Perú, el indigenismo ha sido mucho más genuino, desgarrado, fértil y creativo. No hubo en México una revista como *Amauta* ni un intelectual editor de vanguardia, marxista e indigenista, como José Carlos Mariátegui. Por otra parte, el indigenismo peruano ha sido más fanático y autoritario que el mexicano. Sus utopías han impedido su desarrollo y bloqueado su democracia.

Hablaron de política en esa reunión…

No mucho, que yo recuerde. Sin darnos cuenta, habíamos llegado en un momento crucial de Perú. Una Asamblea Constituyente redactaba una nueva Constitución. El país estaba agotando su más reciente experimento militarista de los setenta (Velasco Alvarado y Morales Bermúdez) y en el horizonte aparecía la posibilidad de una transición a un gobierno civil pactado entre los militares y el APRA, el partido histórico acaudillado por Víctor Raúl Haya de la Torre, el viejo líder que a los 84 años de edad podía convertir en realidad su sueño de llegar a la presidencia. Lo que muchos temían es que Haya convirtiera al APRA en un PRI peruano, y tenían razón. En todo caso, parecía más difícil el pacto de APRA con el partido de Fernando Belaúnde Terry, el presidente depuesto por los militares en 1968. Pero la transición se complicaba porque 1979 era el centenario de la guerra entre Perú y Chile, y los ánimos nacionalistas estaban muy enconados. Nunca imaginamos que, pocos días después de nuestra visita, Haya de la Torre caería enfermo de un cáncer terminal y moriría en agosto de ese año. En 1980, con la elección de Belaúnde Terry el Perú volvería a la democracia, pero también apareció Sendero Luminoso, el movimiento guerrillero encabezado por Abimael Guzmán. Su origen académico confirmaría la teoría sociológica que Zaid venía elaborando en las páginas de *Vuelta* sobre el radicalismo universitario. La guerrilla en América Latina representaba ese radicalismo en su versión extrema. Por esos días Mario escribía *La guerra del fin del mundo*. Un novelista escuchando el rumor secreto y profundo de la historia. Reconstruyendo ese episodio límite del mesianismo latinoamericano, anticipaba el horror que se cerniría en los Andes. Una obra homérica.

Enrique Lihn: el exilio interno

Y fueron a Santiago, en los tiempos de Pinochet...
La recuerdo como una ciudad espectral. Todavía se veían las huellas del bombardeo. «Allí enfrente es La Moneda, donde mataron a Allende», nos dijo el botones del hotel. Habían pasado seis años desde el golpe, pero un letrero anunciaba que el edificio seguía «en reparación». El diario *El Mercurio* anunciaba que «Su Excelencia» (Augusto Pinochet) presentaría ese día un proyecto de reforma educativa que ampliaba la cobertura de la enseñanza técnica. El Congreso también estaba «en reparación» y no se nos permitió la entrada. Pero para nosotros lo importante era averiguar cómo sobrevivían los escritores en esa circunstancia. Y vimos al poeta Enrique Lihn. Conocerlo fue una inmersión directa en la vida cultural

bajo esa dictadura. Nos citamos en un hotel. Estaba por cumplir cincuenta años. Recuerdo su melena ensortijada y su actitud inquieta, sombría, por momentos exaltada y también irónica. Lihn volteaba constantemente a los lados para ver si alguien espiaba. Hablaba muy bajo. Nos dijo que había apoyado sin cortapisas a «aquel país» (el nombre de Cuba era impronunciable), pero el caso Padilla y la actitud de Castro durante la invasión a Checoslovaquia lo distanciaron. Lihn había apoyado a la Unidad Popular pero desde un principio reprobó la revolución cultural que muchos intelectuales impulsaron desde el poder. Ahora para ellos Lihn no era más que un «liberaloide podrido». Nos pintó un panorama cultural desolador. El libro se había vuelto un artículo de lujo sobre cuya producción y distribución se ejercía una censura feroz. Las manifestaciones críticas que habían resistido un poco más eran obras de teatro como *Hojas de Parra*, escenificada en una carpa. En ella se satirizaba al régimen con textos de Nicanor Parra. Pero el lugar se convirtió en sitio de reunión de sectores intelectuales opuestos al gobierno y Pinochet decidió quemarlo. Otra forma del arte disidente pasaba por las artes plásticas, pero era engañoso imaginar que en Chile existía una simiente de disidencia organizada: solo respuestas individuales. Sobre todo lo indignaba la actitud de los chilenos del exilio. En mi crónica referí lo que nos dijo:

335

¿Cuál es el costo de lo que escriben los de afuera? Todos quieren hacer la gran novela del golpe e inventar una epopeya que justifique su situación personal: «Corría la sangre por las calles», escribe uno que no vio ni una mancha de sangre en su camisa y que salió, seguramente, para dejar a la esposa o burlar a los acreedores.

Lihn creía que fuera de Chile los escritores hacían una literatura fácil en medio de una vida no muy difícil. No aceptaba concederles superioridad moral alguna sobre los que padecían al régimen desde dentro, y mucho menos justificaba la utilización de esa circunstancia para crear una literatura menor. Frente a la opresión, la literatura debía expresar la realidad (psicológica, social). Un cometido más difícil, más importante, más sutil, que el de lamentarla.

¿Había otros escritores en esa condición?
Muerto Neruda, quedaban dos célebres coetáneos de Octavio Paz: Gonzalo Rojas y Nicanor Parra. Ninguno tenía incidencia mayor. El primero había vivido en Europa del Este y se hallaba exiliado en Venezuela. Parra –anarquista hasta la médula– no compartía del todo la postura de su famosa hermana Violeta, pero tampoco colaboró con la dictadura. En ese contexto, Lihn –nacido en 1929– era la cabeza de la oposición cultural. Sobre la precaria condición de los escritores en exilio interno, nos dio un texto de su mujer, Adriana Valdés, publicado ese mismo mes en la revista *Mensaje*, órgano del episcopado. Se titulaba «Escritura y silenciamiento». Su objeto era recordar a la crítica latinoamericana que, a pesar de la dictadura, en Chile seguía existiendo una literatura que no escapaba a la realidad, que no mostraba la menor complacencia con el régimen y lo enfrentaba de un modo tan subversivo como la mejor literatura del exilio. La palabra sobrevivía al silenciamiento. Era muy dura la situación de Lihn. En 1982 nos enviaría un poema contra la dictadura que estaba ya en prensa cuando Octavio recibió una llamada suya rogándole no publicarlo por temor a la represalia de Pinochet. Mi amigo Tulio Demicheli, que trabajaba en la redacción y la gerencia de *Vuelta*, paró las prensas y tuvimos que tirar esa edición y sustituir el poema.

Queda en el ambiente la idea de que los exiliados eran lo mejor de cada país, y que quien se queda no vale la pena.

Y la dinámica misma alimenta esa distorsión: un expatriado se convierte en promotor internacional (conferencias, cátedras, etcétera) en distintos países y va sembrando la misma idea. En *Vuelta* combatimos esa ridícula pretensión de superioridad. Un día nos llegó una carta del profesor chileno Fernando Alegría. Protestaba contra una crítica que había hecho Guillermo Sucre sobre su edición del *Canto general* de Neruda. La carta decía que, dadas las circunstancias por las que atravesaban los chilenos en la resistencia y en el exilio, decididos a derrocar al fascismo y a devolverle a Chile sus libertades democráticas, era ilegítimo y deshonesto publicar esa crítica. Alegría se erigía en algo así como la conciencia del exilio chileno. Publicamos su carta con una nota previa de Octavio: «Desde los cañaverales de Beverly Hills en Hollywood, donde practica la guerrilla contra Pinochet, nos escribe Fernando Alegría».

Las posiciones políticas de Edwards y Lihn eran de algún modo similares.

Lo que ambos querían, lo que queríamos en *Plural* y *Vuelta*, lo que defendía Paz en sus polémicas con la izquierda, era la verdadera tercera vía, es decir, la democracia con libertad, entendida como un sistema que se aparta de la dictadura militar y del extremismo revolucionario. Nadie conocía como Edwards lo que es habitar ese terreno incómodo. Cuando se publicó originalmente, *Persona non grata* no encontró editores en países de Europa, por su crítica a Castro. ¡Qué impropio! Como Sartre en 1950 con los crímenes de Stalin, había que ocultar la verdad del lado bueno para «no hacer el juego» al lado malo. Solo era lícito hablar de la represión en Chile, no en Cuba. En el prólogo a una nueva edición de su libro (lo tengo a la mano, la primera la había censurado un poco él mismo) describió aquella atmósfera maniquea: «Se practicaba, con bombos y platillos, la indignación unilateral: moral hemipléjica, paralizada del costado izquierdo». Edwards decía haber aprendido que la literatura, el periodismo literario, la edición, la cátedra, los cafés de la ribera izquierda del Sena y de las capitales de América Latina eran nidos de censores, de soplones vocacionales. «Esclavos de la consigna», como había dicho Vicente Huidobro. Ese aprendizaje de Edwards era también el nuestro. En la medida en que fue el primero que se atrevió a hablar con la verdad sobre Cuba, Edwards –el embajador de Allende ante Cuba, el amigo, secretario y biógrafo de Neruda– padeció antes que nadie esa soledad del escritor crítico de las dictaduras de derecha, pero estigmatizado por la clerecía de la izquierda por señalar hechos incómodos de los regímenes de izquierda, incluido el de Allende.

¿*Circuló* Persona non grata *en Chile en los primeros años de Pinochet?*

No circuló, porque su epílogo ofendía a la Junta. Solo se autorizó un tiraje limitado en 1978. Cuando Edwards hablaba de primera mano sobre Cuba acertaba, pero cuando revelaba historias de horror en Chile cometía un «acto de lesa patria». Esa misma posición incómoda era la de Lihn. Posición incómoda y estrategia modesta, persistente, cuya racionalidad pasó la prueba de la historia, porque Lihn y los exiliados internos de Chile construyeron los andamios de la transición de 1989. Fueron más eficaces que los atentados contra Pinochet. Aprendí en ese viaje que la cultura es el verdadero *soft power* contra la dictadura. Por desgracia, Lihn no pudo atestiguar ese momento. Murió de cáncer en 1988, un año antes de la elección presidencial. Pero Edwards sí vivió y ha vivido para recrear la vida del poeta Lihn en la novela *La casa de Dostoievsky*. Yo la he leído como una coda a *Persona non grata*. ¿La conoces? En el centro de la novela está el momento traumático en que Lihn atestigua el proceso contra Heberto Padilla. Era su amigo. Pero la historia de su regreso en 1971 a Chile no fue tampoco tersa. La novela es un vértigo de pasiones, con personajes inverosímiles. Uno de ellos era Gerardo de Pompier, heterónimo del propio Lihn, no solo un personaje literario sino un personaje que el propio Lihn actuaba en la vida real. No había que sorprenderse con este teatro de la vida: su gran amigo de juventud era Alejandro Jodorowsky. La dictadura no podía aprisionar ese impulso de libertad que Lihn encarnaba y promovía en publicaciones fugaces, en rudimentarios *samizdat*, en hojas sueltas, en *happenings*. Edwards recrea esa vida en los límites, tan azarosa como su súbita enfermedad y tan extraña como su acercamiento postrero a Carlos Altamirano, el gran sacerdote del socialismo chileno. Y es que Lihn no quería morir al amparo de la Iglesia católica sino de la iglesia socialista.

¿Qué otros autores chilenos vivieron esa condición de ser criticados por la iglesia socialista habiendo sido socialistas?

Te mencioné a Gonzalo Rojas. Me impresionó su testimonio sobre el desgarramiento que había implicado ser un intelectual de izquierda que se atreve a criticar a Cuba. Está en sus memorias. Pero le dolía más su doble excomunión: de la Universidad de Concepción (que era su hogar desde los cincuenta) por ser de izquierda y de la iglesia socialista por criticar a Cuba y convertirse por ello en «enemigo del pueblo».

Desde André Chénier hasta Ósip Mandelstam, los poetas son los acorralados por el poder.

«Pobres poetas –escribió Rojas–, ¿nunca aprenderemos la condición de desollado vivo, del animal a la intemperie que somos por naturaleza frente a lo efímero del poder?» Pero lo más extraño es que, igual que Lihn, al final de su larga vida, también Gonzalo Rojas fue a Cuba, para buscar su absolución. Misterio teológico.

Veladas con José Bianco

De Santiago viajaste a Buenos Aires, de una ciudad sitiada a otra.

Había un sustrato común, el miedo, pero en Buenos Aires solo había silencio, desaparición y muerte. En mis apuntes consigné mis primeras impresiones. En el diario *La Nación* se anunciaban óperas, conciertos, obras de teatro, una cartelera de inocuidad. Lo mismo sucedía con los suplementos culturales y las librerías: a los argentinos se les había amputado la libertad política y la temperatura cultural lo delataba: todo parecía añejo, petrificado, herencia de otro tiempo. ¿Qué nos dirían los escritores? De haber llegado dos meses antes hubiéramos conocido a Victoria Ocampo, la gran empresaria cultural argentina, fundadora en 1931 de la revista *Sur*. Había imaginado hablar con ella sobre Pedro Henríquez Ureña, Alfonso Reyes, Daniel Cosío Villegas. Pero en Buenos Aires vivía José Bianco, gran amigo de Octavio, crítico literario, novelista, traductor y secretario de redacción de *Sur* por veinticinco años. Fuimos a una cena en la que estaba Pepe. Los comensales nos transmitieron el temor que sentían todas las familias para hablar, incluso en el ámbito más íntimo. Sentimos la operación del Estado policiaco y por primera vez escuchamos historias de «desaparecidos». Nadie podía pronunciar el nombre «Videla». María Elena Satostegui nos pidió hablar bajo, no nos fuesen a escuchar en el piso de arriba o el de abajo. La gente no temía solo a sus vecinos sino a los propios familiares. «Aquí no morís, che, aquí desaparecés», dijo Julio, el anfitrión. En la crónica que publiqué dejo claro ese terror:

> Nos informa de los dieciséis mil desaparecidos, de los cuerpos mutilados que han sido arrojados al Río de la Plata o cremados por las noches en el cementerio de la Chacarita: «La SS no lo hacía mejor». Nos cuenta el efecto en ondas del terror: desaparece el sospechoso, los sospechosos de haberlo ayudado, los que tenían conexiones legales o profesionales con él, los amigos, y así círculos más amplios y lejanos de la víctima original. La tortura en Argentina se ha burocratizado en cuanto a que ocurre de manera similar en regiones distintas, pero no en el sentido de responder a una lógica previsible. La incertidumbre de los parientes de las víctimas es doble: ignoran de dónde llega la orden y no tienen siquiera el derecho a la resignación. De pronto, María Elena interrumpe el recuento alarmada porque Julio alza mucho la voz: «Tenés vecinos». Bianco la apoya y le pide prudencia. La cena en una atmósfera de tensión. Otro piensa que la situación no es tan mala. «No me jodás, che –responde Julio–, este país está hundido, no hay salida, Argentina es un país de mierda.»

Pepe nos invitó a su casa. Nuestras visitas fueron puramente literarias y en ellas dio comienzo una amistad que duró hasta su muerte en 1986.

¿Cómo era Bianco?

Era fino, delgado, con un asomo melancólico en el rostro. Nos condujo a su pequeña biblioteca donde resaltaban los cuarenta o más tomos de *Sur*, encuadernados en rojo. Yo no tenía edad para haberla leído, pero la había consultado para mis trabajos de historia. Pepe me dedicó su libro *Ficción y realidad*, que reunía sus ensayos de tres décadas, entre ellos el obituario de su revista, que leí esa misma noche. Lo conservo y releo, como un código editorial. La describía «variada, y a la vez estable, consecuente, parecida a sí misma, seria, pero no tediosa; ágil, pero no superficial». *Sur* –decía Pepe– supo «eludir o apaciguar las jergas en boga [...] que lastiman los oídos [...] ¿Por qué la simple crítica, aplicada a la literatura, tiene que salirse de la literatura, y cometer solecismos o utilizar seudotecnicismos?». Y pensé, ojalá *Vuelta*, que apenas alza el vuelo, llegue a ser así.

¿Crees que lo fue?

Yo creo que lo fue. *Vuelta* continuaba a *Sur* en su sana «xenofilia», su apertura al mundo, cualidad esencial de Paz. También en sus traducciones decorosas. En *Vuelta*, creo yo, nos libramos de esos extremos y, como *Sur*, «no hicimos concesiones a la vulgaridad, las ideas hechas, los sentimientos convencionales o la pereza mental del lector». Pero ¿sabes qué me emocionó más del texto de Pepe? La convicción de que el pensamiento en *Sur* «respiraba buena fe». Y agregaba entre paréntesis: «Cuando se tiene alguna experiencia literaria, no es difícil distinguir la buena fe de la mala». Tenía razón. En *Vuelta* ejercimos la crítica contra viento y marea, crítica severa, pero nunca tuvo cabida la mala fe.

Te habrá hablado de Victoria Ocampo. Acababa de morir...

Al referirse a su propia vida, a viajes y amigos, los relacionaba casi instintivamente con Victoria Ocampo: «¿Aquello fue antes o después de separarme de Victoria?». (Se habían separado en los sesenta por la fugaz simpatía de Pepe con la Revolución cubana.) Aunque se frecuentaban menos a últimas fechas, seguían cerca. «Victoria estaba siempre del lado de las causas justas... Uno podía contar con ella.» Y comenzó a hablarnos largo de Victoria, con indiscreciones, como su relación con Victoria «Vita» Sackville-West. Meses después de mi viaje, publicamos en *Vuelta* un homenaje a Ocampo con colaboraciones de Borges, Roger Caillois, Octavio Paz, Emir Rodríguez Monegal y de la propia Sackville-West, que era casi una carta de amor. Bianco recordaba una dedicatoria de Cocteau: «*À Victoria Ocampo, dont la beauté est une forme évidente du génie*». Borges escribió: «tuvo el valor de ser agnóstica» y otro valor más alto aún: «en un país en donde las mujeres eran genéricas, tuvo el valor de ser un individuo». Y la pintó en una frase: «fue una mujer de Ibsen: vivió con valentía y con decoro la vida propia». Por si fuera poco, agregaba su amor a la justicia y la libertad, que en tiempos de Perón la había llevado a la cárcel. «Se sentía hija de Sarmiento, a quien recordaba fielmente.» Quizá la palabra «recordaba» encierra un doble homenaje, a Victoria y a Sarmiento. Una civilizadora. Pepe la consideraba el «genio tutelar de la cultura argentina». Pero creo que el mejor elogio lo hizo en ese mismo número Daniel Cosío Villegas, el civilizador paralelo a Victoria en tierras mexicanas. Localicé el texto y lo publicamos. No es casual que hayan sido tan amigos. Resaltaba su vindicación de la igualdad de la mujer, hecha sin jactancia y sin retórica, con actos. Pero sobre todo su labor como empresaria cultural. También Cosío Villegas fue una institución cultural, un animador de autores y temas. Ambos trabajaron por la cultura libre. La labor del Fondo de Cultura Económica fue paralela a la de *Sur*. Pero la figura del empresario cultural sigue provocando incomprensión y maledicencia.

Es interesante que en ese viaje aparecieran personajes que habías conocido y biografiado.

Bianco recordaba a un Cosío Villegas suave, sensible, paternal, muy distinto a la imagen de ogro que se hizo en México, y que yo no conocí. Otra cosa que unía a Victoria y a don Daniel era su predilección por el ensayo, no por la narrativa. Compartían esa inclinación con Ortega y Gasset, a quien Borges criticó por ese motivo, duramente, en su prólogo a *La invención de Morel*. Por fortuna, Borges corrigió ese sesgo, llevó la ficción a *Sur*, donde publicó sus cuentos y tradujo a muchos narradores. Y Bianco fue el compañero perfecto en ese empeño. ¿Te imaginas las conversaciones en la redacción?

Bianco era un conversador literario. Eso eran los escritores de las tertulias en Madrid, en Buenos Aires, La Habana o México. Una especie en extinción. Aunque tú tenías a Hugo Hiriart, a Rossi.

Bianco hacía teorías sutiles. Me recordó por supuesto a su amigo Rossi, que había pasado su juventud en Buenos Aires. Sobre su escritorio había un suplemento *Sábado* (el suplemento literario de *Unomásuno*, dirigido por Fernando Benítez) en el que alguien hacía referencia a «la virtud de la indignación». Pepe nos preguntó: «¿Ustedes creen que la indignación es un valor?». Y nos citó *Why I Am Not a Christian*, de Russell. Dijo que le gustaba especialmente porque criticaba la furia vindicativa de Cristo, su indignación permanente contra quienes no escuchaban sus prédicas. Russell comparaba esa actitud de Cristo con la tolerancia de Sócrates, mucho más sabio porque no se indignaba ante quienes no pensaban como él, incluso cuando estaba por morir.

¿Lo entrevistaste?

No era mi intención. La mejor conversación con Pepe que he leído fue la que sostuvo con el escritor uruguayo Danubio Torres Fierro, el último secretario de redacción de *Plural*. Ahí se refiere a sus novelas. Yo me concentré en sus ensayos, que aún leo con deleite. Al hablar de la madre de Proust (su autor favorito, claramente), los amores incestuosos de Voltaire, los rasgos kafkianos de su desdichado amigo Virgilio Piñera, uno asiste a la más animada conversación, como debieron ser sus encuentros con Borges. Los ensayos de Bianco son siempre relatos, sensibles e inteligentes, que colindan con la biografía y un poco con la chismografía, como cuando nos contó –con todo detalle– que el viejo y santo e indignado Tolstói confesó a Gorki que en su juventud había sido sexualmente «insaciable». No me sorprende que a Pepe le gustara Suetonio, el más chismoso de los biógrafos romanos. Pero también le gustaban las vidas heroicas, plutarquianas. Recuerdo un relato sobre Mika, una mujer vascuence que tras la muerte de su marido, jefe de milicianos anarquistas en la Guerra Civil española, tomó su estafeta y dirigió a aquellos luchadores siguiendo una regla de hierro, imprescindible en esa sociedad de hombres y en ese contexto bélico: mantener la castidad. Una novela en ciernes, ¿no es así? Bianco la conoció en Buenos Aires. Fueron deliciosas esas veladas. Hablamos de un texto que publicamos en *Vuelta*. Su tema es el encuentro del joven Groussac –futuro maestro de Borges– con el viejo Sarmiento en Montevideo. Es otra novela en ciernes, el joven desdeñoso e irónico que, contra todas sus prevenciones intelectuales y su innata maledicencia, termina por rendirse ante la grandeza de Sarmiento. En otro relato cuenta el desarraigo de Groussac, un extranjero perenne en tierra argentina. Venía de Francia y despreciaba el idioma castellano, pero lo transfiguró, como Borges con el inglés. Sentía amargura, pero según Bianco esa condición o esa frustración enriqueció y enalteció su obra histórica.

¿Cuáles eran sus convicciones políticas?

Pepe parecía un ser literario en estado puro, pero había estado a favor de la Revolución cubana, viajó a Cuba para apoyarla y renunció a *Sur* por sus ideas políticas. Nos contó el triste destino de su amigo Virgilio Piñera, gran poeta y dramaturgo acosado por el régimen. Creo que se arrepentía de aquel entusiasmo. Hablamos de Ortega y Gasset, a quien había tratado mucho en Buenos Aires. Y cuando visitó México años después me dio un libro con una defensa suya de Ortega a partir de una lectura de *La rebelión de las masas*. Ahí resalta su parlamentarismo y elogia el carácter plural y tolerante del liberalismo orteguiano. Bianco tuvo el cuidado de guardar los recortes de periódicos con las órdenes del franquismo que prohibían exhibirlo en vida, solo su mascarilla o cadáver. No querían que se levantara a arengar. Esos recortes prueban no solo el respeto a Ortega sino la convicción liberal de Bianco, tan ligada a la revista *Sur*.

Y tan distinta de la ruta política que Argentina tomó después.

Me da tristeza lo que dices, pero es verdad. *Sur* fue el emblema de una Argentina que ya no existe. John King, el historiador inglés que escribió con imparcialidad académica la historia de la revista

Sur (y después la de *Plural*), recrea el papel de esa revista en la lucha contra el nazifascismo, la organización del Congreso Internacional de Escritores en 1936 en Buenos Aires al que acudió Stefan Zweig. Fue el gran momento del humanismo liberal en la cultura iberoamericana. Y cuando en los años cuarenta llegó el momento de encarar al otro totalitarismo, *Sur* no tuvo duda: publicó a los disidentes: Gide, Orwell, Koestler, Caillois. Octavio Paz conocía muy bien esa hazaña. Había publicado, con Elena Garro, los documentos de los campos de concentración soviéticos en *Sur* en 1951, algo insólito en la época. Yo conocía poco la historia de *Sur*, pero ahora creo que *Plural* y *Vuelta* tomaron la antorcha de esa revista. Una antorcha en la oscuridad de entonces y de ahora.

Borges y el populismo

De aquella entrevista tuya con Borges recuerdo que te dijo: Spinoza tiene la virtud de inspirar devociones. Y tú le respondiste que él, Borges, también tenía esa virtud.

Y cerró la conversación con una frase de antología: «No, no. Ustedes se equivocan conmigo. Yo soy una alucinación colectiva». Deliberadamente nos hospedamos en el Gran Hotel Dorá, en la calle donde vivía Borges. Le llamé, le recordé la conversación sobre

Spinoza, nos invitó la tarde siguiente. Le llevábamos el número de febrero de la revista *Vuelta*, que abría con un poema suyo: «El tercer hombre». Al lado de la puerta de entrada al edificio de Maipú #994 había una pequeña placa dorada que decía «Borges». Una robusta indígena guaraní entreabrió la puerta del departamento 6B, dejando una cadenilla puesta. Oímos su voz dándonos acceso. Nos recibió en su pequeña sala y nos ofreció té. Estaba impecablemente vestido con un traje gris claro y una camisa azul. Quizá para distinguir nuestras siluetas se sentó frente al luminoso ventanal que daba a la calle. Le dimos la revista. Recuerdo lo que dijo:

–Dígame, ¿contiene alguna errata?

–No, Borges, ninguna.

–Lástima. Las erratas son mi única esperanza de aumentar en algo al mundo. Cuando Alfonso Reyes publicó un libro de poemas en el que abundaban, Enrique Díez-Canedo comentó que Reyes había publicado «un libro de erratas con algunos versos»… Las erratas duelen cuando se las descubre, son como mosquitos, como picaduras dolorosas, pero le importan solo al autor. El lector sabe, con resignación, que leerá de todos modos una insensatez. ¿Con quién han hablado?

–Ya no alcanzamos a conocer a Victoria Ocampo.

–Publiqué un obituario sin emoción. Era autoritaria y dura.

–Vimos a Bianco.

–Gran escritor, gran escritor. Se separaron tanto, él y Victoria, que pensaban constantemente uno en el otro.

Sugería una versión de Ocampo distinta a la pública. Las dos ciertas. Borges, Bianco, Ocampo y Bioy Casares formaban parte de una familia literaria, afectuosa, generosa, celosa, maledicente, una familia como todas. Y comenzó a describir ciertos rasgos argentinos con dedicatoria especial al catolicismo español, que era uno de sus blancos favoritos: «Nadie es católico en la Argentina, pero todos deben simular serlo. Usted pregunta: "¿Es usted católico?" "Sí, claro." "¿Cree usted en la Santísima Trinidad?" "Pero no, hombre, si no estoy loco"». Y se siguió con la argentinidad. Nos dijo que para su padre el catecismo había sido reemplazado por la historia argentina.

Parece el tipo de observaciones inteligentísimas que crearon el mito alrededor de su figura. He leído y escuchado algunas de esas anécdotas de otras personas que lo conocieron.

Supongo que solía repetir esas historias, no sé. A mí me encantó oírlas. Y un tema llevaba al otro. En sus conversaciones con Bioy (que he leído o más bien picoteado, como un pájaro curioso, con deleite a veces, con horror también) Borges es un surtidor de anécdotas literarias. Y era, como te dije, muy atento y caballeroso. Nos orientó sobre las librerías de Buenos Aires. Cuando supo que era historiador, me recomendó comprar el libro *Mendoza y Garay*, de su maestro Groussac. Lo tengo conmigo, en dos tomos. Una delicia. Y fue entonces cuando nos regaló aquella definición de una revista literaria: «La única manera de hacer una revista es que unos jóvenes amen u odien algo con pasión. Lo otro es una antología». En un momento le preguntamos por sus amigos mexicanos. Elogió, como hacía siempre, a Alfonso Reyes, con el adjetivo «generoso». Eludió al escritor. Le recordé que a su regreso de México había declarado que los mexicanos vivíamos inmersos «en la contemplación de la discordia de nuestro pasado» y le pedí que descifrara esas palabras. Y me puso en mi sitio: «No sé, eso le corresponde a usted saberlo». Pero la palabra discordia lo llevó a uno de sus mundos preferidos, el de la bravura. «Yo admiro mucho el valor», nos dijo. Y comenzó a hilar anécdotas que eran esbozos de cuentos cuyo personaje central era un indio. Nos impresionaron mucho. Como no recogí esos apuntes en un libro, puedo citártelos:

Un jefe charrúa, que por años combate junto con el general Rivera, presencia el degüello de sus hermanos indígenas en una comida dispuesta por el propio Rivera. Antes de ser él mismo degollado, el charrúa pronuncia solo tres palabras: «cristiano matando amigo». El gerundio es perfecto –apunta Borges–. Otro indio llamado Payé robaba en las estancias de Buenos Aires. Es herido y sabe que va a morir. Cuando advierte la presencia de sus cazadores, pronuncia sus últimas palabras: «Mate, capitanejo, Payé sabe morir».

Microcuentos maravillosos. Los cuchilleros parecen ser los personajes favoritos de Borges.

Él mismo conoció a varios cuchilleros jubilados de quienes aprendió una especie de ética del matar y morir. De alguno de ellos escuchó esta frase: «Hay dos cosas que un hombre no debe permitirse: amenazar y dejarse amenazar». He repetido mucho esa frase. En aquel desayuno sobre Spinoza, me había dicho: «La valentía es para mí, sencillamente porque yo soy cobarde, una virtud esencial. Yo admiro mucho el valor, quizá porque soy de familia de militares: el coraje, la *virtus*, lo propio del hombre». No creo que Borges haya sido cobarde. Lo demostró muchas veces. Sobre la distinción de matar y morir con un cuchillo o con una pistola, esa paulatina suplantación del valor físico por el cálculo, nos dijo: «En las sociedades primitivas todos tenían que ser valientes. Luego vienen los astutos que tienen valientes que luchan por ellos. Uno de esos astutos fue Perón».

Tenía que desembocar en Perón.

Nos dijo que sentía por Perón un «odio contemporáneo», y no era para menos. Por haber participado en una manifestación de protesta, Perón impuso a doña Leonor, madre de Borges, una prisión domiciliaria y encarceló por un mes a su hermana Norah. «Perón era cobarde y el exilio no lo mejoró.» Y tras esa frase se desataron las anécdotas sobre la degradación moral del general y su esposa.

¿Hablaron de política contemporánea argentina? Los desaparecidos, los generales…

De la historia reciente no quería hablar. Dijo no entenderla ni simular entenderla. Además, le dolía mucho. Para Borges, el gobierno de Videla era «el único posible» pero decía sentirse «muy lejos de él» y más en los momentos en que se hablaba de una posible guerra con Chile. Dijo: «Ahora resulta que la isla de los pingüinos se ha vuelto un artículo de primera necesidad… [que en ella] nos va el honor nacional… ¡Será el honor de los cartógrafos!».

«El único posible»… Esa postura política le vedó el Premio Nobel. Me parece una postura incomprensible.

Quizá la mala vista de Borges en la política tuvo que ver con la mala vista de Borges. Así lo decía él mismo y así lo escribió Emir

Rodríguez Monegal, que lo estudió ejemplarmente. Yo así lo creo también. Su ceguera –heredada del padre y del abuelo– fue un exilio de la realidad política. Es casi inimaginable un político ciego, o un lector de la política ciego, porque la política exige la lectura de los rostros, porque la malicia política tiene que ver no con lo oído sino con lo visto. La política es un ajedrez y hay que leer al adversario aunque sea de lejos o en fotografía: su cara, sus gestos. Hay que leer el tablero y Borges no podía leer. Le leían la realidad quienes le hablaban. Comenzando por su madre. Ella era conservadora y le leyó el mundo con mirada conservadora.

Perdió la vista en los años cincuenta, ¿no es así? Antes de esa fecha, ¿tuvo un perfil político claro?

Lo tuvo, como demuestra su gran biógrafo Edwin Williamson. Era un anarquista a la inglesa. Hay que tomar en serio ese dato, porque esa convicción fue una constante en su vida. Ni el individualismo metafísico de Stirner, ni el individualismo comunal de Proudhon, ni el individualismo revolucionario de Bakunin. Un individualismo spenceriano, sin utopía, con un Estado mínimo. De joven, viviendo en Ginebra y Mallorca, escribió libros anarquistas que destruyó, lo sedujo la Revolución rusa y le dedicó poemas, pero se desencantó del «nuevo zarismo». De vuelta en Argentina fue muy activo en las juventudes que apoyaban a Hipólito Yrigoyen, fundador del partido radical, a quien Borges veía como «el caudillo que declararía, con toda la autoridad de un caudillo, el fin irrevocable del caudillismo». Borges veía a Yrigoyen como un guía moral, un pastor de la democracia. Se decepcionó de él, como suele ocurrir, sobrevino un golpe militar que dio al traste con la democracia argentina, pero al poco tiempo un mal infinitamente mayor apareció en el horizonte: el nazismo. Ahí, en la noche inminente del nazismo, comienza un período luminoso de Borges. Como comprenderás, me conmueve recordarlo.

Fue un crítico lúcido y temprano del nazismo.

Y un crítico valiente. No me refiero solo a «Deutsches requiem», un cuento interesantísimo porque Borges critica al nazismo a través de un pensador nazi con preocupaciones metafísicas. Usa las notas al pie y los recortes de un supuesto editor para revelar al nazismo como una afrenta histórica a la cultura alemana. Tampoco al notable «Emma Zunz», que narra la sutil venganza de una mujer judía. Yo tengo esos cuentos en la preciosa edición de Emecé. Es la mejor forma de leer a Borges. Esos textos, y otros más que publicó en *Sur*, son de finales de los cuarenta. Pero yo me refiero ahora a textos escritos a principio de la guerra, cuando asume la impopular postura de enfrentar la germanofilia argentina. Escucha este dictamen de 1940: «El nazismo adolece de irrealidad, como los infiernos de Erígena. Es inhabitable; los hombres solo pueden morir por él, mentir por él y ensangrentar por él». El repudio de Borges es mucho más que una defensa del pueblo judío. Es mucho más que una vindicación de la cultura alemana clásica y civilizadora que lo formó desde joven. Le preocupaba sobre todo el odio, la ola de odio, la seducción del odio. Señaló que una gran cantidad de argentinos se estaban transformando en nazis, sin darse cuenta.

Transfirió esa crítica al peronismo.
Perón no era nazi pero admiró siempre a Mussolini y albergó en su país a más nazis que Chile, Brasil y México. Y la humillación que profirió a Borges después de la guerra, cuando lo cesó de su modesto trabajo de bibliotecario y lo hizo inspector de pollos y conejos en un mercado municipal, tuvo un solo motivo: el haber sido simpatizante de los aliados. En esos días escribió su particular definición de dictadura. La conoces seguramente. Debe leerse una y otra vez, porque no ha perdido vigencia:

> Las dictaduras fomentan la opresión, las dictaduras fomentan el servilismo, las dictaduras fomentan la crueldad; más abominable es el hecho de que fomentan la idiotez. Botones que balbucean imperativos, efigies de caudillos, vivas y mueras prefijados, muros exornados de nombres, ceremonias unánimes, la mera disciplina usurpando el lugar de la lucidez... Combatir esas tristes monotonías es uno de los muchos deberes del escritor.

Esa frase es actualísima: una definición perfecta del populismo. Además de la condena a los crímenes está el reparo específico al daño mental, a la manipulación, a la propaganda, al boato frente a las masas...

... y sí, a la idiotez. El populismo daña el juicio, corrompe el lenguaje, ofende a la inteligencia. Y en muchos sentidos es una réplica o una derivación de esos sistemas. Borges lo percibió en unas cuantas líneas. Borges, el apolítico Borges, lo entendió y vio la liga de esos movimientos con el peronismo.

En El poder y el delirio *y, posteriormente, en* Redentores, *trajiste a cuento un texto de Borges sobre Carlyle en el que critica su teoría histórica de los héroes y el retrato exaltado que hace de Cromwell.*

He encontrado que Borges ilumina temas históricos que en apariencia le eran ajenos. Por ejemplo, la política latinoamericana. Como toda su literatura, la literatura política de Borges y su crítica estaban mediadas por los libros. Y así Borges supo leer a Carlyle con ojos latinoamericanos. Al comentar la biografía, mejor dicho, la hagiografía de Carlyle sobre Cromwell, reveló su semejanza con nuestros caudillos, revolucionarios y dictadores. Lo he citado en varios sitios porque me impresiona su claridad. «Carlyle –dice Borges– defiende con razones de dictador sudamericano la disolución del parlamento inglés por los mosqueteros de Cromwell.» Ese encomio del hombre fuerte se desprendía directamente de la teoría histórica de Carlyle, del culto de los héroes. Ya Russell había argumentado en 1936 por qué Carlyle era un ancestro del fascismo, pero Borges elaboró esa tesis por su cuenta y alertó sobre el legado atroz de Carlyle en el siglo XX: su teoría política llevaba a los hombres a postrarse ante esos «intoxicados de Dios», ante esos «inspirados» por él, ante esos «reyes» por ley natural, porque encarnaban la única esperanza de una nueva realidad que pudiera acabar con la «farsa» circundante. En ese ensayo famoso, Borges apuntó que sus contemporáneos no habían entendido la teoría de Carlyle pero que ahora cabía «en una sola y muy divulgada palabra: nazismo». Y no solo Alemania, también Rusia e Italia habían «apurado hasta las heces» esa «universal panacea», la «entrega incondicional del poder a hombres fuertes y silenciosos». Los líderes del siglo XX fueron vociferantes, como los populistas de hoy. Pero más allá de los estilos, los resultados eran los mismos: «el servilismo, el temor, la brutalidad, la indigencia mental y la delación».

De tu libro sobre Chávez, donde recuerdas que ese texto fue escrito en pleno peronismo, extraigo esta cita: «una vez postulada la misión divina del héroe, es inevitable que lo juzguemos (y que él se juzgue) libre de obligaciones humanas… Es inevitable también que todo aventurero político se crea héroe y que razone que sus desmanes son prueba fehaciente de que lo es».

Por eso te digo que la crítica de Borges, mediada por sus lecturas, podía ser más profunda que muchas inanes politologías. Borges comprendió la entraña maligna del populismo. Sus reflexiones me han sido muy útiles. Tras leer su prólogo a Sarmiento, leí *Facundo*, la primera novela de dictadores en la que está todo, que prefigura todo, hasta a Fidel Castro y su servicio secreto.

Perón fue derrocado en 1955 por la llamada Revolución Libertadora.

Alguna vez dijo Borges que por nueve años se despertó día tras día diciendo: «Perón sigue en el poder». Cuando cayó, su júbilo fue inmenso. Y ahí, coincidiendo con la declaración de su ceguera, comenzó la discordia sobre sus posturas. Ezequiel Martínez Estrada, autor de la *Radiografía de la pampa*, le llamó «turiferario a sueldo» y le reclamó no comprender las razones históricas y sociales que explicaban el peronismo. Sabato –a quien visitaríamos también– secundó a Martínez Estrada. Borges no tenía paciencia con explicaciones sociales y esa fue una limitación indudable, pero hay que recordar que era un individualista, y por tanto resentía el abuso del poder. Más aún, como buen anarquista, resentía la existencia misma del poder. Borges respondió ferozmente a Martínez Estrada llamándolo «sagrado energúmeno» y refutó sus argumentos con una apelación a la maldad intrínseca de Perón.

Pero todo se fue por la borda en los setenta. Te dijo que el gobierno de Videla era «el único posible», y visitó a Pinochet… ¿Cómo interpretas eso?

Fue una mala lectura, un grave error, una irresponsabilidad mayúscula, porque puso su autoridad literaria universal al servicio de esas dictaduras. Pero sus faltas no fueron mayores a las de Neruda, que escribió una «Oda a Stalin» y, a pesar de eso, le dieron el Premio Nobel. Al menos Borges tuvo la decencia de admitir su error y de corregir. Tras la guerra de las Malvinas y el sacrificio de tantos jóvenes argentinos, llegaron a su oído las noticias de los muertos y desaparecidos y no tuvo empacho en declarar que Argentina estaba en manos de un puñado de locos y truhanes. El despertar de Borges a esa realidad fue dramático. No había podido (podido, más que querido) verla. De esa toma de conciencia hay poemas y testimonios. Y cuando la democracia volvió a Argentina, publicamos en *Vuelta* su *mea culpa*. Nunca lo olvidaré:

> Escribí alguna vez que la democracia es un abuso de la estadística; yo he recordado muchas veces aquel dictamen de Carlyle, que la definió como el caos provisto de urnas electorales. El 30 de octubre de 1983, la democracia argentina me ha refutado espléndidamente. Espléndida y asombrosamente. Mi Utopía sigue siendo un país, o todo el planeta, sin Estado o con un mínimo de Estado, pero entiendo no sin tristeza que esa Utopía es prematura y que todavía nos faltan algunos siglos. Cuando cada hombre sea justo, podremos prescindir de la justicia, de los códigos y de los gobiernos. Por ahora son males necesarios.

Una nueva afirmación de su anarquismo de origen.

El anarquismo. «Lástima que no lo merecemos», decía. En su obra final, «Los conjurados», imagina un gobierno futuro, sin banderas ni fronteras, una réplica universal de Suiza, el país de su juventud, donde eligió morir.

Sabato: un cañoncito particular

Otro gran autor argentino, Ernesto Sabato, estaba en posiciones opuestas a Borges.

No me parecía así por un libro de animadas conversaciones literarias entre ellos que se publicó en 1975. Fuimos a casa de Sabato en Santos Lugares, que así se llama el barrio de los suburbios donde vivía. El encuentro con él y Matilde, su esposa, fue gratísimo. Moreno, delgado, con sus lentes enormes, Sabato era expansivo, intenso, casi sentimental. Danubio Torres Fierro lo había entrevistado con gran conocimiento sobre su obra novelística, yo quise explorar sus ensayos y su biografía intelectual.

Pero era tan distinto a Borges.

Habían polemizado en los años cincuenta. Sabato despreciaba moralmente a Perón pero no al peronismo. Entendía que para admitir sus causas no era preciso remontarse a Cartago sino constatar hechos evidentes: los efectos de la inmigración de fines del siglo XIX y principios del XX, los desequilibrios económicos de entreguerras, el ascenso de los movimientos obreros y sindicales, las desigualdades sociales. Sabato respetaba a Eva Perón, comprendía su origen, su drama íntimo, la consideraba una «mujer excepcional hasta en sus odios, enérgica y carismática […] la más extraordinaria y apasionante de la historia argentina». Todo esto estaba en las antípodas de Borges, que despreciaba a Eva tanto como a Perón.

¿Sabato era más filosófico, dirías?

Parecido a Camus, hasta por los autores de los que hablaba, esos pensadores rusos de estirpe dostoyevskiana que ahora nadie recuerda, como Nikolái Berdiáyev o como León Chestov, a quien Camus cita en *El mito de Sísifo*. Nos contó su historia. Su particularidad, que lo aparta casi de cualquier otro destino intelectual en esos años latinoamericanos, era su carrera científica que lo había llevado a doctorarse en física en La Sorbona e incorporarse al Instituto Marie Curie. Nos habló de esa pasión primera por la ciencia y su desencanto de esa tarea esencialmente desencantada, temas ambos de su libro *Hombres y engranajes*. Nos lo regaló señalando sus dos epígrafes. El primero, del *Diario de un escritor*, de Dostoyevski: «Me sería muy difícil relatar cómo se han transformado mis convicciones, más aún no siendo ello, probablemente, muy interesante». El segundo, de Chestov: «¡La historia de la transformación de las convicciones! ¿Existe, acaso, en todo el dominio de la literatura, historia alguna de interés más palpitante?».Su contemporáneo Octavio Paz podría haberlos puesto al frente de sus obras. También él había pasado por las mismas convicciones revolucionarias del siglo XX. Y se había transformado.

Pero Paz se definía al final como un liberal. ¿Sabato también?

No, pero defendía la libertad con esa misma lucidez. Y, como Paz, conservaba la flama revolucionaria, esa fe romántica que quizá es inextinguible. Nada más lejano a la ironía y al escepticismo de Borges. Sabato nos dibujó esa transformación suya, semejante a la de Octavio. Su primera estación había sido el anarquismo, acompañado de esas lecturas rusas que proponían un espiritualismo libertario y cristiano. Paz también abrazó el anarquismo y frecuentó a esos autores. Como Paz, Sabato se acercó al marxismo, pero dio un paso más porque fue militante. Nos dijo que se había alejado por los juicios de Moscú así como por la mecanización y el aparato de propaganda soviético. Es un hecho que *Hombres y engranajes*, publicado en 1951, muestra una clara distancia con el comunismo soviético. Y las coincidencias siguen, porque ese año Paz publicó en *Sur* una denuncia de los campos de concentración en la URSS. Igual que Paz, Sabato exploró el surrealismo, luego –a diferencia de Paz– el existencialismo, pero su verdadera salida fue la obra de Kafka, Faulkner, Dostoyevski, lo que llamaba la «literatura metafísica» que abordaba los problemas últimos del hombre, los dilemas de la ética, la soledad y la muerte. Ni Paz ni Sabato desembocaron en el nihilismo. De todas las convicciones por las que Sabato había transitado, el socialismo libertario fue su Ítaca, el puerto primero y su lugar de vuelta. Paz también tuvo una odisea similar, aunque siempre conservó una cierta fe en el Estado mexicano nacido de la Revolución mexicana.

Un itinerario similar, quizá por ser contemporáneos.

Vivieron una misma circunstancia: guerras, ideologías, utopías, desencantos. Paz es un ensayista más poderoso, profundo y elegante; Sabato exploró en sus novelas esos temas de frontera entre la filosofía y la teología. Creía que la novela era el medio natural para la expresión de esos estados del alma. En aquella charla en Santos Lugares, Sabato criticó la ilusión del progreso, la «tecnolatría», y apuntó la necesidad (la oportunidad) de que los países latinoamericanos fincaran su vida en la pequeña comunidad parroquial. No hacía mucho, Octavio Paz había analizado y descrito los falansterios de Fourier para encontrar una salida al malestar del presente. Digamos que al conocer a Sabato entendí mejor a Paz y entendí que las generaciones son transnacionales.

Parece una reflexión anarquista, la de Sabato; ¿no lo acerca a Borges?

Algo tenía que estar bien en la idea anarquista para que Borges y Sabato convergieran en ella. En los diálogos entre Sabato y Borges, que recogió Orlando Barone, encontré este intercambio. Borges hablaba de su padre, el agnóstico Jorge Guillermo Borges:

> Sabato: Por algo que una vez le oí a usted, era una especie de anarquista. ¿Recuerda aquella frase de Montaigne? «Los príncipes me dan mucho si no me quitan nada, y me hacen bastante bien cuando no me hacen ningún mal.» Tal vez fuera ese el punto de vista de su padre.
>
> Borges: ¡Qué bien esa frase! Es cierto.

¿Anarquismos paralelos?

Sí en cuanto a su desconfianza esencial al poder, no en cuanto a su sentido de fraternidad: el de Borges es estrictamente individualista; el de Sabato (y el de Paz), comunitario. Esa mañana nos habló de la antropología filosófica de Martin Buber, tema que le parecía abstruso a Borges, que prefería al Buber exégeta de los cuentos jasídicos y los cabalistas.

Sus diferencias mayores eran políticas.

También históricas. Sabato creía en América Latina, Borges no.

¿A qué atribuyes esa diferencia?

Sabato fue discípulo de Pedro Henríquez Ureña. Escribió un libro sobre él, del cual conozco fragmentos. Don Pedro fue, como recuerdas, «el Sócrates» del Ateneo de la Juventud en México, el maestro de Alfonso Reyes y de toda la generación de 1915. A nadie quería y respetaba Cosío Villegas más que a aquel intelectual dominicano que en 1924 –justo cuando daba clases a Sabato en una modesta escuela– escribió un texto famoso: *La utopía de América*, una variación más clásica y socialista de *La raza cósmica* de Vasconcelos. Borges estaba a años luz de todo idealismo histórico. Sobre Henríquez Ureña, Borges escribió, no sé si con piedad o ironía: «Engañó su nostalgia de la tierra dominicana suponiéndola provincia de una patria mayor». Para Borges esa patria mayor era ilusoria.

En ese punto, ¿estabas con Borges o con Sabato?

Soy discípulo de Cosío Villegas. Con ese viaje cumplía su mandato de mirar hacia el sur, como él siempre miró. Y me propuse seguir haciéndolo. Yo sí creo en la Patria grande.

Sabato y Borges tenían también diferencias estéticas.

Sí, pero quizá no abismales. Sus diálogos convergen cuando hablan de novelas, traducciones, películas, lecturas en común. Valoraban y concebían de manera distinta el papel del escritor y el lugar de la literatura. Sabato le dijo a Torres Fierro que su obra quería reflejar la condición humana: «el ansia de absoluto, la voluntad de poder, el impulso a la rebeldía, la angustia de la soledad y la muerte». Hay un sustrato religioso en esa búsqueda. Borges, «tan escéptico que dudaba de su duda sobre la existencia de Dios», proviene evidentemente de otra tradición literaria, pero de ningún modo creo que evadiera los problemas últimos del individuo. Del individuo, más que de la sociedad.

Volvamos a las diferencias políticas, sobre todo a partir de 1975.

Poco después de aquellas pláticas cayó el gobierno de Isabelita Perón y su mago de cabecera, el torvo López Rega. Borges creyó ver una nueva Revolución Libertadora. Se equivocó. Sabato vio mejor. Le repugnaba esa pareja que representaba la criminal derecha peronista, pero no cerró los ojos a los crímenes de la izquierda radical en la que veía una «desdichada conjunción de demagogia e irresponsabilidad, de podredumbre y terrorismo». En esos años de ignominia, Sabato alzó la voz contra las detenciones sin causa, las delaciones, las desapariciones, que destruían toda esperanza en una vida civilizada. Pero no dejó de señalar la doble moral de «los intelectuales de la izquierda totalitaria», esos que distinguían dos clases de violaciones de los derechos humanos: las malas, cuando las cometen sus enemigos, y las buenas, cuando las cometen los amigos. Para Sabato, la defensa de esos derechos tenía un valor ético absoluto, y su violación no podía justificarse en ningún caso.

El peronismo prefigura nuestro tiempo. Ahora, al margen de las ideologías, el populismo de derecha es idéntico al de izquierda.

Exacto. Lo que más me sorprendió entonces fue su denuncia del peronismo como una convergencia de la derecha filonazi y la izquierda terrorista. No exageraba. Hoy abundan esos personajes. Los extremos se tocan, y en el fondo son lo mismo.

¿Seguiste en contacto con Sabato?

Sí, en 1984 publicamos una entrevista con él sobre la historia política argentina. El presidente Alfonsín, reconociendo la autoridad moral de Sabato, le pidió presidir la Comisión Nacional sobre la Desaparición de Personas. Sabato fue de la opinión de que en los años setenta habían luchado en América Latina dos demonios, el de los militares fascistas y la guerrilla marxista totalitaria. Ganó el más poderoso, pero los tupamaros y montoneros, de haber resultado vencedores, también habrían sido inclementes. Esa fue la conclusión del informe donde pedía castigo proporcional para ambos terrorismos. Ese esfuerzo de imparcialidad le dejó no pocos sinsabores a Sabato, que fue atacado por ambos flancos. En 1990 lo invité al «Encuentro Vuelta: La experiencia de la libertad», que organizamos Octavio y yo en agosto de ese año para reflexionar sobre la caída del Muro de Berlín y el futuro promisorio pero incierto que ese hecho histórico abría. No pudo venir, pero me escribió una carta que resume admirablemente la transformación de sus convicciones y la soledad, su coherencia intelectual y moral. Es una carta inédita y me gustaría leértela:

Acabo de cumplir el 24 de junio 79 años, así que vivo de yapa, como se dice en los pueblos pampeanos, donde nací. Pero mi corazón sigue fuerte y espero vivir unos cuantos años más. Sobre todo porque desde que me fue imposible escribir –por el mal de mis ojos– he vuelto a la otra pasión de mi adolescencia, la pintura, que siempre fue más sana que la literatura, por motivos que alguna vez fundamenté.

En cuanto a la política, en el sentido clásico de la palabra, no la abandoné, pero cada vez me estoy volviendo más hacia los ideales del anarquismo, aunque enriquecidos por ideas de ciertos románticos alemanes, los pensadores existencialistas –no hablo de la moda de París, esas modas que los franceses son maestros para instaurar, sino los que vienen desde mediados del siglo pasado, y específicamente Kierkegaard y Dostoyevski, con su hombrecito de sótano, hasta llegar después a Jaspers, a Berdiáyev, a Scheler y los llamados «personalistas».

El hombre no puede vivir sin ideales; lo único que en esta era desdichadamente desacralizada reemplaza a Dios son el arte –en cuanto es

359

búsqueda de lo absoluto– y esos ideales, ahora en quiebra, por obra fundamentalmente de los que creyeron en el socialismo totalitario o en el famoso Progreso, que por igual arruinaron al hombre, ya con el capitalismo y ese socialismo igualmente masificado. Así que es hora de levantar una especie de socialismo libertario, que rescate aquello que Marx ridiculizó con su socialismo «científico», aplastando a hombres como Proudhon en su célebre libro *Miseria de la filosofía*, en perversa respuesta a la obra que el otro había titulado *Filosofía de la miseria*.

Y aquí me tiene, pues, en esta especie de resto de pueblo pampeano, con un cañoncito particular, que dispara de vez en cuando, por motivo de alguna injusticia, de un atropello a la sacralidad del ser humano, por la muerte de millones de chiquitos de hambre, por el desprecio, en fin, del hombre concreto, el único que existe.

De esta manera, como siempre, «logro» un negocio redondo: los intelectuales comunistas (que nunca abandonaron estudios, familia, comodidad burguesa y arriesgaron su vida, como yo lo hice cuando tenía veinte años y todavía creía en esa ideología) me califican de vendido al oro americano, de agente de la CIA, de reaccionario, y los hombres de la CIA me consideran comunista. Y como un estúpido me encuentro en medio de dos fuegos cruzados. Lo que me ha amargado mucho, pero que pienso es lo menos que debe hacer un escritor y un artista de verdad, no un fabricante de libros o de cuadros.

Una vez más, como en el caso de Lihn o Edwards, y como en el de Octavio Paz, encontrabas el testimonio de un hombre de izquierda que se sentía obligado a criticar los crímenes de la izquierda para volverla a sus orígenes, a realizar un examen de conciencia, a renovar el pacto con la libertad y la justicia.

Y por esa crítica era condenado al ostracismo por la iglesia de izquierda.

¿Qué te dejó aquel viaje por Buenos Aires?

Pude imaginar cómo habrían sido los encuentros literarios de aquellos gigantes en los años treinta o cuarenta. Fue solo un atisbo el que obtuve de Bianco y Sabato, pero a partir de ahí los leí como un amigo lejano, como un aprendiz de editor y escritor.

Publicaste en Vuelta *la crónica poco después.*

A fines de 1979. Los fragmentos que te he leído provienen de ahí. Se tituló «Tránsito por Sudamérica». Regresé a México y me reuní con Antonio Marimón y Horacio Crespo. Les conté mi experiencia. Convinimos en que prepararan un ensayo muy amplio sobre la situación argentina y lo hicieron: «Argentina, la tumba de los derechos humanos» apareció en octubre de 1979, un mes antes que mi crónica. Como resultado de la publicación de nuestros textos sobre los gobiernos militares, la revista *Vuelta* fue prohibida en Chile y en Argentina.

Misión cumplida, y un reconocimiento a la crítica.

Un reconocimiento, sí, pero nunca una misión cumplida, porque esos regímenes militares siguieron cometiendo atrocidades por muchos años. Decenas de miles de muertos y desaparecidos.

«No olvido a los comunistas»

¿Qué pasó con Antonio Marimón?

Mi amigo era un personaje complejo, con vocaciones difíciles de conciliar, talentos diversos y un corazón inmenso. Lo que sé de él me lo contó Horacio Crespo, porque Antonio hablaba poco de su pasado. Había comenzado como periodista deportivo (vio debutar a Maradona, «un fenómeno, che»). Antonio era sobrino de Domingo Marimón, un famoso piloto argentino, competidor del legendario Juan Manuel Fangio. Estudió derecho y literatura en la Universidad de Córdoba donde participó en huelgas de la industria automovilística y comenzó su relación con el Partido Comunista Revolucionario. «Éramos lectores de Sartre pero sobre todo de Malraux, creíamos en la fraternidad universal», me decía Horacio, pero en aquellos días cualquier militancia era sospechosa y la suya era seria. Admiraban más al Che que a Castro, y más a Mao que al Che. Horacio emigró. En un momento de peligro, el famoso tío cubrió a Antonio y le pidió salir del país. Tomó un avión, llegó

Antonio Marimón

LA ESCRITURA BLANCA

universidad nacional
autónoma de méxico

a México, tomó un taxi, tocó la puerta de *Vuelta*. Antonio ingresó al periódico *Unomásuno*, en cuya página cultural hizo una labor magnífica. Pero su ambición y pasión era la poesía. Horacio lo trataba de disuadir. Le dolía su exasperación, su depresión, su lado oscuro. Antonio murió años después, de cáncer. Quiero leerte un poema suyo. Es parte de un pequeño poemario que me regaló. Hace poco el librito me llamó desde el librero. Con una dedicatoria a su «primer amigo». Lo abrí en este poema. Aquí está la convicción y la tragedia de Antonio:

LOS COMUNISTAS

Yo tampoco los olvidaré. No olvidaré a
Pablo, en marzo del 76,
Cuando en el fondo de la cortina, la reja negra, el gomero
y la luz suave de la
mañana,
Su rostro –para mis ojos– era ya una calavera, un reflejo de huesos
fuera de la carne.
No olvidaré a los comunistas. Su heterogénea
solidaridad, nocturna poética de la acción.
No olvidaré al Partido.
Silueta punteada de delirios y crueldades,
mitos y gestos al borde de la muerte, la
ruindad, el cálculo y el grito.
No olvidaré su objetividad y sus sueños, hombres y peleles.
No olvidaré el revólver. No olvidaré a los
comunistas.

Están en mí, caminan en mi tranco, son fantasmas vivos, ráfagas de
cólera aún fresca,
De odio imperdonable e intangible.
Soy, oscuramente, parte de su tradición y su huella.
Comparto –así no lo desee o lo niegue con
vehemencia– su lugar
Y responsabilidad en la fallida empresa
humana.

Tú no eras parte de esa fallida empresa humana, la empresa de la Revolución socialista o marxista.
No fui parte de ella. Marimón lo fue, apasionadamente, con alto riesgo.

Pero no la olvidas. Ni tampoco a Marimón.
No la olvido, pero no me mueve la nostalgia sino una necesidad inagotable de entender lo que James Billington –uno de los mayores estudiosos de la Rusia revolucionaria– llamó «el fuego en la mente de los hombres». Tampoco olvido a Antonio y entiendo que no haya olvidado a los comunistas porque igual que en la Segunda Guerra Mundial muchos de ellos luchaban contra el último vestigio del nazismo: el militarismo genocida en América Latina. Pero yo perdí muy joven la esperanza en la Revolución y fui albergando otra esperanza más modesta y a mi juicio más humana, una esperanza en la democracia y la libertad.

Entre Escila y Caribdis

¿Qué «leíste» finalmente en ese viaje?
Tuve un contacto fugaz con el militarismo ciego y genocida que, por fortuna, no hemos conocido en México. Y al mismo tiempo, por las conversaciones con Lihn y Sabato, comprobé una vez más, ya no solo en México sino en América Latina, la duplicidad moral y el autoritarismo de las corrientes intelectuales de izquierda. La alternativa

a las brutales dictaduras del Cono Sur no estaba en la «dictadura buena» de Cuba –que la izquierda admiraba– sino en la democracia liberal que ambas, la derecha y la izquierda, despreciaban.

Bertrand Russell en un ensayo muy famoso de esa época usó el símil de Escila y Caribdis para describir los mares tempestuosos de los treinta. Era muy difícil esa navegación, muy estrecho el margen, pero no era imposible. Russell mismo lo comprobó. ¿Es aplicable esa imagen al panorama de polarización que describes a fines de los setenta?

Es maravilloso ese ensayo, y viene al caso. Forma parte de *In Praise of Idleness*, un libro de 1935 que me ilustró muchísimo entonces y me ha guiado después. Del fascismo, Russell reprobaba sus medios y sus fines. Casi no había que argumentar contra él, porque sus fines eran la fuerza, la apelación al mito y la sangre, el llamado irracional, el predominio de una raza o una nación, la opresión universal. Un culto a la personalidad y un culto a la muerte. Pero el comunismo era más complejo por la nobleza de sus fines. Sobre los medios había que discutir. Explicó por qué los medios le parecían reprobables pero argumentó detalladamente sobre la posibilidad de construir un orden socialista por la vía de reformas pacíficas, paulatinas, racionales. El ensayo confirmaba que existía un espacio entre Escila y Caribdis, pero ese espacio para lograr buenos fines tenía que ser democrático y libre.

¿Cómo traduces esa idea a América Latina?

Criticar a Pinochet o a Videla es como criticar al fascismo: sus fines y sus medios son totalmente inadmisibles. No hay nada que agregar. No tiene sentido tratar de convencer a un régimen que niega tu humanidad y busca tu aniquilación por razones de raza, credo, nacionalidad, identidad, ideología, etcétera. Lo único que cabe es resistir y enfrentarlo. Pero con Cuba y la izquierda revolucionaria de entonces (y de ahora) la argumentación es ineludible por la legitimidad de sus fines. El problema es que no argumentan: decretan, imponen. Cobijados en esa legitimidad, proclaman su propia superioridad moral y, a partir de ella, se consideran libres de usar todos los medios, por dudosos o criminales que sean, para alcanzar el fin. Desde ese instante se vuelven sordos y ciegos a las consecuencias de sus actos. Actúan con una permanente doble moral: un crimen es distinto si lo comete Pinochet o si lo comete Castro. Pinochet es un fascista cuyo fin es el poder. Castro es un líder que supuestamente no quiere el poder por el poder sino el poder para el bien, y es que Castro representa a la Revolución, ese advenimiento que ha traído, o eventualmente traerá, la justicia a la tierra.

Con Pinochet, nada; con Castro, todo.

Cuando debería ser: con Pinochet nada y con Castro nada. Frente a ese doble rasero, frente a ese pensamiento cerrado, tampoco hay argumentos posibles. Los extremos se tocan, y los socialistas libertarios –como Sabato o como Lihn– quedan entre Escila y Caribdis. Uno dando una pelea incomprendida desde el pequeño poder de la cultura contra el poder brutal de Pinochet. Otro lanzando obuses libertarios con su cañoncito particular desde Santos Lugares. Y ambos incomprendidos por la sacrosanta iglesia de izquierda, cómodamente instalada en la Academia occidental.

¿Vuelta estaba entre Escila y Caribdis?

Claramente. Las dictaduras del sur nos parecían abominables. Nunca transigimos con ellas. Pero Cuba era una dictadura, y tampoco podíamos transigir con ella. Para colmo, el sistema político mexicano tenía rasgos de ambas.

Que quizá no eran evidentes en 1979, cuando viajaste a Sudamérica.

Muchos creían entonces en «el milagro mexicano». No era tal. Había transcurrido la primera mitad del sexenio de López Portillo y vivíamos una fantasía colectiva proveniente del descubrimiento de un enorme pozo petrolero en el golfo de México. Gracias a ese regalo de la providencia, los mexicanos solo teníamos que preocuparnos por «administrar la abundancia» (esas fueron las palabras del presidente). El manejo no fue malo al principio, aunque después se desbocó. Si a eso aúnas la aprobación en 1978 de aquella tibia reforma política que legitimaba al Partido Comunista y daba espacio a otros partidos de izquierda, la situación parecía a algunos aceptable. Por eso Paz tenía esperanza, era la reforma «desde adentro» que había propuesto. Pero Zaid no estaba de acuerdo: políticamente México era una «república simulada» y económicamente el «faraonismo» petrolero nos llevaría al desastre. Atinó, desde luego.

Pero ustedes no percibían a México como una dictadura como las de Sudamérica.

Una dictadura *sui generis.* El diagnóstico de Cosío Villegas seguía siendo pertinente. México era una monarquía absoluta con ropajes republicanos. El gobierno, juez y parte que organizaba las elecciones, concedió alguna victoria simbólica a la oposición, pero en general la reprimía con violencia. La verdad es que el PRI no estaba dispuesto a dejar el poder ni entonces ni después ni nunca. En 1979 Zaid escribió un artículo revelador de algo que parecía obvio y no lo era. Lo tituló: «Cómo hacer la reforma política sin hacer nada». Su tesis era sencilla: la mejor reforma política consistía en no hacer nada… salvo contar los votos. No habíamos accedido aún a ese alto grado de desarrollo: ¡contar los votos!

Entre Escila y Caribdis no hay más espacio que la democracia liberal, eso pensamos tú y yo.

Lo demás es el imperio de la fuerza y en última instancia de la muerte. Esa fue la moraleja de mi viaje. La democracia liberal era el único espacio posible de convivencia política en México, en América Latina, y en el mundo entero. Esa era la mayor lección del siglo XX, que había padecido ambos totalitarismos. Pero los hombres no aprenden de la historia y ni siquiera la conocen. O la olvidan. Bueno, pues nosotros en *Vuelta* teníamos el deber de recordarla.

VIII. Disidencias

Desventuras de la democracia

Hacia 1980, América Latina seguía siendo la arena de la Guerra Fría. Tengo claro que Vuelta *fue el hogar de la disidencia respecto a la URSS. Publicaban ustedes a los grandes disidentes de Europa del Este. Pero muchos piensan que* Vuelta *tomó partido por Estados Unidos.*

Es una mentira. *Vuelta* criticó a Estados Unidos repetidamente, desde varios ángulos. Igual que en *Plural,* los autores que escribían en *Vuelta* sobre Estados Unidos eran grandes representantes de la izquierda americana: Irving Howe, J. K. Galbraith, David Riesman. Con nosotros publicaban varios historiadores mexicanos especialistas en la conflictiva relación entre México y Estados Unidos, como mi amigo Álvaro Matute y José Fuentes Mares. Publicamos también textos de intelectuales franceses, siempre críticos del «American way of life». El propio Octavio Paz retomó su viejo tema, el contraste entre América Latina y Estados Unidos. Si bien América Latina había nacido de espaldas a esa tradición democrática y liberal, Paz sustentaba la necesidad de asumirla. Sobre Estados Unidos insistió en criticar su condición esquizofrénica: democracia al interior, imperio al exterior. A partir de la llegada de Reagan al poder, yo mismo publiqué varios ensayos en *Vuelta,* en *Proceso* y en revistas de Estados Unidos. Escribí sobre la pésima cobertura de la prensa estadounidense sobre los temas mexicanos. En otro ensayo me pregunté por qué Inglaterra, con toda su arrogancia imperial, había logrado implantar la democracia en la India y en cambio Estados

Unidos había traicionado sus principios fundacionales en América Latina. Contrasté el despliegue americano para salvar a la democracia europea con su explotación descarada, su desdén racista y el uso utilitario de América Latina. Nunca he dejado de interesarme por esa relación con un sentido crítico. Cuando el Centro de Estudios Estratégicos de Washington –que es un *think tank* liberal muy serio, y estaba dirigido por Zbigniew Brzezinski– me invitó a ser *speaker* en su reunión anual (fue en Estoril, Portugal) me abuchearon. No les gustó oír el balance desastroso de Estados Unidos en América Latina. Esa postura no era solo mía sino de *Vuelta*. Sobre América Latina publicamos textos generales, por ejemplo: «La democracia en América Latina» de Octavio Paz, «Iglesia y Revolución» de Jean Meyer. Y ensayos puntuales sobre casi todos los países. A Nicaragua la cubrimos muy de cerca. También a Venezuela, que, como vimos, desde 1959 había dado inicio a un proceso de civilidad y desarrollo que resultó exitoso, pero que la bonanza petrolera y la consiguiente corrupción desquiciarían. Zaid preparaba un gran ensayo sobre El Salvador, que publicó en julio de 1981. Nuestra crítica iba dirigida a todos los regímenes dictatoriales de cualquier signo. Y nunca dejamos de criticar a Estados Unidos. Cualquier examen objetivo de la revista lo demuestra. De hecho, la presencia crítica más importante en *Vuelta* sobre Estados Unidos en todos esos años de Guerra Fría fue la de Irving Howe. Su revista *Dissent*, representante del socialismo americano, fue una publicación hermana. Emprendimos con ella un proyecto editorial conjunto sobre la vida política latinoamericana.

Que, por lo que me dices, no era un tema que interesara en Estados Unidos.
    Era su última prioridad. Ni *Dissent* ni las principales revistas intelectuales de Estados Unidos (*The New Republic*, *The New York Review of Books*, *The New Yorker*) prestaban atención a América Latina o solo se interesaban en la región cuando estallaba un volcán o un conflicto social. En un viaje a México por aquel tiempo, Howe reconoció esa ignorancia abismal y quería subsanarla. El resultado fue un número especial de *Dissent* de 1982. Se tituló: *Democracy and Dictatorship in Latin America*. Un año más tarde Gilles Bataillon concibió una idea similar: dedicar a la situación política de América

Latina un número de *Esprit*, la revista francesa de izquierda católica
dirigida por Paul Thibaud. *Vuelta* contribuyó nuevamente con algunos textos y otros más fueron escritos por autores franceses y latinoamericanos. Así apareció el número de *Esprit*: *Amériques latines à la
une*. Finalmente hicimos una edición en México: *América Latina:
Las desventuras de la democracia*.

Irving Howe: socialista americano

Leí tu entrevista con Howe hace tiempo en Personas e ideas. *¿Qué significaba ser disidente en Estados Unidos?*

Howe era un disidente por diversas vías. Fue un gran crítico literario y un pensador socialista liberal en la tradición rusa. Un moderno Herzen o Belinski. Vino a México a principios de 1981, lo entrevisté y nos hicimos buenos amigos. Igual que Daniel Bell, su amigo
de juventud, Howe era un judío neoyorquino hijo de emigrantes
que creció en el Bronx hablando ídish. Howe se hizo por un tiempo
trotskista y se volvió crítico literario y editor. Howe y su generación
–como la de Octavio Paz en México– combinaban dos vertientes:

la vanguardia literaria y el radicalismo político. Pero, a diferencia de Paz y sus amigos, Howe se apartó inmediatamente del estalinismo no solo por influencia de Trotski sino por su propia participación en *Partisan Review*, donde fue uno de los autores más jóvenes y brillantes. En esa escuela orwelliana, Howe escribió libros sobre autores anglosajones (Hawthorne, Faulkner, Hardy) y *Politics and the Novel*, un clásico del género no traducido al español, con ensayos sobre Dostoyevski, Stendhal, Conrad, Turguénev, Malraux, Silone, Orwell. En 1954 fundó *Dissent*, un baluarte intelectual contra el macartismo pero también contra las corrientes estalinistas de la izquierda en Estados Unidos. Las juventudes radicales en el 68 lo consideraban insuficientemente revolucionario.

Me hizo gracia que en un momento alguien le preguntara: «¿De verdad cree usted que no habrá una revolución en Estados Unidos?». Howe respondió: «Eso creo, no habrá revolución». Lo repudiaron.

Por eso decía: «En *Dissent* tenemos pasión por la duda pero dudamos de la pasión». Le pasó lo mismo que a su amigo Paz, a quien había conocido en Nueva York a principio de los años cincuenta o quizá antes. No lo tengo precisado. El movimiento radical de la New Left se esfumó, pero Howe siguió su lucha solitaria en *Dissent*. Hay que tener temple para ser socialista en Estados Unidos. ¿Qué más disidencia quieres que esa?

Sentiste una afinidad natural porque pertenecían ambos al universo judío.

Claro. No había conocido a alguien así. Pudo haber sido mi padre por su edad y origen. En ese momento de su vida (iba a cumplir los sesenta años) Howe estaba de vuelta en los temas judíos: acababa de publicar *World of Our Fathers*, un libro muy bello sobre los judíos de Nueva York. Y publicó antologías de cuentistas y poetas en ídish. Yo había leído a muy pocos autores judíos americanos. Exceptúo a Singer (a quien Howe, por cierto, descubrió) porque era un autor que escribía originalmente en ídish. En Howe encontré a un tipo de intelectual que, en una generación posterior a la de mi abuelo, representaba lo mismo que él: un socialista judío que amaba la literatura, la libertad y el idioma ídish. Me acercó de nuevo al ídish.

¿Por qué dices que Vuelta *y* Dissent *eran revistas hermanas?*

Tengo presente un largo ensayo suyo con motivo del vigésimo quinto aniversario de *Dissent*. Sostenía que, a la luz del siglo XX, había cuatro lecciones esenciales para la supervivencia de un pensamiento socialista. La primera consistía en desprenderse, si no de todo, sí de la mayor parte del bagaje del marxismo, especialmente del marxismo-leninismo, lo cual no significaba desechar el marxismo como un instrumento flexible en el análisis histórico. En segundo lugar, evitar la satanización de los socialistas que trabajaban al interior del Partido Demócrata. En tercer lugar, apartarse de todo mesianismo político. El socialismo –decía– no es una religión: se trata de construir un mundo mejor, no en el cielo sino en la tierra. Y finalmente un compromiso sin reserva con la democracia. Howe estaba convencido de que no podía haber socialismo sin democracia, ni miramientos con los apologistas de dictaduras o autoritarismos de cualquier corriente.

Era obviamente anticapitalista.

Sí, como todo socialista, pero en vez de rumiar la destrucción del sistema o acabar con la propiedad privada buscaba fortalecer el *welfare state* y planteaba la batalla por las «pequeñas» cuestiones –mejor sanidad, mejor vivienda, impuestos equitativos, derechos de mujeres y minorías étnicas– que importaban a los liberales y, a la vez, realizaba una crítica profunda de la sociedad en nombre de valores democráticos socialistas. Nosotros en *Vuelta* sentíamos una afinidad con esas ideas. Su disidencia era distinta a la nuestra porque su circunstancia era distinta, pero los valores eran semejantes.

Pero ustedes no creían en el socialismo.

Octavio Paz era el director de *Vuelta*, y Octavio Paz seguía creyendo en la posibilidad de un socialismo en libertad. Nunca abandonó esa creencia. Howe y Paz suponen, desde la raíz del liberalismo clásico, que el poder debe ser limitado. El socialismo, para Howe, era una preocupación intelectual, un imperativo moral, no una ideología rígida: «la causa del socialismo debe dirimirse cada vez más en términos morales –escribió en *Vuelta*–: la extrema desigualdad social y económica impide la verdadera libertad; la formación de la personalidad humana requiere un marco de cooperación y fraternidad». Esos valores no eran distintos a los de Paz, que tuvo siempre nostalgia por la fraternidad de sus años juveniles en México y España. Por otra parte, Paz no fue un neoliberal o un liberal en lo económico, ni predicó la abolición del Estado ni el «estado mínimo». *Vuelta* nunca publicó textos con esa orientación. Paz criticaba al Estado igual que a los monopolios capitalistas. Ya no ponía en entredicho la propiedad privada, pero detestaba la enajenación provocada por la publicidad, la banalización de los gustos y la degradación del erotismo.

¿En Vuelta *atendían los temas sociales, como la desigualdad?*
Basta leer a Zaid. Entendía y atendía los temas sociales como la pobreza, con mayor penetración y seriedad que muchos cenáculos académicos, que repetían recetas ideológicas tercermundistas.

Déjame planteártelo de otro modo: nadie negaría que Dissent *fue una revista de izquierda. Pero nadie sostendría lo mismo de* Vuelta.
La adjetivación ha hecho un gran daño, porque invita al juicio sumario, no a la reflexión. *Vuelta* era una revista de un espectro literario mucho más amplio que el de *Dissent*. Pero en temas de pensamiento político y debate intelectual eran muchas más las coincidencias que las diferencias con *Dissent*. Digamos que a Paz le parecía correcta la postura socialista democrática de Howe, y quiso proponer para México (y para América Latina) una vía propia al socialismo con libertad. Pero chocó con una poderosa tradición marxista que venía de Francia, una tradición que el propio Paz había abrazado por años. Esa tradición contravenía los cuatro preceptos de Howe: seguía siendo dogmáticamente marxista, satanizaba la acción política liberal, asumía actitudes dogmáticas y era antidemocrática. Dicho lo cual, había diferencias entre ambos. Paz vivía el socialismo con un sentido de culpabilidad y desilusión. Howe no compartía ese sentimiento porque jamás había albergado simpatías por la URSS y pensaba que el ideal socialista requería autocrítica pero seguía intacto. En Paz, al final, predominaba la desesperanza.

En cambio Howe tituló su autobiografía: *A Margin of Hope*. Publicó en *Vuelta* varios textos memorables: un veredicto contra Ronald Reagan, un homenaje a Orwell, un extenso estudio sobre la literatura del Holocausto. Murió relativamente joven, a los 72 años.

¿Seguiste cerca de él?

Lo visité varias veces en su departamento de Nueva York, a unos pasos del Metropolitan Museum. Mis primeros ensayos en inglés los publiqué en *Dissent*. Guardo cartas significativas, buenos recuerdos y una estampa mexicana. En un viaje con Ilana, su nueva esposa israelí de la que estaba muy enamorado, los llevé a Tepotzotlán. Ahí se encuentra una de las iglesias barrocas más hermosas del país. Comencé a describirle con detalle el retablo, y de pronto Irving, en un arrebato, se salió. «¿Qué pasa?», le pregunté. Me dijo que le parecía insoportable aquella profusión de oro en medio de tanta pobreza. Renuncié a seguirle explicando las sutilezas culturales de Nueva España. «Tienes que entenderme –me dijo–, *I am only a rationalist Jew*.»

También en eso era un disidente, y en varios otros sentidos, como se refleja en la entrevista que le hiciste. Como socialista, disidente en el corazón del capitalismo; antiestalinista, en un ámbito intelectual indulgente con la URSS; antimacartista en medio de una cacería de brujas; moderado y pragmático, frente a los fuegos fatuos de la nueva izquierda americana.

Howe fue disidente antes de que el término mismo se pusiera de moda en los setenta, ligado a los activistas opuestos al totalitarismo ruso como Solzhenitsyn o Sájarov. *Dissent* publicó a los disidentes del Este, igual que *Vuelta*. Y en 1980, *Dissent* alentó y publicó a las voces del sindicato Solidaridad, igual que *Vuelta*.

Supongo que en ese conflicto ambas revistas tuvieron un apoyo más amplio.

Dissent sí, nosotros no. Nosotros sabíamos que esta vez la reivindicación de la libertad implicaba una refutación definitiva de aquel régimen totalitario porque no se daba en el ámbito de las ideas sino en el de la realidad, no en las aulas sino en los astilleros, no por parte de pensadores o intelectuales sino de obreros. Polonia entera era disidente, y nosotros estábamos con ella. En *Vuelta* publicamos una entrevista con Lech Wałęsa a propósito de la supervivencia del prestigio comunista en Occidente, cuando ya casi nadie tomaba en serio el marxismo en Polonia. «Es muy sencillo –decía–: no saben qué es el comunismo. Nosotros sí lo sabemos.» A nadie convenció entre la izquierda mexicana. ¿Cuál crees que fue la actitud que adoptaron los periodistas, académicos e intelectuales que apoyaban el sindicalismo universitario? Ser sindicalistas acá, antisindicalistas allá. Los órganos influyentes de la izquierda veían la huelga de Solidaridad con reserva, desconfianza y hasta con abierta hostilidad: los obreros polacos se habían «equivocado», «aburguesado», los había «infiltrado el virus capitalista». Unos cuantos adoptaron una postura esquizofrénica: hablar bien de Solidaridad pero también de Fidel Castro. Su actitud, en todo caso, era contraria a la nuestra. Estábamos solos en México, pero ellos, claramente, sentían que algo estaba mal en el reino de su ideología. Polonia demostraba que tenía sentido pensar, imaginar al menos, la democracia posible. Por un momento, creímos que la transformación polaca propiciaría un ambiente de crítica y tolerancia civilizada en los medios intelectuales mexicanos, un debate sobre el marxismo universitario y una discusión seria sobre Cuba. Pero no fue así. Había que seguir. Y con ese mismo impulso, *Dissent* publicó a varios disidentes latinoamericanos autores de *Vuelta*, como Guillermo Cabrera Infante y Gabriel Zaid.

Guillermo Cabrera Infante: el año que viene en La Habana

Plural *había sido cauta con Cuba. ¿*Vuelta*?

Vuelta decidió acometer la crítica del régimen de Castro, aunque el despegue fue un poco lento. Tengo esta anécdota. En 1978, si no recuerdo mal, apareció en alguna revista inglesa un texto muy crítico de Hugh Thomas, el gran historiador de la Guerra Civil española, autor también de la monumental *Cuba: The Pursuit of Freedom*. Lo leí y le escribí a Thomas, que dio su anuencia para traducirlo.

Cuando Octavio lo leyó, me dijo que prefería no publicarlo. «Si ya nos detestan por revelar el mito de la salud en la URSS, imagínese si seguimos con Cuba.» Me apenó escribirle a Thomas, pero lo tomó con buen humor. Nos hicimos después grandes amigos. Ya en 1979 publicamos «El naufragio del Titanic» de Hans Magnus Enzensberger, en una traducción de Gerardo Deniz. El Titanic era Cuba y él, Enzensberger, había estado a bordo. El poema es un recuerdo nostálgico de La Habana: «Algo buscábamos, se nos había perdido / en esta isla tropical». Miraba al pasado reciente con tristeza pero también con humor: «¡precisamente Horkheimer / en La Habana! También hablamos de Stalin / y de Dante, y ya no sé por qué, / qué tenía que ver Dante con el azúcar».

Se buscaban a sí mismos a costa de los cubanos, sin ver claramente qué ocurría con los cubanos.

Como Sartre. Buscaban la utopía perdida de Europa en América. No había sido fácil para ellos ver la realidad. Les pasó a muchos. Pero hubo un punto de quiebre mayor en nuestra cobertura crítica. Ocurrió en abril de 1980, cuando una multitud irrumpió en la embajada de Perú en La Habana buscando asilo. Al poco tiempo, decenas de miles de cubanos salieron por el puerto de Mariel. No eran burgueses, era gente del pueblo. Era la refutación histórica y social, no ideológica, del fracaso de la Revolución, a pesar de que en 1980 aún gozaba del pleno subsidio ruso. Esos hechos revelaban una fractura en la utopía castrista: el sujeto mismo de la redención se rebelaba contra su redentor. Entre los exiliados iba el escritor Reinaldo Arenas, famoso ya entonces por *El mundo alucinante*, su maravillosa novela sobre el sacerdote liberal mexicano fray Servando Teresa de Mier. Reinaldo había sufrido doblemente la persecución del régimen: contra los homosexuales y contra los escritores. En *Vuelta*, Enrico Mario Santí entrevistó por primera vez a Reinaldo. *Vuelta* fue la revista de Reinaldo, hasta su muerte.

¿Qué actitud tuvo la izquierda mexicana frente a ese exilio masivo?

Desdeñarlo, señalar a los «marielitos» como una escoria antisocial, un puñado de antirrevolucionarios, nuevos «gusanos». Nosotros respondimos a esa infamia. Octavio publicó un texto en el que hacía ver que los fugitivos y asilados no eran miembros de las antiguas clases dominantes: eran obreros, artesanos, personas modestas y sin trabajo. Entre ellos había muchas mujeres, niños y ancianos. Gente desdichada, desesperada. Zaid publicó un texto muy breve:

Comparaciones

Se ha dicho que los cubanos que se van de Cuba son como los braceros mexicanos. En la comparación hay algo de verdad. Lo que se echa de menos son las grandes manifestaciones priistas contra los braceros; la voz ofendida del Señor Presidente lloviendo sobre los mojados; muertos de hambre, rajones, maricones, lúmpenes… ¡Fuera, escoria de México!

¿Qué otros autores de la disidencia cubana publicaron?
El mayor de todos fue desde luego Guillermo Cabrera Infante, pero déjame mencionar antes a otros autores muy queridos. En la *Vuelta* de aquellos años publicó, por supuesto, el narrador y poeta Severo Sarduy. También muchos exilados cubanos en México, como Nedda G. de Anhalt. Y al paso de los años, en los ochenta y noventa, varias generaciones de escritores se incorporaron a nuestras páginas, desde Lydia Cabrera y Eugenio Florit hasta los jóvenes Rafael Rojas, Orlando González Esteva y Ernesto Hernández Busto. Pero de ese tiempo quiero resaltar la presencia de Carlos Franqui. Fue un revolucionario de primera hora. Casi anterior a Fidel, hombre clave en el Movimiento 26 de Julio, fundamental en el triunfo de Castro. Franqui fue director del diario *Revolución* y el promotor cultural más imaginativo y dinámico que tuvo la Revolución cubana en sus esperanzados inicios. Franqui resistió las oleadas cada vez más represivas del régimen hasta terminar por exiliarse en 1968. De todo esto me enteré en 1981 cuando apareció *Retrato de familia con Fidel*. Creo que lo compré tres veces y lo leí más. Hay dos fotos en la portada: en una aparece un personaje con Fidel, en otra desaparece. Las fotos son de 1959: la original, con el barbudo Franqui al lado de Fidel, y la retocada a la manera rusa, con Fidel, pero sin Franqui.

Como los retoques que hacía Stalin, quitando a Trotski.

La Revolución que pudo ser y la que fue. No hay un libro que se le parezca. Poesía, prosa, diario, reportaje, crónica, entrevista, diálogo, *collage*, un canto de amor y dolor. ¡Cómo me impresionaron sus descripciones de la riqueza ecológica, agrícola, ganadera de Cuba y de las potencialidades que tenía! Franqui era de origen campesino y hablaba a ras de tierra. Su percepción psicológica de Castro es la mejor que he leído: una mezcla irrepetible de genes autoritarios, vigor físico, resentimiento social, gansterismo estudiantil, caudillismo atávico, cálculo jesuítico, lecturas leninistas, utilización de símbolos religiosos, todo fue integrando su inconmensurable voluntad de poder.

¿Lo conociste?

En 1990, en el Encuentro Vuelta: La experiencia de la libertad, que Octavio y yo organizamos tras la caída del Muro de Berlín. Invitamos a México a algunos de los principales intelectuales del mundo para hacer un balance del siglo XX y arriesgar algunas hipótesis para el XXI. Franqui fue uno de ellos. Era un fino crítico de arte. Un hombre sencillo, franco y sobre todo muy dulce. Seguimos hablando a partir de entonces. Entrañable persona. Otro exilado eterno de Cuba, vivió y murió mirando a Cuba desde Puerto Rico.

Es el momento de recordar a Guillermo Cabrera Infante.

Su nombre en Cuba fue tabú hasta hace muy poco. Ya se han publicado libros de Guillermo en la isla, aunque las autoridades del régimen lo siguen odiando. Fue el exiliado literario y el disidente político más notable de la Revolución cubana. Un renovador de la lengua. Publicó con nosotros desde los setenta, pero con gran asiduidad en las décadas siguientes. *Vuelta* fue también su casa editorial. Lo conocí en su casa de 53 Gloucester Road en Londres en el otoño de 1981. Pero para entonces ya éramos amigos epistolares. Guardo sus cartas, que contienen algunas joyas de invención literaria y lingüística. Hay en Cabrera Infante una irreverencia natural, libérrima. Déjame darte un ejemplo referido al cine, Nabokov, el sexo y los escándalos y la realeza británica:

Ahí te va un artículo sobre *Lolita* que debí escribir desde principios de año por el onomástico de la nínfula, pero aprovecho la nueva salida de la película de Kubrick para hacerlo. Está teniendo mucho éxito en España, donde Lolita, Alicia y una modelito a la que llaman La Culito están de moda. En Inglaterra tenemos la Koo Stark, que fue la fugaz nínfula de Andrés, príncipe sin ínfulas. Espero que te guste. No Koo Stark sino mi Lolita barbarroca que sufre de gongorrea. O tal vez goza de tal.

Su estilo abunda en lo que en inglés se llama puns, *juegos de palabras.*

Es el Heine cubano, pero como vivió en Inglaterra su estilo se volvió una mezcla genial de barroco antillano y flema inglesa. Tan genial que los hallazgos verbales en sus ensayos distraen a veces del contenido, cuya inteligencia de argumentación recuerda a los de Orwell. Sus novelas y ensayos están repletos de chistes. Fiestas del lenguaje, juegos de puro placer. Su obra es infinita en eso. Pero lo que ensaya y logra son iluminaciones. Y en sus ensayos más importantes cada *pun* toca sutilmente una fibra moral.

¿Cómo fue aquel encuentro?

Muy significativo para mí. Hablamos con gran familiaridad. Nos acompañaba Miriam Gómez, su esposa, su ángel guardián, inteligente, combativa y encantadora. «Contigo se puede hablar porque eres judío», me dijo, «en cambio con Octavio es difícil, es azteca e impenetrable». También el gesto de Guillermo tenía algo impenetrable, una especie de seriedad adusta que contrastaba con todo lo que decía, brillante, original, hilarante. Pero esa cascada de ocurrencias significativas –no simples chistes, subrayo, sino hallazgos verbales cargados de sentido moral– no iba acompañada de ninguna risa o apenas de una leve sonrisa. Como si hubiese adoptado un semblante muy «British», pero no era eso: el humor de Guillermo tenía el fondo trágico de su exilio. Quizá pudo regresar, nunca quiso. ¿A qué, para qué? Se quejó de Carlos Fuentes, de manera muy puntual. Me dijo que le había plagiado el cuento «Cumpleaños» y que Fuentes había escrito su panfleto *París: la revolución de mayo* en Londres, no en París, aprovechando información que Cabrera le proveía. También se refirió, por supuesto, a la obsecuente amistad de García Márquez con Castro. Creo que la conversación con Guillermo fue la que me plantó la semilla de escribir crítica literaria a la manera inglesa o sajona, es decir, una crítica que ponderara por supuesto los libros en su valor literario intrínseco, pero no los desconectara de la biografía del autor, porque la vida es finalmente el surtidor de esa creación, y por otro motivo menos obvio: las opciones morales de un autor se cuelan indefectiblemente a la obra. Por eso la obra de Cabrera Infante –como la de Vargas Llosa, aunque sea tan distinta– tiene una fibra moral que no encuentras en García Márquez ni en Fuentes.

Había sido un protagonista cultural de la Revolución cubana.

Hablamos un poco del tema esa tarde. Pero conocí mejor su historia en *Mea Cuba*, su libro de ensayos y artículos políticos que publicamos en la pequeña editorial que fundamos años después en *Vuelta*. Sus padres habían sido comunistas de hueso colorado, como decimos en México. Su primer amor, al que le fue fiel siempre, fue el cine. Fue director del suplemento *Lunes* del diario *Revolución*, en el fugaz período en que la Revolución cubana parecía alentar, aunque solo toleraba, la libertad creativa. *Lunes* (he visto algunos ejemplares) fue un prodigio de modernidad en el diseño, la pluralidad de autores, la vanguardia artística y crítica. Cubrió temas históricos (las guerras del siglo XX) y temas candentes: la religión afrocubana, el nuevo cine, Sartre y Camus. Pero muy pronto, en 1961, cuando el hermano de Guillermo, Sabá, hizo un documental vanguardista titulado *P.M.*, sobre la noche habanera, la burocracia ortodoxa de Cuba lo censuró. Esa censura fue el principio del fin. Siguió el cierre de *Lunes*, el congreso en el que Castro pronunció aquello de que «dentro de la Revolución, todo; contra la Revolución, nada», la salida de Guillermo como diplomático a Europa, su vuelta fugaz en 1965 para acudir al entierro de su madre, y su exilio definitivo en Londres. A partir de nuestro encuentro en Londres, Guillermo comenzó a escribir para *Vuelta* con mayor frecuencia. Recuerdo por ejemplo su relato-ensayo «Vidas para leerlas», sobre Virgilio Piñera y Lezama Lima, dos autores muy distintos entre sí: el barroco y el clásico, el pantagruélico y el frugal, el expansivo y el discreto, el frondoso y el escueto, el gordo y el flaco. Compartiendo episodios chuscos y excesos brutales, unidos o distanciados, aquellos grandes escritores marchan al abismo de la paranoia, la proscripción y el olvido al que los arrojó un sistema que se propuso la obediencia universal y la heterosexualidad obligatoria. Es curioso que en el mismo acto de 1961 en que Fidel Castro proclamó «dentro de la Revolución, todo; contra la Revolución, nada», al tomar la palabra Piñera confesara: «Tengo miedo, tengo mucho miedo». Ambas frases pasaron a la historia. Al retratar a esos personajes y a tantos otros (porque su obra ensayística es una minuciosa biografía colectiva del mundo cultural cubano) Guillermo hacía una crítica más honda que la crítica de las ideas. En otro relato, «Vidas de un héroe», Cabrera revindica la limpia y estoica trayectoria de Gustavo Arcos, joven idealista, religioso, intachable, veterano de la Revolución, el mayor disidente activo dentro de la isla, encarcelado de por vida por Castro, que injustamente lo culpaba del frustrado asalto al cuartel Moncada. Y lo culpaba por una razón obvia: el fracaso se debía a él, a Castro. Pero los dictadores no suelen aceptar responsabilidades.

¿Cómo vivió su condición de exiliado?

El exilio es una condición histórica del cubano, pero nadie lo vivió específicamente como Cabrera Infante porque ningún cubano tuvo ni tiene su dimensión literaria. Por eso le dolió y le duele al régimen. Pero también por eso su sufrimiento fue tan grande. En América Latina, ser disidente del mito de la Revolución cubana siempre ha sido muy costoso. Si un escritor estaba con ellos, fuera y dentro de Cuba, lo aplaudían, le rendían honores y colmaban de privilegios. Era bueno, estaba con «los buenos» y del lado bueno de la historia. Era el caso de García Márquez. Pero si un autor había sido «bueno» y se había vuelto «malo», lo abucheaban en todos los ámbitos universitarios del continente. Desde los setenta, le ocurrió a Vargas Llosa. Pero el caso de Guillermo era más grave, porque este genio de nuestra lengua tenía que soportar, además del ostracismo, el insulto, el repudio. Era el «gusano» mayor. Y sin embargo, fue un exiliado con humor.

Como Heine.

Heine extrañaba a Alemania como Cabrera a Cuba. Heine en París, Cabrera en Londres. Y en ambos hay la conciencia del exilio como una condición judía. En Heine, por razones obvias. En Cabrera, por empatía histórica. Su libro *Mea Cuba* lo dice desde el epígrafe en el que cita a Cuba como el «Génesis» de América y a su propia vida como el «Éxodo»: «Salí de Cuba el 3 de octubre de 1965: soy cuidadoso con mis fechas. Por eso las conservo. Es así que puedo decir: "El año que viene en La Habana"».

El año que viene en Jerusalén...

Espera que en los judíos tardó casi dos mil años y en Cabrera toda su vida. Nunca regresó. Pero el humor fue su revancha creativa, más creativa que revancha. Como Heine. Solo a un Heine del trópico podía habérsele ocurrido escribir un texto como «La castroenteritis», que describe al régimen como un virus. Y el virus persiste, hasta la fecha. Y persiste porque la realidad que Cabrera narraba, como su dolor por la Cuba irremediablemente perdida, era algo muy serio. Ser cubano con conciencia, fuera o dentro de Cuba, se volvió una experiencia límite. Y algunos prefirieron el salto a la nada. ¿Por qué? Guillermo publicó por esos años «Entre la historia y la nada. Notas sobre una ideología del suicidio», una teoría del suicidio visto como la vocación nacional de Cuba. Cabrera demostraba cómo, en la asfixiante atmósfera de ese «estalinismo con sol» impuesto por Castro, el suicidio se convirtió en la *ultima ratio*, el recurso racional, no solo de protesta sino de expresión política. La costumbre, como mostró Guillermo, no era nueva en la historia cubana. Martí, impaciente, heroico, desesperado como tantos poetas románticos del siglo XIX, «arrancó ribera abajo, hasta las líneas españolas, donde cayó muerto del caballo al instante, sin siquiera haber sacado su revólver de la funda». Eddy Chibás, líder del opositor Partido Ortodoxo y célebre personaje de la radio a principios de los cincuenta, se disparó frente a los micrófonos como un acto de honor, un auténtico *harakiri*, porque no pudo sustentar debidamente el cargo de corrupción que había lanzado contra un funcionario del régimen. El ensayo es un tratado de psicología colectiva.

El propio Gustavo Arcos confesó a Cabrera: «Íbamos en realidad a nuestro destino y nos sentíamos como verdaderos kamikazes del Caribe». Del popular Camilo Cienfuegos, «mano derecha de Fidel», Cabrera no descarta la hipótesis del suicidio. En 1967, cuando Vargas Llosa (que había vivido en Bolivia) supo de la posición geográfica del Che, comentó: «Está sin salida. Lo que ha hecho es un suicidio». Muchos años después, Régis Debray, compañero de aquella última aventura, sostendría que el Che no había ido a Bolivia «a ganar sino a morir». Haydée Santamaría, la hermana de Abel y novia de Boris Santa Coloma (héroes y mártires del Moncada), directora de la Casa de las Américas, murió por propia mano, significativamente, el 26 de julio de 1980. No padecía *tedium vitae*, dice Cabrera, sino «*tedium* del poder»: «El poder absoluto desilusiona absolutamente». Osvaldo Dorticós, presidente de Cuba tras el triunfo de la Revolución, hizo lo mismo. Cabrera Infante documentó muchos otros casos de cubanos que salieron por la puerta, no falsa sino fatal, del exilio sin retorno. Entre ellos Reinaldo Arenas, «exiliado total: de su país, de una causa, de su sexo, murió peleando contra el demonio» en el territorio ajeno e inhóspito de Estados Unidos.

Parecería que solo Fidel Castro ha tenido derecho a la vida.

El texto de Cabrera es un ensayo sobre la desesperación y la desesperanza, sobre la asfixia y el confinamiento, sobre la insoportable pesadez de la mentira, sobre la pesadumbre de Cuba. Cuando la fe se esfuma y todo es impotencia, solo queda una expresión de protesta, un acto fisiológico e ideológico: el suicidio. Cabrera lo dice mejor: del «Patria o muerte, venceremos» al «Muerte o muerte, pereceremos».

¿Se leerá a Cabrera Infante algún día, libremente, en Cuba?

No pierdo la esperanza.

Vargas Llosa: adiós a la tribu

¿Dónde queda Mario Vargas Llosa en el elenco de la disidencia que escribía en Vuelta*? ¿Disidente? ¿Crítico?*

Ambas cosas, intensamente. Creo que la Revolución rusa fue para Paz lo que la cubana para Mario: un advenimiento histórico que atrajo no solo su simpatía sino su adhesión activa y apasionada. Pero la de Mario lo fue aún más, porque se trataba de la revolución latinoamericana, la revolución en tiempo presente, hecha por guerrilleros de su propia generación. Como él ha narrado en varios textos, desde el primer momento se entregó a ella y le fue fiel largo tiempo. Su rompimiento no fue súbito, sino un proceso doloroso de decepción. Creo que tanto en Paz como en Vargas Llosa la palabra clave es desencanto, un desencanto que al profundizarse desemboca en una crítica feroz, una crítica proporcional a la dimensión del compromiso anterior.

Paz cargaba un sentimiento de culpa por haber callado cuando tenía frente a sí evidencias irrefutables de los crímenes del régimen soviético.

No creo que en Vargas Llosa quepa hablar de culpa, acaso sí de remordimiento, porque, a pesar de los atropellos de toda índole que la Revolución cubana cometió en sus primeros años, no hubo purgas de la dimensión soviética. Paz no las hubiera tolerado y mantuvo un apoyo discreto, a distancia, hasta fines de los sesenta. Para Vargas Llosa los puntos de quiebre fueron la invasión a Checoslovaquia en 1968 y luego, claramente, el caso Padilla. El proceso de decepción fue indetenible y Castro lo ahondó con su actitud de desprecio abierto a los «intelectuales revisionistas». Pero antes del rompimiento definitivo, cosa que lo honra, Vargas Llosa mandó varias señales de alarma. Recuerdas que aún en su nota sobre *Persona non grata* de Jorge Edwards publicada en *Plural* mantenía su adhesión a la Revolución, aunque ya sin ningún entusiasmo, con tristeza y nostalgia, con rabia contenida, en espera casi de un milagro que no ocurrió. Cuando se escriba la biografía definitiva de Vargas Llosa, uno de los aspectos más interesantes será seguir esa transformación de sus convicciones que, como decía Sabato (y Dostoyevski), es siempre fascinante y aleccionadora. Creo que su revaloración de Camus en *Plural* en 1974 fue un momento clave de ese proceso que no solo tuvo que ver con Cuba sino con el tema más profundo de los medios y los fines en la política, en especial en la política revolucionaria. Y, como decía Weber, ninguna «ética de la convicción» resiste la prueba moral porque supedita y sacrifica vidas concretas a ideales abstractos.

¿Siguió siendo socialista?

Creo que sí, y ahí tienes otro paralelo con Paz. Pero mientras Octavio nunca se apartó de esa fe, o de esa posibilidad, a fines de los setenta Vargas Llosa sí lo hizo, de manera clara y terminante. Mario formaba parte de *Vuelta*, el barco intelectual de la disidencia. Lo tuve claro siempre y más aún en 1983, cuando publicó con nosotros y en *The New York Times Magazine* su largo reportaje «La matanza de Uchuraccay». Fue un texto que cimbró a los lectores. Pasó lo siguiente. En Ayacucho, centro de operaciones de la guerrilla Sendero Luminoso, había ocurrido la muerte de ocho periodistas. Una parte de la prensa culpó al gobierno democrático de Fernando Belaúnde Terry, quien decidió nombrar una pequeña comisión investigadora en la que participó Vargas Llosa. Fueron al lugar, recabaron testimonios y concluyeron que los periodistas habían sido asesinados por los campesinos, porque pensaban que eran guerrilleros. Vargas Llosa llegó a la conclusión de que el enfrentamiento entre las guerrillas y las fuerzas armadas eran arreglos de cuentas entre sectores privilegiados de la sociedad, en los que las masas campesinas eran utilizadas por quienes decían querer liberarlas. Vargas Llosa hablaba de «sectores privilegiados», más que de universitarios, pero la realidad que revelaba ese reportaje hecho *in situ* correspondía a la misma que Zaid estaba revelando en sus análisis sobre los universitarios en el poder o hacia el poder, incluidos los universitarios en la guerrilla. La guerrilla peruana no es obrera ni campesina. El profesor maoísta Abimael Guzmán, «cuarta espada» del marxismo o el comunismo (junto con Lenin, Stalin y Mao), no creía en la autonomía de la vida campesina. Como sus congéneres soviéticos, chinos y camboyanos, creía que había que reeducar a los

Vargas Llosa en Comisión que investigará masacre

Por Miguel Mantilla

El horrendo crimen de los ocho periodistas perpetrados en la comunidad de Uchuraccay, Ayacucho, puso en evidencia de manera dramática las consecuencias de la violencia que no respeta nada, y que causa como en este caso, víctimas inocentes y ajenas a las mismas, según expresó el escritor Mario Vargas Llosa, designado ayer por el gobierno como miembro de la comisión que entará-informe sobre los luctuosos sucesos.

Dicha comisión, que está conformada además por el Decano del Colegio de Periodistas del Perú, doctor Mario Castro Arenas, y el abogado penalista Abraham Guzmán Figueroa, está facultada para llevar adelante las investigaciones que juzgue convenientes, disponiendo de todas las facilidades que puedan brindarle las autoridades civiles y militares.

Vargas Llosa, fue llamado en horas de la mañana por Belaúnde, quien le comunicó su designación, la misma que fue aceptada luego de un prolongado diálogo.

Posteriormente, el escritor informó a los periodistas que aceptó la propuesta "porque tengo la obligación moral de contribuir de alguna manera a esclarecer estos sucesos que han provocado la consternación en el país y en el mundo, y un resentimiento de horror ante sucesos que pocas veces han tenido tal magnitud".

Declinó pronunciarse sobre la politización denunciada en algunos medios de información, en torno si sepelio en Lima de los seis colegas periodistas, señalando que "en este momento soy miembro de una comisión y debo actuar con imparcialidad y abstenerme de hacer ningún tipo de pronunciamente que podrían ser considerados políticamente".

Nosotros, agregó, tenemos la obligación de actuar con la mayor objetividad posible, prescindiendo de to-

lo que ocurrió, quiénes son los responsables de los sucesos, y pedir las sanciones que correspondan al margen de consideraciones políticas.

Vargas Llosa refirió luego que hay que evitar el aprovechamiento de estas situaciones, "que sería indecente e inmoral, en un asunto de estas características".

Más adelante precisó que es triste, doloroso y penoso, pretender aprovechar el trágico suceso, "pero en un país como el nuestro, hay sentimientos pasionales de exaltación que interfieren con la actividad política".

En otra parte de sus declaraciones, lamentó que sucesos como el ocurrido con su grupo de periodistas que cumplían misión informativa, dañe la imagen de nuestro país en el exterior.

Vargas Llosa fue de opinión que hay que conocer las circunstancias en que ocurrió la tragedia para entenderla y dar una versión sobre la misma, ya que, según dijo, desde lejos es imposible pronunciarse con profundidad.

La comisión tendrá treinta días para evacuar su informe

Por su parte, el doctor Guzmán Figueroa, al ser consultado sobre su designación para integrar la comisión que investigará el cruel asesinato de un grupo de hombres de prensa, precisó que aceptó el encargo porque se actuará con plena autonomía y mi propósito cumplir con dicho mandato con objetividad e imparcialidad.

El conocido penalista refirió que la tarea es difícil, "pero sabremos cumplir con la misión encomendada, ya que nuestras investigaciones irán hasta el fondo del asunto, sin omitir detalle".

Mario Castro: Decano de los periodistas buscará descentrañar la verdad.

Vargas Llosa: aceptó integrar la comisión investigadora luego de entrevistarse con Belaúnde.

campesinos, sin reparar en la violencia de los métodos, para crear al «hombre nuevo». Y claro, el radicalismo maoísta provocaba la reacción militarista. La trágica espiral latinoamericana. Esa experiencia y los estragos terribles de Sendero Luminoso (setenta mil muertos atribuibles a ellos) llevaron a Vargas Llosa a escribir en los ochenta obras de gran tensión histórica y moral respecto a la idea de la Revolución, entre ellas su largo ensayo *La utopía arcaica* y su novela *Historia de Mayta*. La primera es una crítica al indigenismo, que si bien prohijó obras notables de teoría social e imaginación literaria que Vargas Llosa admira y valora (Mariátegui y sobre todo José María Arguedas) mantuvo viva la flama de un proyecto económico y social inviable y opresivo.

Historia de Mayta *recrea la vida de un guerrillero prototípico.*

Te hago notar que Mayta (el exguerrillero trotskista a quien el periodista de la novela encuentra mucho después de su fallido intento de foquismo revolucionario en una aldea, entregado a la vida pacífica, sin remordimientos ni nostalgias) era uno de esos jóvenes impacientes, radicalizados no por carencias materiales ni desventajas sociales, sino por una truncada o torcida vocación religiosa. En su caso, no habían sido los jesuitas quienes lo «indoctrinaron», como a Dalton, sino los salesianos. La novela narra la escala de la radicalización: sectas clandestinas, lecturas, planes, conjuras. Se trataba de «asaltar el cielo», «bajaremos al cielo del cielo, lo plantaremos en la tierra», decía Mayta. Su fracaso se debió a problemas técnicos, de logística, de planeación. No tuvieron el genio irrepetible de Castro. La novela te dejaba con la certeza de que los guerrilleros (los impacientes, los radicales) de las generaciones venideras cuidarían más esos detalles. Esa persistencia histórica de la Revolución es la que llevaría a Gabriel Zaid a remontarse al origen, y encontró la obra de Joaquín de Fiore que inventó esa idea de «bajar el cielo a la tierra». Mayta y Dalton eran soldados en la escalera mística de la perfección revolucionaria.

Del tiempo en que estamos hablando, el gozne entre los setenta y ochenta, data un libro fundamental: La guerra del fin del mundo.

Para mí es la novela más ambiciosa y extraordinaria de Vargas Llosa. La leí deslumbrado porque entroncaba con el tema del mesianismo. En el otoño de 1981, cuando recibimos en *Vuelta* el primer capítulo con la descripción del redentor Antonio Conselheiro, sentí inmediatamente que estaba ante un fenómeno similar a los que estudió Gershom Scholem, el historiador del mesianismo judío. La revelación de esa lectura me llevó a la historia y la antropología de los movimientos mesiánicos, y a entender que, si bien fueron muy característicos del Brasil (hubo otros redentores antes y después de Conselheiro), aparecieron en otros momentos y culturas: en la Alemania medieval, en la Italia del siglo XIX.

En Brasil incidió el «sebastianismo», el famoso culto portugués a Sebastián, «el Deseado», aquel monarca que había muerto en los setenta del siglo XVI en una insensata guerra contra los califas marroquíes, pero cuyo regreso a Portugal fue la esperanza de generaciones de «sebastianistas» a través de los siglos.

Vargas Llosa lo recoge en su libro. Y ha explicado que leyó varios libros sobre movimientos mesiánicos y tratados místicos cristianos al preparar su obra. Pero el motivo principal de aquella guerra fue la aparición del Anticristo bajo la forma muy concreta de la nueva república brasileña, con sus valores liberales y sobre todo su fe en el positivismo de Auguste Comte. En México también tuvimos, en ese mismo período, es decir, en las décadas finales del siglo XIX y principio del XX, nuestra fiebre positivista que llegaba a extremos de producir catecismos y congregar iglesias paralelas como competencia «científica» a la Iglesia católica. Pero en ningún país como en Brasil prendió el positivismo como una religión de Estado que profesaban las élites políticas, militares e intelectuales. Ese es el corazón del libro, basado *Os Sertões*, la obra clásica sobre la rebelión de la región de Canudos. Su autor, Euclides da Cunha, aparece como «el periodista miope» en la novela. La leí entonces (buscando el tema mesiánico) y la he releído recientemente. Creo que en términos biográficos fue una novela de transición. Al escribirla y reescribirla, en ese tránsito entre décadas, Vargas Llosa tuvo un cambio de piel. Pienso que entró siendo uno y salió siendo otro, porque se aventuró por las zonas más oscuras y bárbaras, las más reales, de la vida latinoamericana. La guerra del fin del mundo es la guerra entre verdaderos condenados de la tierra, de nuestra tierra latinoamericana, y las élites que buscan imponerles un esquema racional.

¿No es ese el dilema latinoamericano por excelencia?

Lo vio Bolívar, en un pasaje de su «Carta de Jamaica», donde se burla de que en nuestras repúblicas tratemos de copiar a Sieyès y a Hamilton. Y Martí dice algo similar en «Nuestra América». Y, sin embargo, ambos eran republicanos. Una contradicción profunda que no tuvieron Carpentier o García Márquez, que optaron resueltamente por la dictadura de Castro, aunque borrara, mucho más que la república, toda la magia y misterio de la tribu que recrearon en sus obras. Hablo de «la tribu» en el sentido que le ha dado Vargas Llosa, el de colectivos de identidad de cualquier índole que subsumen al individuo en un nosotros que lo incluye y rebasa, que lo determina y muchas veces esclaviza u oprime.

En el caso de Brasil el pensador clave no fue Hamilton ni Sieyès sino Benjamin Constant, que así se llamaba el líder que proclamó la república brasileña. Era homónimo del gran liberal francés y en el nombre tenía grabado su destino. ¿Se inclinó por algún bando Vargas Llosa en su novela?

La guerra del fin del mundo no es, en absoluto, una novela de tesis, pero creo que el corazón de Vargas Llosa (y el de lectores como yo) estaba con los seguidores de Conselheiro en Canudos. Un lienzo humano digno de Brueghel o el Bosco rodea al mesías: asesinos brutales, bandidos de leyenda, *cangaceiros* implacables, curas pecadores, enanos de circo, prostitutas, beatos y beatas, comerciantes conversos. Es un lienzo de miseria humana. ¿Cómo no conmoverse? Cada personaje es desgarrador, aunque hablen poco, su vida y su silencio habla por ellos. Y algunos como el enano son narradores naturales que realmente deambulaban por Brasil narrando cuentos medievales. Vargas Llosa los rescata. Y hablando de escribidores, está el invento del «León de Natuba», esa cruza de humano deforme y felino reptante, con su inmensa cabeza y su vocación (dictada por Dios, ¿por quién más?) de ser el Boswell de Conselheiro que toma nota de cada frase, paso y gesto del santo redentor. Corrijo: no es un lienzo lo que presenciamos, es un desfile dantesco, pero también una marcha hacia la redención.

Y, sin embargo, el mesianismo condujo al Apocalipsis.

Precisamente así se entiende el mesianismo en la tradición judía. Por eso las corrientes racionalistas en la propia religión judía temían su advenimiento y rechazaban a los mesías. Vargas Llosa retrata muy bien al «periodista miope» que desde la razón comienza por condenar el fanatismo de los seguidores de Conselheiro, pero poco a poco, conforme avanza su experiencia directa de los hechos, comprende la lógica interna y la emoción de los mesiánicos y entiende que las categorías que se les aplican son inadecuadas, falsas.

Y entonces, no solo el periodista, también Vargas Llosa matiza. Más que «fanáticos», esos ejércitos de la fe son trágicos. Y finalmente, parece preguntarse legítimamente Vargas Llosa, ¿quiénes son más fanáticos, los fervorosos seguidores de Conselheiro o los intelectuales armados de teorías abstractas como la propia idea de la república representativa, no se diga la doctrina positivista? En todo caso, eran como él ha dicho «fanatismos recíprocos», universos incomprensibles el uno para el otro. Por eso el título es perfecto: es la guerra del fin del mundo porque así la vivieron sus protagonistas, pero también porque una oposición así entre el llamado milenarista de la tribu y los preceptos racionales y modernos no puede llevar sino a una conflagración total, final.

Finalmente, a un costo espeluznante, sobrevivió la República.

Y sobrevivió la fe. Así pasó también en México en la Cristiada, guerra entre los campesinos y rancheros católicos mexicanos y un Estado que se empeñaba en imponer la religión de la razón. Pero en México no existió el fenómeno notable del líder mesiánico. Finalmente, en Brasil y México, la realidad dio al César lo que era del César y a Dios lo de Dios. Pero murieron decenas de miles en esas guerras religiosas, ecos de las guerras europeas del siglo XVII. Y presagios de las guerras religiosas de principios del XXI.

Y Vargas Llosa se volvió un liberal.

Sí, como el periodista miope de su novela, en cierta forma. Por eso digo que *La guerra del fin del mundo* es una novela de tránsito. Por más místico o mágico que resulte el mundo encantado del mesianismo, con sus comunidades fervorosas y sus ancestrales creencias, si creemos en la libertad estamos obligados –como explicó Max Weber– a *desencantarlo*. No me refiero, obviamente, a reprimir u oprimir a quienes permanecen en la tribu. Me refiero a construir un orden en donde prive la razón, si quieres la razón con minúscula. La razón spinoziana de la claridad, la separación de lo sagrado y lo profano, la libertad de pensar y publicar, la tolerancia. Por eso creo que de esa inmersión en el corazón de las tinieblas latinoamericanas salió el liberal Vargas Llosa.

Alguna vez dijo: «En Perú, tenemos un Canudo vivo en los Andes».

Lo cual es cierto aún ahora y quizá lo será siempre, pero creo que al concluir esa novela, y al confrontar el proyecto que Sendero Luminoso tenía para los Andes (obra diabólica de ese remedo atroz y sanguinario de mesías, de ese mesías asesino que era Abimael Guzmán), Vargas Llosa desembocó en la convicción de que no había, para Canudos o para los Andes, mejor opción que la modesta utopía republicana y liberal con todo y sus «abstracciones». Pero ese orden no debe ni puede ser impuesto. ¿Cómo hacerlo atractivo y eficaz para los miembros de la tribu? ¿Cómo lograr que no se rindan a nuevos mesianismos no defensivos (como los de Conselheiro) sino revolucionarios? Sigue siendo un tema de nuestro tiempo.

IX. Polémicas

Una lectura de la tragedia salvadoreña

Vuelta *era la casa editorial de la disidencia europea, americana, latinoamericana pero también mexicana. Y en México, el disidente mayor de la pasión revolucionaria, Octavio Paz, enfrentó un parricidio simbólico. ¿Cabe hablar de Zaid como disidente?*

En la segunda mitad de 1981, Zaid enfrentó un linchamiento mediático tan o más serio que el de Paz, pero no por ser disidente (él nunca simpatizó con la revolución) sino por ser crítico de la izquierda, a mi juicio el más original, claro y lúcido de todos. Desde ese mirador crítico, vio algo que se desprendía de su tesis sobre los universitarios en el poder y el radicalismo bien pensante y bien remunerado de la izquierda: la interpretación sociológica de la izquierda revolucionaria en México y en América Latina como un movimiento que no era campesino, obrero, sindical, artístico sino precisamente universitario. La guerrilla de los profesores y los estudiantes. Fue un hallazgo y una profecía, porque apuntó a un proceso de larga duración que llega hasta nuestros días. El Che Guevara finalmente fue un universitario. Históricamente los universitarios han encabezado muchas rebeliones o revoluciones, desde la argentina de 1918, la venezolana de 1928, las mexicanas de 1929 y 1968 y por supuesto la cubana de 1959. Pero después de Cuba el proceso tomó nuevos bríos y una dimensión continental. Una o dos generaciones de universitarios latinoamericanos buscaron emular al médico Guevara y al doctor Castro. Entre ellos el profesor maoísta

Abimael Guzmán, que encabezó los atentados de Sendero Luminoso en el Perú. Con esa clave, en julio de 1981 Zaid publicó quizá el más polémico de sus ensayos: «Colegas enemigos. Una lectura de la tragedia salvadoreña». Era la aplicación de su teoría sociológica del radicalismo universitario a la realidad de El Salvador. Leyó esa tragedia, no con el libreto ideológico usual de la revolución popular contra la oligarquía aliada al imperialismo, sino como una guerra civil entre universitarios, una guerra entre colegas, a costa del pueblo que la presenciaba y padecía. Ese texto desató los demonios del odio en su contra.

¿Por qué «lectura»?

Es un título preciso. Lo que Gabriel hizo fue leer. Únicamente leer. Desde su escritorio, sin salir de su oficina, usando solo los recortes de la prensa internacional y de la nacional de izquierda (estoy hablando de centenares de datos), fue hilvanando cuidadosamente y por largos meses, no sé si años, la información sobre El Salvador, hasta reconstruir los hechos como sucedieron, a ras de suelo. Un caso de desmitificación de la revolución que cimbró a los lectores en decenas países. El ensayo apareció traducido en *Dissent* y también en *Esprit*. Te resumo velozmente el contenido. Presentaba

el escenario de un puñado de líderes, casi todos universitarios, que se conocían entre sí. En las elecciones de 1972 había triunfado una coalición de la izquierda y la democracia cristiana representada por el presidente, el ingeniero José Napoleón Duarte, y el vicepresidente, doctor Guillermo Ungo (primeros colegas universitarios que se volverían enemigos), pero un golpe militar de izquierda forzó la salida de Duarte y derivó en una junta cívico-militar de izquierda presidida por Ungo. Esta junta tenía apoyo popular y presagiaba un orden estable, pero debía lidiar con dos extremos violentos: el ala represiva del ejército y la guerrilla de izquierda. Y es ahí donde el ensayo comenzó a revelar verdades que, para el discurso oficial de la izquierda, resultaban increíbles, imposibles, inasimilables, inadmisibles y, por tanto, invisibles. Con documentos publicados por los propios guerrilleros e información que nunca –subrayo, nunca– fue refutada, reconstruyó el modo en que el jefe del Ejército Revolucionario del Pueblo (ERP), Joaquín Villalobos (apodado «René Cruz» en la clandestinidad), provocó deliberadamente a los militares extremistas para romper el frágil equilibrio de la junta y desatar una represión.

¿Por qué desatar la matazón, si Villalobos se declaraba a favor del programa de la junta? ¿Un problema de celos?

Más bien un problema de poder. Ahí está la clave del texto de Zaid. Se atrevió a ver, a leer, los intereses individuales en la empresa revolucionaria. Claro, en su autoproclamada superioridad moral ellos han dicho siempre que no tenían intereses particulares, que su único interés es general, servir al interés del pueblo, a la revolución que redimirá al pueblo. Pero el hecho es que toda revolución tiene un propietario. Y quien quería ser el propietario era Villalobos. Pero ¿qué ocurría si otro revolucionario le hacía sombra? Ese revolucionario fue el poeta Roque Dalton, muy famoso entonces.

Zaid, me dijiste, había criticado tiempo atrás un libro de Dalton representativo del servilismo de los intelectuales cubanos a la Revolución. Aceptar el lema «dentro de la Revolución, todo; contra la Revolución, nada» era anularse como intelectuales.

Exacto. Era el libro *El intelectual y la sociedad*, compilado por Dalton en 1969. Así que Zaid le siguió la pista. La reconstrucción de la vida, pero sobre todo de la muerte de Dalton, fue la parte más indigerible del ensayo para un lector de izquierda. Y la más llena de revelaciones. Dalton era el universitario radicalizado prototípico. Había nacido en 1935, hijo de una familia con medios suficientes para enviarlo al Externado de San José, donde los jesuitas, para horror de «los feudal-burgueses-colonizados más atrasados de El Salvador» –según escribió–, lo «indoctrinaron de comunismo». Cada vez más impaciente con su posición ideológica, Dalton se enamora –como toda su generación– de la Revolución cubana, va a Cuba, trabaja en Casa de las Américas, viaja a Praga, Corea del Norte y Vietnam, cosecha premios literarios, compila en 1969 aquel libro donde propone que el intelectual deje de serlo para ponerse al servicio de la Revolución. Dalton quiere ser el Che salvadoreño. Y se incorpora a la guerrilla en su país. Hubo cientos de universitarios como Dalton, pero tan importante como ese hecho sociológico (que los universitarios que aspiran al poder en México o en América Latina se radicalicen) es la raigambre católica de todo el fenómeno guerrillero. Es el corazón de la sociología de la guerrilla que discurrió Zaid. Se radicalizan porque viven impregnados de cultura católica. Digamos entonces que la guerrilla salvadoreña (como todas las latinoamericanas) es un caso extremo de la sociología política universitaria, con raíces culturales muy profundas en la cultura católica. La subversión social, política, moral tiene su inspiración rebelde en la *espiritualidad* católica; ya se ve que, en cierto modo, este dilema copia y reproduce, como analogía, el conflicto de Lutero y de toda la Reforma. Pero, a diferencia de la rebeldía luterana, los predicadores no fueron los campesinos, ni siquiera los obreros, sino los universitarios.

Se trata de una sociología religiosa de la guerrilla.

Es muy importante este punto. Por ese tiempo yo hacía lecturas sobre la genealogía judía de la pasión revolucionaria, la propensión mesiánica que está lo mismo en Marx que en Benjamin. Ambas son fundamentales, pero obviamente no explicaban por qué la revolución socialista o marxista prendió tanto en nuestro continente. La explicación estaba en la cultura católica. Mi desconocimiento de la cultura católica era abismal y por eso aquella lectura de Zaid fue tan reveladora para mí. Este, por cierto, ha sido también el tema sobre el que ha escrito libros extraordinarios mi maestro y amigo Jean Meyer. Tras estudiar la Cristiada (guerra campesina defensiva de raigambre religiosa) se propuso seriamente entender el orbe religioso ruso y desde ahí la Revolución bolchevique. Yo apenas me asomé a este tema fundamental. Con ese bagaje, Jean publicó en la editorial Vuelta su *Historia de los cristianos en América Latina*. Y, mucho tiempo después, yo publiqué mi libro *Redentores* que abreva de la psicología religiosa para interpretar a los revolucionarios de nuestra América. Pero tengo la certeza de que quien primero hizo explícita la conexión entre la cultura católica y el espíritu revolucionario marxista latinoamericano fue Zaid.

¿Cómo se da la transferencia de lo religioso a lo revolucionario en el catolicismo, según Zaid?

Zaid ha venido elaborando el tema en varios libros. Zaid descubrió en él la semilla del progreso, específicamente, en sentido cristiano. La idea de que la historia va hacia la salvación, pero no como creyeron los primeros cristianos cuando esperaban simplemente el final de los tiempos y el Reino de Cristo. Joaquín de Fiore tiene una revelación espiritual: la historia se encamina a la salvación por etapas; estas etapas siguen la sintaxis –digamos– de la Trinidad: primero fue la era del Padre, que corresponde al Antiguo Testamento. Le sigue la era del Hijo, la encarnación de Dios hecho hombre y el reconocimiento humano de su propia raíz divina. Y desde ahora, creía Fiore, nos toca crear, generar, no ya como creaturas sino como seres conscientemente partícipes, la era del Espíritu Santo cuya responsabilidad es colaborar en la salvación de lo creado. Como puedes ver, es el germen de la idea de la marcha hacia una etapa histórica mejor, de la dialéctica hegeliana, del pensamiento evolucionista... y de Marx, por supuesto: el Paraíso está en el futuro y somos corresponsables de hacerlo posible. Y, como es costumbre en él, Zaid logra transmitir toda esa complejidad de forma transparente.

Zaid es un crítico del marxismo que estudia la historia religiosa del catolicismo. ¿No es parecido a Kołakowski?

Sin duda. Alguien podría explorar esa veta. Pero biográficamente son distintos: un mexicano de origen palestino y religión católica que siempre criticó al comunismo, un polaco de origen católico que abrazó el comunismo para luego volverse su mayor historiador y crítico. Ambos se vuelven contra las distorsiones milenaristas o revolucionarias de la cultura católica. Ambos convergen en la defensa de la libertad.

Volvamos a la raigambre católica en «Colegas enemigos».

Zaid escribió que cualquiera que conociera la cultura católica podía reconocer, en la «urgencia moral» de los revolucionarios, «la teología de la perfección»:

La iglesia militante, en lucha contra el demonio, la carne y el mundo, tiene en la base nulidades; o sea, los laicos; luego, revolucionarios de segunda; o sea, el clero secular, los congregantes, los beatos más fieles y otros militantes mundanos; y por último los perfectos, que han renunciado a todo y han hecho entrega incondicional de su vida a una regla de perfección militante; o sea, el clero regular (especialmente los jesuitas).

Es una escala ascendente: en un caso la iglesia católica militante, en otro lado la iglesia marxista militante.

Pero en esas iglesias nadie habla de subir la escala de poder. Nadie supuestamente quiere ser papa. «Sería ridiculizado como un mal cristiano», escribió Zaid. Igual ocurre en el caso de los grupos, partidos, regímenes y guerrillas revolucionarias: supuestamente nadie quiere encabezar, ser cardenal o papa revolucionario. Todos están al servicio de una verdad superior que Zaid había descrito irónicamente en su crítica a Dalton en 1969 como «la luz de la historia revelándose en el planeta». Ante la inminencia o posibilidad al menos de tal advenimiento, todos trabajan de manera supuestamente «humilde» y «desinteresada» para hacerlo llegar. En ese camino hacia la perfección terrenal, hacia el hombre nuevo, hacia la sociedad ideal, los emblemas (santos laicos, héroes santificados) son el Che y Castro, pero nadie puede declarar que aspira a ese sitial. Y en ese doblez o en esa hipocresía esencial está la clave que explica, para Zaid, el sorprendente desenlace de «Colegas enemigos»:

> ¿Y qué hay que hacer si el joven economista Joaquín Villalobos tiene la misma vocación que Dalton, la misma urgencia radical de superioridad moral, la misma impaciencia con los «poetisos» y estetas? ¿Quién debe entregarse a quién? En la perspectiva de los que ya estaban en armas, la voluntad de sacrificio de un escritor que toma el camino del Che puede ser vista simplemente como la voluntad de poder de un advenedizo que llega a buscar el estrellato y el poder: el papel de comandante del Che.

Y la cuestión debía dirimirse. Pero ¿quién decidía y cómo?
Escucha lo que escribe Zaid:

> Roque Dalton murió asesinado por un compañero que le ganó en el uso de sus propios argumentos, en una lucha interna por el poder. Horriblemente, ni la más completa congruencia entre pensamiento y acción, ni la entrega más absoluta y más incondicional, ni siquiera subir a la montaña, tomar las armas y ofrecerse para matar al director general de Policía, salvaron a Dalton del escupitajo final que recibió con la

muerte, acusado por sus compañeros de burgués, como si se hubiera quedado a ser un escritor que firma manifiestos y come tres veces diarias.

Lo mató Villalobos...

Zaid lo prueba irrefutablemente, con el testimonio del propio Villalobos y otros más. Acusaron a Dalton de ser un agente de la CIA, y luego se justificaron diciendo que era un turista de la revolución, un pequeño burgués cuya muerte no tenía por qué hacer tanta alharaca, cuya muerte no era tan significativa como la de un obrero o un campesino. Cosas así.

Todo lo cual recuerda, por supuesto, a los juicios de Moscú, las purgas, estalinismo puro.

Claro, historia atroz que también ocurrió en Cuba. Solo faltó que Dalton, antes de morir, se declarara culpable. No tuvo tiempo. Ese episodio era la prueba irrefutable de que la Revolución era una empresa de poder sacralizado. La «narrativa» –como se dice ahora– de la Revolución es siempre la misma. El pueblo en armas contra el opresor apoyado por la oligarquía y Estados Unidos. Zaid no negaba la existencia de la oligarquía ni la brutal represión militar ni el papel siempre negativo y asesino de Estados Unidos en la región, pero El Salvador no era Cuba ni Nicaragua. La lucha era interna para dirimir quién era el propietario o el cardenal ungido de la Revolución y quién negociaba con el papa Fidel en la Roma de Cuba. Ese era el elemento irritante en el artículo. Pero había otro más, la prueba palpable de la escasa participación popular en la revolución salvadoreña. En un pueblo de cinco millones de personas, había cuatro mil guerrilleros contra dieciséis mil efectivos del ejército. Como decía mi maestro Luis González, los revolucionarios eran un puñado, los «revolucionados», la inmensa mayoría. Los comandantes anunciaron repetidamente la «ofensiva final», pero el esperado alzamiento del pueblo nunca ocurrió. Y es que no era una guerrilla campesina o una rebelión obrera sino una guerrilla universitaria. El pueblo tenía miedo, hambre, huía, caía bajo dos fuegos.

¿Qué proponía?

Propuso que se aislara o se exiliara a los violentos, dándoles incluso dinero e impunidad, a cambio de que abrieran el espacio a los dirigentes políticos. Estos llegarían a un acuerdo para convocar a elecciones, supervisadas de preferencia por un organismo internacional. Esa fue su modesta proposición: la democracia. Y de inmediato se desató un linchamiento en forma, a cargo de Héctor Aguilar Camín y Carlos Pereyra a quienes luego secundaron Adolfo Gilly y Héctor Manjarrez. Condenaron a Zaid que, con su «inerme», «audaz», «increíble lectura», desdeñando «los cambios en la conciencia de las masas en su trayecto a la revolución», había «abierto un frente de apoyo a la Casa Blanca». Otros cargos: Zaid hacía creer «que Cuba está manipulando la violencia en El Salvador»; Zaid «coincide (punto por punto) con el Departamento de Estado»; Zaid arriba a una solución «chabacana» y «absurda»: la de sacar a los violentos «para que el resto del pueblo pueda ir a elecciones y poner fin a su tragedia». Héctor Aguilar se refirió al «empirismo burriciego» de Zaid. Te estoy resumiendo los subrayados que tengo de esos textos larguísimos, desdeñosos, llenos de odio.

¿Qué respondió Zaid?

Su respuesta apareció en *Sábado*, suplemento cultural de *Unomásuno*, que fue uno de los principales escenarios de nuestras polémicas. La tituló «Los hechos incómodos». Le parecía curioso que se tardaran dos meses en responderle, y en reconocer la existencia de ciertos «problemas básicos», que requerían una «enorme cuota de reflexión». Pero si el lector esperaba una «mínima cuota de reflexión sobre problemas básicos, se quedó esperando». Para Zaid, Pereyra abandona pronto los hechos para entrar al territorio de los adjetivos y cita, uno a uno, todo el aparato teórico, que en realidad era un aparato adjetivador, con que Pereyra había querido desestimar sus argumentos: «una escuálida interpretación», una «puntillosa y farragosa recopilación de datos», una «endeble hipótesis». Pereyra había acusado a Zaid de «mala fe», «deshonestidad intelectual» y «deliberada desatención», entre otros cargos, pero Zaid señala con acierto que todo eso le servía a Pereyra para «no hablar de los problemas básicos». Y algo peor: para silenciarlos. Pereyra, dice Zaid, reconocía esos problemas «en abstracto, y apresuradamente; pero a la hora de enfrentarlos detenidamente, con nombres y apellidos, como los presenta mi artículo, corre a esconderse en los insultos, en vez de enfrentarse a los hechos».

¿Cómo refutó Zaid las acusaciones de Aguilar Camín?

Héctor fue quien argumentó que Zaid había coincidido con el subsecretario de Estado americano Thomas Enders, pero en su réplica matizaba esa supuesta coincidencia. Zaid mostró fácilmente que su propuesta era contraria a la de Enders. Y agregó que a Aguilar no le interesaba la verdad sino la militancia, resumida en una fórmula: «no estás del lado bueno si tienes razón; tienes razón si estás del lado bueno». Era la «independencia de criterio» de Zaid, y así lo reconocía el propio Héctor, lo que provocaba el desprecio de su artículo. Y cerró de la mejor manera: mostrando que la operación derogativa de *Nexos* era contradictoria. «Si no es común escribir un artículo sobre un artículo, y el mío es tan despreciable, ¿cómo es posible que tan apreciable revista dedique dos artículos a ningunearlo, firmados nada menos que por el director editorial y un miembro del consejo editorial?; y además ¿que lo anuncie en la portada, y abra con ellos el número? Sería más lógico ignorarlo.» ¿Por qué se resistían tanto a discutir los hechos? Porque eran hechos incómodos para la izquierda. El propio Zaid los resume de nuevo en su respuesta:

Fue una facción de izquierda del ejército la que dio el golpe de octubre de 1979; una facción que invitó a gobernar a la oposición civil de izquierda; invitación que fue aceptada, con el apoyo del Partido Comunista Salvadoreño. Pero a los guerrilleros del ERP no les hizo gracia que otros militares de izquierda, y no ellos, encabezaran el nuevo régimen; por lo cual se lanzaron a la provocación de los militares de derecha, hasta que el río de sangre que empezó a correr presionó al PCS y a otros a retirar su apoyo al nuevo régimen. Cuatro años antes, el ERP había recurrido a procedimientos parecidos; trató de liquidar por las armas a otro grupo guerrillero; asesinó a Roque Dalton, etc.

No querían aceptar que la izquierda fuera responsable por sí sola de la tragedia.

Desde luego. Eran «hechos perturbadores para toda persona que desee cambios sociales positivos; para toda persona que crea que el fin no justifica los medios». Y eran también poco agradables para mucha más gente, como los teóricos de izquierda, «porque no encajan en sus teorías de lo que debería estar sucediendo; para los militantes que piensan que la verdad es un estorbo en el camino de la victoria; para los que prefieren no pensar». Como no querían aceptar la verdad, preferían atacar a quienes la señalaban. No era tan fácil ignorar todo lo sucedido, los hechos en sí, pero como Pereyra y Aguilar Camín, dice Zaid, «no pueden desmentirlos ni quieren afrontarlos, buscan distraer la atención hacia quien los presenta, tratando simplemente de quemarlo con adjetivos y comparaciones». Finalmente puso en evidencia quién perdía en esa operación de ocultamiento: los lectores. Es como si dijeran: los lectores de *Nexos* no están preparados para una discusión de esos hechos incómodos. Entre los militantes decentes, como entre las familias decentes, de ciertos hechos no se habla. Se pueden reconocer vagamente, hablar de las mariposas y de las ovejitas y de qué naturales son ciertas cosas, como matar a un compañero que estorba para llegar al poder. Pero todo a su debido tiempo. La enorme cuota de reflexión que exigen esos hechos hay que hacerla en privado y despacito. Todo se explicará después, cuando haya sido superado. Por ahora, lo urgente es la victoria, no la verdad.

¿Provocó una reacción en México más allá de la prensa?

Hace poco mi amigo Tulio Demicheli, que trabajaba ya en *Vuelta* en aquel entonces, me recordó que las amenazas que recibimos obligaron a cerrar la revista durante tres días. Pero el artículo tuvo una gran repercusión internacional. Irving Howe dijo que nunca en la historia de *Dissent* había recibido tantas cartas a propósito de una publicación. Las críticas que se publicaron iban en el mismo sentido de las mexicanas, lo cual confirmó a Zaid: los ideólogos evadían los hechos incómodos y preferían quedarse en las abstracciones. Luego ocurrió algo de verdad inusitado en *The New York Review of*

Books, que nunca reseñaba artículos. Con el de Zaid hizo una excepción. Lo comentó con entusiasmo Murray Kempton, decano del periodismo estadounidense. Varias otras revistas y diarios internacionales lo reprodujeron o discutieron (*Time*, *The New Republic*, *Jornal da Tarde*, *Trenta Giorni*, entre muchos otros). Zaid recopiló centenares de referencias, comentarios y citas a ese texto que fueron apareciendo en periódicos, revistas, libros. Lo sorprendió la reacción, muchas veces indignada y hasta furibunda. Años más tarde, reflexionando sobre el tema, escribió que la lectura masiva de su texto hasta en fotocopias no tenía que ver con diferencias ideológicas sino con el despertar de una conciencia en el lector, la conciencia de que «algo no estaba bien con los rollos dominantes».

Difícil resolver la disonancia cognitiva.

Lo que ocurre es que para muchos era y sigue siendo difícil ver la realidad de frente. Operaba en ellos el típico mecanismo de negación. Sobre estas reacciones Zaid citó a Kant: «No falta gente que ve todo muy claro, una vez que se le indica hacia dónde mirar».

¿Alguien hizo su defensa?

Octavio Paz publicó un texto escueto en *Vuelta*, donde habló del complejo problema de los medios y los fines y señaló que un intelectual no puede callar ante los crímenes de su propia causa. Yo publiqué en *Unomásuno* una carta a Aguilar Camín en la que le señalaba una contradicción. En un artículo reciente, Héctor había criticado a un partido de izquierda, el PSUM, por demeritar las huelgas del sindicato polaco Solidaridad, por incurrir en «fetiches edípicos» que impedían ver de frente los hechos incómodos de las «patrias socialistas». Yo encomiaba esa postura frente a Polonia pero enseguida le preguntaba por qué esos mismos «fetiches edípicos» seguían siendo válidos para leer la realidad en El Salvador. Al año siguiente hubo elecciones que confirmaron el análisis de Zaid. La mayoría de los salvadoreños prefería la democracia a la violencia. En los años ochenta, las masas salvadoreñas mostraron «poca conciencia en su trayecto a la revolución» y, tras sufrir una guerra que causó decenas de miles de muertos, El Salvador terminó por adoptar la solución «absurda» y «chabacana» de marginar a los violentos y ejercer la democracia. Con la caída del comunismo, los cadáveres de la verdad se exhumaron uno a uno, todos menos el cuerpo de Roque Dalton, devorado por las aves de rapiña: Villalobos aceptó que, desgraciadamente, sí había matado al compañero Dalton; los suicidios y asesinatos referidos por Zaid sí ocurrieron. Muchos guerrilleros salvadoreños se volvieron prósperos empresarios, pasando del comunismo al capitalismo a través de la guerrilla. Ninguno de ellos sentiría particular urgencia por explicar o exculpar su pasado. «Si volviera a tomar las armas –declaró Villalobos–, sería en nombre de la Constitución y los principios cristianos.»

Lo curioso es que se había levantado en armas por obra inconsciente de esos principios cristianos.

Inconsciente quizá, pero desde luego torcida. Zaid la desnudó. Reveló la voluntad de poder de los revolucionarios salvadoreños y su torcida moral cristiana. Y aplicó el marxismo a los marxistas.

Contra el uso político de la historia

¿Cómo y cuando se manifestó tu propia disidencia? Hemos recordado las polémicas de Paz y Zaid. ¿Las tuyas?

Mi disidencia se manifestaba sobre todo respecto a las actitudes, opiniones y posturas políticas de mi generación, en especial la de mis colegas historiadores, editores de la revista *Nexos* y colaboradores cercanos a esa publicación. Y la primera polémica que sostuve con varios de ellos ocurrió en torno a un tema aparentemente inocuo, y desde luego menos conflictivo que los que desataron las iras contra Paz: la misión de la historia. Pero no tuvo tintes puramente académicos. Casi nada ya en ese momento tenía. Todo se politizaba. Y ese fue precisamente el corazón de la polémica: la politización de la historia. La desató el ensayo «Caras de la historia» que publiqué en febrero de 1981 en *Sábado,* el suplemento cultural de

Unomásuno que dirigía el gran editor cultural Fernando Benítez. Era una larga reseña crítica sobre un libro que compilaba los textos de diez historiadores –varios colegas y maestros míos– titulado *Historia ¿para qué?* Todos ellos se habían reunido en un encuentro académico y ahí habían presentado sus ponencias. Por algún motivo me excluyeron, cosa que me dolió y sobre todo me extrañó. Yo era egresado de El Colegio de México, había publicado para entonces tres libros de historia. En fin, cuando salió a la venta *Historia ¿para qué?* me propuse hacerle una reseña «a la inglesa».

Para entonces, tu principal colaboración en Vuelta *era escribiendo reseñas, ¿no es así?*

Me gustaba mucho. Es un género tan necesario en nuestra cultura, y se le cultiva poco y mal. Me volví asiduo a la lectura de dos revistas de ese género, que seguí por décadas, hasta ahora: *Times Literary Supplement* y *The New York Review of Books*. Gracias a ellas podía enterarme del estado de mi profesión en el orbe inglés, que me interesaba particularmente: los libros nuevos, los temas de moda, la discusión de los clásicos, las principales corrientes, las polémicas. Con ese modelo escribí una reseña sobre: *La historia recordada, rescatada, inventada,* de Bernard Lewis, el gran especialista en el mundo árabe. Era profesor de Princeton, y en ese libro vertió su sabiduría acumulada en revelar las formas en que la memoria colectiva y el poder político adulteran, cada uno a su manera, la verdad histórica. En ese libro había un capítulo dedicado a la historia oficial de México, reflejada en los murales de Diego Rivera. Mi reseña sobre *Historia ¿para qué?* seguía esa pauta. Escogí un epígrafe de los *Essays on poets,* de Thomas de Quincey: «There is first the literature of knowledge, and secondly the literature of power». Te la muestro. Linda edición, con un medallón antiguo y la doble cara de Jano. Quedé feliz y le hablé a Benítez para agradecerle. Su respuesta enfrió mis ánimos: «Hermanito, te van a destruir».

¿Cuál era el núcleo de tu argumentación?

No me ocupé de todos los textos. Elogié el del filósofo Luis Villoro, que había comenzado su carrera con dos libros fundamentales de historia de las ideas. Su ensayo era una defensa de la historia como un género de sabiduría universal y de los historiadores interesados «por la condición y el destino de la especie humana, en el pedazo del cosmos que les ha tocado vivir». El motor de la historia –sugería Villoro– es la curiosidad, la sed de conocimiento y hasta de trascendencia. Lo mismo pensaba Luis González, que distinguía tres tipos de historia: la «historia de bronce», la «historia crítica» y la «historia anticuaria». La primera, con su culto a los héroes, era la típica historia oficial, historia de santoral patrio. No tenía casi contenido de conocimiento, endiosaba el papel del individuo en la historia y estaba concebida para servir al poder. La segunda, con su obsesión por los episodios disruptivos, cundía no solo en México, sino en todo el mundo occidental. «A este tipo de sabiduría histórica que se complace lo feo del pasado inmediato –decía don Luis– se le atribuye una función corrosiva.» Y agregaba: «La historia crítica, la desenterradora de traumas, maltratos, horrores, rudezas, barbaries, da a los caudillos revolucionarios argumentos para su acción transformadora, busca el ambicioso fin de destruir para luego rehacer». Frente a esas dos variantes de la historia militante, el maestro reivindicaba la tercera opción la historia anticuaria: la que busca simplemente conocer el pasado en sus propios términos. Leamos su definición, es muy bonita:

La historia anticuaria admite muchos adjetivos: anecdótica, arqueológica, anticuaria, placera, pre-científica, menuda, narrativa y romántica... Por regla general escoge los hechos que afectan al corazón, que caen en la categoría de emotivos o poéticos. No le importan las relaciones casuales ni ningún tipo de generalización... Los historiadores académicos de hoy día niegan el apelativo de historiadores a los practicantes de la anticuaria, y por añadidura, los desprecian llamándolos... gente chismosa, cerebros pasivos, hormigas acarreadoras de basura y cuenteros... Con todo, este proletariado intelectual... es al que con mayor justicia se puede anteponer el tratamiento de historiador, porque sigue las pisadas del universalmente reconocido como padre de la historia y como bautizador del género, Herodoto.

Yo por supuesto estaba de acuerdo con los dos Luises. Yo creía en una historia para el saber. Una historia que escuchara la melodía del pasado, una historia abierta a los más variados temas de la vida humana, una historia que se ocupara del pasado sin leerlo como una anticipación necesaria del presente, sin imponerle las categorías del presente y sobre todo sin convertirla en un instrumento de manipulación política.

Alguien te diría que como biógrafo has practicado la «Historia de bronce».
He sido biógrafo, no hagiógrafo. Mis únicos héroes son los intelectuales fundadores y algunos escritores. Y no creo que los haya canonizado.

¿Cuáles eran tus desacuerdos con el libro?
Mi crítica se concentró en los ensayos de Enrique Florescano, Héctor Aguilar Camín, Adolfo Gilly y Arnaldo Córdova. Los cuatro eran buenos historiadores, pero concluí que incurrían en una politización indebida de la historia y me propuse comprobarlo. Además de aquel libro de Lewis, consulté una obra de Herbert Butterfield, un historiador inglés que se ocupó exactamente del mismo problema, lo que en Inglaterra se llamó «la versión whig» de la historia. En mi ensayo comparé a mis colegas con los historiadores ingleses del siglo XVIII que solían interpretar el pasado con ópticas políticas al servicio del partido whig que, como el PRI, había gobernado por sesenta años ininterrumpidos. Y los llamé «historiadores whig» para distinguirlos de los «non whig». Los «whig» toman atajos, disimulan detalles incómodos, brincan épocas y momentos abigarrados; desdeñan el caos, el azar, la pluralidad; imponen a la historia la camisa de fuerza de un orden necesario. Los «non-whig» proponen un conocimiento del pasado que encuentre su compensación en sí mismo, sin segundas intenciones.

Tu generación estaba destinada a hacer historia política, a ocuparse de la Revolución mexicana. Y te recuerdo que el poder ha sido un tema central en tu obra. Has escrito mucha historia política.

Es cierto, una historia crítica, porque creo que el poder ejecutivo ha tenido un peso excesivo en la vida de México. Yo no estaba en contra de historiar la política. Estaba en contra de politizar la historia. Déjame explicarte cómo cada uno de mis colegas politizaba la historia. O si prefieres, hacía un uso político indebido de la historia. Florescano sostenía que «en todo tiempo y lugar la recuperación del pasado, antes que científica, ha sido primordialmente política» y para comprobarlo citaba nada menos que el famoso pasaje de la *Autobiografía* de Gibbon sobre las circunstancias en que visitó Roma: «Estaba en Roma el 15 de octubre de 1764 *cavilando entre las ruinas del Capitolio mientras los frailes descalzos cantaban vísperas en el templo de Júpiter*... cuando me vino por primera vez a la imaginación la idea de escribir sobre la decadencia y caída de la ciudad». Las cursivas eran de Florescano y su intención era subrayar el «sentido pragmático y altamente político» de una de las grandes obras históricas: «la presencia turbadora de dos pasados, el pagano y el cristianismo». En realidad, pensaba yo, subrayaban el «sentido pragmático y altamente político» de la interpretación de Florescano. A las posturas anticristianas de Gibbon debíamos páginas reveladoras, pero era absurdo reducir su inspiración a esa «presencia turbadora». A ese caballero ilustrado del siglo XVIII no lo había turbado nada, ni el amor. Solo el fervor de revivir en toda su riqueza y explicar en toda su complejidad casi un milenio de historia. Pero más allá de esas teorías historiográficas, lo que me alarmó fue el extraño diagnóstico de Florescano sobre la supuesta «red social, institucional, ideológica y material que determinaba al historiador». Esa red eran las instituciones académicas:

Aun cuando estas instituciones declaran ser templos de la libertad, la objetividad y la imparcialidad científica y académica, por su composición social, administración, gobierno y formas de reclutamiento, de hecho, favorecen a determinadas corrientes de pensamiento y admiten unas investigaciones y excluyen otras. De manera semejante los programas de enseñanza determinan una cronología de la historia; una división de sus épocas, una epistemología; una manera de pensar y construir la realidad histórica, con exclusión de otras. Del mismo modo se inculcan los métodos, los procedimientos para ordenar, distinguir, relacionar y analizar los hechos, que nunca se definen como los medios que permiten defender, afirmar e incrementar el poder o las ideas de quienes los transmiten, sino como procedimientos «objetivos e imparciales». Finalmente, la división jerárquica y vertical que rige a la institución concentra el uso de los recursos materiales y sociales en grupos pequeños y poderosos que para perpetuarse distribuyen poder y beneficios entre quienes se adhieren a las prácticas asumidas y combaten a los disidentes.

¿A qué instituciones se refería?

Se refería precisamente a la UNAM y a El Colegio de México, que habían atravesado recientemente por huelgas de índole no solo sindical sino ideológica que denunciamos en *Vuelta* como una toma del poder universitario previa o convergente a la toma del poder político. La postura de Florescano correspondía a aquella caracterización de la universidad militante (tan distinta a la universidad plural, crítica, abierta, libre) que había hecho Medina Echavarría. Para liberarse de esa disque opresión de clase en las instituciones del enemigo, proponía cosas como estas: «organizar científicamente el trabajo del historiador, dominar el sistema productivo que lo hace posible, asimilar todos sus procesos y adecuarlos a un proceso crítico, coherente y estratégico de la actividad científica». Era raro de veras que planteara esa especie de guerrilla académica, porque llevaba diez años al frente del Departamento de Investigaciones Históricas del INAH, donde algunos colegas trabajaban. Y era el director de *Nexos*. Y tenía acceso al presupuesto público y amplia capacidad de reclutamiento. Pero su postura era clara: era un partidario de la historia crítica, una historia que sirviera –como había dicho Luis González– «a la acción transformadora, con el ambicioso fin de destruir para luego rehacer». Florescano se erigía en caudillo de esa militancia histórica.

Vale la pena recordar los otros textos.

Al menos el de Aguilar Camín. Aplicaba su particular politización de la historia a la realidad de 1980. Veía al Estado mexicano desgarrado entre dos polos: por un lado «los campesinos, obreros, funcionarios e intelectuales» que le exigían recordar y recobrar «el barro heredado» de la Revolución, y los grupos de presión empresariales que habían orquestado «un golpe de Estado financiero» en 1976. A mí toda esa argumentación me pareció equivocada. ¿Cuál golpe financiero? López Portillo había llegado al poder en ese año como candidato único del PRI y en 1980 gozaba de un poder absoluto. Tampoco entendía la utilidad cognoscitiva de ciertas frases o fórmulas como «masa popular». ¿A qué «masa popular» se refería? Porque si alguna cosa habían demostrado nuestras propias tesis de historia era que entre los zapatistas, los villistas, los carrancistas, y los cristeros habían existido diferencias abismales. ¿Unos eran más «masa popular» que otros? Lo más preocupante era el concepto del Estado mexicano como el heredero o la encarnación o representación histórica de un proyecto popular, porque el corolario era evidente: bastaba que el PRI recobrara el rumbo para que todo volviera a su cauce. Se colocaba a la izquierda del PRI, para no ser del PRI pero objetivamente pertenecía al sistema. Por eso escribí que «los historiadores jóvenes, antiautoritarios en 1968, estatistas en 1980, corrían el peligro de adoptar el libreto de la historia oficial». Esos textos representaban una corriente intelectual, ideológica y política muy poderosa que Zaid definió en su texto de 1978: un radicalismo institucional de izquierda, entre priista y marxista.

¿Cuál fue la respuesta del grupo a tus críticas?

Pronto supe a qué se refería Benítez con aquello de «te van a destruir». Enrique Florescano y su esposa, Alejandra Moreno Toscano, que habían sido los organizadores del encuentro de historiadores que dio lugar al libro, convocaron a dos mesas redondas en un teatro al sur de la ciudad. Ambos, como te dije, habían sido mis profesores en El Colegio de México. Sintiéndose ofendidos, invitaron a los autores, y me invitaron a mí. Yo hablé en la segunda mesa, brevemente, pero quien consumaría el acto era Florescano, a quien su esposa le dio la palabra final. Leyó una larga refutación llena de injurias. Alejandra dio por terminado el acto, pero yo levanté la mano. Y el público le reclamó. Debía darme la palabra. Yo solo recuerdo haber dicho que no quitaba una coma de mi texto. Y siguió la polémica por escrito, que fue la primera de mi vida.

¿Por qué no te invitaron a participar en ese libro?
No lo sé. Yo nunca los había insultado ni atacado. Yo era su colega y su amigo. ¿Había en algunos una actitud antisemita? No lo creo. ¿Les incomodaba que fuera empresario? Quienes conocían mis tribulaciones en mis pequeñas empresas no podían envidiarme. Lo más probable es que vieran a *Vuelta* como el enemigo. *Vuelta* era una empresa cultural independiente, *Nexos* no. Ellos tenían que justificar ante sí mismos, ideológica y moralmente, su postura, tildando a *Vuelta* de reaccionaria. Y yo era el secretario de redacción de *Vuelta*. Así como habían atacado a Paz y atacaban a Zaid, me atacaban a mí.

¿Quiénes polemizaron?
Déjame referirme a las réplicas de Adolfo Gilly y Arnaldo Córdova. No los conocía mucho entonces, pero los admiraba. Gilly era el respetado trotskista preso en el 68 que había escrito un libro muy comentado sobre el que Paz escribió una carta famosa: *La revolución traicionada*. Arnaldo había publicado *La ideología de la Revolución mexicana*, que contenía un análisis revelador sobre la influencia del sociólogo de principio de siglo Andrés Molina Enríquez en el pensamiento agrario y político de la Constitución de 1917, ideas de enorme influencia sobre todo para entender el sexenio de Cárdenas. Gilly sostenía que toda historia es historia interesada en términos de clase social. No hay más que dos versiones y dos visiones: la de los dominados y la de los dominadores. El concepto de verdad no es inmutable o neutral, sino que es la expresión y aplicación de la visión del mundo, los objetivos económicos y las estructuras de poder de las clases antagónicas.

La postura convencional de una óptica de clases…
Sí, pero resultaba contradictoria. Gilly escribió que la misión del verdadero historiador consistía en abandonar la óptica de los

dominadores, que era la suya, para adoptar la de los dominados. Pero si tal cosa era posible –aduje yo– ya no era cierto que la óptica del historiador correspondiera a sus intereses de clase. El propio Gilly veía la contradicción, pero no la resolvía. Esto escribió:

Aquí se llega a una dificultad aparentemente insalvable, porque para hacer oír la voz de los dominados hay que escucharla. Y estos no hablan en la historia, sino solo entre ellos, y eso no queda escrito. Y aun cuando llegan a hacerlo, es solo su capa superior la que habla y escribe por todos: sus dirigentes, sus intelectuales. El historiador, el cronista mismo, tiene que afrontar entonces la empresa insoluble de transmitir la voz, los sentimientos, la comunicación interior de aquella vasta capa inferior subordinada de la cual él no proviene o se ha separado, si no tampoco él tendría su voz de historiador o de cronista.

Yo argumenté que la dificultad no era «aparentemente insalvable». Era insalvable; como el mismo decía: una «empresa insoluble». En el planteamiento de Gilly, el historiador era un privilegiado que hacía como si no lo fuera, que adoptaba una posición postiza, unos intereses postizos, una voz postiza. Misteriosamente, podía llegar a la verdad desde una posición falsa.

¿Cuál fue la crítica que te hizo Córdova?
Arnaldo no veía problema en politizar la historia. Yo apunté que las relaciones entre la vocación histórica y la política podían ser peligrosas:

No se trata de un problema de asepsia política sino de consistencia intelectual. Un quehacer histórico consistente no tiene porque ser incompatible con un quehacer político consistente. Pero hay situaciones incómodas para esa doble consistencia que en un momento dado obligan a escoger entre el interés general de conocimiento y el interés político del historiador. El politizador de la historia subordina el interés general del conocimiento a sus intereses políticos particulares. El verdadero historiador, a mi juicio, no está dispuesto a hacerlo.

Yo creo que Córdova incurría en esa subordinación. Por ejemplo, en su defensa casi hegeliana o russeauniana del Estado mexicano basado en el consenso popular. Mira estas citas: «Difícilmente podrá encontrarse otro Estado en el que las masas del pueblo crean tanto y en el que tengan fincadas tantas esperanzas como el Estado de la Revolución mexicana». «El Estado era *de la sociedad* en tanto se debía a las masas populares, *a los trabajadores*». «La historia política de nuestro país nos enseña el modo particular en el que en México fue construido el Estado moderno, a través de la conquista del consenso popular, soberano y autónomo...» Yo estaba de acuerdo en que el Estado mexicano era una institución fundamental en la historia del país. Pero de allí a verlo como «encarnación» de la sociedad había un largo trecho que solo allanaba la concepción abstracta de Córdova no la evidencia empírica. Quizá unas cuantas «voluntades individuales» de algunos campesinos no bastaban para descartar la concepción del Estado como representante «global» de la sociedad. Pero ¿qué ocurría si esas opiniones no eran las de unos cuantos sino las de unos cuantos cientos de miles? Córdova las desechaba porque afectaban la armonía geométrica de su ideología. Le hice ver que así también se habían expresado, no hacía mucho, los historiadores oficiales de Polonia: el «Partido», «encarna», «pertenece», «representa» al proletariado. Y todo había marchado bien hasta que diez millones de «voluntades individuales» desmintieron con sus hechos la versión oficial. Magnificaba el papel y la vocación del Estado mexicano y de esa forma reducía las articulaciones complejas, variadas, plurales de la sociedad civil. Como bandera política, pasaba. Como historia, no.

¿La polémica revelaba dos visiones de la historia mexicana?

Estoy convencido de ello. Los historiadores de *Nexos* fluctuaban entre las variedades del marxismo y una interpretación cardenista de la Revolución mexicana que contenía aspectos verídicos y valiosos, pero que dejaba de lado otras corrientes de la historia e historiografía contemporáneas, en particular la maderista, la democrática y liberal. Nosotros en *Vuelta* abrazamos esa corriente, creíamos en la vigencia de la alternativa liberal.

Perdóname, ¿no es eso también, finalmente, una utilización de la historia?

Hablo ahora por mí. No acudía a la historia maderista para imponerla a otras versiones. Partía de su contenido objetivo –lo que madero había querido, pensado– para sugerir que ese camino era conveniente para el país. Era un tema a debatir, no un dogma que buscaba imponer. No decía que el cardenismo era falso. Decía que era preciso entenderlo y conocerlo en su época y sus términos para luego debatir qué era rescatable de ese legado y qué no.

Pero al modelo del «historiador anticuario» le tienen sin cuidado las aplicaciones posibles de la historia en el presente.

Sí, porque estudia el pasado en sus propios términos, desde ese «presente que fue el pasado», pero aún el historiador anticuario como Luis González identifica lecciones posibles en la historia. La historia es una fuente de experiencia humana y bien leída, más que un saber, es una sabiduría. Pero leerla con esos ojos no equivale a utilizarla.

Hagamos la prueba de la Historia.

Las refutaciones que hice se sostienen. Primero, referidas a la profesión de historiador. La carrera de Aguilar Camín ha sido exitosa, multifacética en géneros (la novela, es su favorito) e importante en la vida pública mexicana. Pero él, como Córdova, escribió sus mejores libros de historia en los años setenta. Adolfo vivió a caballo entre la política y la historia, pero nunca abandonó su proyecto de escribir un gran libro sobre Felipe Ángeles. Como a Federico Katz con su gran libro sobre Villa, a Gilly lo movían dos pasiones: la pasión de conocimiento y la pasión revolucionaria, pero de ninguno de ellos cabe decir que subordinaban la primera a la segunda. En cuanto a Florescano, no hay duda de que dedicó las décadas siguientes a la historia: ha sido maestro de generaciones de historiadores, ha escrito libros apreciables, ha editado y publicado obras colectivas de gran valor. Todo en el sector público académico, sirviendo al saber más que al poder.

Y la historia misma que siguió, ¿refutó o confirmó sus teorías?

Te refiero dos hechos. En septiembre de 1982, la revista *Nexos* aplaudió la nacionalización de la banca como una reivindicación de las ideas estatistas y nacionalistas que habían sostenido desde su fundación, y una vuelta a la Revolución mexicana. En realidad, fue una demagógica cortina de humo a la quiebra nacional y resultó fatal en términos económicos. En *Vuelta*, Zaid defendió por doce años (desde *Plural*) la posición opuesta: criticó al populismo de Echeverría y al de López Portillo, anticipando el desastre. Esa fue la prueba de la historia: ellos se equivocaron. En cuanto a la visión casi hegeliana del Estado que tenían Córdova y Aguilar Camín, se derrumbó con el arribo de la democracia.

¿Te afectó la exclusión de tus colegas?

La exclusión era evidente. Un día Hugo Hiriart me dijo: «Estoy pensando escribir un artículo que se titule "Todos contra Krauze"». En su lugar publicó un texto, ingenioso y sabio como todos los suyos, sobre «El Arte de la dedicatoria» en el que recorría todas las variantes: pomposas, sentimentales, oficiales, académicas, sin omitir las que llamó excluyentes», como esta: «Dedico este libro a toda la humanidad, menos a Enrique Krauze». ¿Me afectó la exclusión? Me dolió pero me movió a participar, a colocarme frente a ellos. De alguna manera era la continuación de la polémica contra los miembros de mi generación del suplemento «La cultura en México». Asumí activamente la disidencia de *Vuelta*. Comencé a escribir ensayos políticos.

Te volviste un intelectual.

Creo que sí. Creo que esa polémica lo detonó. Cuando López Portillo nacionalizó la banca, publiqué «El timón y la tormenta», mi primer ensayo político. Bajo el poder absoluto de aquel presidente frívolo, irresponsable, el país se había ido a la quiebra. Era inocultable que el populismo nos había precipitado a la frustración, el descrédito y la pobreza. Había que explicar por qué la concentración del poder en una sola persona había conducido a la debacle. Él pretendía que solo era responsable del timón no de la tormenta, pero lo era de ambas cosas. El ensayo terminaba con esta frase: «México no tiene ya otro camino más que ensayar la democracia». Ese texto fue un acto disidente. Con el tiempo, todos ellos sin excepción convergieron con la necesidad de la democracia y nos dieron la razón. Pero ese «con el tiempo» tardó mucho tiempo, y faltaban aún muchas batallas.

¿Las lamentas?

No, porque animaron la vida pública. Pero lamento que no se entablara un debate verdadero sobre los hechos objetivos que presentaba Zaid sobre El Salvador, los de la guerrilla peruana que había plasmado Vargas Llosa, o sobre Cuba como proponía Cabrera Infante, o sobre el socialismo real en la URSS, como pedía Octavio. Nada de eso hubo. Sobró la descalificación política y moral, la «expulsión», no el respeto al conocimiento y la verdad objetiva. Y lamento algo más. Como te dije, esa corriente intelectual, universitaria, periodística de izquierda hegemónica que se integró con Echeverría al sector público cabalgando entre la ideología de la Revolución mexicana y las variedades del marxismo, fue en una medida responsable de incubar al huevo de la serpiente. Muchos de ellos, por convencimiento o por oportunismo, cambiaron de opinión en los ochenta o noventa, pero el populismo autoritario del siglo XXI es su hechura. Hasta la fecha, sus políticos de hoy comulgan (es la palabra) con las enseñanzas de esos que fueron sus maestros en la universidad, las revistas y los diarios. Hasta la fecha politizan la historia en el sentido preciso en que lo propusieron mis compañeros de generación en *Historia ¿para qué?*

¿Donde estabas tú en ese momento entre el saber y el poder?

Yo no tenía nada que ver con el poder. Yo vivía de mis fábricas y de mi salario en *Vuelta*. Y me dediqué a la historia. En 1980 acababa de publicar mi biografía de don Daniel y escribía las reseñas de historia que te he referido. En los años siguientes, gracias a una Beca Rockefeller, estudié cuatro generaciones de la cultura mexicana y escribí una especie de mural biográfico de ellas. Y al comenzar la década, a sabiendas de que se aproximaba el centenario de su natalicio, me propuse escribir las biografías de los intelectuales del Ateneo de la Juventud: José Vasconcelos, Antonio Caso, Pedro Henríquez Ureña. Consulté sus archivos y leí sus libros, y finalmente escribí tres ensayos biográficos. Me di cuenta que la vida no alcanzaba para escribir todas aquellas biografías, pero en ese año comencé a acumular materiales para una biografía «a la inglesa» de Vasconcelos. Nunca he dejado de alimentar ese acervo, de llevar a cabo entrevistas, de leerlo y releerlo. «Nos debe su Vasconcelos», me decía Octavio Paz. Han pasado tantos años. No quiero fallarle.

Tercera parte
EL LIBRO QUE NO ESCRIBÍ

X. Atenas o Jerusalén

Vuelta al origen

¡Qué interrupción cósmica esta pandemia!
Repetida tantas veces en la historia. Pero nos creíamos inmunes.

Nunca imaginamos que, después de tantas tardes agradables de conversación frente a frente, nos viéramos obligados a hablar virtualmente, ¿no es cierto? Me gustaba tanto estar en México, platicando contigo mientras recorríamos tus bibliotecas de Ámsterdam y de Cuernavaca.
Pensemos en Boccaccio durante la epidemia, reunido con sus amigos, narrando los cuentos del *Decamerón*. No estamos juntos, pero podemos conversar, grabar la conversación y continuarla por escrito. Y, lo mejor, tenemos a la mano nuestros libros.

Hasta nuestra última conversación habíamos recorrido una década en tu vida intelectual, la de tu integración a la cultura mexicana como historiador y como secretario de redacción de Vuelta. *Hablamos de cómo hiciste tus libros sobre la generación constructora de 1915 y evocaste tus batallas al lado de Octavio Paz. En los diálogos anteriores recordaste a tus maestros en El Colegio de México, tu formación de ingeniero, tus amigos de juventud, tus experiencias políticas en 1968 y 1971, tus primeras incursiones de crítico, los problemas de tus empresas y sobre todo tus lecturas. Hasta ahí es la formación de un intelectual mexicano. Lo que me llama la atención es el contraste de esta etapa con la anterior. La que describiste en la primera conversación con gran detalle y amor: tu cultura de origen, la cultura judía. A mí me sorprendió mucho todo lo que dijiste. Ignoraba que fuese tan profunda esa raíz. Casi lo cubría todo: el idioma, la familia, la escuela, la religión y la tradición. Y sobre todo me sorprendió la conciencia histórica de ese legado milenario, de sus episodios y personajes, sus etapas, sus logros y sus tragedias. Y, por si fuera poco, la memoria muy presente del horror del Holocausto y la esperanza socialista. A lo que voy es a esto. Yo entiendo que querías pertenecer a México y al orbe hispano, y toda tu vida has trabajado para lograrlo. Pero secretamente actuabas movido por ese impulso inicial, por esa raíz. Esa raíz es el judaísmo: el árbol crecía en México, en tierra mexicana, y daba frutos mexicanos, pero la raíz y el tronco eran judíos. En todo caso, te pregunto, ¿dónde quedó, intelectualmente, el legado cultural judío que te formó en la infancia y juventud?*

Lo que hice fue construir este recinto judío de Ámsterdam. Lo que hice fue leer. Nunca abandoné ese legado ni abandoné las tradiciones de las que hablamos. Procuré honrarlas. Al morir mi abuelo, en octubre de 1976, sentí la necesidad de volver a sus autores, en especial a Spinoza. Era una forma de continuar mi conversación con él. Y comencé a formar esta biblioteca de temas judíos de todas las épocas. Una biblioteca, sobre todo, de personas e ideas. Con el tiempo, los libros de mi abuelo vinieron a acompañar los míos.

El mapa de un intelectual, de un escritor, es su biblioteca. Una vida intelectual no es solo lo que uno escribe, sino lo que uno lee. Pero me pregunto si, dada la profundidad de esa raíz, introdujiste algunos de sus temas en Vuelta.

Lo hice, cuando venía al caso. *Vuelta* era una revista de autores universales, temas diversos y problemas globales. Por esa razón propuse solo algunos textos de autores judíos que me parecieron relevantes por su interés general. Escribí muy al principio una reseña del libro de Saul Bellow *To Jerusalem and Back*, sobre el sombrío panorama que desde entonces se dibujaba en el conflicto palestino-israelí. También traduje un extravagante capítulo –entre spinozista y cabalístico– de la autobiografía de Isaac Bashevis Singer, y encargué alguna reseña de sus libros. Ambos acababan de recibir el Premio Nobel.

¿Intentaste algún proyecto histórico que te ligara con aquel mundo?

En ese tiempo dirigí la tesis a una joven estudiante de historia, Elizabeth Broid. Se tituló *La diáspora mexicana: seis inmigrantes judíos del siglo xx.* Fue un trabajo muy lindo, que llevó tres años y merecería publicarse. Los seis inmigrantes eran todos escritores: Salomón Kahan, intelectual y musicólogo; Moisés Rubinstein, periodista y editor; el poeta lírico Jacobo Glantz; el poeta social Isaac Berliner; el cronista y biógrafo Meir Corona, y Abraham Vaisboim, crítico y satírico. Todos ellos escribieron en ídish y por eso están olvidados. Es muy triste. Debería de crearse un fondo especial para traducir al menos una antología de esas obras al español. Berliner publicó en los años treinta un hermoso poemario con el título *La Ciudad de los Palacios,* que ilustró Diego Rivera. Es un canto de amor a México, a su gente, su cultura, su generosa hospitalidad con un pueblo perseguido. Pero también es una evocación dolorosa de las desigualdades sociales y la miseria del pueblo mexicano que Berliner vio literalmente dormir en las calles entre «las casuchas de adobe, de lámina», con «techos cubiertos de herrumbre» y pordioseros «vestidos sobre la piel, sacos desgarrados». Y ahora que me preguntas, participé tiempo después en una historia general de la comunidad ashkenazí en México: *Generaciones judías en México.* Es un trabajo sobre todo documental en cinco tomos que quizá alguna vez sirva para una historia integral de una comunidad que ya es centenaria.

En nuestra primera conversación hablamos de los criptojudíos en Nueva España. ¿No era un tema posible, una forma de conectar tu interés por Sefarad con México?

Es cierto, pero había ya gente muy capaz con habilidades paleográficas que yo no tenía. Una notable investigadora del tema, mi amiga Eva Alexandra Uchmany, me mostró en ese tiempo los extraordinarios materiales que estaba encontrando en el Archivo General de la Nación. Y por esos mismos años, nada menos que Jonathan Israel, el gran historiador, publicaba su tesis *Race, Class and Politics in Colonial Mexico, 1610-1670,* en la que dedicaba un capítulo a la comunidad de criptojudíos portugueses en la Ciudad de México. ¿Por qué no escribir sobre ese tema? Porque hay muy buenas historias que no son para uno. Además, a fines de 1976 estaba comenzando a escribir la biografía de Cosío Villegas. Y tenía en mente seguir con las biografías de los intelectuales del Ateneo: Vasconcelos, Caso, Henríquez Ureña, Torri, Reyes. Sobre todos ellos escribiría ensayos a principio de los ochenta. De modo que, como ves, tenía clara mi dedicación a la historia de México. Era obvio que concluir la biografía de don Daniel (cosa que ocurrió en 1980) tenía más importancia objetiva y para mi vida que una inmersión en el mundo de los criptojudíos del siglo XVII.

Tu opción, en suma, fue construir esta biblioteca y leer. Borges dijo alguna vez que estaba más orgulloso de los libros que había leído que de los que había escrito.

Si Borges, inmortal autor de libros inmortales, decía eso, ¿qué podemos decir los mortales autores de libros mortales? Leer puede ser tan creativo como escribir. Así me decía mi abuelo, ¿recuerdas? «Tú escribes, yo leo, es lo mismo.»

Gaos decía: «Una biblioteca es un conjunto de proyectos de lectura».

Pero también de escritura. En esos años acaricié la idea de una biografía colectiva de los «heterodoxos judíos».

¿Ves? No estaba yo tan errado cuando te dije que eras un heterodoxo.

No sé si lo era o lo soy, pero me interesé en ellos. Y lo consideré tan seriamente que lo registré como proyecto de investigación en El Colegio de México. Escribí en 1977 aquel ensayo fallido sobre Spinoza, que reprobó mi preceptor Alejandro Rossi. Pero yo seguí leyendo sobre él y comencé a reunir materiales en esta biblioteca. Y esa labor nunca terminó, sigue hasta ahora. Era un libro ante todo biográfico. Estaba inspirado directamente en la *Historia de los heterodoxos españoles*, de Marcelino Menéndez Pelayo.

Don Marcelino hace la historia de los erasmistas, los protestantes, las sectas místicas, los practicantes de artes mágicas, etcétera. ¿Se dieron corrientes similares en el judaísmo?

Desde luego que sí. Dentro del judaísmo hubo poderosas corrientes de heterodoxia teológica, mágica y mística que se consideraban las representantes puras y genuinas de la fe. Pero mis heterodoxos eran de otro género, quizá más cercanos al erasmismo. Yo quería estudiar a los filósofos, los racionalistas, los humanistas, los libertarios y revolucionarios, los que se incorporaron a la cultura de su tiempo y se apartaron de su propio entorno judío, religioso y social. Mis heterodoxos no oscilaban dentro de la misma fe ni cambiaban de fe. Eran los que salían de su fe sin incorporarse a otra. Los espíritus libres que quedaban en vilo, en los márgenes. Estos personajes aparecieron primero en el mundo helénico y romano; muchos siglos después, tímidamente, en el Renacimiento; luego en el siglo XVII, sobre todo en el caso solitario y emblemático de Spinoza. Me propuse leerlo por mi cuenta con la óptica de la psicología religiosa y construir a partir de él el libro. Pensé reunir obras de los heterodoxos que lo precedieron, reivindicaron, siguieron. Es decir, armar la genealogía intelectual spinoziana. Ese era el plan. Intuía en ellos un denominador común, una posición existencial: la capacidad de vivir en los márgenes, de conquistar para sí mismos y para los demás un espacio de libertad no tribal o particular sino universal. Pero el proyecto no fue muy lejos. En algún momento entendí que era una insensatez. Lo único que me quedaba era seguir leyendo.

Me parece un proyecto muy interesante y válido.

No tengo duda. De hecho, tiempo después supe que había académicos que escribían sobre el tema con un enfoque parecido. Y sigue habiéndolos, distinguidísimos. Pero, aun sin saber que el tema interesaba a personas mucho más competentes que yo, me di cuenta de que era inalcanzable. Solo para escribir sobre Spinoza necesitaba hablar holandés, latín, hebreo. Ser experto en teología medieval judía: Maimónides, Hasdai Crescas. También en Aristóteles, Epicuro, Lucrecio, Sexto Empírico, no se diga en Descartes. Y, claro, agotar cientos de volúmenes escritos sobre su obra. Si Borges había abandonado la idea de escribir el libro sobre Spinoza, imagínate mi locura al concebirlo siquiera. Y si piensas en sus antecesores y descendientes intelectuales, más aún: necesitaba hablar alemán, al menos. Renuncié a escribir, pero no a leer. Y comencé a formar mi modesta biblioteca de heterodoxos y a leerlos pausadamente. Desde entonces, ha sido mi pasión secreta. Es el libro que no escribí.

¿Conoces el libro de George Steiner con el título Los libros que nunca he escrito*?*
Por supuesto. Lo tengo a la mano. Te leo cómo define ese género nonato:

> Un libro no escrito es un algo más que un vacío. Acompaña a la obra que uno ha hecho como una sombra irónica y triste; es una de las vidas que podríamos haber vivido, uno de los viajes que nunca emprendimos. La filosofía enseña que la negación puede ser determinante, puede ser algo más que la eliminación de una posibilidad. La privación tiene consecuencias que no podemos prever ni calibrar adecuadamente; el libro que nunca hemos escrito es precisamente el que podría establecer esa diferencia, el que podría habernos permitido fracasar mejor. O tal vez no.

¡Cuántos libros responden a esa definición!
Imaginar ese libro ha sido parte esencial de mi vida de lector. He venido «no escribiéndolo» desde entonces hasta ahora.

Hablemos de él, ya que estás en la biblioteca que le hiciste.
Y aprovechando este encierro forzado, que no sabemos cuánto durará.

El judío no judío

Te escucho hablar de los heterodoxos y me viene a la mente el ensayo de Isaac Deutscher sobre el «judío no judío».
¡Es increíble que traigas a colación ese ensayo! Lo leí en un libro con un título equívoco y equivocado: *El judío no sionista*. El título original es el que dices: *The Non-Jewish Jew*. Deutscher, como te dije, había sido una lectura muy temprana en mi vida. Cuando leí aquel

ensayo me interesó particularmente su tratamiento del judío no judío Spinoza y de sus sucesores en esa condición: Heinrich Heine, Karl Marx, Sigmund Freud, Rosa Luxemburgo y León Trotski. ¡Ahí estaban los principales heterodoxos judíos de la era moderna! La obra de todos ellos trasciende por supuesto las determinaciones culturales. Miraron al mundo desde un sitio específico, desde los márgenes del judaísmo, libres de su rígida ortodoxia, pero a la vez impregnados de cierto temple proveniente de su historia, de ciertos valores milenarios. Por eso para mí forman parte de la historia judía y de la historia universal.

Si recuerdo bien, Deutscher decía que el pueblo judío había vivido en un sitio de cruce entre distintas naciones, culturas, religiones, civilizaciones. Y que esa situación excepcional en los márgenes determinó su aislamiento y su carácter celoso y defensivo, sobre todo por la hostilidad permanente que los circundaba. Pero algunos pensadores de ese pueblo que se atrevían a salir al mundo pudieron convertir esa condición fronteriza en una ventaja: atisbar horizontes y posibilidades, ser inusitadamente libres.

Sí, inusitadamente libres. Eran judíos en los márgenes del judaísmo. Eran, justamente, los «judíos no judíos». Una doble marginalidad.

¿Cuáles son los rasgos comunes que ve Deutscher en su elenco herético?

Deutscher cree que todos aquellos «judíos no judíos», es decir, heterodoxos, tenían cuatro denominadores comunes: una visión determinista de la existencia, un pensamiento dialéctico, la inclinación a la vida activa y la fe en la solidaridad humana universal. No concuerdo mucho con esa descripción porque, si bien Spinoza postula un determinismo natural, su obra contiene un método para alcanzar la libertad. Menos aún encuentro lo dialéctico en Spinoza. Su vida fue mucho más contemplativa que activa, pero es cierto que su obra animaba a la acción. En lo que todos convergen sin duda es en el ideal de solidaridad o emancipación universal. Y Deutscher hablaba de otros rasgos posibles. Todos habían sido perseguidos y anatematizados, habían trascendido a su tiempo, habían sido, cada uno a su modo, revolucionarios. El pivote de su tesis era Marx, que compartía con Heine la influencia de Spinoza y fue el padre de la revolución moderna, a la que Deutscher pertenecía.

La inclusión de Freud es un poco extraña.

No tanto, era un judío secular y spinozista. Y para la Escuela de Frankfurt se podía ser marxista y freudiano a la vez, y postular la emancipación absoluta.

Noto que al menos tres de los personajes de Deutscher fueron revolucionarios en el sentido marxista.

Deutscher llevaba agua a su molino. Se interesó en el tema de los «judíos no judíos» por un motivo autobiográfico. Era marxista y buscaba reivindicar la raíz judía de la revolución socialista. Es un hecho que en Europa del Este el mensaje revolucionario halló eco en muchos jóvenes judíos que veían resquebrajarse su fe milenaria y la abandonaban para incorporarse a una fe cuyo fin estaba en esta tierra. La fe en una redención universal. Entre esos revolucionarios judíos no judíos estaba el propio Deutscher. En su libro cuenta que estudió para rabino. Ese era el destino que le había deparado su padre, destino paradójico porque su padre –que por cierto tenía una imprenta donde publicó la Biblia con grabados de Doré– era un hombre formado en el racionalismo europeo, lector de Spinoza y de Heine, ambos emblemas de los judíos emancipados. Isaac se rebeló. No podía resistirse al llamado del mundo, no podía permanecer anclado a su fe. Isaac prefería la educación laica del Gymnasium al misticismo de la corte jasídica o la hermenéutica del Talmud. Al parecer, su padre terminó por comprenderlo. Y ahí comenzó la notable carrera intelectual de Deutscher, que vivió en Londres, fue corresponsal europeo de *The Economist*, escribió la biografía de Stalin, la trilogía de Trotski, fue un símbolo de la protesta contestataria de los años sesenta y murió en Roma, narrando a su esposa la significación del arco de Tito para el pueblo judío. Como ves, un perfecto judío no judío.

Pero muchos protagonistas revolucionarios no fueron judíos.

La inmensa mayoría, comenzando por Lenin y Stalin. En

Pensadores rusos, Isaiah Berlin ha recordado que los principales revolucionarios rusos del XIX en todas sus denominaciones anteriores o contemporáneos a Marx no fueron judíos (Herzen, Bakunin, Chernyshevski, Belinski, los populistas, Nechaev y los nihilistas, Kropotkin). En ese libro Berlin reivindica la raíz rusa y libertaria de la revolución, mucho más frondosa, prolífica y profunda. Y, en efecto, hay otras genealogías fundamentales, como la alemana (Hegel, Feuerbach). Y está también la genealogía de Edmund Wilson: se remonta a Vico, Michelet, Saint-Simon, continúa con Proudhon, Fourier, Owen, Enfantin, Lassalle, incluye por supuesto a Engels y Marx, y se proyecta hasta Trotski y Lenin, que finalmente aborda el tren de la historia en la estación de Finlandia.

Tú, ¿qué genealogía buscabas?

Yo simplemente me sentía atraído por esas vidas y me preguntaba si ser «judío no judío» ha sido una forma de ser o estar en el mundo. Una manera de pertenecer a lo universal sin renunciar a lo particular. Y quería explorarla, encarnada en biografías. Quise entender cómo esa condición de doble marginalidad se había proyectado en la historia e incidido en ella. Encontré que, más allá de esa identidad dual (o, más bien, ligados a ella), esos personajes eran emblemáticos de temas eternos (como la tensión entre la fe y la razón, lo humano y lo divino), y de temas cruciales del siglo XX. Los mismos que había conversado con mi abuelo Saúl, que preocupaban a Octavio Paz: la libertad individual y la revolución social. Pero, mucho antes de llegar a Spinoza y sus sucesores, formé un acervo de predecesores que se remontaba al siglo I.

¿Quién fue el primer judío no judío?

El primer «judío no judío» fue Elisha ben Abuyah, *Ajer*, «el otro», el hereje del que mi abuelo me hablaba con tanto entusiasmo. Deutscher se refiere a él en su libro. El Talmud habla de él despectiva y misteriosamente en varios pasajes que consulté. Ahí se refieren varias explicaciones sobre su herejía. Habría perdido la fe al ver cómo un cerdo arrastraba la lengua de un maestro suyo recién ejecutado por los romanos, que además de piadoso había sido un gran orador. Elisha habría pensado que Dios no habría permitido una crueldad así. Y reflexionó sobre el misterio del mal, el premio a los pecadores, el castigo a los justos. No eran motivos banales. A mi abuelo le intrigaba la estrecha relación entre Elisha y su discípulo Rabí Meir, figura reverenciada en el Talmud. Y se preguntaba: ¿por qué el discípulo ortodoxo seguía al hereje? Porque algo sabía el hereje, porque de algo dudaba el ortodoxo.

¿Un renegado?

No exactamente, porque Elisha vivía en vilo, en el desasosiego, desgarrado entre la filosofía epicúrea y la fe perdida. Permaneció fuera de la tradición, pero conservó la nostalgia de esa misma tradición. Hay indicios de que era gnóstico. Lo más probable es que haya abrazado el epicureísmo. Se decía que cantaba incesantemente canciones griegas, y que cada vez que dejaba la casa de estudios los libros heréticos se le caían del regazo. Elisha intrigó a generaciones de sabios y siguió ejerciendo una influencia secreta en la cultura judía hasta entrado el siglo XX. Mi abuelo me refirió el modo en que los contemporáneos de Elisha le llamaban para no pronunciar siquiera su aborrecido nombre. Le decían *Ajer*, que significa «el otro», el extranjero. Así se habla de él en el Talmud: *Ajer*.

¿Cómo murió? ¿Fuera o dentro del judaísmo?

Creció adentro, mirando afuera. Murió afuera, mirando adentro. Vivió en los márgenes. Aunque todo es materia de especulación. Se dice que Meir logró que al borde de la muerte se arrepintiera. Al enterrarlo, su tumba ardió. Meir entendió que era la ira divina, pero pronunció estas palabras desconcertantes: «Si no es voluntad de Dios redimirte entonces yo te redimiré». Así habría apagado el fuego de su tumba. El acto de Meir defendiendo a su maestro de Dios es digno de Job, una protesta revolucionaria. La *otredad* de Elisha lo persiguió hasta después de la muerte. La posteridad fue severa con él, en el medievo los grandes autores lo deturparon, pero desde el siglo XIX los judíos seculares y racionalistas (los spinozistas) lo reivindicaron como su precursor. Y ya ves, en el siglo XXI estamos hablando de él.

¿Qué te atraía a ti del personaje?

Su predicamento psicológico. Lo que seguramente ocurrió es que la cultura griega fue un imán irresistible, como lo fue para tantos pueblos en la era helénica. Perdió la creencia en el dios personal y, con todos los riesgos, optó por salir de su fe. Pero quedó en vilo. Ese sitio del alma es lo que me interesaba entender.

¿Crees que tu abuelo Saúl, que te contaba sus historias, se identificaba como Deutscher con la trayectoria de Elisha ben Abuyah?

Una identificación inocente y romántica. Mi abuelo se apartó de la religión a raíz de la muerte repentina de su madre en sus brazos. Eso me confesó un día. Pero siguió siendo un judío secular. Deutscher fue más brutal. En su libro refiere cómo de joven profanó el ayuno de Yom Kippur comiendo sin recato alimentos prohibidos sobre las tumbas del cementerio de su pueblo. La culpa de esos hechos lo atormentó, pero fue su rito de paso a esa extraña condición marginal, la del «judío no judío». Mi abuelo no llegó a esos extremos. Como Deutscher, había estudiado en un *Jéder* (nombre de la escuela religiosa) y leía los libros profanos que escondía en su pupitre. Ambos hablaban ídish como lengua materna. Ambos buscaban incorporarse a la cultura universal. Ambos fueron socialistas. En pocas palabras, don Isaac y don Saúl reivindicaban a Elisha ben Abuyah como un precursor de la emancipación de los judíos, capítulo previo a la emancipación universal.

Sabes que soy un apasionado helenista. Cada año procuro ir a esa zona. Cultural y filosóficamente el helenismo duró varios siglos. Fue una época de inmensa creatividad. Algo extraordinario, la convergencia de diversas culturas y naciones sin un centro hegemónico.

Es apasionante, tienes razón. Hubo de todo, convergencias y divergencias. Y también dudas, tensiones. Muchos judíos, sobre todo en las élites políticas y económicas, adoptaron las instituciones políticas griegas, sus nombres y gustos artísticos, sus gimnasios, sus obras arquitectónicas (teatros, anfiteatros). De hecho, varios gobernantes en la Judea del siglo I eran solo parcialmente judíos. En ese tiempo se helenizaron los nombres de varias ciudades y se fundaron nuevas (como Cesarea). Los judíos helenizados estudiaron las ciencias naturales y la medicina griega. Según Arnaldo Momigliano, hay miles de palabras de raíz griega en el corpus del Talmud, incluida por supuesto la palabra sinagoga. En Alejandría, donde vivían un millón de judíos, la helenización era casi total, salvo en la religión y sus ritos.

El caso de Elisha, me parece, es un capítulo de la tensión permanente entre lo sagrado y lo profano, entre la filosofía y la revelación. Hay un poema de Cavafis que alude a esa tensión. Seguramente lo conoces. Lo tradujo Jaime Gil de Biedma. Es de 1919. Se titula «De los hebreos (50 d. C.)». Déjame leértelo:

Pintor y poeta, corredor y discóbolo,
bello como Endimión, Jantes, hijo de Antonio.

De familia fiel a la Sinagoga.
«Mis días más preciados son aquellos
en que abandono la búsqueda estética,
en que dejo la hermosura y el rigor del helenismo,
con su afición avasalladora,
por los miembros perfectos, blancos y corruptibles.
Y me vuelvo aquel que quería
siempre ser: el hijo de los hebreos, de los sagrados hebreos.»

Demasiado ferviente su afirmación: «Ser
siempre el hijo de los hebreos, de los sagrados hebreos.»

Sin embargo, en modo alguno él lo era.
El Hedonismo y el Arte de Alejandría
tenían en él un hijo fiel.

No lo conocía. Gracias. Es precioso y preciso: es el judío no judío.

Como Jano, Jantes parece tener dos caras: Atenas y Jerusalén.
Momigliano sostiene que Jerusalén resistió a Atenas gracias a la

radical obstinación religiosa del pueblo. El pueblo judío siguió fiel a los sacerdotes, a los guardianes de la ortodoxia. Para ellos la cultura griega era sinónimo de idolatría, de vanos placeres, de comedias frívolas, de mitos paganos, de circos e hipódromos, de elucubraciones inútiles. Ahí no hubo heterodoxos, y por eso es tan significativa la historia del sabio Elisha ben Abuyah. El que haya sido tan señalado demuestra su excepcionalidad.

¿Quisieron acercarse mutuamente griegos y judíos, por ejemplo en los libros históricos?

En la Biblia, Grecia es Yabán. Al parecer hubo relación entre judíos y espartanos. Pero no hay mención de los judíos en los textos griegos.

¿Y la filosofía?

Un terreno de convergencia. Los judíos alejandrinos intentaron persuadir al mundo griego de las bondades o verdades de su fe y para ello tradujeron la Biblia al griego (llamada Septuaginta). No lo lograron, pero su solución fue estudiar, asimilar y reformular la filosofía griega. El Eclesiastés es un texto de la era helénica. La figura emblemática de ese momento fue Filón de Alejandría, que intentó conciliar el judaísmo con el platonismo. Filón no salió de su fe, como Elisha, pero no formó parte principal del canon judío sino del occidental.

¿Se apartó de su pueblo?

Todo lo contrario. Fue un líder. Siendo un personaje poderoso de su comunidad alejandrina, Filón –cuya vocación era más bien mística– encabezó una comitiva de su comunidad que viajó a Roma para suplicar a Calígula que volviera mostrar la tolerancia religiosa de su antecesor Augusto y evitara la persecución de los judíos en Alejandría. Un texto suyo señala los desmanes de un tal Flaccus, gobernador romano de Egipto, que desató un verdadero pogromo en esa ciudad. Esa persecución adoptaba ya entonces las formas y dimensiones dramáticas que se verían muchos siglos más tarde en la Edad Media. El perfil que traza del delirante Calígula es una joya digna de Suetonio.

¿Tan antigua es esa historia de rechazo contra los judíos?

Muy anterior a esos hechos de Alejandría, desde luego. Esa tensión fue llevadera en tiempos helénicos, pero se acrecentó con la dominación romana. Filón cuenta una escena en la que todas las familias de Jerusalén, abuelos, padres e hijos, peregrinan a Sidón para rogarle al procónsul romano que desista de erigir en el Templo la estatua que Calígula, endiosado de sí mismo, había ordenado. De no desistir, le advierten que se darán muerte todos por su propia mano. Esta vocación de martirio había apuntado siglos atrás, pero se agudizó con los romanos. Ahí ves la profundidad de esa fe monoteísta que luego se transmitiría intacta al cristianismo. Ahí está ya el conflicto entre Roma, para entonces heredera política del mundo helénico, y Jerusalén, la ciudad de Dios.

Pero decías que Filón, además de defender a su pueblo frente a Roma, fue filosóficamente helenista.

El mayor de todos. A diferencia de Elisha, que décadas más tarde abandonaría su fe y no escribió nada, Filón fue un autor importantísimo. Trató, como te digo, de hacer compatible su fe con la filosofía griega. Filón probablemente no hablaba hebreo, y leyó la Biblia en griego, la Septuaginta. Su educación literaria y filosófica fue helénica. Lo que hace Filón es interpretar alegóricamente la Biblia con categorías de pensamiento griegas, sobre todo platónicas y estoicas. Platónicas en su filosofía, estoicas en su ética. Desde el Génesis va recorriendo personajes, dotándolos de una dimensión simbólica que no está en el original. Hay una «Vida de Moisés» que lo presenta como un experto en aritmética, geometría, astronomía, filosofía, armonía, retórica, lógica. Al final resulta un legislador comparable o superior a Solón. Es claro el propósito apologético: quería defender su fe asimilándola a la Paideia griega.

Un neoplatónico.

Hay algo en el platonismo que se aviene muy bien, poética y teológicamente, con la Biblia: cada personaje parece simbolizar un ideal, acercarse a un ideal, que es la identificación con Dios. O puesto de otro modo, hay algo en la Biblia que se presta a la interpretación platónica: los «intermediarios» humanos son arquetipos que aspiran a Dios.

¿En qué reside entonces su heterodoxia?
En que su recepción ocurrió en el orbe cristiano, no en el judío. Filón es como un padre olvidado de las tres religiones monoteístas. Varios padres de la Iglesia lo leyeron y asimilaron: Clemente, Ambrosio, Orígenes. Es famosa la frase de san Jerónimo: «O Platón filoniza o Filón platoniza».

¡Qué curiosa definición! Dame ejemplos de esa extraña amalgama.
Tiene varios aspectos. Filón no es tan helenista como para interesarse en los temas científicos, pero lo es lo suficiente como para abrevar de sus teorías filosóficas sobre la divinidad. Por ejemplo, en la suposición de que la verdadera vida no está en este mundo material sino en el otro, superior, espiritual, de las Ideas. Platón e incluso Aristóteles llegan a la afirmación del Uno por vía de la necesidad lógica. Pero para el pueblo judío la afirmación de la unidad es teológica y en ese punto convergiría con el cristianismo. El monoteísmo no era común en el Mediterráneo europeo. Sus principales proponentes fueron judíos o cristianos, cuando todavía el cristianismo no se asumía como religión independiente de su origen judío. Ahí ves el lugar que ocupa Filón como punto de unión entre tradiciones. Y por si fuera poco, Filón fortalece la tradición helénica porque es un precursor de Plotino. Todo eso hace y todo eso representa sin abandonar el ámbito judío, como sí ocurrió con otro heterodoxo posterior de la cultura helénica, en plena dominación romana. Me refiero a Flavio Josefo, que vivió en el siglo I.

Lo mencionaste cuando hablamos de la sacralidad de la historia entre los judíos.
Es un personaje complejísimo, contradictorio, apasionante. Vivió entre Filón y Elisha ben Abuyah. Conocí su vida a través de una monumental novela en tres tomos de Lion Feuchtwanger (*El judío de Roma*). Te cuento rápidamente. Provenía de una poderosa familia sacerdotal, viajó de joven a Roma, que lo cautivó. De vuelta a su patria

encontró que el fermento revolucionario de los zelotes, patriotas contra Roma, había prendido. A pesar de sus reconvenciones, los radicales desataron la guerra en la que Flavio Josefo –de nuevo, según él– no tuvo más remedio que participar. Lo hizo con eficacia, como gobernador de Galilea, armando ejércitos, bastiones, fortificaciones, y enfrentando a un tiempo a los romanos y al ala radical de sus correligionarios. Sitiado por los romanos en Josafat, tras una batalla en la que murieron cuarenta mil personas (hay restos arqueológicos que lo comprueban), él y sus cuarenta comandantes decidieron optar por el martirio (ya habitual en esos tiempos): pasarse a cuchillo sucesivamente uno a otro, hasta el suicidio del último. Graetz, el primer historiador del siglo XIX que te mencioné, narra que, habiéndose quedado solo con el último sobreviviente de los cuarenta patriotas, Josefo lo desarmó, no se sabe si por medio de la persuasión o de la fuerza, y se rindió a los romanos. Había cambiado su honor por su vida.

¡Qué historia me cuentas!

Es solo el principio. Por eso te digo que merecía esa novela inmensa. Y hasta una serie de televisión. Amnistiado por Vespasiano, que comandaba las legiones romanas, Josefo asistió (y contribuyó) a la caída de Jerusalén en el año 70 d. C. (aunque en su haber argumenta que salvó a muchos prisioneros de morir crucificados). Por sus servicios se volvió el consentido de Vespasiano y de Tito, ambos futuros emperadores, que lo atrajeron a la corte imperial. Exiliado definitivamente de su patria, tuvo una vida de privilegio en Roma, pero sintió el llamado de la tribu milenaria (y de la culpa por haberla rendido ante el enemigo) y desde aquel exilio de su hogar (y por momentos de sí mismo) escribió dos libros imprescindibles que te referí en algún momento: *Antigüedades judías* y *La guerra de los judíos*. La primera contiene algunas de las fuentes históricas con que contamos para conocer la era helenística y el milenio anterior a ella, aún más oscuro. La segunda es una historia en tiempo presente porque Flavio Josefo, como te digo, participó en la guerra y atestiguó la destrucción del Segundo Templo en el año 70. En esa obra, por cierto, está una de las pocas alusiones históricas a Jesús.

Es el tipo ideal del «judío no judío».

Distinto también a Elisha, porque no abandonó la fe. Pero también distinto de Filón, porque salió socialmente del ámbito judío. Despreciado por los propios, nunca bien visto por los ajenos, Flavio Josefo vivió en los márgenes. En su breve *Autobiografía* intenta justificar las decisiones de su vida, y su *Contra Apión* es una detallada defensa del judaísmo frente al mundo pagano. Fue un hombre puente entre su cultura y la romana. Graetz lo considera un traidor, pero un traidor que se redime parcialmente por haber escrito esas obras indispensables para la historia de los judíos.

La civilización helénica, concluyo, no fue del todo inhospitalaria con los judíos.

Era como dijiste un laboratorio religioso y cultural sin precedente. En ese cruce de culturas hubo menos presión que en las eras posteriores.

Pero se nos está olvidando el «judío no judío» más importante de esa época y de todas las épocas.

Jesús. Sí, pero en aquel libro que imaginaba prefería yo concentrarme en san Pablo, de quien hay tanta información biográfica. Entre Atenas y Jerusalén, triunfó Roma. Sobre todo cuando, gracias en buena medida a san Pablo, Roma se hizo cristiana.

El apóstol de los herejes

¿Puede hablarse del cristianismo con las categorías que has utilizado de ortodoxia y heterodoxia?

Es un tema que obviamente me rebasa y nos rebasa. En principio no me asomé a san Pablo con el enfoque de la heterodoxia, porque al final no permaneció en los márgenes del judaísmo, sino que lo trascendió, fundando una nueva religión. La fe en el advenimiento histórico del Mesías es obviamente la diferencia fundamental entre ambas religiones.

Pero nadie duda de que el cristianismo abreva del judaísmo.

Gibbon dice en el célebre capítulo XV de *The Decline and Fall of the Roman Empire* que el «celo religioso» de los judíos se fue «insinuando suavemente» en la sociedad romana hasta conquistarla. Según Gibbon, es la primera causa histórica de su éxito. Pero en términos teológicos, el cristianismo es un hecho radicalmente nuevo.

Tengo esta curiosidad, ¿cómo describe la historiografía judía la novedad del cristianismo?

Mi historiador favorito, Simón Dubnow, describe con gran detalle y color el panorama histórico-espiritual en tiempos de Jesús. Lo he leído muchas veces. Había varios grupos encontrados en el judaísmo de tiempos helénicos: desde luego, las élites helenizadas; los fariseos, celosos de la letra y la práctica de la ley; los zelotes, guerrilleros irreductibles contra Roma, proclives al martirio; los teócratas saduceos. Otra secta era la de los esenios, ascetas gnósticos que vivían en el desierto de Qumrán predicando el desapego del mundo, la vida comunitaria. Dos poderosas creencias, parcialmente relacionadas entre sí, impregnaban la atmósfera religiosa: el mesianismo anunciado por los profetas y la inminencia del Apocalipsis. Si sumas a todo ello la presencia avasalladora de Roma, la cultura helénica dominante y los mitos poderosos de la religión persa, tienes que concluir que de esa mezcla podía surgir una nueva fe. Mejor dicho, que esa mezcla pedía el surgimiento de una nueva fe.

¿Y cómo trata a Jesús?

Dubnow, judío secular que vivió en el gozne de los siglos XIX y XX, respeta profundamente a Jesús y trata de comprenderlo históricamente. Piensa que nunca dejó de ser judío. Explica su popularidad en términos sociales, describiendo al humilde pueblo de Galilea, labriegos, pescadores y artesanos lejanos a la capital Jerusalén. Explica su actitud moral como un deslinde ante las corrientes dominantes: la rigidez legalista de los fariseos, el poder y la avaricia de los saduceos, la actitud suicida de los zelotes. Su mensaje sobre el reino de otro mundo se acerca al de los esenios, pero Dubnow se da cuenta de que los trasciende y ahí suspende el juicio. Enfrentado al tema del Jesús Mesías, lo registra, pero se queda callado. Dubnow era agnóstico, pero quiere anclar a Jesús en el judaísmo. Hay en su libro una discusión interesante de los antecedentes judíos en la prédica de Jesús: por ejemplo, el mensaje «Amarás a tú prójimo como a ti mismo» está ya en Hilel, sabio fundador del siglo I a. C. Es decir, Dubnow perfila las opciones de Jesús en su contexto y quiere reclamarlo para el judaísmo. Quiere que siga siendo *Yeshu Hanotzri*, Jesús el Nazareno, no Cristo. Y desde luego exime a los judíos de la crucifixión. Demuestra que fue obra y potestad de los romanos.

¿Qué sitio ocupa san Pablo en la genealogía que exploramos?

Saulo de Tarso, al volverse Pablo, rompe con la ley mosaica. Toma elementos del judaísmo y de la cultura helénica, pero con el mensaje de Jesús funda algo radicalmente nuevo. Funda la cultura cristiana que es, en buena medida, la cultura occidental. Tertuliano famosamente lo llamó el «apóstol de los herejes». Esa definición subraya el salto del judaísmo no a una heterodoxia sino a una nueva religión.

¿Era un «judío no judío»?

¿Recuerdas la definición de Deutscher? Parece hecha para Pablo: «Ciertos pensadores de esa estirpe pudieron convertir esa condición fronteriza en una ventaja: podían ver por encima de su tiempo y circunstancia, podían atisbar horizontes y posibilidades, podían ser inusitadamente libres.» En ese sentido, Pablo es un «judío no judío». Lo esencial de Pablo fue su decisión de salir, de abrir, de predicar a los gentiles, de cubrir, hasta los últimos confines, el orbe helénico. Hay el dato curioso de que Pablo era fabricante de casas de campaña, con buen conocimiento del mundo nómada. Fue un nómada de la fe. Ese contacto con el mundo lo convenció de que el mensaje religioso particular de los judíos podía prender en todos los pueblos, podía volverse universal, pero solo si renunciaba a sus leyes, no solo a la circuncisión, sino en última instancia a toda la ley judía. Y, sin embargo, paradójicamente, Pablo nunca dudó de su judaísmo. De hecho, él estaba seguro de que Jesús vino a confirmar a todos los pueblos la verdad revelada por el judaísmo. Constantemente se refiere a las Escrituras para «demostrar» que Jesús es la concreción final de la fe judía. Pablo nunca olvidó que era judío, pero recordar el propio judaísmo no implica necesariamente vivir acorde con la ley judía. Ese salto define a Pablo. Ese salto es su manera de ser judío no judío.

¿Qué dice sobre él Dubnow?

Le dedica varias páginas. Enfatiza su psicología de converso. No olvides que Saulo de Tarso fue el perseguidor implacable de Esteban, el primer mártir cristiano. Tras su instantánea revelación en Damasco, se vuelve aún más convencido que los convencidos, más apóstol que los apóstoles originales. El celo anterior se transforma en el celo posterior. Quizá Dubnow tiene razón. Después de la revelación en Damasco, Pablo nunca dudó. Los demás apóstoles dudaron, pero Pablo jamás. Ni del cielo, ni de que Jesús era el Mesías, ni de la obligación que debía cumplir. Es la psicología del converso. Pablo, antiguo fariseo, antiguo fanático de la ley, tenía que convencer a los apóstoles que sí conocieron a Jesús, y tenía que convencerse a sí mismo de su cambio. Y ahí comienza su apostolado, absolutamente revolucionario, por el mundo helénico llevando el evangelio.

Pero, doctrinalmente, ¿se separó a un grado total?

Dubnow aclara varios puntos irreconciliables entre la doctrina de Pablo y la de los judíos, incluso la de los primeros «judíos cristianos», como Pedro o el apóstol Santiago. Por ejemplo, la primacía de la fe sobre la ética. Pablo cree en la desconexión causal entre la ética y la salvación, postulado imposible en el judaísmo. Lo más desafiante es su recelo ante la ley. La ley mata, el espíritu da vida.

Los judíos ya no lo reconocieron como judío, aun en su tiempo.

El incumplimiento de la ley lo enajenó de los judíos. Un grupo intermedio de la primera época, los «judíos cristianos» habían quedado presos en la tensión de ambas corrientes. La guerra contra Roma y la destrucción del Templo afianzó la divergencia de ambas corrientes perseguidas por Roma. Los judíos se replegaron como nunca antes en su fe, sus leyes y sus costumbres y así permanecieron por siglos. Pero los «judíos cristianos», que estaban en los márgenes de la fe, salieron de ella. A pesar de las persecuciones de los romanos, el radio del mensaje apostólico de Pablo y su mensaje ecuménico adquirió su primer impulso, y sería el definitivo. Gibbon analiza ese paulatino triunfo del cristianismo en aquel memorable capítulo XV de *The Decline and Fall of the Roman Empire*. El celo religioso heredado del judaísmo, la fuerza de los milagros de Jesús, la creencia en la inmortalidad, la inminencia del juicio final, la resurrección de los muertos, eran aspiraciones universales y a ellas apeló la nueva fe.

Me has dicho cómo lo interpreta Dubnow, pero no sus conclusiones.

Se da cuenta de que Pablo fue el parteaguas de un divorcio cósmico. Y lo postula de un modo iluminador con un hondo dilema histórico y moral: elegir entre la libertad de la persona humana y la libertad de un pueblo. Jesús encarnaba la primera opción, y murió por ella. Los judíos luchaban contra la opresión romana, representaban la segunda opción, y murieron por ella. «¿Cuál tiene la gloria mayor de un heroísmo espiritual más profundo?», se pregunta Dubnow. El historiador respeta ambas opciones, pero piensa que el tránsito de la pequeña secta a la Iglesia católica romana «convirtió al cristianismo en instrumento político de conquista en una medida mucho mayor de lo que el judaísmo era un instrumento de autodefensa nacional». Y declara algo que me conmueve: la «verdadera religión universal» se alcanzará cuando el ideal de la personalidad libre conviva con el de un pueblo libre. Es decir, la cabal unificación del cristianismo y el judaísmo.

Elisha, Filón, Flavio Josefo, san Pablo habrían sido personajes de tu libro.
Qué dicha habría sido hilvanar sus biografías. Y mostrar que su vocación de judíos no judíos era abrirse a la humanidad, servir a la humanidad, construir humanidad.

Luz de los ojos

Sigamos con esta brevísima historia de la heterodoxia, ¿hay ejemplos en Bizancio?
Heterodoxias las hubo, pero no sé si en el sentido filosófico que te estoy refiriendo. Después de que Juliano «el Apóstata» reinstauró fugazmente la libertad religiosa para paganos y judíos en el siglo IV, el orbe cristiano cerró esa puerta, y tres siglos más tarde el islam la selló aún más, reafirmando el monoteísmo militante. Mal podrían los judíos, aislados y amenazados, darse el lujo de la disidencia extrema. Sin embargo, acaso hubo muchos herejes y hasta ateos. Alguna vez hurgué sus nombres. Mi investigación radicaba en encontrarlos. Nunca avancé.

¿Y en la Edad Media?
Frente a la ortodoxia rabínica que se fue consolidando generación tras generación desde el siglo primero, surgieron importantes disidencias: unas subrayaban la tendencia mística, otras la aspiración mesiánica. Hubo también una suerte de protestantismo judío, los caraítas, que negaban todas las interpretaciones posbíblicas en favor de una lectura estricta y exclusiva de las Escrituras. Aún existen. En España nació la Cábala, con su lectura gnóstica del universo y la vida, su interpretación simbólica de la Torá (de cada frase, de cada palabra, de cada letra de la Torá). Inspiradas en un gnosticismo cristiano muy antiguo, obras como el *Zohar* proponían una lectura alternativa, disruptiva, en la cual el elemento

emotivo de la fe y la lectura mística del mundo eran más importantes que la obediencia a la letra de la ley. Estos son los temas de la obra de Gershom Scholem sobre las grandes corrientes del misticismo judío. Pero dudo de que entre estos complejísimos desarrollos espirituales hubiera ejemplos de una vuelta a Atenas, al mundo de los estoicos y epicúreos. Es el género restringido de heterodoxia que yo buscaba.

¿Y en Sefarad?

Si por heterodoxia entendemos una disidencia dentro de la fe, hubo varios casos y querellas memorables. La cantidad y prolijidad de los filósofos que vivieron en Sefarad es abrumadora. Sus obras no comprenden volúmenes sino bibliotecas. Hubo neoplatónicos, cabalistas, aristotélicos. A veces unos a otros se consideraban heterodoxos. Y se odiaban unos a otros con odio teológico. Cuando Maimónides, el gran médico y filósofo, trató de hacer compatibles la religión judía y el legado de Aristóteles (como un milenio antes había hecho Filón con el platonismo) provocó una controversia mayor y algún ortodoxo radical lo consideró herético, pero el cargo no prosperó.

La cultura griega llega a España y a Occidente a través de los árabes. Obviamente influyó en los judíos.

La influencia de la cultura árabe sobre la cultura judía es inconmensurable. Sin ella no se entiende el florecimiento de la poesía amorosa, de las ciencias y el pensamiento de los judíos en Sefarad. Sin Averroes, Maimónides no hubiera conocido a Aristóteles. Pero esa influencia no trastocó el núcleo religioso judío. Hubo apóstatas militantes, conversos convencidos, pero un Elisha ben Abuyah era inimaginable en Sefarad. Por eso los pensadores judíos de Sefarad lo repudiaban. Yehudá Ha-Leví, el gran poeta de Sefarad, escribió sobre Elisha estas palabras: «Se corrompió y corrompió a otros; se extravió y extravió a otros». Una generación más tarde, Maimónides coloca a Elisha en la gradación máxima de la herejía. Su condena atañe al estudio adecuado de la metafísica. Maimónides, humildemente, se rinde a la revelación:

Si aspiras a aprehender las cosas que están más allá de tu aprehensión […] te ocurrirá lo que a Elisha *Ajer*. Esto es, no solo serás imperfecto sino que serás el más deficiente entre los deficientes […] te inclinarás a lo defectuoso, a lo cruel, a lo malvado.

Si entiendo bien, había pensadores judíos de varias escuelas y había conversos o apóstatas, pero no «judíos no judíos». ¿Esto tiene alguna relación con la falta de historiadores que señalabas en la primera conversación?

Una relación directa. En la medida en que la historia es un género inventado por Grecia y desarrollado en Roma, solo los judíos no judíos podían concebirla. Pero llevó tiempo. Con Flavio Josefo comenzó y terminó la historiografía por casi dos milenios.

¿Cómo describes ese vacío milenario?

En su obra *Zakhor* (*Recuerda*), Yerushalmi lo explica. A partir de la destrucción del Templo, los judíos –cada vez más dispersos por Asia Menor y Europa– creyeron vivir, literalmente, un éxodo de la historia. No solo al margen de la historia sino fuera de ella. Perdida su nación, la historia se volvió un paréntesis entre el pasado que añoraban y el futuro que esperaban. Si no había más pasado que el bíblico ni más futuro que el mesiánico, los hechos de este mundo eran intrascendentes. Por eso no hubo un Tucídides ni un Polibio entre los judíos. Tampoco un Ibn Jaldún, ese portentoso Toynbee árabe que vivió en el siglo XIV. Se escribieron innumerables recuentos y crónicas de matanzas, plegarias penitenciales en tiempos de asedio, guerra o peste, esquemas para revelar la voluntad divina. Si ocurría una desgracia en el presente –una amenaza de extinción seguida de una liberación, por ejemplo–, inmediatamente se la relacionaba con un hecho similar en tiempos bíblicos. Estos eran los vehículos rituales y litúrgicos de la memoria. No de la historia.

Ocurrió quizá algo similar con la historia eclesiástica en el catolicismo. Hubo poetas y teólogos, filósofos y místicos, pero no muchos historiadores. Esto cambió con el Renacimiento, sobre todo en Italia.

No en el ámbito judío. Hubo viajeros, vagamente parecidos a Heródoto, pero no historiadores. Y he leído que hubo algunos «protohistoriadores» judíos de raíz hispana en el siglo XVI italiano. Tenían alguna conciencia de la cronología y la geografía universal, se atrevían a consultar historias de otras naciones, pero sus obras no se apartaron de la visión providencialista. Y sabían que las autoridades rabínicas podían rechazarlos. La norma de Maimónides seguía vigente: la historia era una labor ociosa. Pero comenzaba a haber excepciones. Una de ellas fue Joseph ha-Cohen, traductor al hebreo de la *Historia de la conquista de México* de Francisco López de Gómara. La tituló *Sefer Fernando Cortes* («El libro de Hernán Cortés»).

¡Qué gran dato! La conquista era un hecho terrenal irresistible. ¿Hubo otros exponentes?

Tal vez el «protohistoriador» más importante fue un médico de Ferrara llamado Azariah dei Rossi. Yerushalmi lo trata y me dio curiosidad leerlo. Un hombre del Renacimiento. Sabía literatura clásica griega y latina, era un erudito en el Talmud y en la patrística. Hablaba o leía latín, italiano, hebreo, algo de griego y árabe. Escribió *La luz de los ojos*, libro voluminoso que por suerte ha sido traducido al inglés. Es una joya. Te doy un ejemplo extraído de él. Azariah desmiente de manera amable, pero sin miramientos, las numerosas leyendas talmúdicas sobre un mosquito que supuestamente se le habría incrustado en el oído a Tito, el militar romano que destruyó el Templo de Jerusalén. Según esas versiones providencialistas, el veneno del mosquito habría terminado por enloquecer y matar a Tito, cuando este se volvió César. Ese mosquito habría sido el instrumento vengativo de Dios. «Encontré –escribe Azariah– ocho escritores notables sobre el tema de la muerte de Tito y todos sostienen que el mal que provocó su muerte fue la fiebre.» Entre los autores que cita están Suetonio, Petrarca. ¿Quería desprestigiar a los sabios? No. Solo sostenía que las narraciones canónicas eran parábolas, válidas como formas de enseñanza moral, pero vacías de contenido histórico. Los sabios de su tiempo reaccionaron con ira teológica. Los rabinos italianos prohibieron la lectura de su libro. Y en Praga, el rabino Judah Loew ben Bezalel, el legendario creador del Golem, tronó contra Dei Rossi. Otro gran rabino de la época pedía la excomunión de Azariah pero murió antes de firmar el decreto.

¿Dei Rossi era un judío no judío?

Estaba a punto de serlo. Sobre la tensión entre lo humano y lo divino en su obra leí su testimonio del terremoto de Ferrara, el 17 de noviembre de 1570. El texto se titula «La voz de Dios». Por una parte, cita profusamente las admoniciones de los profetas sobre la ira divina (Isaías, Amós), varias desgracias bíblicas (incluidos terremotos) y comenta con detalle las diversas interpretaciones de los rabinos a lo largo de los siglos sobre esos hechos y dichos. Pero al mismo tiempo interpola las explicaciones sobre los terremotos en «filósofos naturales» como Aristóteles, Plinio y Séneca: causas eólicas, térmicas, atmosféricas, geológicas. A eso agregó las teorías de un doctor cristiano de Ferrara que ofrecía una tipología científica de los terremotos. Además, dejó una crónica casi periodística de aquellos hechos.

Oscilaba entre lo humano y lo divino.

Pero, al referirse a las causas últimas, se inclina por lo divino. Decía que el análisis del terremoto por parte de los rabinos era muy distinto al de los filósofos griegos. Estos inspeccionaron las entrañas de la tierra y su única conclusión fue que los temblores y otros fenómenos similares suceden por azar y dentro del orden de la naturaleza. «Pero nosotros –dice Dei Rossi– solo a Dios atribuimos esos hechos, a Dios, que emplea causas naturales como vehículos.» En último caso abría una rendija al azar. A veces los hechos provenían de Dios, otras del azar, como la lluvia, el trueno, el viento, muy estudiados por los hombres de ciencia. Pero al final Azariah se inclina por sacrificar la razón a la fe. Significativamente, trae a colación a Filón, olvidado entre los judíos pero respetado por los padres de la Iglesia: «no sabemos las intenciones de Dios en sus actos». «En cualquier caso –concluye–, cada vez que ocurre una calamidad, ya sea por diseño divino o por puro azar, debemos recurrir de inmediato a la torre de fortaleza, a nuestro Dios.»

¿Cómo es su crónica del terremoto?

Cuenta cómo los cristianos y los judíos convivieron en la desgracia y se apoyaron entre sí. Cómo los ricos de la ciudad alojaron en sus jardines a los pobres. Advierte que ninguna de las diez sinagogas de Ferrara se derrumbó. Y dando infinitas gracias al Creador, narra cómo su familia se salvó porque, al caer el techo de su habitación, Azariah y su mujer estaban en el cuarto de su hija. Y concluye con una nota alegre: «Muchos edificios dañados de Ferrara se han reconstruido mejor y más fuertes que antes». Ferrara volverá a reconocerse por su «belleza perfecta».

¿Termina así el tratado?

Contiene lecciones morales que comparten judíos y cristianos. Siguiendo a santo Tomás, Dei Rossi pensaba que los terremotos son expresiones de la ira divina que toma a la naturaleza como un medio. Y por eso los hombres deben enmendar su vida. Basado en los Salmos concluye que un terremoto es la «voz de Dios» y así titula su obra. Y esa voz era común a cristianos y judíos. Dei Rossi celebra ese acuerdo. Ahí, frente a la desgracia, todos somos iguales. Su heterodoxia le permitía ver al *otro*. Por eso Azariah dei Rossi habría sido un personaje de aquel libro mío.

Prefiguraba a Spinoza.

Muy pálidamente. Pasaría mucho tiempo para que aparecieran figuras similares. Te hablé ya de Uriel da Costa, aquel mártir de la heterodoxia.

El de la postal que conservaba tu abuelo, con Spinoza niño en su regazo. Imagen inolvidable...

Podría decirse que murió de fluctuación teológica. La vida y la obra de Spinoza se entienden mejor a partir de la zozobra de Uriel da Costa. Este filósofo de origen sefardí nacido en Oporto fue un antecedente trágico de Spinoza. Un Spinoza sin su cultura, su temple, su genio intelectual. Hijo de un converso al catolicismo, renegó de él, y trató de volver a la fe judía. Lo logró, pero la filosofía de Epicuro pudo más, no por haber sido un sibarita, sino por descreer de la inmortalidad del alma. Da Costa escribió un tratado que la negaba. Arrepentido, volvió al judaísmo. Luego, arrepentido de su arrepentimiento, salió de él. Hubo nuevos arrepentimientos y finalmente la excomunión definitiva. En la soledad y la pobreza, Da Costa se suicidó en Ámsterdam, en 1640. Murió, como te digo, de *fluctuación teológica*. En su *Historia de los heterodoxos españoles*, don Marcelino Menéndez Pelayo recoge la vida de Da Costa y transcribe parte de su estrujante texto autobiográfico, durísimo contra los judíos de Ámsterdam. No soportó la tortura de vivir entre la duda y la fe, o entre dos religiones. No pudo asimilar el rechazo universal. No supo o no pudo resolver la fluctuación.

Caso dramático.

No fue él único heterodoxo judío del siglo XVII. Hubo varios, incluso en Holanda. Algunos abrevaron de la tradición clásica de crítica a la religión: Epicuro, Lucrecio, Sexto Empírico. Pero ninguno se acerca a Spinoza que, en un acto inédito de libertad, conquistó y colonizó una *terra incognita*. Dio un nuevo salto a una religión de la naturaleza y la razón.

Y en esa terra incognita Spinoza le da un lugar a la historia profana.

En Spinoza solo hay lugar para la historia profana. La crítica histórica de Spinoza a las Escrituras en el *Tractatus theologico-politicus* cimbró a su época. Ese «libro forjado en el infierno» –así lo consideraban, literalmente– fue repudiado por cristianos y judíos. No era para menos: renunciaba por entero a las explicaciones providencialistas para descansar solamente en las causas naturales y humanas.

Tras un recorrido de dieciséis siglos, en el libro que no escribiste llegarías al heterodoxo mayor.

El heterodoxo moderno. Spinoza, lector de Atenas formado en Jerusalén, no desemboca en la Roma cristiana. Inventa una Roma filosófica y eterna.

XI. Heterodoxos judíos

Desayuno «more geometrico»

Habíamos hablado de la primera parte de Heterodoxos judíos, *tu libro imaginado. Trataba de los precursores de Spinoza. ¿Qué incluía la segunda?*

Spinoza y sus sucesores más directos: Heine y Marx. La segunda y última parte.

Supongo que en esas indagaciones estabas cuando entrevistaste a Borges sobre Spinoza. Fue a fines de 1978. Leí esa conversación hace poco en Personas e ideas. *Es muy divertida.*

Encontré a Borges de un magnífico humor. Pero mi propósito era muy serio. Quería encontrar claves para mi libro sobre los heterodoxos. Yo conocía el interés de Borges en Spinoza, y por nada del mundo iba a perder la oportunidad de conversar con él sobre el heterodoxo mayor, tan querido por mi abuelo.

Cuando le dijiste que hablarían sobre Spinoza te dijo: «Será un "desayuno more geometrico*"», aludiendo obviamente a la* Ethica more geometrico demonstrata *de Spinoza.*

Esa frase introdujo el tono cordial y enmarcó la charla. No llevé ningún cuestionario. Comencé simplemente por indagar el avance del libro que había prometido sobre Spinoza. Me dijo que había desistido, que era una tarea demasiado compleja. Se animó mucho al hablar libremente sobre los autores influidos por Spinoza. Cada uno le suscitaba una reminiscencia. Cuando le dije que Heine había sido el san Pablo de Spinoza, me contó que había aprendido alemán leyendo a Heine y comenzó a recitar en alemán el inicio del poema «Jehuda ben Halevy» en el que el poeta viaja en el tiempo para conocer a los grandes poetas de Sefarad y pregunta a unos espectros: «¿quién de ustedes es Jehuda ben Halevy?». Esas divagaciones no eludían la cuestión, la enriquecían. Recordó algunas de sus primeras lecturas spinozianas y me contó –quizá recuerdes– una anécdota deliciosa sobre Wordsworth y Coleridge, devotos románticos de Spinoza. La policía secreta que los investigaba por ser partidarios de la Revolución francesa descubrió que hablaban siempre de un misterioso «Spy-Nousa». Además «Nousa» parecía el nombre de una persona entrometida, que estaba *nosing around. Who can Spy-Nousa be?* Los dejaron en paz y se fueron a buscar a aquel espía nasal, el cabecilla de la conspiración. ¡Cómo se reía!

¿La has releído recientemente?

Con un poco de pena. Entonces, quizá por influencia de Singer, confundía yo el panteísmo místico y simbólico de la Cábala con el panteísmo racional y «geométrico» de Spinoza. No era raro, porque en su tiempo los rabinos señalaron ese paralelo. Y muchos de sus críticos posteriores –y también sus panegiristas– coincidieron en señalar esos ecos. Hasta el propio Borges no era del todo ajeno a esa idea. Gershom Scholem acababa de publicar *La Cábala y su simbolismo*. A partir de no sé qué lectura, me puse cabalístico y le dije que la idea de Spinoza *Deus sive natura* (Dios es la naturaleza) está en el valor numérico de la palabra hebrea «Naturaleza», que era 86. Entonces él me corrigió amablemente, recordándome que Spinoza había criticado los «delirios» de la Cábala. Y es verdad. Pero apuntó también que «desde luego Spinoza está cerca de la Cábala». Parece contradictorio, pero no lo es. Creía que las metáforas y símbolos de la Cábala debieron desagradar a Spinoza, cuya mente no era literaria sino cartesiana o euclidiana, pero encontraba similitudes en la respectiva concepción de Dios. Por suerte comenzamos a hablar de temas menos arduos.

¿Te dijo algo nuevo sobre la vida de Spinoza?

Formuló borgianamente cosas que yo sabía: «Spinoza es equidistante de la Iglesia y la sinagoga». Sobre la excomunión me dijo algo muy sencillo y sensible, que lo tocaba personalmente, porque Borges era malquerido por algunos argentinos: «No sé qué es una excomunión, pero creo que él debe haber sentido el hecho de haber sido rechazado por sus hermanos».

Hay estudiosos que han leído sus ficciones en «clave de Spinoza», personajes o tramas que parecerían asumir la filosofía de Spinoza, con consecuencias perturbadoras.

Sí, pero nunca hay que olvidar que son ficciones. Scholem mismo lo entendía así, cuando alguien le llegó a preguntar por las prosas cabalísticas de Borges. Se conocieron, según me dijo Borges, por intermedio de Roger Caillois. Supongo que hablaron del poema «El Golem», donde Borges usa la palabra «Scholem». «Es la única rima posible», me dijo. Borges pensó que había aburrido a Scholem, pero en su correspondencia, publicada hace poco, Scholem refiere ese encuentro con admiración y calidez.

Borges escribió dos poemas sobre Spinoza.

Sus poemas sobre Spinoza son condensaciones de la vida y la teoría del filósofo. «El infinito mapa de Aquel que es todas Sus estrellas» es una línea que describe admirablemente al Dios de Spinoza. Hace poco, mi amigo Julio Hubard me hizo notar algo acerca del final del segundo soneto de Borges sobre Spinoza:

El más pródigo amor le fue otorgado,
el amor que no espera ser amado.

Según Julio, la línea final proviene del verso, en el Infierno, al que responde Dante en el Paraíso: «Amor ch'a nullo amato amar perdona». La traducción de José María Micó es preciosa: «Amor, que al que es amado amar requiere».

Recordemos el otro poema que le dedicó Borges.

Me gusta tanto que extraje de la red la versión manuscrita y la copié:

Spinoza

Las traslúcidas manos del judío
labran en la penumbra los cristales
y la tarde que muere es miedo y frío.
(Las tardes a las tardes son iguales.)

Las manos y el espacio de jacinto
que palidece en el confín del Ghetto
casi no existen para el hombre quieto
que está soñando un claro laberinto.

No lo turba la fama, ese reflejo
de sueños en el sueño de otro espejo,
ni el temeroso amor de las doncellas.

Libre de la metáfora y del mito
labra un arduo cristal: el infinito
mapa de Aquel que es todas Sus estrellas.

Lo que fascinó a Borges fue la idea de Dios en Spinoza, ese Dios que finalmente se parece al Ser primigenio de los cabalistas en el sentido de que nada puede predicarse de él. Un Dios inconmensurable, incomprensible, infinito, un Dios que no puede tener atributos humanos. Es el Dios al que Borges llama «indiferente», «inagotable». A esa invención Borges la describe con varios verbos: sueña, construye, engendra, labra, erige. Ese gran invento metafísico (que Spinoza no veía como tal), ese Dios indistinguible de la naturaleza, es el «claro laberinto» que sueña el labrador de cristales, el pulidor de lentes. Para Spinoza la naturaleza es una, infinita. Por eso no hay historia, por eso «las tardes a las tardes son iguales». El poema alude también a la fama. Spinoza, en efecto, no aceptó nunca honores ni puestos académicos. Finalmente, su ética prescribía que el amor es «la alegría acompañada de la idea del ser amado», pero al parecer no tuvo más amor que la entrega al conocimiento de la naturaleza, el *amor intelectual a Dios*.

¿No hablaron de política?

No que yo recuerde. Borges se definía como un «argentino extraviado en la metafísica», pero no en la moral. Por eso no vio la derivación natural de Spinoza en la filosofía política. Y en ella está, para mí, la vigencia esencial de Spinoza.

Spinoza: hereje de la razón

Como sabes, soy un lockiano irredento, pero también me ha interesado Spinoza, sobre todo su filosofía política. Llegaremos a ella. ¿Qué fue lo primero que leíste suyo o sobre él?

En los sesenta, en una edición muy modesta, las escuetas biografías publicadas en el siglo XVII: Colerus, Lucas, Bayle. Pero muy pronto entendí que era una biografía imposible. Spinoza se ocultó en su obra. Spinoza es su obra. Me seguí con el *Tratado teológico-político* en una edición mexicana de Juan Pablos Editor con un largo prólogo de León Dujovne, erudito argentino amigo de Borges, que escribió libros sobre Spinoza. Esa lectura me impresionó. Todo el conocimiento bíblico de Spinoza se volvía contra la historicidad de la Biblia. Al desechar el elemento providencialista, dio paso al conocimiento histórico en sí. Lo tengo subrayado. Por ejemplo, el momento en que Moisés partió las aguas del mar Rojo para que el pueblo que huía de Egipto lograra pasar:

> Es, pues, de creer que si las circunstancias de los milagros y las causas naturales que los explican no aparecen siempre mencionadas, no dejaron de ser necesarias para su cumplimiento. En la narración de *Éxodo* (cap. XIV, vers. 27) se ve que a la sola indicación de Moisés el mar volvió a hincharse y nada se dice del viento. Pero en el cántico de Moisés (cap. XV, vers. 10) se dice que el mar se hinchó con el soplo de Dios (esto es, por un viento muy fuerte), lo cual indica que si antes se calló esta circunstancia fue por hacer que el milagro apareciese mayor.

Se cree que las ideas que vertió posteriormente en su *Tratado teo-lógico-político* (1670) las sostenía ya en su juventud y fueron las que condujeron a la excomunión. No lo sabemos de cierto, porque el escrito en español que preparó en defensa propia está perdido. En todo caso, antes que el *Tractatus* Spinoza había postulado una visión que negaba al Dios personal, pero lo transformaba en la naturaleza. Pensar así, escribir así, fue un acto de libertad sin precedentes. Como tantos lectores a lo largo de más de tres siglos, quise acercarme a esa transformación de sus convicciones. Por curiosidad biográfica, quería entender su origen. Y varios libros refirieron a uno de esos cataclismos periódicos de la historia judía: la expulsión de España en 1492. Entre la expulsión de España y la excomunión había transcurrido más de siglo y medio, pero esa herida estaba abierta y tuvo mucho que ver en la transformación de Spinoza.

Los «marranos» en España, los conversos y los cristianos nuevos cargaban con el estigma de su sangre y su pasado aunque hubiesen abrazado since-ramente la fe cristiana.

Esa era precisamente la situación de los judíos portugueses de Nueva España contemporáneos de Spinoza, que aun convertidos a la nueva fe eran rechazados. Vivían en un estado extremo de autorre-presión y miedo, de doblez, desintegración y confinamiento psico-lógico. Una esquizofrenia histórica: ser y no ser, ser no ser. Una asfi-xia total de la libertad. En México fueron llevados a la hoguera. Pero muchos judíos portugueses que habían ocultado su fe por más de un siglo encontraron en Holanda un nuevo lugar seguro y libre para ser sin fingir. Ese es el origen de los Spinoza: la expulsión en 1492 los llevó al asfixiante éxodo portugués y, siglo y medio después, a Ámsterdam, que fue como una Nueva Jerusalén. Luego supe que esos éxodos no habían sido los únicos. Entonces yo solo sabía que habían llegado a Holanda a principios del siglo XVII. Ahora, gracias a varios investigadores como I. S. Révah y Jonathan Israel, conocemos mucho más de la vida de los Spinoza en Portugal.

He leído Radical Enlightenment, *de Jonathan Israel. Una obra fenome-nal. Aporta datos muy notables que ocurrieron durante la guerra de Felipe II*

contra Portugal que encabezó el duque de Alba. Esa guerra afectó a los Spi-
noza. Aunque eran cristianos nuevos y habían adoptado apellidos como
Álvarez y Rodríguez, varios ancestros directos de Spinoza sufrieron prisio-
nes, despojos, torturas, y fueron quemados vivos en los autos de fe de la In-
quisición en Portugal en 1574. Por eso, como la mayoría de sus correligio-
narios, los Spinoza apoyaron a Antonio, prior de Crato, el autoproclamado
«rey de Portugal» que se opuso a la dominación española.

Es cierto. Y no deja de ser notable esta presencia viva de la historia y la política española en la vida y la memoria del filósofo. Para
Spinoza, Felipe II era el emblema del absolutismo teológico-político. Es el enemigo secreto, el villano de su *Tratado político*. El abuelo
del filósofo, don Isaac de Spinoza (que en Portugal se llamaba Pedro Rodríguez Espinoza), huyó a fines del siglo XVI con su familia
a Nantes, un importante centro de judíos secretos. En Nantes enta-
bló relación con la nueva comunidad holandesa. Finalmente, los
Spinoza fueron expulsados de Nantes y se refugiaron en Rotterdam.
De ahí pasaron a Ámsterdam, ya floreciente, donde nació Baruch
(nombre hebreo que significa «bendito») en 1632. Ese es el periplo
completo que leí en Israel. En los setenta yo ignoraba el tránsito por
Francia y otros datos, pero entendí que la psicología del «marrano»
gravitó severamente en Spinoza. Debió tener memoria viva de esos
episodios políticos y de esos agravios de intolerancia religiosa que se
acumularon éxodo tras éxodo, en una búsqueda incesante de libertad. La encontraron por fin en Ámsterdam. Su amor a la libertad
está ligado a esa historia, pero él lo llevó más lejos. Más lejos que
nadie, creo yo.

¿Qué pensaste de las peripecias de Spinoza como empresario? Su padre,
Miguel de Spinoza, oriundo también de Portugal, estableció una empresa
de importación de aceite de oliva. Los piratas y los ingleses de tiempos de
Cromwell secuestraron sus barcos y lo arruinaron. Murió en 1654, dejan-
do a la familia en una posición económica muy comprometida. Su hijo Ba-
ruch enfrentó esa situación por dos años.

Fue un empresario que renunció a serlo. Algo sabía ya de ese
tema, por los estudios anteriores de Carl Gebhardt. La crisis fue
convergente. Mientras ponía en tela de juicio la ortodoxia en que se

había formado, salvó el negocio. Demostró a sus acreedores que podía hacerlo, pero su vida era otra: la dedicación total al conocimiento. Y además hubo un pleito sucesorio con su hermana. Al final abandonó su negocio, su herencia y su religión. Al parecer pudo dedicarse a la medicina, pero optó por pulir lentes y a pensar su filosofía.

¿Eran portugueses todos los judíos de Ámsterdam?

La mayor parte. Había también inmigrantes de Europa del Este, que se refugiaban de las persecuciones de los cosacos en Ucrania. Rembrandt, vecino a la sinagoga, los dibujó y pintó. En ellos percibimos la vuelta a la religiosidad bíblica que impregnaba a esa comunidad. Hay dos cuadros de Rembrandt que supuestamente representan al joven Spinoza. Es más que improbable. Hay un óleo anónimo del siglo XVII que parece verosímil, pero no fue pintado en vida. El retrato que se acerca más a su rostro (y a las descripciones de quienes lo vieron) es quizá el grabado que aparece en el frontispicio de su *Opera posthuma*, que sus amigos se apresuraron a publicar tras su muerte.

Por cierto, hay un retrato en la Biblioteca Histórica Marqués de Valdecilla en la Universidad Complutense que siempre se conoció como «Retrato de un caballero», de autor anónimo. Está inspirado en aquel óleo del siglo XVII y es obviamente Spinoza. Es extraño que ningún experto lo haya notado hasta 2006, cuando se descubrió que se trataba de Spinoza y que lo había pintado Joaquín Sorolla.

¡Nada menos! Siempre aparecen esas misteriosas correspondencias de Spinoza con España. Las escuetas descripciones físicas que tenemos de él son de viajeros españoles, y todas subrayan esa pinta.

Leibniz, quien visitó a Spinoza en 1676, un año antes de su muerte, lo describió como «un hombre pálido de color, y un aire español en su rostro». Así que Spinoza no solo hablaba, leía y escribía en español: se veía como español. Y su pensamiento no se entiende sin su raigambre hispana. No entiendo por qué don Marcelino no lo incluyó entre sus heterodoxos españoles. Es como haberlo excomulgado nuevamente.

Todo el mundo conoce el episodio de la excomunión, y me mostraste esas postales de tu abuelo, con la figura del joven Spinoza, imperturbable, caminando serenamente frente a la sinagoga, leyendo un libro. Pero, te pregunto, ¿por qué sus correligionarios llegaron a ese extremo?

Ahí está el nudo del «marranismo» que desató Spinoza. A diferencia de los piadosos judíos inmigrantes del Este que pintó Rembrandt, los prósperos judíos portugueses solo conservaban los rudimentos de su liturgia, sin libros, sin rezos comunes, sin autoridades espirituales. Al establecerse en Ámsterdam, aquella joven comunidad estaba tan desconectada de sus fuentes originales que tuvo que importar rabinos de otros sitios donde el judaísmo no había sido proscrito. Es el caso de Saúl Levi Morteira. De cepa ashkenazí, llegó de Venecia, fue maestro de Spinoza y fue quien lo excomulgó. Los miembros de la comunidad habían sufrido siglo y medio de intolerancia en Portugal. Era natural que fueran ellos mismos intolerantes, no solo por una suerte de contagio de la actitud de los inquisidores que los habían perseguido, sino por natural instinto de supervivencia. Si habían padecido tanto para «perseverar en su ser» –como diría Spinoza en su *Ética*–, necesitaban combatir la heterodoxia, que interpretaban como un error y una traición.

No habrá sido el único caso en Ámsterdam, según me dijiste. Estaba aquel trágico Uriel da Costa.

Y hubo otros más que, habiendo sido cristianos eminentes en España, en Ámsterdam volvieron a la fe judía. Fue el caso del doctor español Orobio de Castro, que escribió una refutación de Spinoza. Cundía una fiebre de fluctuación religiosa. Así se entiende la actitud de los jueces de Spinoza. Y la excomunión tuvo secuelas:

Spinoza conservaba el gabán desgarrado por la puñalada que alguien intentó propinarle fuera de un teatro. Por eso finalmente salió de Ámsterdam y se refugió en Rijnsburg, un sereno pueblito en las afueras de Leiden. A ese extremo llegó la intolerancia interna hacia el hombre que combatiría toda intolerancia.

Aquellos fueron los motivos de la intolerancia judía. Pero ¿cuáles fueron los motivos de su batalla personal, intelectual, contra esa intolerancia?

Con los instrumentos de la filosofía cartesiana de su tiempo y sus vastos conocimientos de la filosofía clásica, emprendió su rebelión filosófico-teológica. Pero esa rebelión fue, ante todo, contra su propia tradición. Fue su primer acto de libertad. Según entiendo, algunos conceptos heterodoxos de Spinoza están ya apuntados en algunos teólogos judíos medievales. Por eso según Harry Wolfson, notable especialista en la filosofía del medievo y gran autoridad en la filosofía spinoziana, lo nuevo en Spinoza, su ruptura filosófica, está menos en su invención que en su atrevimiento. Usa esa palabra: *daring*, osadía. Spinoza está en el gozne, quizá es el gozne, de la historia intelectual de Occidente. Para Wolfson, Benedictus es el primero de los modernos y Baruch es el último de los medievales.

Sé que son temas intrincados, pero ¿puedes resumirme su «atrevimiento»?

No solo temas intrincados, sino dificilísimos, y por supuesto me rebasan. Dice Wolfson –usando una imagen del propio filósofo– que el hombre se creía «un imperio dentro de un imperio (la naturaleza)» y que Dios era algo así como un imperio superior a ambos. Pues bien, Spinoza invirtió por completo esa geometría: colocó al hombre bajo la regla suprema de la naturaleza y a esa naturaleza la llamó Dios. Dios es la naturaleza homogénea, infinita, cuyos únicos atributos conocidos por el hombre son la extensión y el pensamiento. (Puede haber muchos más, que no nos es dado conocer.) En la naturaleza no hay tal cosa como la separación entre el alma y el cuerpo. Ambos son uno. La naturaleza (o sea, el Dios de Spinoza) no tiene propósitos, por lo tanto sus leyes son uniformes e inamovibles y lo único que nos queda a los hombres (nuestro único resquicio de libertad) es tratar de desentrañarla, de comprenderla, mediante la razón. Es inútil encomendarse a Dios. Al estudiar la naturaleza cumplimos con nuestro designio, que Spinoza define como «la perseverancia de todo lo vivo en su propio ser». Estas ideas subversivas, expresadas con conceptos medievales, fueron revolucionarias. Spinoza niega a las tres religiones monoteístas porque niega la personalidad de Dios, es decir, la existencia de cierta relación recíproca entre la conducta del hombre hacia Dios y la conducta de Dios hacia el hombre, ambas expresadas en términos de amor mutuo.

Lo cual supone negar que el hombre fue hecho a imagen y semejanza de Dios.

Ese fue su «atrevimiento». Como te dije, algunos teólogos medievales criticaron ciertos antropomorfismos del texto bíblico, apuntaron sus inconsistencias y hasta pusieron en duda los milagros y las profecías, pero todos –dice Wolfson– concebían a Dios como el creador, el gobernante supremo, el legislador. Él es bueno y receptivo a las necesidades del hombre. Él prescribe cómo deben actuar los hombres. Él premia y castiga. Él ama a los hombres y espera que los hombres lo amen. Spinoza niega todo ello.

Un Dios impersonal, helado, indiferente, una máquina eterna. Y el hombre solo, desamparado.

A mí me parece aterrador. Pero los spinozistas no parecen inmutarse. Ya recuerdas cómo vivió su final mi abuelo.

No por casualidad muchos consideran a Spinoza un ateo, el gran ateo.

A Spinoza lo ofendía ese cargo, y lo refutó en sus cartas. Borges me recordó la extrañeza de considerar ateo a Spinoza. Novalis lo había llamado «un intoxicado de Dios». Heine decía que nadie se había expresado más sublimemente sobre la divinidad que Spinoza. «Podría decirse que, en vez de negar a Dios, negaba al hombre.» Wolfson va más allá y recuerda que Spinoza se consideraba como el continuador de los pensadores religiosos del pasado. Eso en cuanto a la idea de Dios. Y bueno, está toda la inmensa bibliografía, casi inaccesible para mí, que relaciona a Spinoza con la idea neoplatónica del Uno, lo cual nos lleva otra vez a su relación con la Cábala.

Pero, más allá de los aspectos metafísicos o teológicos, está la vertiente moral de su obra, la dedicada a las pasiones humanas en la *Ética*, en las cartas. Ahí algunos han encontrado una compatibilidad entre la ética del Nuevo Testamento y la suya. Wolfson, por ejemplo, sostiene que en su actitud moral Spinoza terminó por estar muy cerca del cristianismo, mucho más que de los teólogos judíos.

¿Tú así lo crees?

Creo que sí, pero obviamente el cristianismo original. Hay una carta significativa que dirige a un antiguo discípulo que había adoptado en Roma la fe católica y lo llamaba a abandonar su filosofía diabólica y a reconocer la autoridad de la Iglesia católica:

…Tenéis que admitir que la santidad de la vida no pertenece exclusivamente a la Iglesia Romana: es común a todos los hombres. Y puesto que debido a esto sabemos (por citar al apóstol Juan, Epístola I, cap. IV, vers. 13) que «estamos en Dios y que Dios reside en nosotros», todo lo que distingue a la Iglesia Romana de las demás iglesias es perfectamente superfluo y no se fundamenta más que en la superstición. El único y más cierto signo de la verdadera fe católica y de la verdadera posesión del Espíritu Santo es pues, como lo he dicho con Juan, la justicia y la caridad: allí donde se encuentren, Cristo está realmente presente; allí donde faltan, falta también Cristo. Ya que no podemos ser llevados al amor de la justicia y la caridad más que por el espíritu de Cristo. Si hubierais querido examinar bien todo esto, no estaríais perdido…

Una persuasión cristiana.

Una persuasión de humildad, una persuasión de común humanidad, porque los ideales de caridad y justicia son universales.

¿Cómo comparas el espíritu de la Ética *con el* Tractatus*?*

Esa es una cuestión de fondo. Creo que hay spinozistas metafísicos de la *Ética* y spinozistas políticos del *Tractatus*. De la tensión de Spinoza con la fe y la ortodoxia, no solo judía sino cristiana, nació su nueva invención de Dios. Es decir, la *Ética*. Pero la defensa radical de la libertad de creencia, pensamiento y expresión, y su derivación a la tolerancia en el *Tractatus theologico-politicus*, tuvo otros orígenes, no teológicos sino intelectuales y políticos, orígenes que no solo atañen a su querella con el judaísmo. Y es que, antes y después de vivir en la judería de Holanda, Spinoza vivía en Holanda. Y no fue un espectador pasivo.

Lo influyeron de joven varios librepensadores de ese tiempo, en particular Franciscus van den Enden, maestro del joven Spinoza.

Ese dato lo leí en aquella *Enciclopedia Judaica Castellana* que conservaba mi tío José, y que subrayó con entusiasmo. Pero más allá de las influencias intelectuales estaban los hechos brutales. Para mí está claro que el contexto político holandés, lleno de odio teológico-político, incidió decisivamente en Spinoza. De ahí nació el Spinoza liberal. A su propia guerra contra la ortodoxia judía (o, más bien, a la guerra de la ortodoxia judía en contra suya) Spinoza tuvo que sumar las guerras de religión en Holanda que lo afectaron de modo directo porque exterminaron (esa es la palabra) a sus aliados políticos liberales y republicanos. A esas tensiones se debió que Spinoza interrumpiera en 1665 la redacción de su *Ética* para concentrarse en un libro urgente: el *Tractatus theologico-politicus*. En 1669 murió en prisión su amigo y discípulo Adriaan Koerbagh, condenado por blasfemia por profesar ideas de libertad de creencia y pensamiento. Y en 1670 apareció anónimamente el *Tractatus theologico-politicus*, que sus adversarios consideraron «un libro forjado en el infierno por un judío renegado y el Demonio, y publicado con el conocimiento de Jan de Witt». Fue un libro de combate.

Este De Witt, amigo de Spinoza, era todo un personaje. Matemático de ideas liberales, era el gran pensionario de Holanda, un cargo equivalente a la presidencia. Su rival era Guillermo de Orange, heredero de la casa real. En el contexto de una confrontación con la Francia de Luis XIV, la gente de La Haya apoyó a Guillermo, culpó de la guerra a De Witt y a su hermano Cornelius, y en 1672, en un acto atroz, no solo los linchó, sino que los devoró físicamente. Hay una pintura de la época que revive la escena. Los De Witt colgados de los pies, desollados. ¿La has visto?

Es escalofriante, porque la escena transcurre mientras la gente muy contenta hace su vida diaria, como si nada. Y seguro conoces la reacción de Spinoza. Fuera de sí, por una vez, escribió un manifiesto titulado *Ultimi barbarorum*, lo colgó en la puerta de la casa en cuyo ático vivía. Es muy conmovedor lo que, según un biógrafo, Spinoza dijo a su casero:

> No tema por mí [...] Tan pronto la masa haga el menor ruido en su puerta saldré y los enfrentaré, aunque me hagan lo mismo que hicieron con los desdichados De Witt. Soy un buen republicano, y nada me ha movido salvo el honor y el bienestar del Estado.

Todo esto que hablamos comprueba lo que me dijo Borges: «Spinoza fue un buen patriota holandés que se la jugó por la patria porque Holanda representaba entonces la república».

¿Te asomaste a la vertiente científica en Spinoza?
Muy propia del siglo XVII. Fue prodigioso aquel siglo, el de Milton, Pascal, Descartes, Leibniz, Newton, Spinoza. Un siglo de Dios y la razón, en equilibrio difícil.

Spinoza tenía teorías de óptica, conocimientos de química, anatomía.

Y quizá había considerado ser médico. En una carta, Leibniz se dirige a él como «médecin très célèbre et philosophe très profond». En sus años finales trabajaba en un tratado sobre el arcoíris, otro sobre teoría de probabilidades, según recuerdo... También trabajaba en una *Gramática hebrea*. Creo que lo movía el interés científico de la lengua, pero tengo el ejemplar de la *Opera posthuma* y, al hojear sus más de treinta capítulos con las palabras hebreas y toda suerte de declinaciones explicadas en latín, me pregunto, ¿habrá sentido al final una nostalgia de sus estudios infantiles del Talmud o la Biblia?

Y en sus años finales escribía su Tratado político, *que me ha interesado muchísimo. Lo dejó inconcluso...*

... pero prueba que la desembocadura natural de su pensamiento es la polis. Creo que la política es el lugar donde Spinoza ve la concreción de sus especulaciones. No en la soledad del pensador moral, sino entre los demás humanos. Siempre estuvo convencido de que la razón –que desbarata a las pasiones, las desarma– es el vínculo humano, no solo entre persona y persona, sino entre la persona y la verdad, la verdad y la naturaleza. Muchos de los autores que he consultado a lo largo de estas décadas consideran que el *Tratado teológico-político* y el *Tratado político* son obras tan fundamentales como la *Ética*. Y vinculadas entre sí. En otras palabras, la propia filosofía de Spinoza presupone el uso activo de la razón, la responsabilidad cívica de vivir con armonía en sociedad, y sobre todo la defensa activa de la libertad, no solo la contemplación del «infinito mapa de Aquel que es todas Sus estrellas».

No me queda claro el vínculo. En la Ética, *Spinoza lleva el determinismo a un extremo.*

En la *Ética*, Spinoza interpreta el misterio del universo bajo la forma de una relojería natural. Una relojería que, si bien nunca podía ser plenamente desentrañada por la razón, esta podía hacer avances liberadores. De hecho, el solo estudio de la naturaleza –el «amor intelectual a Dios»– permitía encontrar una alegría, una energía, un método para persistir, para seguir viviendo con paz interna y armonía. En la *Ética*, la libertad reside en la comprensión «clara y distinta» de las determinaciones que nos condicionan y que conducen a la paradoja de querer ser libres y no poderlo ser nunca del todo. Spinoza analiza las pasiones humanas no para lamentarlas o castigarse por ellas (como en la tradición judía o cristiana), sino para entenderlas como parte de la naturaleza y de ese modo liberarnos de ellas. Así estudia el odio, la envidia, la soberbia, etcétera. Freud no buscaba otra cosa en el psicoanálisis: bajar al fondo oscuro de las pasiones, al *ello*, para liberar a la persona, al *yo*.

¿Hay una contradicción entre ese concepto de libertad que está en la Ética *y las acepciones de la libertad en el* Tratado teológico-político *y el* Tratado político?

Ese es el tema del primer libro de Leszek Kołakowski: *Los dos ojos de Spinoza*. Según Kołakowski, ambas miradas son incompatibles. Para mí, dicho en términos sencillos, prácticos, ambos ojos ven una parte de la realidad y postulan conceptos complementarios de la libertad. O mejor dicho, ambos ojos convergen: uno llega a la libertad por la razón, otro postula la radical libertad de conciencia. La cuarta y quinta partes de la *Ética* (en sus demostraciones y escolios) ayudan a definir, analizar y entender las pasiones en sus componentes esenciales, como fenómenos naturales, y de ese modo nos libera. En cambio los tratados son obras de batalla en las cuales late el concepto de libertad que usamos tú y yo cotidianamente. Libertad como esa parte del

ser o esa actitud de la voluntad que se resiste a ser obstruida, dominada, vigilada, controlada. Libertad como la entendían los ingleses desde Locke y Hobbes. Libertad negativa, diría Berlin.

Es significativo que Locke, el otro padre del liberalismo, pasara algunos años exiliado en Holanda, aunque para entonces ya había muerto Spinoza.

Ambos nacieron en 1632. Tú escribiste una tesis sobre Locke, así que conoces mucho el tema. Me parece que Spinoza tiene una idea más amplia de la tolerancia que la de Locke, que excluía a los ateos y a los católicos por servir a una autoridad extraña, la del papa.

La influencia directa es posible en la Carta *sobre la tolerancia. Locke supo de él durante su exilio en Holanda y allí concluyó la última versión de aquella. Esta edición fue perfilada finalmente en contacto con el clima de tolerancia que se vivía en Holanda, que tenía en su seno a las comunidades judías perseguidas en España y Portugal.*

Las comunidades judías en Holanda eran toleradas pero, como vimos en el caso de Uriel da Costa o Spinoza, puertas adentro no eran tolerantes.

Pienso que Locke es más preciso y directo, ya que vuelca la libertad hacia la acción. Spinoza la ubica más en un plano intelectual, no volitivo.

Ese es el concepto de la *Ética*. La doctrina de Locke tiene una inmediata consecuencia política y civil. La de Spinoza, al parecer, no. En la *Ética*, su idea de libertad opera dentro de un contexto de pasiones irrefrenables que él trata de entender mediante el pensamiento. Se es libre desde el entendimiento, porque la capacidad de acción está limitada por pasiones que condicionan nuestra voluntad. En la *Ética* se llega a la libertad por la vía de la comprensión. Pero en el *Tratado teológico-político* y en el *Tratado político* postula repetidamente el respeto a la libertad de pensamiento y, en consecuencia, el respeto a la libertad de expresión. Nadie, antes que él, había llegado a ese concepto de libertad y tolerancia. La vigencia de Spinoza en nuestra época, que varios autores han subrayado, está precisamente en su concepto de libertad que deriva de manera natural en la tolerancia.

En el *Tratado político*, Spinoza hace una defensa suprema de la libertad de expresión:

Nadie puede abdicar de su libertad de juicio y sentimiento; y en tanto que todo hombre es, por derecho natural irrenunciable, dueño de sus propios pensamientos, se deduce que los hombres que piensan de formas diversas y contradictorias no pueden, sin resultados desastrosos, verse obligados a hablar solamente según los dictados del poder supremo.

Quizá en los tiempos que corren esa libertad paradójica o dual que atribuyes a Spinoza frente a Locke puede ser más útil. Sus dos ojos son necesarios.

Yo creo que sí. Digamos para simplificar que la *Ética* apela a la razón que entiende las determinaciones y los tratados apelan a la libertad tal como la entendemos en el lenguaje común. Si el mayor peligro de hoy es la irracionalidad colectiva, ¿qué arma tenemos, si no la razón, para defender la libertad? Su obra y su vida son ejemplos de tolerancia.

Tienes razón. Sobre todo hoy. Hay que reconsiderar la actualidad de Spinoza frente a Locke. Incluso su superioridad intelectual a la hora de pensar un liberalismo para el siglo XXI. Locke es el artífice del liberalismo de la modernidad. Pensó un marco coherente y eficaz para cambiar el Antiguo Régimen y promover un progreso basado en universalizar el derecho a la libertad y la felicidad individual. Pero este plan de acción se ha desmoronado entrado el siglo XXI. Lo reflejan los populismos y la crisis generalizada que sufre la democracia liberal en todo Occidente. No sabemos qué pasa en el siglo XXI ni cómo proteger los derechos de la persona frente a las incertidumbres que acompañan el despliegue de la complejidad global, los efectos de la crisis climática y la paulatina automatización tecnológica de las fuentes de la prosperidad. Los presupuestos modernos de Locke no sirven probablemente para dar respuesta a estos problemas posmodernos. Es aquí donde, en mi opinión, irrumpe con fuerza la oportunidad del liberalismo de Spinoza. Hoy, la libertad no debe canalizarse exclusivamente sobre la acción porque no sabemos qué hacer. Hoy, como vio Spinoza, la libertad debe garantizarnos la capacidad de entender, no de actuar. Nos hemos detenido por el miedo al horizonte catastrófico que se nos viene encima. Hay que volver a pensar el marco del mundo. Por eso no sirve el programa liberal de la modernidad. Necesitamos otro, un programa liberal posmoderno, y sus presupuestos están en Spinoza: libertad de entendimiento y tolerancia. Libertad para entender nuestro presente y pensar las acciones que restablezcan el progreso sobre nuevas bases. Y tolerancia para no matarnos unos a otros bajo la polarización populista y los fanatismos.

Y hablando de inspiraciones liberales para nuestro tiempo, ¿no te sorprende su admiración por el reino aragonés? Está en su *Tratado político*. Spinoza describe el pacto de los diecisiete nobles aragoneses con el rey, y el derecho absoluto que se reservaron –lo cito textualmente– de «revocar y rechazar todos los fallos contra cualquier ciudadano presentados por otros consejos, tanto políticos como eclesiásticos, o bien por el mismo rey; de modo que cualquier ciudadano tuviera el derecho de citar incluso al mismo rey ante este tribunal. Además, en un tiempo tuvieron incluso el derecho de elegir al rey y de privarlo de su potestad».

Por sus referencias, estaba al tanto de las revueltas de Aragón en defensa de sus antiguos derechos.

Y en la parte final de su tratado hace una defensa de la democracia. Basta cambiar la palabra «multitud» por «ciudadano»:

Concluimos, pues, que la multitud bajo el rey puede conservar una libertad suficientemente amplia, con tal que logre que la potencia del rey esté determinada por la sola potencia de la multitud misma, y se conserve por el apoyo de la multitud misma. Y esta ha sido la única regla que he conseguido al establecer los fundamentos del estado monárquico.

Hay muchas razones para seguir leyendo a Spinoza, el mayor heterodoxo, el judío no judío.

Ayuda a vivir, a perseverar. Spinoza es un bálsamo para ver el teatro del mundo con serenidad, sin alarmas inútiles ni entusiasmos excesivos. Spinoza es un crítico de la religión revelada, pero entiende que es una fuente irreemplazable de paz y consuelo para la mayoría de las personas y un acervo de enseñanzas morales. Spinoza abreva del estoicismo, pero es más alegre. Spinoza abreva del epicureísmo, pero es más templado. Tiene una marcada simpatía por el amor cristiano, pero ve con la naturalidad del Cantar de los Cantares el amor erótico. Fincado en la razón, y solo en ella, serenamente se apartó de la ortodoxia, de la tribu, de la identidad exclusiva y excluyente, y divinizando la naturaleza colonizó él solo (por así decirlo) el territorio de la razón libre y tolerante. Me gusta imaginar a mi abuelo muy joven, sentado en la biblioteca pública de Varsovia que frecuentaba, leyendo la *Ética*, sintiéndose uno con la naturaleza, dueño de su razón, liberado de pasiones y fanatismos. Esa lectura, como la de tantos contemporáneos suyos, era el reverso de aquella remota excomunión, era una comunión universal. Me gusta pensar que don Saúl escogió al héroe correcto.

Un «alto ruiseñor»

Tu siguiente heterodoxo era el poeta Heinrich Heine, famoso en su tiempo, celebrado en España. Hoy bastante olvidado.

En todas las bibliotecas de los judíos seculares estaba su obra junto a la de Spinoza. Es el más biografiable de todos. Si Spinoza se oculta tras su obra, la vida de Heine está en toda su obra, que es inmensa. Poemas líricos, libros de viaje, obras teatrales, ensayos históricos y filosóficos, una novela, cartas, memorias, artículos, polémicas. Es una de las grandes vidas del siglo XIX. No sé cómo no se ha llevado al cine. Heine es entrañable, para mí, el más entrañable.

Le dijiste a Borges que Heine había sido «el san Pablo de Spinoza». ¿Es cierto?

Fue una ocurrencia. Quise decir que fue uno de los propagadores de Spinoza en Alemania, y es verdad. Pero Spinoza tuvo muchos apóstoles en Alemania. La revaloración mayor de Spinoza comenzó antes de que naciera Heine, en la Ilustración alemana del siglo XVIII, y continuó en el Romanticismo del siglo XIX. Ilustrados y románticos lo reclamaban para sí. La convergencia estaba en el panteísmo, que los seducía a todos. Entre esos apóstoles estuvieron Lessing, Mendelssohn, Goethe, Schlegel, hasta cierto punto Hegel, también Herder, muy claramente Novalis y desde luego Heine. Heine dijo que «Goethe era el Spinoza de la poesía».

Más allá de la interpretación panteísta de la Ética, ¿representaba algo para ellos la actitud insólita de Spinoza de salir de su fe sin entrar a otra?

Este es un punto clave, más bien, *el* punto clave. Spinoza representaba la posibilidad de convivencia entre los judíos y los no judíos en el marco de un orden libre en el que privara la razón. Así lo interpretó por ejemplo Lessing. Creía en la primacía de lo humano sobre lo divino. Ese es el sentido de su obra *Natán el sabio*, inspirada en su amigo Moses Mendelssohn. Este filósofo autodidacta admirado por Kant, una especie de Erasmo del judaísmo, fue el emblema mismo de la Ilustración, su ideal imposible. Traduciendo el Pentateuco y los Salmos al alemán (como los judíos alejandrinos, o los de Sefarad), quiso acercar el judaísmo a los alemanes. Y paralelamente propuso una reforma al judaísmo que lo hiciera compatible con la vida alemana. Predicaba: «Hay que ser judío en casa y alemán fuera de ella».

Vi esa obra hace tiempo, vagamente me acuerdo de ella. En la corte de Saladino en Jerusalén coinciden dos enamorados, una joven judía y un templario cristiano. Por motivos de fe, están impedidos para amarse. Por el rabino Natán, descubren que Saladino, la joven y el monje están ligados por lazos de sangre que desconocían. Al final, todos se abrazan: son una familia, la familia humana. Un mensaje de tolerancia y quizá más, de hermandad del género humano.

La obra ha cobrado vigencia en estos tiempos de odio teológico e ideológico. Incluye una antigua parábola sobre Solimán y sus tres hijos, dotados cada uno de un anillo. Solo uno es verdadero, pero nadie puede saber cuál. Los tres resultan reyes magníficos y descubren que lo importante no es la verdad intrínseca del anillo, sino la humanidad con la que se ejerce el poder. Ser «un hombre», un *Mensch*, antes que un judío o un cristiano o un musulmán. En el fondo, es un mensaje spinoziano.

Goethe tenía esa aspiración ecuménica.

En *Poesía y verdad* hay un texto suyo significativo. Es una obra inconclusa en la que imagina el encuentro de Ahasverus, «el judío errante», con Spinoza.

El «judío errante», el condenado por Dios a vagar sin fin para pagar el pecado del deicidio. La leyenda dejó huella en la mentalidad popular europea, por desgracia.

Goethe imagina ese encuentro como la culminación de la condena. Al conocer a Spinoza, Ahasverus pone fin a la errancia, un fin que no implica la asimilación de una fe a otra ni la confrontación entre ambas, sino la paz, amistad y conciliación. En la historia judía ese orden ideal de libertad y tolerancia que pareció dibujarse en la Ilustración se conoce precisamente como «emancipación». En Alemania fue un largo e inquieto sueño que duró buena parte del siglo XIX y principios del XX, hasta probar su imposibilidad en el Holocausto. Heine es el vidente de ese sueño y de su desenlace. Es el poeta y profeta de la tragedia de los judíos en Alemania que se convirtió en la tragedia de los judíos en Europa.

¿La emancipación como sueño fue específica de Alemania?

Sí, en Alemania, o más bien en esa constelación de ciudades y principados que fue Alemania hasta su unificación en 1870. En ningún otro lugar seguían vigentes a ese grado las pasiones antijudías de tiempos de las cruzadas. Las plegarias más desgarradoras que he leído en los libros de rezos fueron escritas por rabinos en trance de muerte o martirio en Worms o Ratisbona durante el medievo. Esas furias volvieron en el siglo XVII y seguían vivas en el XVIII y el XIX. En otros países de Europa el antijudaísmo o la judeofobia persistía, por supuesto, pero no con el odio persecutorio que adoptó en muchas ciudades de Alemania. Prusia, corazón militar de esa constelación, era particularmente intolerante y represiva, aun bajo el reinado del ilustrado Federico el Grande. El gueto de Frankfurt, para ponerte otro ejemplo, seguía intacto a principios del siglo XIX, como lo había estado por siglos: una prisión mental adentro, una prisión física afuera. Por eso entre las capas superiores de la judería alemana cundió tanto la voluntad de la emancipación. Por eso se aferraron a los ideales de la Ilustración. Y es interesante notar cómo la «emancipación» estuvo relacionada casi siempre con la figura de Spinoza.

Creo que necesito un mapa de la intolerancia europea para entender esto. Si no, es difícil comprender esa influencia spinoziana que mencionas y situar a Heine.

Muy esquemáticamente. Pongamos el reloj a fines del siglo XVIII. En Polonia, donde había la mayor concentración de judíos en el mundo, el racionalismo europeo y su derivación, la emancipación social y cultural, no estaban casi en el horizonte porque los judíos llevaban siglos de vivir libremente como tales, sin mezclarse étnica ni culturalmente, bajo la protección de reyes y príncipes, sobre todo en pueblecillos (los *shtetl*) y aun en ciudades. Por eso en Polonia –la tierra de mis antepasados, y de los antepasados de mis antepasados– se desarrolló intensamente la cultura talmúdica, la cabalística, el jasidismo y más tarde un florecimiento literario y educativo del ídish y el hebreo. En el dominio occidental (Ucrania, Bielorrusia, Letonia, Lituania y Estonia), la situación era similar a la polaca. Fuera de esa zona, los asentamientos judíos estaban prohibidos. En las principales ciudades rusas –Petersburgo o Moscú– los judíos no podía establecerse.

Supongo que en España y Portugal no había judíos emancipados porque no había judíos. Y por eso no habrán leído mucho a Spinoza.

Por algo Menéndez Pelayo no incluyó a Spinoza entre los heterodoxos españoles.

En las ciudades de Italia había una libertad similar a la de Polonia, ¿no es así? Lo mismo en Grecia, el Imperio turco. Es el mapa del judaísmo sefardí. De ahí su auge económico y religioso. No creo que ahí haya habido lectores de Spinoza.

Salónica era como Nueva York.

¿Qué me dices de Europa occidental? Borges te habló de la influencia de Spinoza en poetas como Coleridge y Wordsworth. Recientes investigaciones de Jonathan Israel muestran que no eran una excepción. Tuvo muchos lectores en Holanda y sus dominios, también en Francia, en las colonias inglesas de Norteamérica, y luego en Estados Unidos...

A partir de Napoleón, la emancipación en Francia fue general y permanente. En teoría, y cada vez más en la práctica, uno podía ser o no ser judío, o serlo de manera marginal, todo en santa paz. Lo mismo en el orbe inglés. Hubo buenos lectores de Spinoza, pero dudo de que su influencia fuera determinante, comparada con la de Burke, Hobbes, Locke o Paine (para citar pensadores liberales heteróclitos). Eran países liberales.

¿Y en el Imperio austrohúngaro? Ahí la situación fue distinta. Conozco el Edicto de Tolerancia del emperador José II de Austria (y rey de Hungría y de Bohemia) y reformador católico de la Iglesia. Hay una moneda que la comunidad judía de Austria mandó acuñar en 1781, que lleva en el frente a tres dignatarios: un protestante, un judío y un católico, y el águila imperial austriaca cobijando la tolerancia de cultos. Parece el sueño de Lessing, ¿no?

A los judíos se les permitió que abrieran escuelas, que acudieran a las instituciones educativas del Estado, que participaran en cualquier rama del comercio, en la banca y la industria, y que dejaran de usar un vestido especial con una señal amarilla en la ropa que indicaba que eran judíos. La habían tenido que llevar por siglos, además de habérseles obligado a adoptar nombres alemanes y prohibido poseer bienes raíces y publicar libros en hebreo (salvo excepciones raras). En suma, tienes razón. Austria-Hungría fue un caso distinto al alemán. No creas que el prejuicio antijudío desapareció en Viena, Praga, Budapest (las grandes ciudades austrohúngaras), pero sin duda fue menor que en Berlín, Frankfurt o Múnich. En suma, las leyes, instituciones y prácticas de convivencia se consolidaron en el larguísimo reinado de Francisco José, el hermano de Maximiliano de Habsburgo, el desdichado emperador de México.

¿Esas leyes, instituciones y prácticas de convivencia nunca arraigaron propiamente en Alemania?

Hubo tiempos promisorios y tiempos desoladores, pero la realidad es esa: nunca arraigaron. Por eso no es casual que Spinoza hubiera estado a la orden del día en la Alemania de la Ilustración. A partir de entonces, ser o no ser judío se volvió un tema delicadísimo para judíos y alemanes, y un tema a menudo insoluble.

Les pasó un poco como a los marranos en España. Aun a quienes se convertían por convicción, la incorporación plena, natural, les era negada.

Y como en España, a principios del siglo XIX hubo legiones de conversos. Los hijos y nietos de Mendelssohn (incluido el gran compositor Felix Mendelssohn Bartholdy) dejaron de ser judíos, pero los alemanes nunca los vieron como iguales. Muchas damas judías conversas se volvieron célebres anfitrionas de salones literarios. Una de ellas, admirada por Goethe y los hermanos Humboldt, fue la protectora de Heine, Rahel Varnhagen. Tan notable y representativa que Hannah Arendt escribió su biografía. No te imaginas las torturas que padeció por querer ser aceptada y querida como alemana, y no serlo nunca. Hubo excepciones, como Heinrich Marx (el padre de Karl), que logró ser acogido social y profesionalmente tras su conversión. Otros, como su contemporáneo Heine, a pesar de haber adoptado el luteranismo, no lo lograron nunca. Esa fue la herida de su vida.

Voy viendo el cuadro con mayor claridad. Spinoza era un símbolo de la emancipación en Alemania. De ahí la identificación que sintió Heine con él.

«Mi hermano en el descreimiento», le decía. Se refería al Dios personal. En su prosa hay muchas discusiones y pasajes sobre el panteísmo de Spinoza. En su poesía es frecuente encontrar al Dios natural o a la naturaleza divinizada de Spinoza. Pero lo central era la identificación biográfica. Heine conocía la incidencia de los odios teológicos de la comunidad judía y la sociedad holandesa en su vida.

Has sido un biógrafo de escritores mexicanos, latinoamericanos. ¿Imaginaste alguna vez biografiar a Heine?

Era imposible. No hablo alemán. Mi ídish me ayuda muy poco para completar mis lecturas bilingües en alemán-inglés y alemán-español. Y para hacerlo tendría que haber consultado la treintena de volúmenes de Heine y vivir en Alemania. Hay maravillosas biografías que no son para uno. Y es una pena, porque creo que no hay, ni siquiera en alemán, una gran biografía de Heine.

Pero podemos imaginarte escribiendo ese libro. ¿Cómo lo habrías abordado?

Por su cara y su cruz. Heine fue el poeta más notable de su tiempo en Alemania (posterior a Goethe y Schiller) y uno de los más populares y queridos. Los lectores recitan aún hoy sus versos. Su poema «Die Loreley» –sobre la mítica doncella que, sentada en la cima del peñasco a la orilla del Rin, atrae con su canto a los navegantes y provoca su naufragio– es casi un segundo himno alemán. Schumann, Schubert, Liszt, Mendelssohn, Brahms musicalizaron los poemas de su *Buch der Lieder*. Además de la poesía, Heine practicaba el género de los libros de viaje con una nueva e inusitada libertad política, religiosa, intelectual y erótica. Era un don Juan más atrevido, un Casanova más recatado. Sus libros sobre sus noches en Florencia o los baños de Lucca son como novelas satíricas muy legibles aún ahora: llenas de color y variedad, de curiosidad e inteligencia, narraciones perspicaces, irreverentes y divertidas sobre los tipos humanos que encontraba. Lector del *Quijote*, en sus páginas uno encuentra la gracia de Cervantes. Heine casi inventó el género del folletín, la colaboración periodística por entregas, que fue muy leído. En Heine no hay una línea pomposa, solemne, académica, sentenciosa. Se ha dicho que su humor recuerda a Aristófanes. Borges lo compara con Wilde y dice que «tiene algo de astuto muchacho judío». Esa es la cara feliz de Heine. Pero cargó con una cruz permanente. Fue el enemigo público del Estado alemán que, debido a sus críticas, lo difamó, discriminó, persiguió, censuró y negó. Los poderes alemanes –el Kaiser, los príncipes, los aristócratas y el clero– detestaban a Heine por judío, pero también por ser el poeta de la libertad. Vivió en París desde 1831 hasta su muerte en 1856. Fue amigo de Balzac, Gautier, George Sand, Lassalle y, famosamente, del otro gran exiliado alemán en París, Karl Marx.

Fue uno de los grandes desterrados del siglo XIX.

Su destierro fue en un sentido dichoso. Yo colecciono desde hace tiempo sus ocurrencias, sus chistes, sus frases. Mira esta, por ejemplo. A un visitante alemán: «Si alguien le pregunta cómo me encuentro en París, dígale: "como pez en el agua". O mejor, dígale que si un pez en el mar pregunta a otro por su salud, contestará: "me encuentro como Heine en París"». En París encontró el amor de la bella Mathilde, una modesta empleada de almacén, con quien se casó en Saint-Sulpice y quien lo cuidó y adoró. Eran como una pareja de niños juguetones. Pero el exilio también fue doloroso. De día vagaba por las calles de París; de noche, sobresaltado, soñaba con Alemania.

Fue muy leído en España. Su lectura renovó la poesía lírica española. Influyó en autores que ahora consideramos sentimentales y anticuados (Bécquer, Espronceda), pero también en Machado, Cernuda.

Y fue muy apreciado por los modernistas. «El divino Heine», dice Darío, que se refiere a él en prosas y poemas. En el México del siglo XIX se celebraban y traducían sus poemas históricos, como uno muy extraño sobre la conquista titulado «Vitzliputzli» (quería decir el dios mexica Huitzilopochtli), en el que enaltecía la intrepidez de Colón y el valor de los aztecas, pero reprobaba con sorna su religión. A Cortés lo pintaba como un «capitán de bandoleros». Los humanistas del Ateneo de la Juventud en México lo adoraban: Alfonso Reyes lo cita en su *Oración del 9 de febrero* y Julio Torri, prosista de humor finísimo, tradujo sus *Noches florentinas*. Entiendo que ha habido decenas de ediciones españolas de su obra, algunas recientes y muy profesionales.

Vamos a tu tema, ¿cómo desembocó Heine en la heterodoxia?

En su caso fue una heterodoxia doble, como judío y como alemán, unida indisolublemente a ambas identidades, sin hallar cómo conciliarlas. Intentó en esencia ser un gran poeta alemán, como Goethe, pero descubrió muy pronto que una marca indeleble se lo impedía: la marca de ser judío. Ese desencanto fue temprano. Cuando entre 1820 y 1822 publicó su obra *Almansor* (la tragedia de dos amantes moros a quienes separan los conquistadores cristianos de Granada), los lectores y la crítica la alabaron tanto como a sus poesías líricas, que ya eran famosas. Pero, tras la primera representación, alguien difundió que el autor era un judío cuyo propósito era denigrar al cristianismo. Y no hubo más representaciones. Fue un presagio de lo que le ocurriría muchas veces. Por cierto, en *Almansor* está la línea de Heine: «Ahí donde se comienza por quemar libros, se termina por quemar personas». Se refería a la quema del Corán en la Granada de la Reconquista.

¿Quién no conoce esa frase? Vislumbraba la quema de libros por los nazis. Incluidos, por supuesto, los del propio Heine.

Sí, fue una profecía puntual. Una de tantas que profirió. Pero quizá te interesará saber el origen de esa obra y de esa frase, que no era libresco sino directo, contemporáneo. Heine, igual que Heinrich Marx, vivió el derrumbe de las frágiles libertades que Napoleón había instituido en aquel archipiélago que era Alemania. En Renania, patria de Heine y Marx, la influencia francesa fue particularmente honda. De hecho, Renania llegó a ser un protectorado francés. En 1811 Napoleón pasó por Düsseldorf, donde lo vio el joven Heine, nacido ahí a fines del siglo XVIII. Napoleón sería su ídolo. Nunca lo olvidaría...

Cosa que molestaba a Borges, según te dijo en aquella entrevista. Le parecía incomprensible que Heine participara en el culto a Napoleón.

Y lo entiendo, a mí tampoco me simpatizan las figuras de poder, pero exageraba, yo creo. Piensa en la perspectiva de Heine. Napoleón había emancipado a los judíos alemanes como la Revolución a los judíos franceses. Por primera vez en su historia (que databa de tiempos romanos), en varias ciudades alemanas los judíos pudieron salir de los guetos y soñar al menos con estudiar en las universidades, incorporarse a la vida civil en profesiones liberales como la abogacía o la academia. Lo que siguió tras la derrota de Napoleón fue un retroceso brutal. Se abolieron las legislaciones liberales y los judíos fueron orillados a regirse nuevamente por los códigos medievales. Muchos tuvieron que regresar a los guetos en las mismas condiciones de confinamiento forzado, resentido, insalubre que habían padecido por siglos. Esto es algo que vio Heine con sus propios ojos, cuando puso un negocio fallido en Frankfurt. Ahí conoció la condición medieval de los judíos que le era ajena, porque provenía de Renania, mucho más liberal y afrancesada. Y en 1819, justamente en Frankfurt, sobrevinieron unos motines de jóvenes que asaltaban y asesinaban a la población judía con el canto de «HEP, HEP», tomado directamente de la frase que los soldados de Vespasiano y Tito emplearon en la caída del Segundo Templo en el año 70 d. C.: *Hierosolyma est perdita*. Era una vuelta a las persecuciones de la Edad Media y el siglo XVII. Heine interpretó el sentido histórico de los motines, que lo incitó a escribir *Almansor*. En cuanto a la frase, la quema del Corán en 1506 era cierta, pero lo que Heine tenía en mente era la quema de libros de autores ilustrados y franceses perpetrada por unos jóvenes en algún castillo alemán en 1817.

Muy impactante. Heine fue testigo de varios motines y vio cómo prendía en las juventudes el odio ancestral contra el judío. Esas juventudes prefiguraban a las hitlerianas. El régimen nazi repitió la escena en la Kristallnacht de 1938.

Y convirtieron a «Die Loreley» en una *deutsches Volkslied*, una «canción popular alemana»…, de autor anónimo. Pero el rechazo del nacionalismo alemán a Heine venía de atrás, lo sufrió en vida y lo sobrevivió. A fines del siglo XIX, el bello monumento alusivo a Loreley, que iba a adornar la ciudad de Düsseldorf donde nació Heine en 1797, nunca se inauguró. La estatua de Loreley sentada en una columna, en la que se dibuja discretamente el perfil de Heine, está en un parque del Bronx, en Nueva York. Heine, el poeta que inspiró obras de Wagner (que borró esa inspiración en sus libretos),

nunca fue suficientemente alemán porque era judío. Hasta Thomas Mann tuvo que intervenir públicamente en los años veinte para que se pudiera inaugurar un monumento en bronce a Heine en Hamburgo. Los nazis lo derribaron y fundieron en 1933.

Es estremecedora la visión sobre la quema de libros…

Heine tuvo el don de la profecía. Como el profeta Daniel, vio la escritura en la pared. Las páginas finales de su libro sobre la historia de la filosofía y la religión en Alemania (publicado en París, hacia 1834) tienen la gravedad de una profecía bíblica. Heine reivindicaba la idea de la libertad para Alemania, decía que la idea había precedido a la acción de la Revolución francesa. Y por eso admiraba a Kant e incluso a Fichte, pero en la atmósfera nacionalista del siglo XIX presintió que la fría crítica kantiana de la razón y la idea fichtiana del *yo trascendental*, aunadas a una filosofía de la naturaleza que invocaba las «fuerzas originales de la tierra», despertarían el viejo ardor destructivo de los guerreros germanos. Heine tomaba en serio la mitología alemana. Su oído, finísimo para recrear los cantos de amor y los paisajes de su patria, lo fue también para escuchar los ríos subterráneos de violencia.

De ahí proviene la frase de Heine, que repetía Isaiah Berlin: «Los conceptos filosóficos nutridos en el silencioso estudio de un intelectual pueden destruir una civilización». ¿Se refería a Kant, Fichte, Schlegel…?

Exactamente. Y se refería justamente a la lectura que los *teutomaníacos* (Heine usaba esa palabra) hacían de esos filósofos para hacerlos converger con corrientes históricas irracionales muy antiguas.

En aquel libro sobre la religión y el pensamiento en Alemania (que fue el primero que leí de Heine, en una edición muy buena de la UNAM, con un prólogo de Max Aub), Heine previó que, llegado el tiempo, aquellos viejos y bárbaros instintos germánicos provocarían «un drama frente al cual la Revolución francesa será vista como un inofensivo idilio». Una advertencia a Francia y a Europa entera. Una advertencia que se cumpliría en las sucesivas guerras de 1870, 1914, 1939. Sobre todo en 1939.

¿Cómo te acercaste a su vida?

Al principio, en la biografía que escribió Max Brod, amigo fiel y sabio albacea de Kafka, que fue un escritor estimable y un buen lector del alma humana. En su libro conocí los datos elementales de Heine, el desdichado amor por su prima Amalia, hija de su tío paterno, el riquísimo banquero Salomon Heine, patrono que cobraba su apoyo al sobrino con una dosis proporcional de menosprecio. Igual que su padre Samson (hombre bueno, que no hacía honor a su nombre), Heine no tenía vocación para los negocios (más bien los despreciaba) y tampoco para las leyes, que estudió con infinito tedio. Su madre le inculcó el amor por la poesía, don que lo acompañó siempre, pero que –a pesar de su éxito– no le daba para comer. Habría querido un puesto en una universidad (como sus maestros Schlegel y Hegel) o algún cargo público (como Goethe y tantos otros); sin embargo, se interponía el obstáculo infranqueable de su libertad crítica. Su pluma envenenada era su arma pero también su condena.

Y porque era judío.

Por supuesto. Quiso relegar esa condición para salvar su vida material, para no depender del tío, para insertarse en la vida alemana. Por eso se convirtió al luteranismo en 1825. «Es mi pasaporte a la sociedad», decía. Pero de nada le sirvió. Se le cerraron todas las puertas por esa combinación letal: era un poeta popular, muy apreciado y leído pero, mas altamente peligroso porque sus prosas eran aguijones letales de ironía y sarcasmo contra el Kaiser, la nobleza, la burocracia y el clero. Y sí, sobre todo, Heine era judío. Agrega que se sentía hijo de la Revolución francesa, la rival por antonomasia de Alemania, o específicamente de Prusia. Y tienes el coctel explosivo.

Veamos el marco histórico de su vida. Es la era de Metternich, cuando el orden religioso, nacionalista y aristocrático europeo (el mundo posnapoleónico) siente los primeros embates liberales y revolucionarios.

Hay unas cartas fantásticas de 1830 cuando, en medio de sus ensoñaciones poéticas y sus amoríos, le llegan las noticias de la Revolución en París. Y entonces habla de ciertos pájaros que presienten las revoluciones físicas –tormentas, terremotos, inundaciones– y así como ellos hay también hombres que atisban las revoluciones. Es una bella imagen. Heine la usaba mucho. «Heine me dio sus altos ruiseñores», escribió Borges, que aprendió alemán leyéndolo. Y Menéndez Pelayo escribió que Heine era «el ruiseñor alemán que hizo nido en la peluca de Voltaire».

¡Qué frase genial!

Desde esas alturas, el ruiseñor Heine escuchó el canto renovado de «La Marsellesa»: «soy hijo de la Revolución [...] y mi lira, dadme mi lira para cantar un canto de gloria, palabras que como estrellas disparadas desde el cielo incendien los palacios e iluminen las chozas, palabras como lucientes jabalinas [...]». Estallarían malogradas rebeliones en Polonia, Grecia. Pero hay algo que lo distingue: en sus cartas hace el encomio de la prudencia del pueblo parisino de 1830 que, a diferencia de 1789, se abstiene de cometer actos brutales tras la victoria y, por el contrario, muestra la mayor tolerancia y generosidad ante el vencido. Esa civilidad lo conmueve. Heine amaba la libertad, pero abjuraba de la violencia.

¿Qué actitud tuvo frente al socialismo?

Heine nunca fue socialista. Aunque en París se acercó a los sansimonianos, se decepcionó de ellos al verlos convertidos en industriales millonarios. La religión de Heine era la libertad –así lo escribió–, no la construcción de un sistema social o una utopía. En ese tiempo inmediatamente anterior a las grandes ideologías, lo que había era un bullir de radicalismos. Heine los rechaza. Escribe contra los poetas

grandilocuentes, los demagogos, los terroristas, los «sangrientos jacobinos», los doctrinarios. Hay un libro suyo contra su amigo-enemigo
Ludwig Börne, un escritor judío y alemán, talentoso, reconocido,
combativo como él, a quien admiró en su juventud hasta que sus
diferencias se hicieron insalvables. En ese libro –un largo, mordaz
obituario de Börne– Thomas Mann vio una querella de fondo que
se desplegaría en el siglo XX entre «el espiritualismo y el helenismo».

No es muy conocido ese Börne.
Era mayor que Heine. Converso al luteranismo por las mismas
razones pragmáticas. Había nacido en el umbroso gueto de Frankfurt y, aunque era reconocido y heredó dinero para vivir con la hol-
gura que siempre le faltó a Heine, quedó marcado por la experiencia medieval de enclaustramiento y acoso. Hay una cita que leí
suya, que habría suscrito Heine:

> Como nací siendo esclavo, amo la libertad más que tú. Como crecí
> siendo esclavo, entiendo la libertad mejor que tú. Como no tuve
> patria que llamar mía, anhelo tenerla más apasionadamente que tú.
> Y como el país en que nací no fue más grande que la *Judengasse* [el
> callejón de los judíos], tras cuyas puertas se abría el ancho e ignoto
> mundo, se necesita más que una ciudad para satisfacer mi añoranza,
> más que una provincia, más que un país: se necesita a toda la patria
> grande, hasta donde alcanza su idioma.

¿La patria de ambos fue el idioma alemán?
El idioma, pero no el Estado, que les negó el carácter de ciudadanos a pesar la conversión de ambos. Se quedaron sin patria. O con la
sola patria del idioma, de la poesía. Una patria libre que nadie podía regatearles, arrebatarles.

*A diferencia de Spinoza, Heine se convirtió. No habitó esa zona fronteri-
za. Lo cual, más que una herejía, parece una apostasía. ¿Lo fue? ¿Escribió
Heine sobre esa condición?*
No fue una apostasía, sino un inútil acto de pragmatismo del que
se arrepintió casi al momento. Es un judío que ha desistido de serlo,

pero todos le recuerdan que lo es. Comenzando por él mismo. Por otra parte, si alguien le tocaba la fibra judía saltaba como tigre, porque estaba muy consciente del agravio milenario contra su pueblo. Por eso, sobre todas las cosas, detestaba la discordia histórica entre los judíos y los alemanes. Hay un poema suyo que titula «An Edom!», palabra bíblica que evoca a Esaú, el hermano enemigo de Jacob, que se volvió emblema de todo enemigo de Israel. Me impresionó tanto que lo traduje libremente:

Un milenio, cual se mire,
Ha durado la hermandad,
Tú toleras que respire,
Yo tolero tu crueldad.

En tiempos oscuros dabas
Con actitudes extrañas,
con mi sangre coloreabas
tus amadas, pías, garras.

La amistad a diario crece,
Día tras día, se estrecha así...
Hoy soy yo quien se enfurece,
Hoy yo me parezco a ti.

No recuerdo casos en que ese furor judío haya encontrado cauces. ¿Tú sí?
Heine estaba pensando, creo, en el furor de Shylock, en *El mercader de Venecia*, obra que vio en Londres y sobre la que escribió en ese mismo tiempo. De todo había sido despojado aquel personaje vejado, demonizado, vilipendiado: de su hija –que era toda su familia–, de su fortuna. Clamaba venganza, una libra de carne de su enemigo. Creo que eso tenía en mente Heine. Él también poéticamente clamaba venganza.

Si el rechazo al judío es la herida común de Börne y Heine, ¿por qué pelearon?
Una querella tardía, en los años parisinos de ambos. Börne representaba el espíritu revolucionario de la época que no buscaba

ya vivir en el mundo o mejorarlo, sino destruir este mundo para construir desde las cenizas otro, mejor, ideal, justo. Y hacerlo a cualquier costo. Heine quería vivir este mundo, mejorarlo para la libertad, elevarlo a los ideales clásicos de belleza. Börne –hijo del gueto de Frankfurt– era apasionado, resentido, cerrado. Heine –nacido en la católica pero incluyente ciudad de Düsseldorf– era festivo, seductor y abierto. Más allá de las diferencias de temple, de carácter, se trataba de las antinomias de actitud histórica (helenismo dionisiaco y apolíneo; espiritualismo judeocristiano) que Nietzsche –lector y admirador de Heine– recogería en su obra. Thomas Mann los consideraba los grandes pensadores del siglo XIX antes de Nietzsche. Más aún, Mann vio en la querella de Börne y Heine el primer esbozo de la confrontación entre Settembrini y Nafta en *La montaña mágica*. Börne murió en 1837 y Heine en 1856. De haber sobrevivido, en 1871 Börne habría sido un líder *communard* y Heine un garibaldino.

Hablando de revolucionarios, Heine conoció a Marx en París, ¿no es así?
Fue la defensa de la libertad lo que lo unió a Marx, a ese Marx que acababa de llegar a París expulsado de Renania a principios de los cuarenta, y que no era comunista. Heine y Marx se profesaban un gran afecto, convivían familiarmente, las hijas de Marx le decían tío a Heine. Y Heine le salvó la vida a la pequeña Jenny Marx cuando tuvo un ataque espasmódico. Heine era veintiún años mayor, pero tenían varias marcas existenciales en común: judíos no judíos, renanos, exhegelianos, spinozistas (por su crítica a la religión, por su apego a la filosofía natural), pero lo que en verdad los unía era su condición de perseguidos. Casi podría decirse que Heine era el enemigo público número uno y Marx el número dos. En diciembre de 1843, cuando se conocen en París, Marx había perdido su puesto de editor en el *Rheinische Zeitung* y los libros de Heine estaban radicalmente prohibidos en Prusia y varios otros estados. Se necesitaban mutuamente. A Heine, que por entonces escribía poemas feroces contra el Kaiser, le venía bien el apoyo del joven radical para publicar en la prensa internacional sus artículos censurados en Prusia. Marx necesitaba propagar la adhesión del famoso

autor. A instancias de Marx, Heine escribió un famoso poema en apoyo a la rebelión de los tejedores silesianos. Es un poema contra los tres poderes de la época (el clero, le rey, el Estado). ¿Sabes quién lo tradujo al castellano? Martí. Te leo un par de estrofas:

¡Maldito el falso Estado en que florece,
Y como yedra crece
Vasto y sin tasa el público blandón;
Donde la tempestad la flor avienta
Y el gusano con podre se sustenta!
¡Adelante, adelante el tejedor!

¡Corre, corre sin miedo, tela mía!
¡Corre bien noche y día,
Tierra maldita, tierra sin honor!
Con mano firme tu capuz zurcimos:
Tres veces, tres, la maldición urdimos:
¡Adelante, adelante tejedor!

Fluye maravillosamente.
No es casual. Heine y Martí eran almas gemelas, liberales en el sentido clásico del término. Y en el sentido hispano, como sinónimo de generosidad y prodigalidad, de rechazo a la opresión. Ambos fueron soberanamente libres en su prosa y verso. Nadie escribía con la soltura de Heine en Alemania ni con la de Martí en Cuba. Como si el exilio de la patria, tan doloroso, encontrara el consuelo providencial del canto en libertad. Hay una felicidad verbal en ambos, que los hizo tan dúctiles a la musicalización de sus poemas. Con una diferencia, el humor. Ahí el paralelo con Heine hay que trazarlo con otro gran exiliado cubano, con Guillermo Cabrera Infante. Heine y él son genios del retruécano, la sátira, el juego de palabras y la ironía mortal.

También en Marx hay ese veneno verbal. Los retratos que hace Marx en La ideología alemana *o* La sagrada familia *son letales. ¿Lo habrá inspirado Heine? Aunque Marx tenía veneno suficiente, y un talento polémico insuperable.*
Con una diferencia: en Heine hay humor, en Marx mal humor.

¿Qué pensaban uno de otro?

Marx toleraba el inocente liberalismo de su amigo porque después de todo era un poeta, y «así son los poetas». Pero Heine sí vio con claridad la dimensión histórica de Marx. Genéricamente, aunque refiriéndose sobre todo a Marx, describía al grupo de los «grandes lógicos» alemanes exiliados como las mentes más brillantes y capaces de Alemania. «Estos doctores de la revolución son los únicos hombres vivos que quedan en Alemania y a ellos, me temo, pertenece el futuro.»

¿Me temo?

Sí, lo veía y lo temía. Nunca fue comunista. Escribió contra el comunismo. Le aterraba imaginar que esos «oscuros iconoclastas» tomaran el poder. Helenista de verdad, helenista como Goethe, temía que los comunistas arrasaran con la cultura y el arte: «los ruiseñores, esos cantantes inútiles, serán expulsados, y, ah, un tendero usará mi *Buch der Lieder* para hacer pequeñas bolsas y envolver café o rapé para las futuras matronas». No le faltaba razón, si lo ves. Pero al mismo tiempo decía reservar al comunismo un lugar en su alma porque reconocía la justificación de sus reclamos materiales y porque detestaba más a «la otra voz tiránica», la que había combatido su vida entera, la del nacionalismo teutomaniaco.

Me sorprende, otra profecía. Por lo visto escribía profecías con la facilidad con que escribía poemas.

También las colecciono: «¿Ha entendido usted, amigo mío, el significado de una comida? Quien lo capte comprenderá el verdadero motor de la humanidad». O esta otra: «La revolución política de los alemanes procederá de la filosofía, cuyos sistemas se desdeñaron con frecuencia como un vacío escolasticismo». La importancia radical del factor económico en nuestra vida, y la religión del marxismo, unidas y bien delineadas.

Heine, en esencia, previó el siglo xx.

Incluido el horror nazi; lo que no previó es el Estado totalitario comunista. Hay diferencias claras, entonces, con Marx. Heine libraba una guerra intelectual y poética en varios frentes: la monarquía, el

feudalismo, el nacionalismo, la alta burguesía aristocrática, el jacobinismo radical y el comunismo. Y prefería la evolución a la revolución. Marx era un dialéctico historicista, un determinista económico, trabajó por la revolución integral, creía que «la violencia es la
partera de la historia». Heine –discípulo de Hegel– era un historiador de la cultura, un poeta de la historia o un historiador poético,
pero no tenía un esquema histórico rígido ni creía en las dialécticas
dizque científicas. No olvidaba las desigualdades económicas (escribió sobre ellas), pero le molestaban los «puños cerrados». Ahora
que hablamos de él, recuerdo una frase de Alfonso Reyes, ese Goethe mexicano: «Quiero el latín para las izquierdas». Heine quería el
griego para las izquierdas.

Pero no era un liberal «a la inglesa»…

En absoluto. Siempre vio a menos a la fría, materialista y egoísta
Albión. Tampoco le gustaba el rasero igualitario de la democracia
americana, muchísimo menos su racismo. (Heine –a diferencia de
Marx– no era racista.) Quería la libertad. Palabra inapresable. Poco
antes de morir previó el advenimiento de una nueva generación de
hombres que, «nacidos libres, vendrán al mundo con pensamientos y emociones a tal grado libres que nosotros, nacidos esclavos,
no imaginamos siquiera».

*La generación de tus padres pensó que ese advenimiento ocurrió en 1945,
con la derrota de Hitler. En alguna medida, así fue.*

Y tu generación y la mía pensamos que había ocurrido en 1989,
con la caída del Muro de Berlin, pero no fue así. Ahí nos equivocamos.

*Bueno, hemos hablado de Heine el lírico alemán, del Heine perseguido, del
Heine profeta, y del poeta de la libertad. Quiero entender mejor su actitud
frente al judaísmo. Por lo que me has dicho, fue una condición que padeció, y de la que quiso alejarse, sin lograrlo del todo. Un judío no judío, en
el extremo.*

Su vínculo con el judaísmo fue contradictorio, complejo. Tuvo
una educación judía convencional –un poco como la mía, te diré–
y compartió con su familia el apego a la tradición, más que a la

484

religión. Aunque en su hogar se respiraba una atmósfera ilustrada, se veía con recelo el destino de los hijos y nietos de Moses Mendelssohn, convertidos al luteranismo. De joven, se incorporó a una sociedad que se proponía el estudio científico del judaísmo que dirigía Leopold Zunz, un pionero de la historia secular judía, un enamorado de Sefarad que veía aquella «era dorada» bajo la luz de sus grandes poetas: Ibn Gabirol, Ibn Ezra y Yehudá Ha-Leví. Heine adquirió esa misma afición a la poesía de Sefarad. Junto a la Biblia, que releía con un gusto primigenio y cuyos pasajes conocía y recreaba.

Su apego a la historia, como el tuyo, no era religioso sino literario.

Ha sido muy frecuente en judíos seculares. A Heine le repugnaba la ortodoxia y el formalismo religioso de los judíos (sobre todo de los ricos), pero le atraía la piedad popular. (También frente al catolicismo tuvo ese sentimiento.) Viajó a Polonia y sintió lástima por aquellos pobres habitantes de los *shtetl* polacos, con sus sombreros estrafalarios, su hacinamiento, sus ropajes oscuros, su escolasticismo y su superstición, pero admiró su pureza y su libertad. En este sentido, se adelantó un siglo a Martin Buber, que recogió las leyendas jasídicas. Todo esto no impidió que escribiera líneas horribles sobre su propio pueblo: «momia […] que discurre por la tierra envuelta en sus lienzos de caracteres originarios, un trozo cristalizado de historia universal, un fantasma que para sustentarse trata con letras de cambio y pantalones viejos». Descripción fea y autolesiva. A veces a Heine lo arrastra el poder verbal, y no se detiene ni contra lo suyo. Pero así eran también algunos profetas. Parecería que dejó de ser judío para serlo más. Tengo una cita de Kafka sobre Heine que viene al caso: «Un hombre infeliz. Los alemanes le reprochaban y le siguen reprochando por ser judío y, sin embargo, es un alemán; más todavía, es un pequeño alemán que está en conflicto con los judíos. Lo que es típicamente judío de él». Es una definición perfectamente kafkiana. Ese era Heine.

¿Un hombre infeliz?

Quizá no tanto. Porque Heine lleva a todas partes su humor. La heterodoxia de la risa. Hannah Arendt lo emparienta con Charlie

Chaplin: ambos son parias, desclasados, marginales que redimen su situación en la ocurrencia súbita, la salida inesperada, paradójica. Los comediantes judíos del siglo XX como Groucho Marx y Woody Allen son descendientes de Heine, aunque no lo hayan leído. Freud no solo celebró sus chistes: los estudió. Dedicó casi un capítulo a analizar una frase sobre el encuentro de un personaje con Rothschild que esconde varios dardos envenenados: «Me trató con mucha famillonaridad». Sobre la tortura del amor escribió: «Tengo un dolor de muelas en el corazón». Sus chistes son incontables, pero no había amargura en ellos. Eran como una dulce venganza poética ante los poderes. El chiste sutil, letal, proferido con descaro, con desvergüenza, es una expresión suprema de libertad. En fin, no quiero teorizar sobre el humor, no hay nada más aburrido.

Hay un libro de Heine muy breve que he leído y es una delicia. Los dioses en el exilio. *Una fábula sobre los dioses griegos (Dioniso, Zeus) escondidos en los confines de Europa, los mares, los bosques, huyendo de la persecución del monoteísmo judeocristiano.*

Atenas o Jerusalén. El dilema está en el fondo de su polémica con Börne. El ágape pagano frente al celo judeocristiano, que Heine llamaba «nazareno». Heine querría que fueran compatibles, aunque se inclinaba hacia Atenas.

El asunto remite a Elisha ben Abuyah. Y a Jantes, el del poema de Cavafis. Heine es el epicúreo Jantes, hijo de los «sagrados hebreos», que opta por Atenas.

Sí, tienes razón, Heine es Jantes. El tema reaparece en la novela *El rabino de Bacharach.* Ahí recrea el choque de la mentalidad moderna encarnada en su alegre y algo cínico *alter ego*, don Isaac Abravanel (un judío español galante y librepensador), con la religiosidad sabia, pura, inocente, temerosa del rabino y su bella esposa Sara, que acababan de huir del gueto salvándose de una masacre provocada por acusaciones de un crimen ritual.

La leyenda de que los judíos sacrificaban un niño cristiano para su cena de Pascua. Ese mito medieval causó mucho daño. Hubo casos famosos en España. El Santo Niño de La Guardia a fines del siglo XV, por ejemplo.

Heine lo recrea porque, increíblemente, se había dado un caso de crimen ritual en Damasco en 1840. Y se seguiría dando en Rusia, a principio del siglo XX. Pero la novela es ambigua. Para Heine, la raíz del mal está en la religión del Dios personal: «Desprecio por igual la melancolía atormentada de los nazarenos como la vida triste y fría de los hebreos. Mi corazón está con la vida». Lo que a su *alter ego* le gustaba era la comida judía, sobre la

que escribe versos y odas, y, claro, la bella Sara. Pero en el fondo admira la pureza y la piedad del rabino. Es un libro que había comenzado en los veinte y terminó (parcialmente) en su exilio parisino. París era la nueva Atenas y la capital de la libertad, pero Heine nunca olvida la melodía hebrea de su infancia. Esa tensión es permanente. ¿Quién ganaría en su alma?

¿Y dónde había quedado Alemania?

Su alma era un archivo de imágenes alemanas. Siempre añoró a su patria. Hay un párrafo en una carta que habla de su condición:

> Una cosa es el patriotismo, otra muy distinta es el verdadero amor por la patria. Se puede vivir ochenta años en la patria sin conocerla: basta quedarse en casa. La naturaleza de la primavera se revela en invierno; y las mejores canciones de mayo se componen frente a la chimenea. El amor a la libertad es una flor prisionera, y solo en el cautiverio se puede valorar la libertad.

¡Qué definición maravillosa! «El amor a la libertad es una flor prisionera, y solo en el cautiverio se puede valorar la libertad.»

Vivía libre en París, pero cautivo con respecto a su patria, a Alemania. Quería la libertad para Alemania, la libertad que Alemania le negaba por ser judío y por ser un opositor irreductible. Volvió una sola vez, de manera fugaz y subrepticia, para ver a su anciana madre (tras casi quince años de ausencia) y de vuelta escribe un poema en prosa: *Alemania. Un cuento de invierno.* Un largo poema. ¿Sabes a quiénes me recuerda ese poema? A los poetas judíos que dejaron Sefarad. La nostalgia de esos poetas populares duró siglos, junto al cultivo del idioma, el ladino. Con esa misma intensidad quiso y cantó Heine a Alemania. Ese judío exiliado, amó a su patria con un amor desesperanzado porque sabía que nunca sería reconocido oficialmente, ni podría volver. Pero ¡qué amor por su paisaje natural, espiritual y humano, por su lengua, su arte, literatura y música! Pero también qué dolor y miedo ante la rigidez mecánica de sus soldados, el despotismo de sus políticos, el fanatismo de su clerecía y sobre todo su culto a la guerra por la guerra.

En 1848 Marx y Engels publicaron el Manifiesto comunista. *El fantasma del comunismo recorrió las capitales de Europa. ¿Sabes cómo reaccionó Heine ante esos hechos?*

No le gustaban las pasiones desatadas, temía su desenlace despótico. Pensaba que se vivía la anarquía, el caos: «una manifestación de la demencia de Dios. Si esto sigue así, habrá que encerrar al viejo». Y, sin embargo, algunas noticias del exterior lo emocionaban. Los líderes húngaros en la revuelta de ese año iban a la batalla recitando sus poemas. Pero para entonces la vida de Heine era otra. Y es que este poeta de la vida, a diferencia de tantos que murieron muertes tempranas, heroicas, violentas, súbitas, tuvo la desgracia de «morir viéndose morir» –como escribió Max Aub– por casi diez interminables años.

¿Se sabe qué enfermedad contrajo?

Esclerosis múltiple, probablemente. Estaba totalmente inmovilizado, en su «lecho tumba». Veía con un ojo semicerrado. Acudió por última vez al Louvre e, incapacitado para moverse y mover sus brazos, llora ante «nuestra señora de Milo». Es su despedida de Atenas. «La diosa estaba mirándome con compasión, pero al mismo tiempo con un desconsuelo tal como si quisiera decirme: ¿no ves que no tengo brazos y por eso no puedo ayudarte?» Y con la enfermedad viene un nuevo giro paradójico. Heine, el hedonista, el dios griego, el robusto Baco, vuelve al Dios personal.

Vuelve al origen. Como tú…

Al final, todos volvemos al origen, José María. En todo caso, la suya fue una vuelta menos religiosa que literaria. Y escribe sus *Melodías hebreas,* que contienen varios poemas de temas históricos judíos, como el titulado «Jehuda ben Halevy», que Borges recordó en aquella plática. Recuerdo una línea, referida a las fábulas de la Hagadá, cuentos de ángeles, mitos y leyendas, de martirios, refranes y canciones, también de exageraciones: «Pero todas tenían el viejo poder de la fe, su viejo fuego. ¡Oh, cómo iluminaba!». Me ha conmovido siempre esa nostalgia final de Heine por la fe perdida. Esa despedida de Spinoza y el panteísmo, de Hegel, el deísmo y el ateísmo. Sabe que está desahuciado, pero sobrelleva el dolor con buen espíritu y dignidad.

¿Y perdió el humor?

Nunca, al parecer. A un alemán que lo visitaba: «No deje de contar en Alemania que en París me llevan en brazos». A otro, que advierte su uso del opio, le invierte la famosa frase: «El opio es también una religión». El humor es como el opio, pero el dolor no cesa nunca. He leído algunos poemas de esa última etapa, son muchísimos, y son desgarradores. Recuerdo «Pon en mi pecho, niña, pon tu mano», traducido por Vicente Huidobro:

Pon en mi pecho, niña, por tu mano.
¿No sientes dentro lúgubre inquietud?
Es que en el alma llevo un artesano
que se pasa clavando mi ataúd.

Trabaja sin descanso todo el día;
y en la noche trabaja sin cesar;
que acabes pronto, maestro, mi alma ansía,
y me dejes en calma descansar.

No escribiste su biografía, pero lo has leído con amor biográfico.

Me gusta esa expresión, *amor biográfico*. Pero lo cierto es que apenas me asomé a su obra en traducciones inglesas y españolas, que seguramente pierden mucho del original. Sus poesías completas tienen mil páginas y solo he leído unas cuantas. Debes tomar todo lo que hemos hablado como una interpretación libre, una lectura, nada más. Y un homenaje.

¿Qué es Heine para ti? ¿Cabe preguntarte qué aprendiste de él?

Que el amor a la libertad proviene de la falta milenaria de libertad. Que su marginalidad del judaísmo le dio libertad para verlo con claridad, juzgar lo juzgable, amarlo mejor. Que Heine ansía pertenecer a su patria, a la que ama, pero nunca lo logra del todo porque siempre es *el otro*, el extranjero. Que la única pertenencia segura está en la lengua y la literatura. Que su excentricidad en Alemania, su exilio, lo dotó de una sensibilidad peculiar para leer la escritura de la historia alemana, para escuchar de lejos sus tormentas futuras. Que el privilegio de casta, raza, clase, credo o nación es execrable. Que la discriminación es execrable. Que la intolerancia es execrable. Que el poder, por lo general, es execrable. Que el sueño de los filósofos produce cataclismos. Que el humor es cosa seria, que la seriedad extrema da risa. Que el dolor físico y la muerte doblegan al spinozista más sereno, pero no totalmente. Que la literatura salva. Goethe murió pidiendo luz, más luz, Heine murió pidiendo lápiz y papel. Y que el amor salva.

El amor de su esposa.

Sí, el amor de Mathilde, cuyo bienestar aseguró cuando él faltara. Pero también el amor de una joven poeta a la que llamaba «la Mouche» (su nombre era Camilla Selden), que le guardaba devoción y que en su tramo final lo visitaba con frecuencia. Hay un libro maravilloso, *The Poet Dying*, de Ernst Pawel, sobre los últimos años de Heine, que cuenta esa historia de amor tiernísimo y desesperado. De modo que Heine, el último Heine, no fue tanto un hebreo contrito, sino un dios griego, caído e inerme, que escribía cartas de amor.

Murió en París, ¿no es así?

Pero no sin antes hacer un chiste sobre sus pecados. Mathilde, católica piadosa, estaba angustiada por el alma de su Henri, pero él la consoló: «Dios me perdonará: ese es su trabajo». Y escribió un poema en que le pide disculpas preventivas para el día en que visite su tumba: «Estaré viviendo demasiado alto, no habrá asiento que pueda ofrecerle a mi amada». Hace unos años visitamos Andrea Martínez, mi esposa, y yo el cementerio de Montmartre en París, donde descansa Heine. Nos sorprendió su tumba, colmada de flores. Flores de enamorados, con mensajes y fragmentos de poemas en alemán. La preside, sobre un obelisco de mármol, la escultura de su hermoso rostro, mirando con tristeza hacia abajo, hacia sus restos.

El doctor de la Revolución

¿Cómo encaja Marx en el panteón de los heterodoxos?

En primer lugar, por la ortodoxia previa de sus antepasados, sin la cual no cabe hablar de heterodoxia. Provenía de una genealogía rabínica por ambas ramas. Marx era sobrino, nieto, bisnieto y descendiente directo de rabinos alemanes, húngaros y polacos, holandeses; rabinos de su natal Tréveris (en Renania), y también de Padua, Cracovia, Mainz, Nijmegen. Sus ancestros más próximos, apellidados Levi y Lwow, cambiaron su apellido por Marx. Pero Karl Marx nació en 1818, un año después de que Heinrich, su padre, ilustrado y francófilo, se convirtiera al luteranismo para ejercer en paz la abogacía. No imaginaba lo que su hijo Karl, bautizado a la religión luterana en 1824, a los seis años, representaría para quienes creían y aún creen en la redención humana.

Estamos hablando de un pasado centenario de estudios rabínicos. Supongo que no crees en la transmisión genética en estos casos...

No creo en la transmisión genética, pero sí en una transmisión cultural que opera sutilmente, a veces por vías inconscientes. Y en el caso de Marx, por constatación directa: su abuelo, el rabino Marx

Levi, había muerto en Tréveris en 1804, la antigua ciudad de origen romano, en cuyo gueto los judíos vivieron por siglos. Y su puesto lo heredó su hijo, tío de Karl.

¿Cómo pesó ese pasado en la vida de Marx?

Mi respuesta es especulativa, como tantas en la historia. Yo lo veo como un judío heterodoxo en el contexto histórico de personajes de su generación, como el novelista Berthold Auerbach y el filósofo radical Moses Hess. A veces una vida se aclara mejor en el espejo de otras. Los tres fueron emancipadores, y es natural. Durante la juventud de Marx, ya lo vimos, Prusia era un Estado férreamente autoritario, nacionalista, militarista, aristocrático y clerical, gobernado por Federico Guillermo III. Y bajo su sucesor, Federico Guillermo IV, que ascendió al trono en 1840, no lo fue menos. Hess, que fue amigo de Marx y hasta cierto punto su descubridor, era el hijo descarriado de un próspero comerciante azucarero. Educado por su abuelo tradicionalista, repudió los negocios familiares y abrazó muy joven, años antes que Marx, un ideario comunista. Auerbach iba a ser rabino, pero desertó para trabajar por esa misma fraternidad, si no universal, al menos judeoalemana. Marx, na-

cido ya fuera del orbe religioso de sus ancestros, y por ello más libre, buscó una emancipación no particular sino universal. Los tres, Hess, Auerbach y Marx, estudiaron en diversas universidades, pero no fueron abogados ni siguieron una carrera académica. Su pasión compartida fue la vida intelectual; su vocación, transformar al mundo. Los tres eran hegelianos, pero tuvieron en común la influencia de un filósofo del siglo XVII. ¿Adivinas cuál?

Una vez más, llegamos a Spinoza.

Spinoza, como vimos, había sido un autor importante para los filósofos alemanes. Leyeron panteísticamente su *Ética*. Pero habían ignorado al Spinoza combativo, al Spinoza del *Tractatus theologico-politicus*. En cambio, para aquellos tres jóvenes el Spinoza que contaba más era el autor de ese «libro infernal», el hereje, es decir, el judío que sale de su perseguida tribu para concebir un estado libre y racional que pusiera fin a todas las persecuciones.

¿Cómo se manifiesta esa inspiración común?

En Auerbach, la manifestación es literaria. Auerbach escribió la primera novela judía secular: *Spinoza: Ein Denkerleben* (1837). En ella, aquel mítico personaje del «judío errante», que ha remontado los siglos cargando la culpa del deicidio, conoce a Spinoza en Ámsterdam y le dice: «Acá, en el último confín de vuestra razón, está el Sinaí». Y muere, redimido en la obra del filósofo cuyo sistema sustenta la emancipación del hombre a través de la razón. En los cinco años siguientes, Auerbach tradujo al alemán la obra de Spinoza. En Hess la manifestación es visionaria: en 1837 publicó una *Historia sagrada de la humanidad por un joven spinozista*, donde mezclaba elementos hegelianos, bíblicos y spinozianos para proponer la necesidad del comunismo. Poco después escribió un libro donde imaginó proféticamente la Unión Europea. Ambas lecturas de Spinoza tienen un toque romántico que no está en Marx, cuya asimilación de Spinoza es filosófico-política. El descubrimiento de sus cuadernos escolares de 1841, incluido uno detallado y profuso sobre Spinoza, ha llevado a varios estudiosos a pensar que la filosofía natural de Spinoza y su crítica de la religión trascendente fue una influencia decisiva en la filosofía materialista de Marx. La «sustancia» única e inmanente de Spinoza se convierte en la materia de Marx, la naturaleza se vuelve economía, el análisis geométrico se vuelve análisis económico.

¿Lo has consultado? ¿Lo crees?

Sí, y es curioso el título de ese cuaderno: *Tratado teológico-político* (literalmente), firmado por Karl Marx. Parece una apropiación. Marx transcribe, edita y sobre todo comenta con una minuciosidad talmudista amplias secciones del *Tratado teológico-político* y varias cartas de Spinoza. Pero no creo que sea tan determinante. Es un cuaderno estudiantil, de un estudiante inmensamente serio.

Spinoza fue entonces una estación en la travesía intelectual de Marx.

Esa es la palabra correcta: estación. No estoy de acuerdo con esas escuelas académicas que en un exceso de la hermenéutica ven filiaciones por todos lados. Como si Marx fuera hijo de Heine y Heine de Spinoza. Hay ecos, hay un aire de familia, hay afinidades electivas. Como tú dices, Spinoza fue una estación. Nada más. En la genealogía de la Revolución moderna, Marx es el protagonista central que se detuvo por algunos meses en Spinoza. Una estación posterior a Hegel, y de ninguna manera tan decisiva. Spinoza contribuyó a que Marx pusiera de cabeza a Hegel y a poner por sí mismo los pies en la tierra. Al leerlo, no me sorprendió su entusiasmo por la crítica spinoziana al Dios personal y las Escrituras, pero sí su completa omisión de toda la vertiente compasiva de Spinoza, la apelación a la justicia y la caridad que está en su obra, incluso sus menciones a los valores del amor cristiano, que son también valores judíos. Marx siempre está en una guerra sin cuartel, desde temprana edad. Su primera guerra, su primer radicalismo, fue contra Dios. Fue precisamente esa postura la que frustró las perspectivas académicas de Marx, no solo las suyas sino las de su maestro Bruno Bauer, con quien cometió –entre otros– el sacrilegio de subirse juntos a unos burros y pasearse por la ciudad de Colonia remedando la entrada de Jesús a Jerusalén. Esa profanación, aunada a sus ideas, le costó el puesto a Bauer, que ya no pudo apoyar la carrera académica de Marx. Pero mientras Bauer, siguiendo a Feuerbach, se detenía en la crítica filosófica de la religión, Marx –de la mano de Spinoza– lleva esa crítica a una esfera política. Un autor contemporáneo dice: «En Marx, Spinoza encontró a su auténtico lector político». Marx absorbe la postura radicalmente democrática de Spinoza. El sujeto final y autoconsciente de la historia ya no es el Estado sino el pueblo.

¿Hay otras huellas spinozianas en Marx?

Está obviamente el determinismo, la idea de que el hombre no podrá emanciparse por la acción externa de un acto moral –como proponía Kant–, sino por las leyes inmanentes de la propia realidad. Marx se propuso encontrar esas leyes de la sociedad para revelar el camino hacia la salvación. Pero ahí terminan los paralelos porque en Spinoza no hay historia, ni pasada ni futura. Mucho menos una dialéctica. Spinoza nunca imagina una utopía para la humanidad, y ni siquiera para un amplio sector de ella. Spinoza comprende y respeta al hombre tal como es, y a partir de ahí traza los caminos racionales para hacer más plena la existencia individual, política y civil. En cambio Marx adopta una teología histórica, el advenimiento necesario, pero también cruento, del comunismo.

¿Qué siguió a la estación Spinoza en Marx?

Cerrada la vía de la academia, al joven Marx se le abrió la vía editorial, la vía del periodismo militante. Y en esa estación, el hombre clave fue Hess. Se conocieron en 1842 en Colonia, la capital más o menos liberal de Renania, donde Hess cofundó el periódico liberal *Rheinische Zeitung*, para cuya dirección recomendó a Marx. Escucha lo que escribe Hess a Auerbach. Lo leí en la biografía de Marx de Isaiah Berlin. Una declaración spinozista de combate:

> El doctor Marx, que así se llama mi ídolo, es aún muy joven (a lo más 24 años) y va a dar el golpe de gracia a la religión y la política del medievo. Combina el filo crítico más agudo con el más profundo conocimiento filosófico. Imagine a Rousseau, Voltaire, Holbach, Lessing, Heine y Hegel unidos –no solo mezclados– en una persona, ahí tiene usted a Marx.

Le faltaron los presocráticos, Aristóteles, Epicuro, Demócrito, Hume.

Y habría que agregar a Feuerbach (que completó la terrenalidad de Marx), al sastre radical Wilhelm Weitling, a Saint-Simon, a Fourier, a Proudhon, a los economistas David Ricardo y Adam Smith y, desde luego, su socio histórico, Engels. Pero, como dice Hess, Marx no es la suma de ellos sino, digamos en términos matemáticos, su integral. Hess lo vio claro. Hasta sus enemigos jurados, como Bakunin, que le achacaban fallas de carácter y morales supuestamente típicas de los judíos («malicioso, pendenciero, vanidoso, tan intolerante y autocrático como Jehová...»), reconocían su «variadísimo saber»: «nadie ha leído como él, ni tan inteligentemente como él». Marx era una fuerza intelectual de tal dimensión que la cita aquella de Heine parece patentada para él: era el doctor de la filosofía de cuyo gabinete saldrían las revoluciones del siglo XX.

Fue editor de un diario, fugazmente.

Es una etapa apasionante de su vida, no muy comentada me parece, porque el Marx editor y periodista del *Rheinische Zeitung* es un defensor de la libertad de prensa. La veía como el vehículo «universal para abrir los ojos del espíritu del pueblo, la confianza encarnada del pueblo en sí mismo [...] es el espejo espiritual en el que el pueblo se conoce a sí mismo [...] es la confesión desinhibida del pueblo a sí mismo y, como es sabido, la fuerza de la confesión lleva a la redención». Así escribe en aquel diario. Usa la palabra redención.

Inesperada defensa de la libertad política.

Marx otorgaba al pueblo –ya no al Estado, como Hegel, al pueblo– la categoría histórica del espíritu absoluto. Marx es ya para entonces un rebelde irreductible contra la opresión que proviene de la religión institucional y el poder despótico. Detestaba a la rancia y brutal aristocracia que mataba campesinos por el «delito» de recoger ramas caídas de los árboles en sus propiedades. Pero no se oponía a la burguesía industrial ilustrada. De hecho, en ese diario publicó una crítica al comunismo. Solo cuando se lanzó contra el zar Nicolás I de Rusia, presentándolo como el emblema último de la reacción criminal y oscurantista, las autoridades ordenaron cerrar el diario. A aquella burguesía liberal de Colonia le encantaba el brío de Marx, su prosa contestataria, filosófica, incendiaria, sarcástica, pero no lo pudo –o no lo supo– defender ni retener. Varios jóvenes hegelianos salieron al exilio en París, Marx entre ellos.

Leyendo al Marx periodista, se comprende mejor su proceso de radicalización. Lo orillaron, lo dejaron sin alternativas.

Es entonces en París cuando conoce a Heine... ¿Qué pensó Heine del libro La cuestión judía, *que es de ese tiempo? Es un libro casi antisemita.*

Sí, es de 1844. La verdad, no sé qué pensó Heine. Sería muy interesante saberlo. Isaac Deutscher argumenta, a mi juicio con razón, que ese libro no fue, como se ha querido ver, un tratado antisemita o antijudío. Marx abominaba de la religión, las naciones y las razas, quería trascenderlas y quizá en esa voluntad de trascenderlas está el componente judío de su rebelión. Así pensaba precisamente Edmund Wilson, que cita dos textos contiguos de Marx. El primero, de diciembre de 1843 (cuando acababa de llegar a París), está en su *Crítica de la filosofía del derecho de Hegel*. ¿Dónde reside, se pregunta Marx, la posibilidad positiva de emancipación alemana?

[Reside en] una esfera que no reclama para sí ningún derecho *especial*, porque contra ella no se ha cometido un atropello particular sino un atropello absoluto, contra el cual no cabe sino una reivindicación absoluta. Esa esfera se contrapone radicalmente a las premisas del Estado alemán. Esa esfera no puede emanciparse sin emanciparse de todas las demás esferas de la sociedad y, en ese mismo acto, emanciparlas a ellas también.

Esa «esfera» es el proletariado...
Sí, el proletariado. Y para concluir, fíjate en las palabras

que usa: «... en la medida en que esa esfera representa la *derrota total* de la propia humanidad, solo a través de esa esfera puede la humanidad recuperarse a sí misma...». Marx no habla de redención, pero esa referencia a la «humanidad recuperada» la implica. En todo caso, es notable el énfasis de esa aspiración, la más judeocristiana de todas, en el mismo libro donde sostiene que «la religión es el opio del pueblo». El segundo texto proviene de *La cuestión judía*. Y es asombrosamente parecido: «La emancipación social del judío es la emancipación de la sociedad del judaísmo [...] una esfera, finalmente, que no puede emanciparse ella misma sin emancipar a las demás esferas de la sociedad». La conclusión a la que llega Wilson es esta: Marx no conocía al proletariado concreto, pero se negaba a identificarse con el sufrimiento específico de los judíos, no solo porque había nacido ya fuera de su manto religioso, sino porque su visión emancipatoria era universal. Y la conclusión me parece convincente:

> El resultado fue que el espíritu rebelde proveniente de la inhabilitación social de los judíos, así como la sensibilidad moral y la concepción del mundo procedentes de su propia tradición religiosa, fueron transferidos por Marx, con todo su formidable poder, a un proletariado imaginario.

Lo cual no resta validez a su indignación.

Por supuesto que no le resta validez, solo explica en alguna medida sus resortes psicológicos y sus orígenes religiosos. Wilson ve en esa transferencia un hecho venturoso para el progreso de la conciencia moral de la humanidad. En la obra de Marx, la hondura de ese agravio milenario transferido a una clase social persuadió a millones de personas, sobre todo en el siglo XX. Marx tenía un genio para tocar la fibra última de la indignación humana. Dice Wilson: «nadie sino un judío a mediados del siglo XIX podía dominar las armas morales necesarias para destruir la fortaleza de la autocomplaciente burguesía [...] Nadie sino un judío podía combatir de modo tan obstinado e irreductible por la victoria de las clases desposeídas».

¿Qué piensas tú?

No me gustan nada las frases que comienzan como «solo un judío», «solo un protestante...». Pero sí creo que el propio Marx era el sujeto inconsciente de una transferencia. Marx solo conoció a los profetas hebreos en la lectura crítica de Spinoza, pero los encarnaba en el siglo XIX. Wilson lo dice con todas sus letras: «Marx entronca con la tradición del Viejo Testamento, no con la del Nuevo». Y es ahí donde para Wilson –y yo estoy de acuerdo– comienzan los problemas, porque el motor de Marx es la ira, la violencia destructiva, el odio; nunca el amor, o solo el amor abstracto, tan abstracto como su concepto del proletariado, al cual llegaría a conocer de manera vicaria, a través de la mirada empírica de Engels o de libros parlamentarios sobre la clase obrera inglesa, no como personas de carne y hueso. Wilson no comulga con esa «doctrina armada», como llamaba Burke a la revolución. Huelga decirte que esa doctrina no está en Spinoza. En absoluto.

Un paréntesis. Te recuerdo que en su libro Marx considera a los judíos como agentes y hasta encarnaciones del capitalismo. Esta identificación del judaísmo con el capitalismo parecería contradecir la hipótesis de Wilson sobre la transferencia del judío al proletario.

La vuelve más compleja, pero no la desmiente. Ese razonamiento de Marx reverberaría en el siglo XX no solo en movimientos antisemitas, sino en personajes importantes de izquierda internacionalista. Hasta Hannah Arendt le concede peso cuando aborda el antisemitismo en *Los orígenes del totalitarismo*. Es una distorsión de la historia. Pero, en todo caso, no creo que quepa tildar a Marx de antisemita. Marx atribuye mucho del espíritu capitalista a los banqueros judíos y piensa que la revolución arrasaría con lo que representan, no como judíos sino como capitalistas. Así, liberando a la humanidad del capitalismo, los judíos resultarían liberados también. Así que el argumento se sostiene: su voluntad redentora provenía de un sufrimiento milenario.

Isaiah Berlin estaría en desacuerdo contigo. En su libro sobre Marx hace el recuento de las muchas veces en que Marx –en cartas y ensayos– escribió en términos ferozmente vejatorios contra los judíos. Sostiene que Marx padecía aquel síndrome típicamente judío del «odio a sí mismo». Se pregunta por el origen y concluye que provenía de una represión de esa esfera que de pronto explota y sale a la superficie. En otras palabras, según Berlin, Marx odia al judío que lleva dentro. La solución a esa combustión existencial es un estallido: segar el pasado vergonzoso, tomar por asalto el futuro.

A mí no me convence. Yo francamente creo que se equivocaba al considerarlo antisemita. Marx era racista, pero su andanada de 1844 no tenía un fundamento racista sino redentorista. Un trasfondo religioso proveniente de un antirreligioso.

Wilson habla de una transferencia del dolor reprimido, Berlin de un estallido de la vergüenza reprimida. Ambos, argumentos freudianos. Pero más allá de esa combustión, ambos, Wilson y Berlin, emiten su juicio.

Wilson hallaba una irreductible discrepancia entre el bien que propone Marx como objetivo a la humanidad y el odio implacable que preconiza para alcanzarlo. Pensaba que esa discrepancia había marcado la historia del marxismo y provocado una inmensa confusión moral. Esa es, creo yo, una de las críticas más certeras de Wilson, en ese retrato magnífico, lleno de empatía, porque aquel mundo brutal de la revolución industrial pedía el nacimiento de un profeta casi quiliástico, como Marx. Berlin coincide con él.

Berlin critica la fijación marxista en las determinaciones económicas en detrimento de otras tan o más importantes (nacionales, culturales, religiosas). En esto lo precedían Nietzsche, Max Weber...

Y también, por cierto, Moses Hess, que ante el resurgimiento feroz del antisemitismo en la Alemania de los años sesenta abandonó sus sueños universalistas, asumió la fatalidad del nacionalismo y a partir de esa premisa entrevió que la única solución para los judíos era emigrar (regresar) a Jerusalén. Fue el profeta del sionismo. Su pobre amigo Auerbach fue el más fallido: ante ese resurgimiento, entendió que su visión de la amistad judeoalemana era una fantasía trágica. «He vivido y trabajado en vano.» Lo mismo descubrirían, generaciones más tarde, varios escritores judíos de Europa Central. Hess y Auerbach reconocieron la cuestión nacional, a diferencia Trotski y Rosa Luxemburgo, que se alinearían con el internacionalismo de Marx. El siglo xx los desmintió dentro y fuera de la URSS.

La relación del marxismo con el poder. Creo que ahí está la zona crítica del marxismo, al menos para un liberal.

Y, sin embargo, está el Marx de *El 18 brumario de Luis Bonaparte*, que hace trizas al Estado: «espantoso organismo parasitario que se ciñe como una red al cuerpo de la sociedad francesa y le tapona todos los poros». Es el Marx libertario, que me emociona. Y, a la vista de los monstruosos Estados totalitarios del siglo xx, resulta muy actual. Pero el Marx posterior y definitivo es el de los «puños cerrados». Y Martí, tan remoto en apariencia a lo que estamos hablando, lo rechazaba también. En mi libro *Redentores* cito este párrafo de aquel alto ruiseñor cubano:

> Karl Marx ha muerto. Como se puso del lado de los débiles, merece honor. Pero no hace bien el que señala el daño, y arde en ansias generosas de ponerle remedio, sino el que enseña remedio blando al daño. Espanta la tarea de echar a los hombres sobre los hombres. Indigna el forzoso abestiamiento de unos hombres en provecho de otros. Mas se ha de hallar salida a la indignación, de modo que la bestia cese, sin que se desborde y espante.

Aguda, y no menos humanista, observación por parte de Martí.

No solo los liberales del siglo xix rechazaron esa postura extrema. También los padres del anarquismo. Es famosísima la carta de Proudhon a Marx:

> … no nos constituyamos en campeones de una nueva intolerancia, en apóstoles de una nueva religión, aunque esta sea la religión de la lógica, la religión de la misma razón. Acojamos y estimulemos todas las críticas; condenemos todas las prohibiciones, todos los misticismos; no admitamos jamás que una pregunta quede sin respuesta; incluso después de haber expresado nuestro último argumento volvamos a comenzar, si ello es necesario, con elocuencia e ironía.

Me llama la atención la terminología religiosa aplicada a Marx. ¿Cuál es, finalmente, en el caso de Marx, tu idea sobre la gravitación judía proyectada a la historia?

Lo dijo Antonio Machado (es decir, Juan de Mairena), «Marx judaizó a Hegel». Qué mezcla potente, ¿no te parece? El historicismo alemán y el mesianismo judío. Marx introdujo un aliento mesiánico en la filosofía de la historia... y en la Historia. Marx le imprimió un molde materialista, racionalista, historicista, pretendidamente científico, a la idea mesiánica, muy arraigada en el judaísmo.

Pareces convencido de que en Marx está presente esa tradición mesiánica.

Max Weber explicó que la semilla de esa tradición está en los profetas, no solo en su mensaje explícito, sino en su arraigo social. Daniel Bell escribió que el marxismo, considerado como una religión política, ofrece la promesa escatológica de un salto al reino de la libertad –la liberación de toda necesidad– en la tierra. Y Bell, igual que Wilson, coincide en que la evidencia de este salto de Marx está en la *Crítica de la filosofía del derecho de Hegel*.

Pero el marxismo reclama para sí el rango de una ciencia.

Ese nuevo salto ocurrió después, cuando la doctrina cambia de lenguaje y pasa de la visión de una emancipación integral a la idea de progreso e inevitabilidad histórica.

¿Cómo se da concretamente esa transferencia del orbe religioso al secular? No es algo palpable.

Lo es, si creemos en la fuerza de las ideas y las creencias. Y en los ríos subterráneos de la historia. Los judíos en los pueblos alemanes donde vivían los ancestros remotos de Marx fueron intensamente mesiánicos, sobre todo desde el siglo XVII. Dos siglos son pocos siglos y Marx pudo abrevar de esa mentalidad. Por otra parte, si Marx decía que «el dinero es el dios secular de los judíos», no veo por qué sería absurdo aplicar esa transferencia de lo religioso a lo secular al propio Marx y verlo como un doctor de la redención. Marx es mucho más que eso, obviamente, pero también es eso.

Epílogo imaginado

Volvamos al principio. ¿Habrías confirmado tu tesis inicial?

Pensaría al menos que el proyecto de los *Heterodoxos judíos,* tal como me lo planteé, no era insensato. Que de verdad existieron esos personajes de frontera, no idénticos pero similares. Esos «judíos no judíos» tenían en común el sueño de la emancipación universal, un sueño en el que Atenas, Jerusalén y la Roma cristiana pudieron comprenderse y respetarse. No me parece arbitrario trazar un hilo que va de Elisha ben Abuyah a Marx. En eso estoy de acuerdo con la tesis de Isaac Deutscher. Su libro comienza recordando un viejo adagio del Talmud: «Un judío que ha pecado sigue siendo un judío». Los judíos marginales que habría abordado en mi libro, y otros más que existieron antes y después, «pecaron» por salir de la tribu, pero desde ese sitio fueron inusitadamente libres, y sirvieron al ideal de emancipación universal. Y al final, aunque algunos lo negaran, siguieron siendo judíos.

¿Cómo pensabas cerrar el libro?

Con una rápida mirada al siglo xx. Tratando de responder qué había pasado con ese sueño de emancipación universal. Habría intentado un recuento desde que Heine emite sus profecías sobre Alemania (1833) hasta el momento en que comienzan a cumplirse (1933). Imposible detenernos en eso. Digamos solo que las décadas finales del siglo xix y las primeras del xx presenciaron una etapa de gran florecimiento cultural (editorial, artístico, intelectual, científico, periodístico, académico) en la que los judíos, postergados por siglos, se apresuraron a subir al escenario de la historia. El fenómeno fue palpable en Austria-Hungría –donde la tolerancia, como vimos, era mayor– y hasta cierto punto en Alemania, es decir, en todo el mundo del idioma alemán. No obstante, en Alemania hubo recaídas muy serias provocadas por el mismo prejuicio antisemita que había aflorado tras la derrota definitiva de Napoleón. Se diría, sobre todo en Alemania, que a cada avance de liberalización seguía una nueva y más aguda reacción nacionalista, racista y judeófoba.

No obstante, parecía que arraigaba la idea de los ilustrados lectores de Spi-noza. No parecía un sueño.

Lo que ocurría es esto: desde las décadas finales del siglo XIX, la heterodoxia –es decir, la vida secular en los márgenes del judaís-mo– pareció perder definitivamente la tensión de los siglos anterio-res. Los conflictos entre la razón y la fe, característicos del siglo XVII y aún del XVIII, se desvanecieron: cada una ocupó su esfera, y se abrió paso una ética de la indagación científica. Todo esto en un marco de creciente tolerancia religiosa y cívica. En un ensayo de 1919, el sociólogo americano de origen noruego Thorstein Veblen describió con claridad el fenómeno:

> Parece ser que el judío [...] solo alcanza a ser intelectualmente creativo cuando escapa de su antiguo medio cultural y se convierte en ciudada-no de la república no judía del conocimiento. Renunciando a su leal-tad a su pueblo de origen, en el mejor de los casos, por obra de una lealtad dividida, se incorpora a la república cultural como un ciudada-no naturalizado, aunque híbrido.

El judío no judío ya era, como se dice ahora, mainstream. *En Europa Central de fin de siglo buena parte de los intelectuales judíos tenían esa «lealtad dividida» o la habían perdido.*

Se habían vuelto cultural, ética y políticamente «spinozistas»: personas que, al margen de su credo, pensaban y actuaban de modo autónomo, creían en la libertad por el saber. Y gozaban de dere-chos cívicos. Veblen acertaba en su caracterización, pero el Tercer Reich introduciría el elemento racial y la antigua «teutomanía» en la vida alemana y europea, y barrería con esos «híbridos», esos im-posibles «ciudadanos de la república cultural».

Antes de que eso ocurriera, ¿algunos veían el peligro?

No al extremo que llegó. Hay un testimonio muy valioso sobre ese momento crucial para los intelectuales judíos. Es de Leo Strauss, un joven filósofo judeoalemán, amigo respetado de Walter Benja-min y formado por Cassirer y Husserl, que en 1925 escribió una tesis sobre «la crítica de Spinoza a la religión». Cuatro décadas más tarde, en un prólogo a una nueva edición, recordaba que su generación había vivido con plena conciencia el «predicamento teológico-político» que se desprendía de Spinoza. Es un párrafo largo, pero muy ilustrativo. Vale la pena citarlo:

Spinoza abría el camino hacia una nueva religión o una nueva religiosidad que inspiraría a una sociedad completamente nueva, un nuevo tipo de iglesia. Se convirtió en el único padre de esa nueva iglesia que sería universal de hecho, no solo de dicho como otras iglesias, porque su fundación no se trataba de una revelación positiva. Era una iglesia cuyos jerarcas no eran padres o pastores, sino filósofos y artistas y cuya grey eran los círculos de cultura y propiedad. Para esa iglesia era de la mayor importancia que su padre no fuera un cristiano sino un judío que había hecho propio el cristianismo de manera informal, sin dogmas ni sacramentos. El antagonismo milenario entre el judaísmo y el cristianismo estaba por desaparecer. La nueva iglesia transformaría tanto a judíos como a cristianos en seres humanos –en seres humanos de un cierto tipo: seres humanos de cultura, seres humanos que por poseer Ciencia y Arte no requieren además de religión–. La nueva sociedad, constituida por la aspiración común a todos sus miembros a la Verdad, el Bien y lo Bello, emanciparía a los judíos en Alemania. Spinoza se convirtió en el símbolo de esa emancipación que llegaría a ser, más que una emancipación, una redención secular. En Spinoza, un pensador y un santo que también era judío y cristiano y por lo mismo ninguno, todas las familias de cultura de la tierra, esperaba, serían bendecidas. En una palabra, el mundo no judío, al ser moldeado en gran medida por Spinoza, se convertiría en un mundo receptivo a los judíos que estaban dispuestos a asimilarse a él.

¡Qué cita fenomenal! Una síntesis de la utopía spinoziana. ¿En qué consistía el predicamento?

En dilucidar si Spinoza estaba en lo cierto. Si lo estaba, la concordia sería posible en Alemania sobre la base de la razón. Si no lo estaba, había que entender que la emancipación era un sueño, despertar de él y salir lo antes posible. No había una tercera alternativa en Alemania. La alternativa era morir. Y la historia desmintió a Spinoza.

El problema judeoalemán no era manejable: era insoluble. En 1919 muchos culparon a los judíos de haber desatado la guerra en 1914 (aunque los judíos se alistaron y pelearon en ella del lado alemán y austrohúngaro). Unos los responsabilizaron del triunfo bolchevique. Otros de la derrota ante los Aliados. Otros más de la carestía y la inflación, de pactar con los Aliados, o con los rusos. No había escapatoria. De la discriminación se pasó a la persecución y de la persecución al exterminio. Como había predicho Heine un siglo atrás, en 1933 comenzaron a quemar libros y, en 1939, personas.

¿Cuál fue la huella o el legado de Spinoza, Heine y Marx en el siglo xx? Creo que la historia desmintió la perfectibilidad humana en la que los tres creían.

Creían en ella, pero en distinto grado y manera. Spinoza desde la razón, Heine como una hazaña de la libertad, Marx a través de la revolución redentora.

Pienso que el más realista y terrenal fue Spinoza.

Yo también. El amor intelectual a Dios, o sea a la naturaleza, era su camino a la perfectibilidad humana, pero estaba limitado a unos cuantos, porque no se hacía ilusiones sobre las pasiones de las mayorías. Y por eso Spinoza fue un precursor de la moderna democracia liberal, con su muy humana imperfectibilidad, pero también con sus principios de racionalidad y tolerancia. El siglo XX sería el escenario donde las ideas de Spinoza sobre el lugar de la razón en la vida humana encontrarían su prueba mayor. ¿La perdió? A juzgar por

lo ocurrido entre 1914 y 1945, sin duda. ¿Definitivamente? No estoy seguro, no quiero estar seguro.

También Heine hallaría la prueba mayor en el siglo XX.

Es el poeta de la libertad, tal como tú y yo la entendemos. Libertad frente al poder y los poderes. También para Heine el siglo XX sería el escenario de la mayor prueba. ¿La perdió en Alemania, en Europa, en Rusia? Sin duda. Basta recordar a los muertos de las guerras mundiales y civiles, el Holocausto y el gulag. ¿La perdió definitivamente? No lo creo. No puedo creerlo.

Cabría decir que, en alguna medida, el siglo XX fue el siglo de Marx.

Lo fue en la medida en que la revolución atravesó el siglo de 1917 a 1989. Marx busca algo distinto a la libertad de la persona, busca la liberación colectiva. La prescribe y profetiza por vías redentoras. Por ese impulso mesiánico, Marx me parece el más judío entre los judíos no judíos. Discutiremos hasta el final de los tiempos si libertad y liberación convergen. Yo creo que no. Yo creo que la libertad es siempre individual y la liberación es la engañosa libertad de los colectivos, que tiene otro nombre: poder. Y creo que eso justamente ocurrió con sus ideas: terminaron por voltear la emancipación contra sí misma. Lector de Spinoza y amigo de Heine, confundió la razón con la razón histórica y prohijó una ideología de la liberación que aplastó la libertad. Claro que es discutible si Marx, que murió en 1883, tiene alguna responsabilidad de lo ocurrido en nombre suyo en el siglo XX. Si ese desenlace estaba o no implícito en su doctrina. En todo caso, el siglo XX fue también su lugar de prueba. Y es un hecho que la revolución no coincidió con sus deseos, análisis y profecías.

Hablas del siglo XX como el lugar de prueba. ¿Cuál fue para el epicentro?

Alemania. Del gabinete de sus pensadores habían salido las ideas nacionalistas por las que se quemaron libros y personas. Y también de ahí salieron las ideas revolucionarias que, como dijo Dostoyevski, «incendiaron las mentes de los hombres» en Rusia y después en China, América Latina, el mundo…

¿Qué siguió después de ese viaje?

Pensar el siglo XX.

¿Cuál habría sido el mensaje para este siglo XXI?

¿Qué nos queda sino recurrir a la razón? ¿Quién nos queda, si no Spinoza?

Vuelvo a George Steiner: «Un libro no escrito es un algo más que un vacío. Acompaña a la obra que uno ha hecho como una sombra irónica y triste; es una de las vidas que podríamos haber vivido, uno de los viajes que nunca emprendimos». ¿Qué ha significado para ti la privación de ese libro?

Como dice Steiner, una sombra irónica y triste. Una vida intelectual que no tuve. No me arrepiento. Me hizo creer en la razón tolerante y la libertad individual, me hizo desconfiar del mesianismo y la redención. Además, ese libro no quedó en el olvido. Lo he estado «no escribiendo» desde entonces todo. Recrearlo y en cierta forma crearlo ahora junto contigo ha sido un consuelo.

Cuarta parte
BIBLIOTECA PERSONAL

XII. Riesgos del mesianismo

Pensar el siglo xx

En tu biblioteca judía de Ámsterdam había otras colecciones que acompañaron tu vida de lector. Me llamaron la atención los autores de Europa Central. Por ejemplo, Walter Benjamin, Gershom Scholem, Franz Kafka. Tenías también libros de la Escuela de Frankfurt. Y recuerdo a Hannah Arendt, que no ha perdido vigencia, y a los novelistas Jakob Wassermann, Stefan Zweig, Joseph Roth. Los dos últimos han sido traducidos profusamente en España: novelas, ensayos, diarios, cartas. Parece una biblioteca preconcebida.

Así parecen todas. Pero no tracé ningún plan previo para leerlos. Ese plan se fue revelando con el tiempo. Y con el tiempo vi que mi interés subyacente era pensar el siglo xx. Yo nací a mitad del siglo, cuando el Holocausto acababa de consumarse y el estalinismo entraba en su etapa final. Al crecer, sentí la necesidad de voltear hacia atrás para comprender los motivos, las ideas, los hechos, los estragos del poder totalitario en sus dos vertientes. Y hacerlo desde la única perspectiva posible para mí. Primero, la de un joven judío cuya familia se había salvado –en parte– de morir en el Holocausto. Segundo, la de un joven intelectual mexicano que iba forjando una conciencia liberal frente a una cultura de izquierda marxista y revolucionaria.

Aunque los autores que mencionamos son judíos, no pertenecen propiamente a la tradición en ídish, polaca o rusa, de donde provenías. Supongo que tu abuelo no los leyó.

Los autores que él leyó pertenecían a un mapa humano y cultural arrasado por el Holocausto. Esa tradición literaria en ídish estaba prácticamente segada. Quedaba de ella el recuerdo de un mundo destruido, su mágica recreación, como en la obra de algunos poetas o en la de novelistas como Isaac Bashevis Singer o Shmuel Yosef Agnón, también Premio Nobel, que siendo originario de Polonia se exilió en Israel, cambió el ídish por el hebreo y recreó aspectos místicos y teológicos impenetrables para un lector común como yo. Es decir, había escritores vivos en Estados Unidos o Israel que siguieron ocupándose por un tiempo de la vida en los (pueblitos) judíos de Polonia, y a mí me importaba no olvidarlos, pero yo quería entender el siglo xx. Y para eso me acerqué a esos autores centroeuropeos. Por otro lado, no ignoraba la obra de grandes escritores de origen judío en Estados Unidos o la nueva literatura israelí en hebreo. Por mencionar algunos nombres: Saul Bellow, Philip Roth, Bernard Malamud, Amos Oz, etcétera, pero con algunas salvedades (como el israelí Aharon Appelfeld) en general escribían sobre su circunstancia presente, y a mí me interesaba el pasado.

José María Pérez Gay te había recomendado a algunos de esos autores centroeuropeos. ¿Conversaste con él sobre ellos?

Chema y yo en realidad nunca volvimos a conversar después de 1975, o quizá antes. Chema los tenía en un altar, también yo, por razones distintas. Él compartía el mesianismo laico de algunos de ellos, yo no. Él simpatizaba con el marxismo heterodoxo de varios de ellos, yo no. Pero su destino nos conmovía por igual. Chema, alemán adoptivo, convivió con muchos jóvenes alemanes de izquierda que sentían vergüenza por el nazismo, y a eso atribuyo también su interés por esos temas y autores. El mío era llevar a la práctica el *Yizkor*, el deber de recordar el siglo xx y, como te digo, procurar entenderlo a través de esos escritores.

¿Era reconocida en los años setenta la importancia de esos autores? No me refiero a Kafka, que era ya un clásico…

Habría que ver caso por caso. Zweig estaba olvidado, y hace unos años se ha vuelto a poner de moda. Joseph Roth ha sido valorado cada vez más. En ese tiempo me suscribí a la *New York Review of Books* y al *Times Literary Supplement*, y advertí el creciente interés por esos autores, por ejemplo, las excelentes reseñas sobre Gershom Scholem y Walter Benjamin de Leon Wieseltier –joven escritor que sería después el editor de *The New Republic*, y un gran amigo–. Otra lectora entusiasta de esos autores –que en cierta forma fueron sus ancestros– fue Susan Sontag, amiga y colaboradora de *Vuelta*. Además, comenzaron a circular libros sobre la Belle Époque, la Primera Guerra Mundial, la Revolución rusa, la República de Weimar, el ascenso del fascismo y el comunismo, la Segunda Guerra Mundial, el Holocausto. El pasado se hacía presente.

¿Por qué pasaron más de dos décadas desde el fin de la Segunda Guerra para que cobraran vigencia?

Fue un proceso paulatino. Los cincuenta buscaban a toda costa olvidar, fue una década de escapismo. Los sesenta fueron la década del utopismo, cuando los jóvenes se identificaron con el espíritu contestatario de la Escuela de Frankfurt, a la que pertenecían algunos de esos pensadores. No había tiempo para digerir lo que había ocurrido antes. De pronto, aquel pasado volvió, con gran fuerza. En esto la figura de Hannah Arendt fue pionera: su obra sobre *Los orígenes del totalitarismo* fue muy leída desde su publicación en 1951. Ahora, la memoria colectiva vuelve una y otra vez a ese pasado para entender el presente. Por eso seguimos leyéndolos.

¿Esa familia de autores –llamémosle así– tenía algo en común con los heterodoxos?

Fueron sus nietos románticos. Vivieron en el epicentro del lugar de prueba y fueron sus testigos, en el sentido bíblico del término. Vivieron para dejar testimonio. Resuelto el predicamento spinozista, quedaba claro que los judíos en Alemania no tenían futuro. Si la emancipación había sido un sueño, se abrían pocos caminos. Algunos optaron por una vuelta al origen judío y tomaron los caminos de la mística. Otros optaron por la fe y la acción revolucionaria. Otros optaron por no optar. Algunos se salvaron, la mayoría pereció.

Creaban al filo del abismo.

Hace poco leí una cita del historiador George Mosse: «La era incansable del incansable judío encarnaba en una desesperada modernidad». Acá la palabra clave es «desesperada».

Biografías intelectuales nunca escritas, biografías imaginadas. ¿Por dónde comenzar?

Por los que tomaron los caminos de la mística. Tuvo diversas derivaciones: espirituales, intelectuales, políticas, literarias. Algunas fascinantes, otras trágicas y otras más reveladoras. Su común denominador fue una vuelta al pasado judío. Pero no a cualquier pasado, sino al de ciertas corrientes místicas muy antiguas, relegadas por la ortodoxia y el racionalismo. Las figuras que abrieron paso en ese camino fueron el filósofo Martin Buber y el teólogo Franz Rosenzweig. Buber fue una figura central: editor, maestro, ensayista, recogió las leyendas jasídicas del siglo XVIII. Y Rosenzweig escribió *La estrella de la redención*, un tratado teológico sobre la renovación espiritual de los judíos. Fueron estudiosos del misticismo, pero al mismo tiempo –de manera compleja– participan intensamente de él. A esta corriente pertenece el historiador Gershom Scholem. Gracias a él leí la historia judía con otros ojos, desde una heterodoxia desconocida para mí: la heterodoxia de las corrientes místicas. Y en esa heterodoxia había una idea perturbadora para todos los tiempos, incluidos el siglo XX y el XXI: la idea mesiánica. Según Scholem, a esa corriente mística y mesiánica perteneció su gran amigo el ensayista Walter Benjamin. Y, en opinión muy fundamentada de ambos, Franz Kafka. Leer a esos autores, en especial al triángulo Scholem, Benjamin, Kafka, fue una de las formas que encontré para honrar el legado judío y pensar, desde la perspectiva de sus vidas y obras, al siglo XX.

Gershom Scholem: los falsos redentores

¿Cómo respondió Scholem a la prueba?

Scholem nació a fin de siglo en Berlín. Era hijo de un próspero industrial y tenía tres hermanos. Reaccionó desde muy joven negando toda posibilidad de solución para la cuestión judeoalemana. Repudió la confiada asimilación de sus padres, las fantasías germanófilas de un hermano, la pasión revolucionaria de otro. Y optó por la vuelta al origen. Por un lado, el estudio de la mística judía. Por otro, emigró a Palestina. Y desde Jerusalén, adonde llegó en 1923, descubrió la Atlántida de la historia judía. Scholem fue el Freud y el Jung del inconsciente colectivo judío. Ese inconsciente colectivo que se extiende por dos mil años está integrado por un corpus gigantesco (la Cábala) de obras, corrientes, ideas y también por personajes místicos, a menudo mesiánicos, que representaron y representan aún un desafío frente a la ortodoxia. El jasidismo tiene ese origen: apela a la emoción, al éxtasis, a la contradicción y la transgresión. Por eso lo combatió tanto el racionalismo ortodoxo o conservador. La historiografía decimonónica que aprendí en el Colegio Israelita, de la que hablamos en nuestra primera conversación, nunca supo qué hacer con ese corpus cabalístico, salvo considerarlo delirante. Pasaba con esa historia lo que tú dices: no quería moverse del racionalismo, no quería sumergirse en la irracionalidad simbólica del misticismo. De ahí la importancia de Scholem. Recuperó esa zona reprimida de la historia judía: el misterio, el símbolo, el mito. Ese es el tema de *Major Trends in Jewish Mysticism*, su historia del misticismo cabalístico. Me interesó a tal grado que en un arranque de irreflexión le propuse traducirlo a Jaime García Terrés, director del Fondo de Cultura Económica. Años más tarde, gracias a Jaime, apareció una traducción profesional. Supongo que, al estudiar las heterodoxias de la Cábala en Scholem, participaba yo modestamente, como lector, en esa misma vuelta al origen del judaísmo. Lo leí buscando una clave espiritual en la historia. El propio Scholem lo sugirió en una entrevista: si la humanidad perdiera el sentimiento de que hay un misterio en el mundo, entonces todo estaría acabado para el género humano.

Ya me dirás si encontraste la clave, el misterio.

No sé si encontré una clave, pero Scholem me regaló muchas horas de lectura sorprendente. Pero más que el libro sobre la Cábala me interesó *The Messianic Idea in Judaism*, que explica los orígenes cabalísticos del mesianismo. Esa obra me tocó particularmente porque contenía una clave histórica. Piensa en esto. Parecería que a cada cataclismo de su historia los judíos responden con un nuevo ímpetu mesiánico. La caída de Jerusalén en el siglo I y la expulsión de Sefarad a fines del XV provocaron, cada una, reacciones mesiánicas. Así también, el vislumbre de un cataclismo incomparablemente mayor que los anteriores provocó reacciones telúricas, mesianismos seculares. Scholem entendía estos cataclismos mejor que nadie. No era mesiánico, pero dedicó su vida a estudiar a profundidad el mesianismo, idea central del judaísmo.

Siempre he querido ahondar contigo en el tema del mesianismo, porque es importante en tu obra.

Es un elemento, nada más. Un elemento que no está en mi imaginación sino en la realidad. ¿Cuándo vendrá el Mesías?, fue una pregunta que torturó al pueblo judío, pero los teólogos y moralistas ortodoxos no pusieron tanto énfasis en ella como en el cumplimiento estricto de la ley, su correcta interpretación y su transmisión a lo largo de las generaciones. En cambio en la tradición mística, es decir, en la Cábala, el Mesías es la pieza que falta para completar todo: historia, tiempo y verdad. Su llegada –en un marco de destrucción apocalíptica– recompondrá el mundo, recogerá los fragmentos dispersos, revivirá a los muertos. Los cabalistas místicos del siglo XVI intentaron responder a esa pregunta desentrañando los más recónditos significados de las Escrituras. Todo es símbolo, todo está oculto, todo es susceptible de interpretación. Visto en un plano espiritual, poético, místico, este esfuerzo es apasionante, inagotable y casi imposible de comprender por el hermetismo de su lenguaje. Además, para alguien que ignora el hebreo antiguo, las discusiones son impenetrables. El mérito de Scholem es haber rescatado ese inmenso continente sumergido para explicarlo en toda su complejidad. Leyéndolo, uno comprueba los pasmosos extremos a los que lleva la imaginación humana aplicada a la búsqueda de Dios o, en este caso, del Mesías. Pero, vista en el plano terrenal, la idea mesiánica hizo estragos dentro del judaísmo. Y esa idea se proyectó sobre la historia universal, haciendo aún más estragos. Esa es la importancia que le doy a la idea mesiánica.

¿Cuál es, en pocas palabras, la incidencia de la idea mesiánica en la historia judía?

En su versión más moderna, para los judíos el asunto tiene que ver con la expulsión de España en 1492. Aquel cataclismo pareció entonces un acto de Dios que era preciso interpretar en clave mística.

Algo se había roto en el orden cósmico pero ese orden esperaba una nueva recomposición –*Tikkun*, en hebreo– cuyo significado no podía ser otro que el esperado arribo del Mesías. De pronto, a mediados del siglo XVII, justo en tiempos de Spinoza, aparece en Esmirna, el corazón del Imperio otomano, un personaje llamado Sabbatai Zevi (se pronuncia Tzvi) a quien anuncia el profeta Nathan de Gaza –una especie de Juan el Bautista, pero cabalista–. Ese llamado resuena en todo el mundo judío de la época, hasta las posesiones holandesas en Brasil, el Caribe y Nueva York. Y desata la locura: los judíos comenzaron a abandonar masivamente sus hogares para peregrinar a la tierra prometida.

Hay una moraleja en los falsos mesías: poner la fe en un advenimiento futuro es dejar de vivir, dejar de hacerse cargo de la propia vida.

Conozco un poco la historia de Sabbatai Zevi. Y lo que ocurrió fue asombroso. Preso por el sultán en 1666, terminó por convertirse al islam.

Pero provocando una especie de terremoto de desánimo y desesperación. Imagínate: el Mesías renegando de su fe, el Mesías convertido al islam. Se derrumbaba la esperada materialización de la promesa que había ido actualizándose por generaciones por más de dieciséis siglos. Es el tema de la biografía *Sabbatai Sevi: The Mystical Messiah*, que escribió Scholem y que leí en 1980, apenas salió, en un estado de exaltación aterrada, como pocos libros en mi vida. Y es que mostraba el influjo que la idea mesiánica asociada a la figura carismática de un solo hombre puede tener en el ánimo colectivo. Yo había estudiado el liderazgo carismático en la obra de Max Weber, donde aparece en sus variedades religiosas y políticas, pero descrito científicamente –como hacía Weber– sin valoración alguna. En Scholem vi las consecuencias. Vi la desolación que el líder carismático deja a su paso cuando se descubre como lo que fatalmente es, un ser humano. El libro es un monumento a la historiografía, toda la historia social y religiosa del misticismo judío en el imperio otomano, en los confines de Europa y hasta en América, condensada en la vida de aquel personaje depresivo y mitomaniaco que creyó ser el Cristo de los judíos y desató el Apocalipsis. En la escuela habíamos estudiado el episodio de aquel «falso Mesías», pero con cierto desdén, sin comprender los complejos elementos de delirio religioso colectivo que se pusieron en marcha, fenómenos de masa no muy distintos a los que enloquecieron al siglo xx. Hay muchos ecos de ese episodio en la literatura. Para mí, el más notable es el capítulo introductorio de la novela *Los judíos de Zirndorf*, de Jakob Wassermann, donde se narra la esperanza mesiánica en el pequeño pueblo alemán donde nació, el éxodo que emprendieron en caravanas migrantes, la noticia infausta de la conversión que les llega en el trayecto, y finalmente las furias medievales que se desataron contra ellos cuando era clara su indefensión: robos, asaltos, degüellos y asesinatos a mansalva. Un presagio espantoso de lo que vendría tres siglos después. 1666 fue un año nefasto en los anales judíos. Además de la apostasía del Mesías de Esmirna, las persecuciones de los cosacos en Ucrania. Y el suicidio colectivo de los judíos en sus cementerios, llamado *Kiddush Hashem*, «en el nombre de Dios». Unos por el vacío que dejó la fe mesiánica, otros para defender su fe.

¿La mayoría de los seguidores de aquel falso Mesías se resignó a volver a la antigua fe?

Sí, pero no todos. El caso es aún más complejo porque la fe mesiánica es un imán poderosísimo y muchas veces irreversible. La conversión de Sabbatai Zevi al islam generó una adhesión secreta a su figura con la aparición de sectas llamadas «sabateanas» (palabra derivada de su nombre), que interpretaron su apostasía como una forma depurada y más profunda del judaísmo. Scholem lo llama «redención a través del pecado». Algo que ocurre en otras religiones también. Y aparecieron otros falsos mesías. Los sabateanos o sabateos engendraron a Jacob Frank, cuyos fieles siguieron siendo un factor disruptivo hasta bien entrado el siglo XIX. En fin, la idea permeó tanto que hasta figuras políticas seculares como Theodor Herzl tuvieron que luchar para no ser considerados como Mesías. Mientras hablamos, me viene a la mente una canción en ídish que cantábamos en la escuela, y terminaba así: «el Mesías no tarda en venir». Nunca vino, y mejor así.

Conozco, ahora que lo mencionas, otro caso: el de la comunidad sabateana de Dönmeh en Salónica. Se convirtió al islam aunque sus miembros conservaron costumbres judías. Dönmeh significa «volverse» o «convertirse» en turco. Eran trescientas familias, muchas de ellas poderosas, que contribuyeron a la secularización del Imperio turco-otomano hasta el punto de impulsar la aparición del movimiento de los jóvenes turcos. Hay quien sostiene que Kemal Atatürk tuvo vínculos con ellos.

Muy interesante. No me sorprende ese desenlace, porque Scholem sugiere la conexión de sabateanos con los movimientos revolucionarios del siglo XIX. Traían un tremendo potencial disruptivo.

Una curiosidad. Todo este episodio estalla en 1666. Es contemporáneo a Spinoza. ¿Se enteró de esos hechos? ¿Escribió sobre ellos?

Seguramente sí. Había interrumpido la *Ética* para escribir su *Tratado teológico-político*. Pero la carta a un corresponsal inglés que le preguntaba expresamente por esos hechos se extravió. En la comunidad judía de Ámsterdam hubo opiniones encontradas entre los rabinos mayores sobre el Mesías de Esmirna. Lo que sí sabemos es que Spinoza veía como algo natural la vuelta de los judíos a su tierra de origen. Quizá esta idea le vino como respuesta al mesianismo sabateano. Si tanto los odiaba el entorno, debían emigrar a Palestina, sin esperar el advenimiento de un líder, pero les faltaba fuerza y resolución, les sobraba debilidad. Por supuesto, Spinoza escribió eso sin el más mínimo romanticismo, sin ninguna emoción nacionalista u orgullo tribal. Una reflexión, diría él, nacida de la observación de los hechos tal como se dan y pudieran darse. Y, como un acto de realismo, ocurrió tres siglos después, en el sentido en que Spinoza lo anticipó. Cuando por fuerza de la persecución entendieran que no había alternativa, dejarían ese espíritu que Spinoza llama –feamente– «afeminado» (como sinónimo de debilidad o pasividad) y buscarían a toda costa la alternativa política de fundar un Estado. Y así ocurrió. Por cierto, David Ben-Gurión fue spinozista, en el sentido de crear un Estado judío laico o secular. Pero Spinoza seguramente habría notado que ese Estado se fundaba sobre una exclusión de origen, la del pueblo palestino. Y no le sorprendería entonces que debido a ese agravio, de manera natural, el conflicto siga hasta ahora.

Scholem fue el más respetado estudioso judío del mesianismo religioso, ¿cuál era su postura frente al mesianismo político?
Scholem llegó a Palestina por un impulso romántico de tintes anarquistas. En la construcción de los primeros *kibutzim* no había proyectos de dominación política sino la idea de una sociedad igualitaria y libre. Pero ir a Palestina significaba también un regreso a la tierra prometida. La creación de una comunidad espiritual que restauraría la esencia del judaísmo. Ese doble romanticismo –histórico y anarquista– ocultó una verdad incómoda y terrible: la tierra de Israel estaba habitada por el pueblo palestino. Scholem creyó en la posible convivencia entre árabes y judíos, y trabajó por ella. La trágica realidad volvió infructuoso ese esfuerzo, pero cuando vio aparecer el mesianismo político lo criticó severamente. Para entender y

dar a entender esto, traduje una entrevista con Scholem que publicamos en *Vuelta* titulada «Los riesgos del mesianismo». Muy reveladora. En 1967, inmediatamente después de la Guerra de los Seis Días, Scholem y un puñado de intelectuales habían propuesto la devolución unilateral de los territorios ocupados. Sostenía que aquel triunfo militar abría un «momento plástico», de esos que ocurren rara vez, en el que se puede incidir en la historia para bien. Había que aprovecharlo para negociar la paz duradera. Desgraciadamente, no se hizo. Y en 1980 su condena a los delirios mesiánicos de los radicales israelíes era total:

El mesianismo ha atraído siempre, fatalmente, a los judíos [...] Ahora tenemos el grupo *Gush Emunim* que es también, sin duda, un grupo mesiánico. Utiliza citas bíblicas con propósitos políticos. Cada vez que el mesianismo se introduce en la política surgen los peligros y el único desenlace previsible es el desastre [...] Los *Gush Emunim* se parecen a los sabateanos. Su programa mesiánico, como el de aquellos, no puede desembocar sino en el desastre. El fracaso del sabateanismo tuvo solo consecuencias espirituales; la quiebra de creencias en el judaísmo. Ahora las consecuencias de ese mesianismo son también políticas. Ahí está el gran peligro.

La historia de los movimientos mesiánicos, obviamente, no es solo típica de los judíos. Ha habido toda suerte de movimientos mesiánicos en el islam. Y conoces el sebastianismo portugués y los mesianismos de Brasil, que Euclides da Cunha inmortalizó en Os Sertões *y Mario Vargas Llosa recreó en* La guerra del fin del mundo.

El mesianismo está arraigado en la religiosidad monoteísta. En el caso del judaísmo, tiene dos caras que Scholem define en un párrafo memorable:

Hay algo maravilloso en el hecho de vivir en la esperanza, pero hay algo profundamente irreal en ello también. Disminuye el valor singular del individuo que nunca puede sentir plenitud porque la condición incompleta de sus esfuerzos elimina precisamente lo que constituye su más alto valor. De ese modo, la idea mesiánica en el judaísmo ha implicado

521

una vida que se vive difiriéndose, una vida en la que nada puede hacerse en definitiva, nada puede lograrse de modo irrevocable... En un sentido estricto, no hay nada concreto que puedan obtener los irredentos.

Hay entonces una moraleja: poner la fe en un advenimiento futuro es dejar de vivir, dejar de hacerse cargo de la propia vida. Por otra parte, esa vida diferida, esa espera infinita, engendra una desesperación tal que busca una solución súbita: la del Mesías que lo resolverá todo. Estas conductas colectivas han costado mucho, no solo a los judíos, sino a todo pueblo que ha sucumbido al embrujo. Por desgracia, a juzgar por la historia que rescata Scholem (que en el fondo no es distinta a la de cualquier otro pueblo cristiano o musulmán), la razón es débil frente al mito, el símbolo y el misterio y el influjo mesiánico de un hombre providencial.

¿No te parece que esta historia de las ideas mesiánicas deja de lado la historia social y económica? ¿No es eso una limitación general de la historia de las ideas?
Las ideas, como nunca se cansó de repetir Isaiah Berlin, son armas muy poderosas, sobre todo –decía él– si se toman en serio. No solo las ideas filosóficas, sino religiosas. La idea mesiánica lo comprueba: el delirio de Sabbatai Zevi se posesionó de los judíos al margen del país del que provenían o la clase social a la que pertenecían. Así ocurre con los movimientos mesiánicos revolucionarios. En esto Marx tuvo menos razón que Weber: la religión y las ideas son tan estructurales como la economía, y a veces son aún más determinantes.

Has sido muy crítico del mesianismo político de los últimos años.
Ha sido un tema recurrente en estos años, pero yo tenía ya esa convicción crítica desde los años setenta, gracias a esas lecturas de Scholem. A mí no me inspiraban devoción esas historias. Me provocaban tristeza y veía reflejada su irracionalidad en los modernos movimientos mesiánicos. Scholem me hizo ver la centralidad de la idea mesiánica en los revolucionarios marxistas o similares: su ideal era la liberación de todos, la justicia para todos, el pan para todos,

logrado a través de la violencia redentora, partera de la historia, sangre sagrada. Pero esos movimientos estaban destinados a fallar porque en la índole misma del mesianismo está la fascinación por el martirio, la catástrofe y la muerte. El mesianismo engendra falsos redentores que causan enorme daño. El mesianismo concibe ideologías fantasiosas que obnubilan a los pueblos. El mesianismo no es ni debe ser de este mundo. Una de las pruebas más trágicas de ello está en la vida y la obra del gran amigo de Gershom Scholem, Walter Benjamin.

El extravío teológico de Walter Benjamin

¿Puede decirse que, junto a Marcuse, pero con un impacto mucho más duradero, el auge extraordinario de Benjamin también fue producto del 68?

Benjamin trajo consigo una renovación del marxismo occidental por la vía de la crítica cultural y estética. Aunque su fama data de las primeras ediciones que hizo Theodor Adorno en Alemania en los años cincuenta, fue la benemérita Hannah Arendt quien lo puso a circular desde 1968 en la edición en inglés de *Illuminations*. Pero el cuadro que describes no corresponde a Inglaterra, porque ahí el marxismo intelectual tenía una tradición más estrictamente social y empírica, y exponentes más cercanos a Engels y Marx. Pienso en E. H. Carr, Christopher Hill, E. P. Thompson y Eric Hobsbawm, que además de ser grandes historiadores fueron grandes escritores.

Benjamin tuvo un auge académico permanente, porque su crítica (no siempre bien entendida ni aplicada) permeó a los departamentos de literatura. También en Alemania y Francia encontró una entusiasta recepción editorial, intelectual y académica. ¿Estaban al tanto en Vuelta *de este desarrollo?*

En *Vuelta* no lo acompañamos particularmente, pero hacia 1979 publicamos un largo, elogioso y muy completo ensayo de Susan Sontag sobre el Benjamin que a ella le interesaba, no muy distinto al de Arendt: no el místico judío (el Benjamin de Scholem) ni el marxista heterodoxo que desconcertaba a Brecht y Adorno, sino el personaje solitario y melancólico, el metafísico alemán, el crítico literario, el filósofo del lenguaje, el esteta baudelairiano.

Me hablaste ya de la impresión que te había producido años atrás la edición que hizo José Emilio Pacheco del ensayo París, capital del siglo XIX, *que era parte de aquel proyecto monumental en el que Benjamin trabajó por más de una década desde 1928.*

Yo nunca había leído algo así. En Benjamin la lectura materialista de la historia dejaba de ser árida y científica para volverse poética. Era como leer *El 18 brumario de Luis Bonaparte* (que le gustaba tanto a Benjamin), pero en una prosa llena de insólitas estampas culturales sutilmente hilvanadas al libreto de la lucha de clases.

¿Cuál era el Benjamin que te interesaba a ti?

En un principio, el lector de vidas y obras de artistas y escritores desde la perspectiva revolucionaria. Llevado por esa primera lectura, adquirí *Iluminaciones*. Lo publicaba Taurus, de Pancho Pérez González, querido amigo español que conocería mucho después. Los ensayos estaban traducidos precisamente por el director editorial de Taurus, Jesús Aguirre. Contenía sus famosos textos sobre Proust, Gide, el surrealismo, Kafka y otros más. Tengo subrayadas sus críticas a los intelectuales –aun los más finos, como Valéry– que no habían entendido el cambio de los tiempos y las exigencias de la Revolución mundial. Por eso Benjamin admiraba que Gide se hubiera vuelto comunista. Yo quería aplicar esos criterios a la tesis de historia sobre los intelectuales en México, que apenas comenzaba a bosquejar. Para mí, en ese entonces, no había más intelectual que el intelectual comprometido con la Revolución, y Benjamin era el ejemplo. Te estoy hablando de octubre de 1971, así que ahí puedes ver claramente mi simpatía por esa corriente. Contradictoria, en muchos sentidos, con mis lecturas.

Eran tiempos anteriores a tu contacto con Plural, *con Zaid, con Paz.*

Aunque había leído a Popper, no resolvía aún mi disonancia cognitiva. Quizá Benjamin contribuyó a acentuarla. Benjamin era como Marx en modo estético. Ese era, creo yo, su gran atractivo. Esa fue mi primera etapa como lector de Benjamin.

Benjamin y Scholem fueron grandes amigos. ¿Tu interés por Scholem te hizo ver de un modo diferente a Benjamin?
Hacia 1977, cuando entré en su órbita, entendí que Scholem poseía una clave maestra para comprender a su amigo. En otras palabras, encontré al Benjamin judío.

Pero Benjamin, que yo recuerde, no escribió muchos textos sobre judaísmo.
Pero la lectura de Benjamin que hace Scholem en esa clave permite entender la matriz que subyace en su obra. Esa matriz, o ese molde espiritual, es tan importante como la formación original de Benjamin en la cultura alemana.

Tu amigo Mark Lilla escribe que, desde su juventud, Benjamin comulgó con la crítica romántica alemana a Kant y la Ilustración y por eso quiso acercar la filosofía al arte, no a la ciencia; a la naturaleza, no a la técnica. Benjamin estuvo muy influido por el vitalismo de Ludwig Klages y por Johann Jakob Bachofen, etnólogo del siglo XIX.
Esa misma pauta la aplicó al judaísmo: adoptó la renovación espiritual del teólogo Franz Rosenzweig frente a la filosofía racionalista del filósofo Hermann Cohen, que creía posible compaginar el judaísmo con los imperativos éticos de Kant. El romántico Benjamin está en el cruce de esas dos tradiciones intelectuales: es un militante intelectual del romanticismo tanto en Berlín como en Jerusalén.

¿Cómo encaja Benjamin en la emancipación denegada a los judíos alemanes que has venido trazando?
Benjamin fue un caso extremo de ese desencuentro, de esa ingratitud. La vieja historia de Heine (con quien, por cierto, estaba emparentado por la vía materna) pero en un contexto mucho más violento e incierto. Benjamin era ante todo un autor alemán. Su tesis de doctorado fue sobre el concepto de la crítica de arte en el romanticismo alemán. Luego escribió un libro sobre la dramaturgia del barroco alemán. Esa inmersión completa le llevó un lustro.

No obstante, quizá por razón de ser judío, pero también por la dificultad de sus textos, nunca pudo encajar en el orden académico alemán. Aun en la república literaria era inclasificable, excéntrico. Unos lo consideraban oscuro e impenetrable. Otros, genial. Pero no hay duda de que él buscaba para sí (como Heine) un lugar de excepción en el banquete de la cultura alemana. Hay un texto suyo en *Calle de sentido único* que me llamó mucho la atención. Se llama «Comedor» y recoge un sueño. Benjamin visita a Goethe, ya muy viejo, en su estudio. El poeta supremo lo trata con afabilidad y lo invita a cenar. Cuando entran al gran salón comedor, se da cuenta de que sobran sillas en la mesa, pero entiende que Goethe había invitado también a su familia y a sus ancestros remotos. Al final de la cena, Benjamin lo toma del brazo y, al hacerlo, llora de emoción.

Heine soñaba en el exilio parisino con Alemania y se despertaba sobresaltado…

Así vivió Benjamin en París. En los treinta dedicó a su hijo Stefan *Crónica de Berlín*. Después de la llegada de Hitler al poder, publicó por un tiempo con seudónimo en Alemania. Poco después en Suiza –también con seudónimo– publicó decenas de cartas y diarios de poetas y filósofos alemanes casi desconocidos. Según entiendo, eran textos originalísimos que solo él, con su amor a la minucia, a la literatura y al idioma alemán, pudo hallar, recopilar, copiar y anotar en bibliotecas, archivos y libros raros que coleccionaba. Tras la guerra, Alemania reparó en lo posible ese acto de ingratitud con Benjamin.

Me gustaría detenerme en su amistad con Scholem en la Alemania convulsa antes y después de la Primera Guerra Mundial. Creo que así podríamos entender cómo esos hombres despertaron del sueño de emancipación, qué opciones tomaron.

Fue una amistad inconcebiblemente culta de dos aves raras, autodidactas, que tomaban de la academia lo que les convenía para construir sus mundos interiores y discutirlos. Una amistad forjada –como dices– al filo del abismo, porque yo creo que ellos, como muchos personajes de su generación, presintieron que sobrevendría el fin del mundo.

Lo fue, sobre todo el fin de su mundo.
En sus memorias *De Berlín a Jerusalén*, Scholem habla de ese vínculo. Donde me acerqué por primera vez a esa notable historia fue en *On Jews and Judaism in Crisis* (1976). Benjamin era cinco años mayor que Scholem. Ambos eran hijos de familias judías asimiladas, es decir, indiferentes a la religión y aun a las tradiciones. Ambos reaccionaron contra esa condición, pero no se hicieron religiosos, se hicieron estudiosos del misticismo judío de maneras distintas: Scholem se volvió un consumado *scholar* en las corrientes cabalísticas y mesiánicas; Benjamin, que las estudió antes, se volvió un extraño practicante de esas corrientes en la esfera secular.

Sé que detestaban a sus padres burgueses (aunque por un buen tiempo vivieron de ellos). El padre de Scholem tenía una gran imprenta y el de Benjamin era comerciante de arte.
El hijo de un editor y el hijo de un anticuario. En ambos casos, infancia fue destino, porque Scholem pasó la vida entre libros, y en los escritos de Benjamin hay mucho del anticuario que colecciona emblemas, timbres y sellos antiguos, tarjetas postales, libros, cuadros. Su mente era un museo de miniaturas y él era el guía e intérprete.

Fueron amigos muy cercanos desde el arranque de la Primera Guerra Mundial.
Desde muy joven Scholem tuvo conciencia de que la emancipación era una peligrosa alucinación. Por eso no dudó en fingir un mal psicológico para evadir la guerra. En cambio Benjamin sí vivió –al menos hasta los veinte años– integrado al entorno cultural alemán, imbuido desde la escuela de emociones patrióticas y nietzscheanas. Esta formación fue profunda y duradera. De ese universo literario y metafísico alemán anterior y posterior a la Ilustración (el barroco y el romanticismo) proviene su concepto de la crítica como una tarea que colinda con la poesía y la profecía, con la magia más que con la fría razón. Además, el joven Benjamin formó parte de

las juventudes alemanas y en un principio, al parecer, quiso alistarse para la guerra. Finalmente, como Scholem, encontró el modo de esquivarla. Ambos coincidieron en Suiza.

Pero entiendo que Benjamin no renegó nunca de su judaísmo, nada que ver con su ancestro Heine.

Su inmersión en el romanticismo alemán era paralela a su inmersión en el romanticismo judío. Frecuentaba círculos literarios judíos, leía revistas como *Der Jude*, de Buber. Asumía que su óptica para ver el mundo partía de valores judíos. Pero tengo la impresión de que en Suiza –por influencia de su amigo Scholem– Benjamin asume más claramente esa otra cara de su Jano personal. Además se había casado con Dora Kellner, la hija del secretario de Theodor Herzl, el fundador del sionismo, con la que tendría a su hijo Stefan. La vida intelectual de Benjamin está ligada a las mujeres que amó. Cosa muy común, obviamente.

Es curioso que Borges viviera en ese mismo tiempo en Ginebra, pero sus caminos no se cruzaran. Hubiese sido notable ese encuentro, ¿no crees? Entre otras cosas porque Borges, como ellos, simpatizaba con la Revolución. Borges llevó más lejos esa simpatía y escribió esos famosos poemas sobre la «Aurora» roja en Moscú.

Y Benjamin era partidario de los socialrevolucionarios alemanes, sobre todo del anarquista Gustav Landauer, líder de la fugaz revolución de Múnich, ejecutado en 1919. Tenían muchas afinidades naturales.

Y la afinidad de vivir el fin de su mundo.

Sin ese estado de ánimo, que no es exagerado llamar apocalíptico, no se explica el carácter místico o la búsqueda mística de sus respectivas obras. Sus maestros son Martin Buber y Franz Rosenzweig. Hay en la obra de todos ellos una reacción al mundo hostil y un viaje de vuelta a la esencia del judaísmo.

Después de la guerra, ¿qué une y qué separa a Benjamin de Scholem? ¿Cuál ha sido tu lectura biográfica?

Ninguno sale ni intenta salir del perímetro judío, pero sus búsquedas se entrecruzan. Uno parte de la periferia al centro, otro va del centro a la periferia. Scholem, cuyo sionismo es espiritualista, va de Berlín a Jerusalén, donde se establece definitivamente en 1923. Ahí se adentra en el estudio del núcleo místico del judaísmo y el universo de la Cábala. Ha cesado su exilio, ha encontrado un hogar. En cambio su amigo Benjamin –que permanece siempre en Europa– parte del núcleo místico del judaísmo (que ha estudiado por su cuenta y en diálogo con Scholem) y desde ahí mira hacia fuera. Quiere que Alemania sea su hogar, pero Alemania no lo acoge, y finalmente lo rechaza. Considera ir a Jerusalén, pero no se decide. No tiene hogar ni lo tendrá.

El exilio es su hogar, es el judío errante. Pero lo que descubre en su errancia es deslumbrante.

A veces pienso en Benjamin como una especie de cabalista de la edad moderna. Y digo cabalista y no talmudista, porque su actitud no es la de un comentarista bíblico que escruta obsesivamente la ley o las Sagradas Escrituras para interpretar la palabra de Dios, sino la del visionario que sale de los libros al mundo y abre todos sus sentidos a la interpretación de la realidad, y a la realidad detrás o debajo de la realidad. El talmudista es un hermeneuta racional, el cabalista es un mago poético. Scholem es un historiador de la magia, Benjamin es un mago que interroga a la historia.

Dices que a Scholem le importaba sobre todo el Benjamin que le era afín. ¿Puedes precisar?

Hay una definición perfecta de Benjamin que acuñó Scholem: «Era un teólogo extraviado en el realismo de lo profano.» Es casi un epígrafe biográfico. Por eso, en *On Jews and Judaism in Crisis*, Scholem sostuvo que el judaísmo era la raíz y el destino último de su pensamiento. Yo creo que Scholem acertaba, pero diluía el poderoso vector del romanticismo alemán en Benjamin. Digamos que en Benjamin el vino nuevo del romanticismo alemán se vertió en el odre viejo del misticismo judío.

¿A qué se refería Scholem cuando habla de su amigo como un teólogo?

En Benjamin, su amigo distingue dos temas teológicos: la *revelación* y la *redención*. En mis modestas lecturas –y de verdad que lo son–, yo me he guiado por esa definición del rigurosísimo Scholem. De otra forma me habría perdido en el planeta Benjamin.

La palabra «iluminaciones», que es el título de un libro suyo, apunta a ese elemento de revelación. ¿Es así?

Es exacto. La revelación es la mejor faceta de ese extravío teológico de Benjamin. Influido por Scholem y con el instrumento de sus propias lecturas místicas y teológicas tanto judías como alemanas, se propone revelar la esencia escondida de la cultura moderna: la literatura, la arquitectura, la fotografía, la radio, el cine. Es el Benjamin que me cautivó, como sigue cautivando a tantos lectores. Quizá porque uno busca el Aleph, y en Benjamin, con frecuencia, hay un Aleph en cada ensayo, en cada fragmento. Esa es, creo yo, la revelación a la que se refería Scholem. El mundo se vuelve un libro sagrado, una «escritura» por descifrar. Con esas claves descubre minucias de la vida, traduce el sentido de los procesos tecnológicos, inspecciona el «aura» –esa marca de la historia– en los objetos que contempla o colecciona: tipografías, caligrafías, emblemas, anagramas, encuadernaciones de libros.

En Calle de sentido único *Benjamin explica la diferencia entre copiar un pasaje y leerlo, y en el precioso ensayo* Desembalo mi biblioteca *dice que la mejor manera de leer un libro es copiarlo.*

Ahí está el escriba judío. Tú sabes que por milenios ha existido entre los judíos la tradición de copista de la Torá. Estas correspondencias entre escritura y lectura son significativas. Así como los judíos leen la Torá, Benjamin lee la Torá del mundo, la escritura revelada en el mundo. Así como los judíos caminan por la Torá, Benjamin camina por los pasajes de las ciudades.

Sorprende la variedad de sus temas: analiza libros de personas dementes, observa la forma en que los niños leen o hacen sus propios juguetes.

Hasta México apareció en un sueño en ese libro. No sé si sepas que Benjamin y Scholem se interesaron en la evangelización de México. Según cuenta Scholem, hacia 1916 Benjamin leyó a fray Bernardino de Sahagún, el gran historiador del mundo mexica y de la conquista española en México que compiló su obra en el siglo XVI. No solo eso, compró el diccionario de Alonso de Molina (también del siglo XVI) para aprender náhuatl. Era parte de su inmersión en los mitos que compartía con Scholem. Bajo la guía del americanista Walter Lehmann, Scholem leyó los himnos religiosos aztecas y, según declara, todavía a sus ochenta años podía recitarlos. Hablando de iluminaciones, con Benjamin le ocurren a uno cosas sobrenaturales. No hace mucho Andrea, mi esposa, me regaló ese libro que mencionas, *Calle de sentido único*. Lo encontró en una librería de Madrid en una colección de libros breves de Benjamin. Al releerlo, abrió al azar la página de este fragmento titulado «Trabajos de ingeniería civil»:

Vi en sueños un terreno yermo. Era la plaza del Mercado de Weimar. Allí se estaban llevando a cabo excavaciones. También yo escarbé un poco en la arena. Entonces surgió la aguja de un campanario. Contentísimo, pensé: un santuario mexicano de la época del preanimismo, el *Anaquivitzli*. Desperté riendo. *Aná* = ana; *vi* = *vie*; *witz* = iglesia mexicana.

Prueba de que Benjamin estaba estudiando el diccionario de Molina.
Además prueba la magia cabalística de Benjamin. Andrea, que es «nahuatlata», me tradujo esa palabra hasta donde se puede. La palabra náhuatl que se distingue es espina, *huitztli*, que en el diccionario de Molina aparece como *vitztli*. Esa podría ser la aguja del campanario; con el *Aná* griego que le antepone Benjamin, se vuelve espina, aguja que se eleva. ¡Imagínate las permutaciones cabalísticas que se pueden hacer con esas tres palabras!

A Scholem le habría fascinado. La segunda categoría de Benjamin, según Scholem, es la redención, y esa es la problemática.
Le preocupó explícitamente a Scholem la contigüidad del pensamiento mesiánico de su amigo con las corrientes más reaccionarias

de la derecha nacionalista alemana. En 1921, Benjamin escribió un denso ensayo sobre la violencia basado en Sorel donde habla de la violencia creadora de nuevas leyes, tesis que podría ser utilizada por los nacionalistas o los comunistas.

De nuevo te cito a Mark Lilla, el gran historiador de las ideas. Afirma que en ese tiempo Benjamin estuvo influido por Carl Schmitt, el futuro teórico del nazismo que en 1922 publicó su Teología política *en la que proponía que el gobernante, lejos de plegarse al titubeante y vacío liberalismo parlamentario, debía ejercer la autoridad abierta y arbitrariamente (decisionismo). Ya convertido al marxismo, en 1930 Benjamin dio a Schmitt muestras de reconocimiento.*

En otro texto de esos años, «Fragmento teológico-político», Benjamin sostuvo que la redención no está en manos del hombre porque corresponde al ámbito de lo divino, pero por vías misteriosas, impenetrables, la revolución puede contribuir a ese advenimiento. Pero ¿qué clase de revolución? Esas ideas parecen orientadas al marxismo que adoptó en 1924, pero podían corresponder también a los movimientos de masas de la derecha nacionalista. Los extremos que se tocan. Bien visto, no hay nada de qué sorprenderse: ambas corrientes despreciaban el orden liberal, los parlamentos y las votaciones, el positivismo racionalista. Y esto es a mí lo que me sorprende más. A eso me refiero con el radical antispinozismo de esa época.

Dijiste que Scholem pensaba que la inclinación de muchos judíos por el comunismo era de raíz mesiánica. ¿Incluía a Benjamin?
Particularmente a Benjamin. A Scholem le disgustaba la traducción profana de ese mesianismo, su degradación en el marxismo. Pensaba que Benjamin era un gran pensador metafísico que enmascaraba sus intuiciones de filósofo de la lengua, ensayista y crítico social con un materialismo histórico impostado, innecesario y ajeno. Scholem le señaló con franqueza que el marxismo dañaba su capacidad de análisis. En cambio lo urgía a seguir leyendo el mundo con su ojo metafísico, descubriendo vetas insospechadas. El estudioso de la Cábala reclamaba al cabalista haber adoptado la camisa de fuerza de una ideología política.

¿Benjamin era un converso al marxismo?

Él mismo se consideraba así. Y también Scholem, que lo atribuyó inicialmente a su amor por una joven comunista dedicada al teatro proletario, una mujer muy libre y atractiva llamada Asja Lacis, con la que compartió su viaje a Moscú en el invierno de 1926 a 1927 y quien le presentaría a Bertolt Brecht. Otro factor fue la lectura de *Historia y conciencia de clase* de Lukács. Ya en los años treinta, la influencia mayor –que Scholem detestaba– fue la de Brecht, quien a su vez criticaba la persistencia de temas judíos en Benjamin. Digamos que el de ellos fue un triángulo literario amoroso lleno de celos, con Brecht y Scholem disputándose el alma de Benjamin.

¿Quién triunfó?

Benjamin era Benjamin, y en su alquimia literaria y filosófica logró mezclarlos. Pero hay un autor que inclina la balanza a favor de Scholem. A Brecht le disgustaba, pero Benjamin y Scholem lo veneraban. Creo que Kafka es el protagonista mayor de esa convergencia.

Benjamin escribió un Diario de Moscú *que seguro conoces. Un libro de compañero de viaje…*

Celebro que lo recuerdes. No creo que se le haya dado la importancia suficiente. Hacia 1978, leí un fragmento de ese diario en *Reflections: Essays, Aphorisms, Autobiographical Writings*. El editor incluyó reflexiones posteriores de Benjamin alusivas al diario. El viaje y el diario confirmaban la idea de Scholem: la inclinación de muchos judíos por el comunismo era de raíz mesiánica, y en el caso de Benjamin esa inclinación era muy marcada.

¿Por qué fue una lectura importante para ti?

Porque era el ejemplo extremo del apego ideológico a la Revolución rusa que por ese tiempo estaba yo revisando en varias fuentes. Digo extremo porque no es cualquier testimonio: es el testimonio de uno de los mayores ensayistas del siglo xx. Pasaron los años y conseguí el libro completo, que tiene una índole personal e íntima (la del amor desdichado por Asja) que el editor de *Reflections* sensatamente excluyó. En cualquier caso, el *Diario de Moscú* es representativo del extravío teológico en el que Benjamin incurrió viniendo de una tradición muy distinta a la de los bolcheviques. Nada que ver con Lenin (que venía de Hegel y la filosofía alemana, de Marx, del nihilismo ruso retratado por Dostoyevski) y poco que ver con Trotski o Rosa Luxemburgo, que pudieron tener vagas aspiraciones mesiánicas, pero no lecturas mesiánicas ni estaban imbuidos de misticismo. Es decir, Benjamin entró al marxismo directamente por la puerta teológica del mesianismo judío. Aquel «Fragmento teológico-político» de 1920 y 1921 había sido el anuncio de su fe. Una fe inconmovible. Una fe que deslumbra y enceguece, a veces para siempre.

Vamos a examinar eso. ¿Te parece? Podemos consultar el libro de 1978.
Me llamó la atención desde el arranque: «En Rusia, ante todo, uno solo puede ver si antes se ha decidido.» ¿Decidido a qué? Decidido a tener el punto de vista soviético. No hay realidad que resista una premisa como esa. Así llega a Moscú. A ver lo que ya decidió ver: la Revolución rusa en un plano histórico superior, el plano de lo colectivo y proletario. No es la redención, pero la prepara. Hay que verla, hay que trabajar por ella.

En la URSS, Benjamin es un espectador inocente. Pero recuerda que no fue el único, ni mucho menos. La URSS estaba naciendo, de hecho renaciendo, después de la guerra civil. Su prestigio estaba intocado.
Si lo vemos con los ojos de su tiempo, el juicio debe sin duda matizarse. Salvo por las críticas de anarquistas que fueron los primeros en percibir la cara opresiva del experimento, casi nadie en el mundo intelectual del Occidente (no hablo de los fascistas, sino de los autores de izquierda y aun varios liberales) puso en duda la legitimidad y aun la esperanza de la Revolución. Benjamin no estaba solo, por supuesto, en rendirse ante esa novedad histórica que tuvo admiradores conspicuos por varias décadas más. Entre Escila y Caribdis tenían la alternativa de la República de Weimar, que por supuesto no valoraban. Pero lo que llama la atención en Benjamin es el carácter religioso de su convencimiento. En Moscú, Benjamin es ya un *flâneur* en busca de iluminaciones. ¿Qué encuentra? En las

calles o puestos ambulantes encuentra ropa de mujer, jaulas de pájaros, dulces, muñecas, mapas, todo eso sin advertir que lo que está fotografiando literariamente es un mundo material que desaparecerá cuando el Estado –que no tolera las minucias ni las mercancías– termine por absorberlo por entero. Ese mundo de «cosas» que atraen a Benjamin no muestra sino la pobreza de la gente que vende de cualquier modo sus objetos personales, pero Benjamin no ve esos «hechos». Hay pasajes inverosímiles. Explica, por ejemplo, que la gente ya no da limosna porque ha desaparecido «la mala conciencia» de la sociedad burguesa. A los pordioseros hay que tenerles lástima, pero solo por el clima. Toda su actitud frente a los bienes materiales en la URSS me recordó una frase de Andréi Biely: «En Rusia, el materialismo ha logrado el milagro de abolir la materia.» Benjamin, preso de su idea fija, no veía lo que tenía frente a sus ojos.

Lo atrae el Proletkult.

Por muy buenas razones, porque era un arte imaginativo, nuevo, que democratizaba la cultura. Todavía no se reprimía del todo la libertad artística. Le fascinaron los proyectos constructivistas y el teatro de Serguéi Tretiakov, donde colaboraba Asja. Su amiga lo invitó a presenciar un juicio público (más bien una representación) en el que una mujer culpada de negligencia por la muerte de su madre es condenada a muerte, pero la pena se le conmuta por dos años de prisión por razón de su ignorancia. Admirado de esa pedagogía moral, Benjamin apunta que con el tiempo también el alcoholismo, el fraude, la prostitución, el vagabundeo podrían tratarse así. Ahí ves el tamaño de su fe.

¿Cómo la interpretas?

«Un extravío del teólogo en el realismo de lo profano», como dijo Scholem. Benjamin ha llegado a la URSS convencido de que representa un gran salto adelante para la humanidad, una anticipación del futuro colectivo. Por eso a la Revolución no puede ponérsele en tela de juicio. Benjamin no duda de que vive un mundo nuevo, precario, pero nuevo. Es curioso, por ejemplo, lo que dice de las iglesias de Moscú: admira su belleza, pero dice que son una

«*Ojrana* arquitectónica» (es decir, emblemas físicos y espirituales de la policía zarista). Benjamin celebra el silencio de esas iglesias, la falta de fieles, los domingos «libres de esas campanadas que esparcen melancolía en las ciudades europeas». Por todas partes ve iconos que se exhiben o venden, pero no relaciona el culto a los santos con el culto omnipresente a Lenin, «cuya estatura crece y crece». Benjamin, el hijo del anticuario, el poeta de las antigüedades, famoso coleccionista de pequeños objetos (se extasía ante las cajitas de laca y compra una), ve muy bien que la Revolución haya abolido «las recámaras pequeñoburguesas –con sus ornamentos, sofás y cojines, vidrios de color–, emblemas capitalistas de los que "nada humano florecerá de nuevo"».

¿No hay asomo de crítica en esas páginas?

Hay crítica, pero desde la izquierda revolucionaria. Una noche cena con Joseph Roth, que trabajaba en un reportaje para un diario alemán. No se simpatizaban. Benjamin lo increpa por ser de esos simpatizantes rojos que luego, al escribir su reportaje, se volverá «rosa». En otro momento Benjamin critica la relativa liberalización económica, la llamada Nueva Política Económica, la NEP. Le parecía un retroceso, una concesión innecesaria y peligrosa al imperialismo. En un pasaje habla de los veteranos de la guerra civil que –desmoralizados, defraudados– habían optado por regresar su carnet del Partido antes de avalar la existencia de los agentes del libre mercado que Lenin consintió en la NEP, antes de morir. Benjamin los ve como un mal ejemplo para la primera generación de jóvenes bolcheviques que se educaba en las aulas. Temía un termidor revolucionario. No le molestaba, obviamente, la abolición de la propiedad privada, eso es comprensible. Era la esencia de la Revolución marxista. Pero tampoco le molestaba la desaparición de la vida privada. Se da cuenta de que el *Homo sovieticus* tiene que dedicar el día a estar cerca del poder, a cabildear con el poder, pero lo considera como algo natural, algo que registra pero no reprueba. Y esto es raro en él, que tenía convicciones anarquistas. Hay un pasaje en el que considera seriamente entrar al Partido Comunista. Sus dudas no son ideológicas, sino prácticas: le daría seguridad, pero quizá no tendría tiempo para escribir, aunque por otro lado tampoco le entusiasmaba seguir con su vida de escritor criptorrevolucionario en la despreciable Alemania burguesa. No entró al Partido, pero no por reservas morales y políticas. Y ni siquiera intelectuales. No lo alarmaba la abolición del pensamiento libre. Subrayé esto en la edición de 1978:

> ... el intelectual es ante todo un funcionario que trabaja en el departamento de Censura, de Justicia o de Hacienda, donde se libra de su decadencia y participa directamente en el trabajo, lo que en Rusia equivale estrictamente a participar en el poder. El intelectual es aquí miembro de la actual clase dominante. Entre sus diversas organizaciones la más desarrollada es la WAPP, la Asociación Panrusa de los Escritores Proletarios, que propugna sin más por la dictadura hasta en el ámbito de la creación espiritual. De este modo la WAPP da buena cuenta de la realidad en el país: el paso de los medios espirituales de producción a las manos de la generalidad solo se puede separar en apariencia del paso de los medios materiales. Porque, por ahora, el proletariado solo se puede adiestrar en ambos medios, si lo protege la dictadura.

Parece la entrega voluntaria de la libertad intelectual en el altar de la Revolución.

Si no es ya la era mesiánica, está en el rumbo correcto para llegar a serlo. Por cierto, Benjamin habla de los proletarios volcados en la electrificación, la construcción de fábricas, etcétera, pero en su diario, hasta donde recuerdo, no hay visitas a fábricas, conversaciones con proletarios, muchísimo menos con campesinos. Su proletariado es abstracto.

Pero seamos justos. Este fue solo un libro de Benjamin, un capítulo breve en su obra.

Desde luego que sí, y tiene páginas luminosas como todo lo suyo (sobre las calles, los tranvías, el ajetreo, los museos), pero aquí estamos hablando de los extravíos teológicos de Benjamin en el mundo de lo profano. Con esos extravíos entiendo por qué a Scholem le mortificaba tanto el giro ideológico de su amigo. Él hubiera querido que Benjamin se estableciera en Jerusalén para

537

enseñar literatura alemana y escribir sus ensayos sobre Kafka, Proust o Baudelaire. Era posible. El extravío lo retuvo en Europa.

En la década siguiente y hasta el final escribió textos extraordinarios de filosofía de la historia que en mi opinión trascienden por completo ese dogmatismo pasajero. En ese sentido, o en ese sitio intermedio entre la revelación y la redención, resulta curiosa la aproximación vital que tuvo el Angelus Novus, *de Klee, en la personalidad intelectual de Benjamin. Era, como sabes, un cuadro de pequeño formato que había comprado en 1921 y lo acompañó el resto de su vida. Encarnaba la experiencia sensible de la desesperación. Tan solo hubo dos momentos en que se desprendió de él. La primera vez tras la llegada de Hitler al poder, en enero de 1933. Había huido a Ibiza en 1931 y durante dos años vivió sin él, hasta que un amigo suyo se lo envió a París. La segunda fue en junio de 1940, cuando los alemanes avanzaban sobre la capital francesa. Antes de escapar, entregó el cuadro a Georges Bataille y este lo custodió hasta que pasó a manos de Theodor Adorno, que cumplió la voluntad testamentaria de Benjamin y se lo dio a Scholem, quien lo tuvo en su casa en Jerusalén. ¿No crees premonitorio el hecho de que Benjamin afrontara su vida de errancia junto al* Angelus Novus *de Klee, que es la encarnación simbólica de la desesperación?*

Sin duda alguna. Benjamin describe al ángel de este modo: el ángel mira hacia atrás, contempla los escombros de la historia, las ruinas que se acumulan irremisiblemente ante él. El ángel quisiera detenerse, despertar a los muertos y recomponer los fragmentos, pero desde el Paraíso un viento poderoso se arremolina en sus alas y lo arrastra, lo jala hacia el futuro, al que el ángel le da la espalda. Ese viento, esa tormenta, es el progreso tecnológico, que Benjamin repudia. El ángel queda en vilo. Literalmente huérfano de esperanza, desesperado.

Es la tesis novena de ese ensayo. ¿No crees que la desesperación se manifiesta en el desgarro consustancial de Benjamin tratando de conciliar el mesianismo judío y el marxismo?

Yo no veo ese desgarro. Los concilió perfectamente en modo teológico. Scholem interpreta el pasaje bajo categorías de la mística judía: la desesperación del ángel consiste en no poder despertar a los muertos (como la profecía de Isaías o Ezequiel) ni *recomponer* el pasado, porque esa misión solo le corresponde al Mesías. Acá la palabra *recomponer* es importante, porque en la teoría cabalística *Tikkun* significa exactamente eso, recomponer los pedazos rotos y esparcidos del todo original. El ángel no puede hacerlo, porque lo arrastra el ciego progreso. La era mesiánica solo puede advenir de un acto metahistórico que no está en manos de los hombres ni pertenece al tiempo humano, ni es la meta de la historia: es la consumación de toda la historia por obra del Mesías. Hasta aquí nada puede hacer el ángel, menos aún el hombre. Pero en esas mismas «Tesis sobre la filosofía de la historia» irrumpe el Benjamin marxista y habla del «salto de tigre» que ocurre «bajo el cielo despejado de la historia», una interrupción de la marcha de la historia, un «salto dialéctico que es la revolución tal y como la entendió Marx». Esta idea de que la Revolución puede incidir en la redención está en aquel brevísimo «Fragmento teológico-político».

Pero Benjamin sugiere que la acción política revolucionaria necesitaría de una acción desvinculada y disociada de la violencia, para poder romper realmente con la barbarie que acompaña el devenir de la historia.

No sé si Benjamin abjuró de la violencia redentora o, para ser más precisos, de la idea de la violencia redentora. Recuerda esos textos tempranos inspirados en Sorel. En otra tesis sostiene que el pensador revolucionario puede «abrir [...] al pasado» si identifica las oportunidades de la acción revolucionaria y las lleva a cabo. Si lo hace, «esa acción puede ser reconocida como mesiánica, por muy destructora que sea». Ese «abrir el pasado» es la vía para recomponerlo. Yo en todo esto leo una justificación teológica de la violencia, no ajena a la tradición mística judía que no contempla la llegada del Mesías como un tránsito sereno al Edén, entre ángeles y fanfarrias, sino como un estallido apocalíptico. Por cierto, no creo que Benjamin haya estado nunca en contacto directo con la violencia, sino con la idea de la violencia.

Me queda claro que Scholem estaba reclamando a Benjamin para su tradición, y Benjamin escapaba. Pero en su escape volvía una y otra vez a ese molde teológico del que hablas, a esa raíz, que compartía con su amigo.

Déjame que Scholem mismo comente esa «tensión», que es la palabra que usa a menudo. En su ensayo sobre Benjamin, cita la última tesis sobre la filosofía de la historia:

Sabemos que a los judíos les estaba prohibido indagar el futuro. La Torá y los rezos los instruyen a lo contrario, a la recordación del pasado. Esta regla quitaba al futuro el encanto al que sucumben quienes buscan la adivinación. Pero no por eso el futuro se convirtió para los judíos en un tiempo homogéneo y vacío, porque cada segundo en ese futuro era la pequeña puerta por la que podía entrar el Mesías.

Esa «pequeña puerta» era la Revolución.

Eso entiendo. Scholem concluye que «el judaísmo retratado en esta descripción era el objetivo al que Walter Benjamin se acercó de manera asintótica a lo largo de su vida, sin nunca conseguirlo realmente». Scholem se formó como matemático, así que la figura geométrica de la curva asíntota es significativa. Benjamin nunca tocó el eje de las X, es decir, nunca volvió al origen, pero, en palabras de Scholem, «su intuición más profunda, en las esferas de la creación y la destrucción por igual, surgía del centro mismo de ese judaísmo». Lo cierto es que quizá ningún pensador y ningún marxista occidental (salvo Ernst Bloch) llevó explícitamente el concepto de Revolución a ese extremo mesiánico.

Se han escrito tesis y libros, ha habido congresos y conferencias sobre Benjamin. Las universidades están llenas de benjaminianos. ¿Te has asomado a esas discusiones? ¿Qué tan lejos estarán de la interpretación de Scholem?

No me he asomado mucho. Pero encontré la confirmación de este tema teológico-político en un libro del sociólogo marxista Michael Löwy: *Redemption and Utopia. Jewish Libertarian Thought in Central Europe. A Study in Elective Affinity*. Fue publicado en 1988 y es una sociología histórica de la clase intelectual judía centroeuropea. Sus personajes corresponden a las opciones mesiánicas y revolucionarias que dibujamos. Es apasionante leerlo, porque Löwy está hablando de sus ancestros intelectuales directos.

Es muy famoso Löwy. Teórico marxista, ha escrito sobre Marx, Cristianismo de liberación.

Nació en Brasil y se educó en Francia. Encabeza un partido socialista ecologista: se entiende: ecologista por Brasil, teórico por vía francesa, mesiánico por vía judía. Es hijo de judíos vieneses. Con pleno dominio del alemán, entrevistó a Scholem, consultó una infinidad de archivos, leyó todas sus obras y trazó perfiles complejos y claros de Scholem, Benjamin, Kafka, Bloch, Landauer y varios más. En su libro, me enteré de que, con la hiperinflación alemana de 1923, el padre de Benjamin (del que dependía económicamente) quebró y a los pocos años murió. Löwy rescató el texto original sobre la crisis económica (titulado «Panorama imperial»), en el que Benjamin dice que la desesperación debía llevar «a la plegaria», pero finalmente cambió la palabra «plegaria» por «revuelta». Una prueba más de su conversión.

¿Son muy divergentes tus ideas con respecto a las suyas en el caso de Benjamin?

Löwy estudia a varios de los autores judíos centroeuropeos que yo leí: místicos, mesiánicos, revolucionarios. Llegué a ellos sin conocer su obra, que consulté mucho después. Y vi que a pesar de nuestras diferencias –él un marxista heterodoxo, yo un liberal– tenía una afinidad electiva con él, que evidentemente había explorado esos temas con hondura. Coincido en la hipótesis general –extraída de Hannah Arendt– sobre la «condición paria» de esos intelectuales judíos que despertaron del engañoso sueño de la emancipación burguesa en Europa Central, para enfrentar el siglo XX con una nueva energía romántica y revolucionaria. Löwy es muy perceptivo cuando recrea la crítica de Benjamin al mecanicismo y automatismo del progreso (que es una causa ecológica del propio Löwy). Pero lo más importante del análisis de Löwy (en lo que coincide con Scholem y varios otros estudiosos) es la caracterización de Benjamin como un teólogo del marxismo. Los únicos fines deseables o valiosos para Benjamin eran mesiánicos. El propio Benjamin –dice Löwy– habló de las caras de Jano en su pensamiento. Löwy lo llama «reversión paradójica» de la religión judía en la lucha de clases marxista, y de la utopía revolucionaria en el mesianismo apocalíptico.

¿Benjamin estaría de acuerdo con esa caracterización?
Creo que sí. Él mismo lo dice en sus notas preparatorias a sus «Tesis sobre la filosofía de la historia», que cita Löwy: «En su representación de la lucha de clases, Marx secularizó la representación de la era mesiánica. Y tenía razón». En esa cita, Benjamin sostiene el perfil mesiánico de Marx. Años más tarde leí, citada por un sociólogo de la Escuela de Frankfurt, esta otra frase de Benjamin que comprobaba el diagnóstico de Scholem sobre el extravío teológico de su amigo: «Nunca he sido capaz de investigar y pensar de otra forma que no sea, si se me permite decirlo, en un sentido teológico, es decir, de acuerdo con la enseñanza talmúdica de los cuarenta y nueve niveles de significado en cada pasaje de la Torá.»

Volvamos entonces a ti, a tu acercamiento a Benjamin. ¿Hay algo en él del judío no judío?
Benjamin no era un judío no judío, pero sufrió como si lo fuera. Un autor que hablaba en sueños con Goethe y que quiso entregarse por entero a la cultura alemana, pero no halló nunca un nicho, un hogar. Como su tío remoto, Heine. Luego deambuló por Europa pero nunca logró un lugar seguro, un entorno cultural ni el reconocimiento pleno. Pero no solo fue proscrito de Alemania y habitó los márgenes de Europa: habitó también los márgenes del judaísmo, se mantuvo cerca y lejos de él, queriendo y no queriendo aprender hebreo, haciendo planes para ir a Palestina y no ir nunca. Las opciones que trazamos se fundieron en una sola y lo condenaron a la inmovilidad. Pero ¡qué revelaciones nos dio desde esos márgenes! Ese es el Benjamin que valoro, que releo.

Lo que te desconcierta es el mesianismo político de Benjamin.
Creo que con razón. No es un dogmático cualquiera, ni un *apparátchik*, ni un intelectual frívolo o un vulgar compañero de ruta. Es Walter Benjamin, una cumbre de la literatura. Scholem quería salvarlo del extravío, pero las consecuencias del extravío están

ahí. Viviendo en París en los treinta, Benjamin publicaba textos condescendientes en la *Enciclopedia soviética*. Löwy trata de suavizar el caso. Cierto, Benjamin fue un lector de Trotski, pero un lector vergonzante. Hay testimonios (por ejemplo de Theodor Adorno) sobre su decepción ante los juicios de Moscú de 1936 a 1938, pero me pregunto si esa desilusión o indignación se expresó públicamente, no solo en cartas, en conversaciones. Quizá no hubo rompimiento con el régimen soviético sino hasta septiembre de 1939, cuando Stalin pacta con Hitler. Entonces sí piensa que los políticos en quienes los oponentes del fascismo –como él– habían puesto sus esperanzas traicionaron su causa.

Pero quizá revisar los hechos era demasiado doloroso. Y vivía a salto de mata.

Es cierto todo eso, pero tal vez la explicación está en que nunca salió del molde teológico judío, un molde adulterado por «lo profano» revolucionario. En la URSS habían muerto ya, asesinados, muchos de los autores que había conocido en su viaje. En la URSS, Stalin había asesinado en 1937 a Tretiakov y en 1938 había enviado a Asja Lacis a un campo de trabajo en Kazajistán. Benjamin sabía estas cosas por su amigo Brecht, que comenzaba a distanciarse de Stalin, el «carnicero» que había apoyado. ¿Qué habrá cruzado por la mente de Benjamin entonces? Ese era el dolor impotente de Scholem. Que su desdichado amigo no se hubiera dado cuenta antes, mucho antes, de su extravío.

Pero más allá de un error intelectual, de la pérdida de tiempo, de la adhesión ya injustificada a la URSS (que tantos compartieron con él), ¿qué consecuencias prácticas pudo tener ese «extravío»?

Tal vez confrontándolo oportunamente habría emigrado antes y con mayor resolución a Palestina o a Estados Unidos.

Quiero volver al principio y recordarte la reflexión de Scholem sobre «el misterio», porque en esta postura tuya –analítica, pragmática– no solo tienes frente a ti a Benjamin, sino a Scholem. Si la humanidad perdiera alguna vez el sentimiento de que hay un misterio en el mundo –dijo Scholem–,

entonces todo estaría acabado para nosotros. Sugeriste que no habías re-
nunciado a ese sentimiento. Parecería que sí.

Yo rezo por las noches la plegaria que me enseñó mi madre. Comienza con un llamado al ángel guardián (ángel es *malaj*, en hebreo), tras del cual se pronuncia la frase «Shemá Israel», que es la
imploración a Dios para que escuche (*Shemá* en hebreo es ¡escucha!). Así que en ese sentido me inclino ante el misterio y espero,
no la llegada del Mesías, sino algún tipo de trascendencia. Pero,
tratándose de la historia, me acojo al precepto de Max Weber que
propone el continuo «desencantamiento del mundo», que yo entiendo como una continua desmitificación. Por eso creo que los
escombros de la historia son producto de errores humanos, desgracias, tragedias, a menudo evitables por la vía de la razón. Creo que
el progreso no es un viento que nos arrastra irremisiblemente, sino
una posibilidad concreta aunque frágil, paulatina y fragmentaria de
mejorar la vida en esta tierra, si se le somete a una crítica constante.
Y finalmente, ni la violencia es la partera de la historia, ni la Revolución abre las puertas de la historia, ni el mesianismo político es la
vía para recomponer la historia. Ya lo decía un sabio del siglo III al
que me gusta citar: «Que el Mesías venga, pero no en mis días.»

¿No juzgas anacrónicamente a Benjamin, desde tu posición liberal?

No lo juzgo, me duele su tragedia. Quizá por mi miopía liberal
no entiendo su reprobación de la democracia occidental hacia la
que, después de todo, se dirigía. Hannah Arendt, en Estados Unidos, llegaría a comprender que había otra revolución, republicana
y democrática, nacida de la Ilustración, no del romanticismo ni del
mesianismo, que mejoraba la vida de los hombres. Y antes que ella
lo entendió Popper. Y lo entendió Raymond Aron, a quien Benjamin trataba en París. Quizá Benjamin lo habría entendido de haberse salvado en Estados Unidos. Lo trato de comprender. Soy un
lector que agradece su obra y queda perplejo ante ella. La revelación deslumbra, la redención enceguece. Benjamin tiene algo de
santo, de iluminado. Fue víctima de una alucinación. Hubo partidarios de la URSS que creyeron en ella desde el principio hasta el
final por dogmatismo puro y duro. O porque eran cínicos, o tontos

útiles, o porque algo obtenían a cambio, o porque saciaban su sed de venganza o su odio de clase. Hay tantos motivos. Benjamin no pertenecía a ese elenco. A Benjamin lo movía una idea mesiánica irresistible que le impedía ver muchas cosas (él, el experto en ver el lado oculto de las cosas). Creo que comprenderlo en esos términos no es ser injusto. Es abrir los ojos a los riesgos del mesianismo encarnados trágicamente en un inmenso escritor.

Recuerda que la Revolución rusa en los años veinte gozaba de un prestigio universal, y tardó mucho en mostrar rasgos de antisemitismo. Lenin fue un enemigo jurado del antisemitismo. No puedes olvidar eso.

Tienes razón, eso explicaría y justificaría en parte la credulidad de Benjamin.

Y en los treinta, el enemigo que lo perseguía para exterminarlo, como a todos tus ancestros, era Hitler.

Nunca lo olvido. No hay día en que lo olvide.

¿Adónde podían voltear los intelectuales judíos de esa época para encontrar una esperanza sino a la Revolución rusa?

A un Occidente en el que no creían. O al sionismo. Pero concede al menos que su fe en la URSS de fines de los años treinta era menos comprensible que la de 1927.

Enrique, también la credulidad de los treinta me parece comprensible, más cuando eres judío y tienes enfrente al mal personificado.

Es verdad. Si para tantos intelectuales de Occidente era difícil ver la realidad de la URSS en el contexto del ascenso de Hitler, más difícil debió serlo para los intelectuales judíos en Europa. Y era natural. Como te dije, a cada cataclismo corresponde un mesianismo. Una tabla cósmica de salvación. Pero aceptando todo ello, te insisto en un punto, no mío, sino de Scholem: la salida natural para Benjamin era Palestina. Era preferible el mesianismo sionista al soviético. Benjamin es una figura doblemente trágica. Lo es por compartir el destino final de los judíos europeos de su tiempo. Y lo es también por haber puesto su fe en una Revolución que había matado a millones.

No es una absurda decepción lo que me mueve a condolerme del desvarío teológico de Benjamin: es mero coraje, lo que perdió, lo que perdimos perdiéndolo. El mesianismo le impidió leer a tiempo sus opciones prácticas. No lo «culpo» a él, culpo al mesianismo.

Tras el ascenso de Hitler en 1933, Benjamin va a Ibiza, a Niza, a Dinamarca y se refugia finalmente en Francia. Y tras la invasión nazi, mientras Rusia ha pactado la no agresión con Hitler, trata de embarcarse a América; no lo consigue.

Un poeta de la prosa que empeña una fe mesiánica en la Revolución cuyo régimen termina por asociarse con quienes exterminan a su pueblo. Quizá entonces vislumbró que esa convergencia de regímenes estaba ya prefigurada en sus ideas de juventud sobre la violencia redentora. No lo sé. Tal vez Benjamin murió de decepción mesiánica. Como los sabateanos abandonados del Mesías, huérfanos de redención, desolados tras la conversión de Sabbatai Zevi.

Benjamin era para entonces un ciudadano sin nacionalidad.

Mientras cruza penosamente a pie las montañas del sur de Francia para llegar a la frontera española, todo el tiempo le pesa y todo el espacio se angosta. La Gestapo lo persigue con una muerte espantosa y segura, pero Stalin se ha aliado a Hitler. Benjamin se detiene como su ángel, con la mirada puesta en el pasado, en el cúmulo de escombros, pero ningún viento lo arrastra desde el futuro. No puede dar un paso más. El ángel muere de desesperación histórica, de angustia teológica, de propia mano. Se suicida en septiembre de 1940 en Portbou. En el umbral de su salvación, porque al día siguiente les abrieron el paso a España y la libertad. ¿Te das cuenta de la paradoja? Él, el mesiánico perfecto que vivió la vida difiriéndola, decidió no diferir su muerte. ¡Si hubiera diferido un día su decisión!

¿Has estado en Portbou?

Sí, fui hace poco con Andrea y su hijo José. Guardé las imágenes y una pequeña grabación. La deslumbrante belleza del lugar agrega un elemento más a la tragedia. Es como si Benjamin hubiera llegado al paraíso, pero a un paraíso que no era para él. Ya en Ibiza, donde

vivió hacia 1932, había considerado poner fin a su vida. Al llegar doblamos a la derecha hacia el pequeño malecón y llegamos al cementerio. Benjamin fue enterrado ahí y hay una tumba con su nombre, pero es una tumba simbólica. Sus restos se perdieron. En el mirador hay una mampara informativa con fotografías de Portbou en 1940: autos calcinados, edificios bombardeados. Grabé el momento en que nos detuvimos a contemplar. Una brisa suave mece los follajes. A la derecha, el Mediterráneo de azul profundísimo penetra en la bahía con tonos cada vez más turquesa. Por allá una playa, por acá una cala. No hay un barco en el horizonte. Frente a nosotros, las ásperas colinas de la frontera francesa que Benjamin tuvo que sortear junto con unos cuantos amigos. A lo lejos vemos la «Caseta de los alemanes», construida por el Tercer Reich para vigilar los accesos del sur de Francia. A la izquierda, labrado sobre la montaña, el pueblecillo de casas blancas y tejados a dos aguas en el que se distingue claramente la gran estación de ferrocarril y el hotel Francia, donde murió el escritor. A unos pasos del panteón está el memorial, en el que el artista israelí Dani Karavan construyó un largo pasaje de acero cavado en la roca por cuyas escaleras bajas desde el ras de tierra hasta el mar. Es una metáfora del tema «Pasajes» en Benjamin, un pasaje desde la oscuridad hasta la luz. Cuando llegas al fin, grabado en un acrílico transparente, lees un pensamiento de su concepto de la historia:

Es más difícil honrar la memoria de los que no tienen nombre que honrar la memoria de los famosos. La construcción histórica está dedicada a la memoria de los innombrados.

Al leerla pensé en los millones de innombrados en la guerra, en los campos de concentración y exterminio. Muchos innombrados trataron de cruzar esa frontera, y nadie los recuerda. Benjamin habría querido que su memoria se fundiera con la de ellos. Ya de salida, hablando de nombres, José se detuvo a ver la piedra labrada con el nombre del escritor que le llamó la atención: «Walter Benjamin, filòsof alemany». Ni siquiera la justicia de nombrarlo correctamente le fue deparada. Debió decir: «Walter Benjamin, escritor judío».

La elipse de Kafka

Decías que el punto de mayor convergencia entre Scholem y Benjamin es Kafka. ¿Qué lugar ocupa Kafka en tu biblioteca?
Tengo ediciones diversas de sus novelas y cuentos, cartas, diarios, aforismos. Sobre todo biografías antiguas y nuevas. A pesar de haber llevado una vida sin grandes hechos o grandes actos, Kafka es irresistible para un biógrafo por la mina de información que dejó sobre sí mismo. Hugo Hiriart dice que sabemos más de Kafka que de nuestros hermanos, pero los cientos de páginas que dejó sobre sí mismo hacen más elusivo al personaje. ¿Cómo era el padre de Kafka? Ahí tienes una pregunta. En los sesenta muchos leíamos la *Carta al padre*, inocente o literalmente, como un testimonio de protesta contra la autoridad. Aunque nuestros padres no se parecieran al de Kafka. Con el tiempo descubrimos que tampoco Hermann Kafka era en realidad tan tiránico como lo pintaba su hijo. La carta es un misterio más. Leí una anécdota de Kafka: caminaba con un amigo y se encontraron al padre que lo recriminó airadamente: «Franz, vete a la casa. El aire está húmedo.» Kafka, que estaba ya enfermo de tuberculosis, comentó: «Mi padre está angustiado sobre mí. El amor, muchas veces, lleva la máscara de la violencia».

Entiendo tu interés en Scholem y Benjamin, un historiador y un ensayista judíos vinculados de diversa forma a la idea del mesianismo, y sus peligrosas derivaciones. ¿Hay algo similar en Kafka?

Me han obsesionado los males radicales en el siglo xx. La obra de Kafka es la radiografía de esos males. Estoy diciendo un lugar común, pero creo que junto con Dostoyevski es el escritor que más profundamente ha revelado el efecto del poder sobre la condición humana. El mundo emuló las novelas de Kafka. Yo estoy muy lejos de haberlo leído comprensivamente y tras cincuenta años de leerlo apenas descifro partes de su obra. Leerlo es una labor parecida a la que describe en su cuento sobre la construcción de la muralla china. El tema kafkiano parte de un concepto sobre el poder y una actitud ante el poder que comparto con sus legiones de lectores.

¿Benjamin y Scholem conocieron a Kafka?

No lo conocieron. Según parece, Benjamin se proponía acudir a una lectura que hizo Kafka de su famosa narración «En la colonia penitenciaria» en Múnich, a fines de 1916, pero no llegó. Y aunque Kafka pasó en Berlín el año final de su vida, Benjamin, que vivía ahí, no se enteró. En cuanto a Scholem, le enorgullecía haber encontrado una mención elogiosa sobre un texto de «Herr Scholem» en una carta de Kafka. Te hago notar que se trata de un reconocimiento muy temprano de la singularidad de Kafka. Leyeron las primeras obras de Kafka, por ejemplo «La condena», y se persuadieron de que algo nuevo había aparecido en el horizonte, un narrador que veía el mundo con claves teológicas judías.

Parecido a Benjamin, entonces.

Parecido, por esa matriz teológica judía, pero distinto porque Kafka no sale en busca de iluminaciones reveladoras ni cree en la redención y sus mediaciones profanas, como la revolución. Kafka es un *flâneur* de sí mismo, de sus mundos internos, un *flâneur* condenado. Aunque en su juventud viajó por Alemania, Italia y Francia, en esencia no sale casi de Praga ni deja la casa paterna ni se aparta de la compañía de seguros en la que trabaja, ni abandona sus obsesiones filiales, amorosas y metafísicas. Desde esa inmovilidad construye su obra. En algún sitio dice, como un eco de Pascal, que toda la insensatez parte de que el hombre se niega a permanecer en su sitio. Y Borges retoma esa idea en su poema sobre el Golem:

El rabí lo miraba con ternura
y con algún horror. *¿Cómo* (se dijo)
pude engendrar este penoso hijo
y la inacción dejé, que es la cordura?

Borges se habría sumado a la conversación sobre Kafka.

Muchos leímos a Kafka gracias a Borges, sobre todo su traducción de *La metamorfosis*. El propio Borges afirma que él no le puso ese título y, de hecho, lo desaprueba: «Yo traduje el libro de cuentos cuyo primer título es *La trasformación* y nunca supe por qué a todos les dio por ponerle *La metamorfosis*. Es un disparate, yo no sé a quién se le ocurrió traducir así esa palabra del más sencillo alemán.» Borges compartía la admiración por Kafka de los escritores judíos europeos de su generación, no solo Benjamin y Scholem, sino Hannah Arendt y Adorno. Escribió que el más antiguo precursor de Kafka fue Zenón de Elea. La imposibilidad de avanzar un paso, típica en Kafka, le recordaba la paradoja de Zenón sobre el movimiento: «El móvil y la flecha y Aquiles son los primeros personajes kafkianos de la literatura». Borges interpretó a Kafka en clave lógica o metafísica, pero comprendió también la trascendencia de Kafka. Lo consideraba, literalmente, el gran escritor clásico de nuestro siglo. Benjamin y Scholem suscribían esa opinión, pero su lectura, a diferencia de la del escéptico Borges, es teológica.

Hay tantas formas de leer a Kafka: el existencialismo, el psicoanálisis, incluso el marxismo lo reclaman para sí.

Quizá eso prueba su permanencia. Kundera subraya el elemento de humor en sus textos y decía que Kafka no era kafkiano. Elias Canetti escribió que el verdadero proceso de Kafka era el que vivió en la esfera amorosa, el proceso al que lo sometieron sus mujeres (y al que las sometió). Vivía la vida amorosa difiriéndola, como los mesiánicos de Scholem. Hannah Arendt aborda *El castillo* con la clave del «judío paria» que busca un lugar en el mundo y nunca logra ser aceptado. Solo Edmund Wilson tocó la nota disonante en una reseña en *The New Yorker* diciendo que los libros de Kafka carecían de estructura y significación religiosa, que era un error colocarlo al nivel de Joyce. Borges pensaba que la comparación con Joyce era una blasfemia, porque Kafka es un gran autor universal, en tanto que el «intraducible» Joyce lo es solo en la literatura inglesa.

Hay tantas otras interpretaciones.

Kafka despierta al cabalista que algunos llevamos dentro. Kundera dice que «la gente no sabe leer a Kafka porque quieren descifrarlo» y que, «en vez de dejarse llevar por su imaginación insuperable, buscan alegorías, y lo único que se les ocurre son clichés». Kafka, se ha dicho mil veces, siempre será tan elusivo como los sueños. Sus narraciones tienen esa cuidadosa textura, ese tempo preciso, ese suspenso sádico, y luego el hachazo súbito y sorprendente. Son pesadillas elaboradísimas. Y a menudo inexplicables…, como los sueños. Pero entre todas las interpretaciones, leyendo a Scholem y Benjamin, pienso que una clave para acercarse a ese escritor inclasificable es la teológica.

¿Es exactamente la misma en ambos?

Similar. Según Scholem, la noción de condena o proceso en Kafka está ligada a la idea del juicio inapelable, impenetrable, de Dios. Pero de un Dios que ha tomado la decisión tremenda de ocultarse a los hombres. La lectura de *El proceso* en 1934 lo impresionó a tal grado que escribió un poema estrujante sobre el libro, un lamento a la manera de Job sobre la retracción o el retiro de Dios y su ley de este mundo. No es que Dios no exista, es que Dios se repliega. Es un largo poema de desolación teológica. Se lo envió a Benjamin, que entonces vivía exiliado en Dinamarca. Déjame citarte unos versos:

El gran engaño del mundo
finalmente consumado.
Concede, Dios, que despierte aquel
al que tu nada penetró.

Solo así la revelación ilumina
al tiempo que te rechazó,
solo tu nada es la experiencia
que tiene derecho a obtener de ti.

Benjamin leyó ese poema, sobrecogido. Había escrito un ensayo sobre Kafka que mandó a su amigo e intercambiaron varias cartas. Coincidían en la intuición básica: en el mundo de Kafka, la redención es ya imposible y la revelación se disuelve en la nada. La ley divina ha desaparecido, los estudiosos no pueden descifrarla. Solo quedan los jueces, los guardianes, los acusados, los procedimientos. No hay defensa porque la verdad no significa nada. Dios solo se manifiesta, como en el poema de Scholem, en su silencio. Pero ese silencio es estruendoso. Nunca es más patente la existencia y la necesidad de Dios como cuando falta. Es como en el amor: la ausencia del ser amado lo cubre todo. Transferido al plano existencial, es lo que Scholem llamó una «teología negativa». Intérpretes marxistas de Kafka, como Löwy o Adorno, están básicamente de acuerdo con esta teoría. Sostienen que en las novelas de Kafka la libertad se afirma a través de su radical imposibilidad, de su negación, de su ausencia. Löwy piensa que los personajes de Kafka representan, negativamente, un grito de liberación.

En Nietzsche y Dostoyevski se abre la posibilidad de que Dios no exista. ¿Kafka tiene relación con esta idea?
Sé que leía muy rigurosamente a Dostoyevski. No obstante, creo que sus conceptos son distintos. En el mundo cristiano, la muerte de Dios conduce al nihilismo. Si Dios –que ya se ha revelado en la Tierra, que ya ha venido a salvarla– no existe, todo está permitido: el dominio del superhombre o la voluntad asesina y suicida de los endemoniados. Pero en el orbe judío el ocultamiento de Dios no conduce al nihilismo y menos a la omnipotencia que reemplaza a Dios, sino a la omnipresencia negativa de Dios, a la negación del hombre y a la conciencia de una culpa inextricable que lo precipita en la total desolación. Kafka lo dice explícitamente: «Dios habita más allá de nuestra existencia [...] Lo

«Ante la puerta de la Ley hay un guardián […] El campesino no ha previsto tales dificultades. Piensa que, después de todo, la Ley debería ser accesible para todos y en todo momento…».

único que podemos percibir es el misterio, la oscuridad. Dios habita en ella».

Obviamente, los personajes de Kafka no tienen identidad, así que el vacío que dices puede haber embargado a un judío o un cristiano.

Cierto. El capítulo decisivo de *El proceso*, donde se recoge el relato «Ante la ley», transcurre en la iglesia. El sacerdote y Josef K. discuten ese relato, que Kafka decidió insertar en el libro. Y esa discusión reverbera hasta nuestro tiempo. ¿Por qué el hombre del campo no traspasa jamás la puerta abierta? ¿Por qué obedece al guardián? Quedan infinidad de preguntas, como en las parábolas bíblicas. Pero la imposibilidad de acceder a la ley, al recinto de la ley, es lo que impresionó tanto a Scholem y a Benjamin. El sacerdote persuade a K.: no hay ley, no hay justicia, no hay escapatoria. «No hay que creer que todo es verdad, hay que creer que todo es necesario», le dijo el sacerdote. «Una triste opinión», dijo K., «la mentira se convierte en principio universal». Luego descubre que el sacerdote pertenece al tribunal. Todo ocurre en este mundo, no hay otro ni posibilidad de otro. No imagino a un sacerdote católico predicando algo similar. El infierno en el cristianismo implica al cielo, y en Kafka el infierno está acá. El horizonte donde no hay revelación ni redención me parece específicamente judío. En algún sitio Kafka dice:

«Hay una cantidad infinita de esperanza en el mundo [...] pero no para nosotros». Ese «nosotros» eran él y sus personajes.

Pero ¿vendrá el Mesías?

Ya no importa si vendrá o no. «El Mesías vendrá solo cuando ya no sea necesario», escribió famosamente. No sé cómo interpretar la frase, pero es todo menos un acto de fe. En algunos relatos de Kafka aparecen protagonistas «mesiánicos». pero no transmiten la más mínima esperanza, ni siquiera emoción o sentido, solo un apego mecánico, inexplicable, a un líder lleno de sí mismo, que canta o silba bien o mal, cuyo mensaje no existe ni importa que exista, y en cuyo olvido encontrará su «creciente redención». ¿Hay algo menos esperanzador que encontrar la redención en el olvido? Ese es el extraño argumento de su último cuento, «Josefina la cantora o el pueblo de los ratones», una parábola del mesianismo vacío. Lo que me impresiona, en definitiva, es que Scholem –desde la profundidad de sus estudios cabalísticos, impregnado de imágenes de dioses que se esconden o repliegan– escribiera, inspirado por Kafka, un poema de desolación teológica.

¿Qué idea tenía Walter Benjamin de la obra de Kafka?

Una idea *more geometrica*. Explica que la obra de Kafka es una elipse con dos focos muy apartados: uno es la mística judía y otro es la vida de la ciudad moderna. El primer foco proviene, en esencia, de la interpretación de Scholem. El estudio de la ley es la puerta a la justicia, pero ya no existe templo y los estudiosos han perdido las Escrituras. ¡Qué imagen! En *El proceso*, cuando Josef K. visita un domingo el salón de sesiones en el que se le juzga, la mujer que se le presenta le da acceso a los libros de los estantes, pero al abrir el primero Josef K. ve solo un grabado indecente, un hombre y una mujer sentados desnudos en un sofá. Josef K. no siguió hojeándolo, pero abrió un segundo volumen, una novela titulada *Los tormentos que tuvo que sufrir*. Es como si la biblioteca jurídica tuviera el solo cometido de señalarle su culpa. Por eso en un momento, cuando todavía tiene fuerzas, dice que sus juzgadores deberían ahorrarse toda mediación y presentarse como lo que son, verdugos.

En otras palabras, la ley prostituida.

En una lectura judía, eso es terrible. Kafka no veía en Moisés a un líder, sino a un juez, un juez severo. Ahora imagínate a Moisés sin las tablas de la ley en las que finca su severa justicia. Ahora imagínate la desaparición los numerosos tomos derivados de la Torá (la ley escrita llamada *Halajá,* la «enseñanza del camino»), que en vez de sus rígidos preceptos solo contiene páginas sin sentido, sucias y sádicas. Ahora imagínate además los bellos relatos literarios de la llamada *Hagadá* (que cuentan e interpretan con parábolas morales el pasado bíblico), también olvidados. Esa es la teología negativa de Kafka. Desde ese foco sin ley de la elipse, el abogado Kafka escribe su Hagadá personal, en la que, como dice Benjamin, no hay nada que aprender, no hay mensaje o sabiduría, no hay moraleja ni psicología. Hay parábolas que se prestan a muchas interpretaciones o aforismos sobre el sentido último de la vida visto desde ese lugar.

¿En qué consiste el otro foco de la elipse?

Se refería al ciudadano del Estado moderno, presa de un gigantesco aparato burocrático, gobernado por instancias superiores, desconocidas no solo para los que padecen sus órdenes, sino para los que las ejecutan. Pero habla también del hombre contemporáneo en términos de la ciencia. Y Benjamin lo describe glosando el texto de un físico contemporáneo que podría haber sido escrito por Kafka. El científico está en un cuarto y pondera su situación. No puede traspasar el umbral. Todo conspira contra él: el peso de la atmósfera, la velocidad del giro de la Tierra, la inclinación del planeta. No puede moverse.

Se parece al personaje de «Ante la ley».

Es el mismo, ante las leyes del universo. Lo increíble de Kafka, dice Benjamin, es que haya accedido a esta intuición del mundo moderno únicamente a través de la mística y no de la experiencia. Benjamin no cree que Kafka haya tenido visión de largo alcance ni don profético. Todo, según él, brotó de su foco místico. Aquí, Benjamin se estaba retratando a sí mismo. Benjamin nunca tuvo experiencia revolucionaria ni vio a un proletario ni presenció la violencia, pero extraía su obra de su molde místico. En cambio Kafka tuvo una verdadera experiencia de trabajo como alto ejecutivo en las dos compañías de seguros en las que trabajó diligentemente. Fueron cerca de quince años, día tras día, mañana y tarde (salvo la comida y la siesta). Conocía los procesos, los jueces, las sentencias absurdas. El mundo jurídico era su mundo: los funcionarios de todos niveles, el enjambre de oficinistas, las salas y antesalas, los trámites, las puertas que llevan a otras puertas, las esperas interminables, las apelaciones, demandas, respuestas, los papeles y oficios, las firmas y antefirmas. Escribió meticulosos reportes sobre accidentes de trabajo. Conocía el monstruo porque vivía dentro de él. Decía que los burócratas y los verdugos eran iguales porque convierten a los seres humanos en códigos numéricos inertes. Y no se apiadaba de su propia profesión: decía que un abogado no podía apartarse del mal. Sobre su formación, hay un dato importante: no solo conocía la burocracia, sino la teoría sociológica de la burocracia y buenos fundamentos de finanzas y economía que le transmitió su director de tesis, que fue Alfred Weber, hermano de Max Weber.

Creo que las interpretaciones sobre Kafka que se refieren al «foco» mundano de la elipse dan por sentado que vivió su trabajo como un suplicio.

Quizá, pero asumido con lucidez y paciencia. Toda la infinitesimal atención que ponía para observarse a sí mismo (como revelan sus *Diarios*) la empleaba también en observar los escenarios del trabajo: fábricas, minas, oficinas, juzgados, salas, antesalas. El trabajo lo liberaba de los sueños opresivos, pero también los alimentaba. De ese trabajo extrajo muchas historias, personajes y situaciones, gestos y actitudes. En ese tema, es útil el libro *Conversaciones con Kafka*, de Gustav Janouch. Este joven aprendiz de poeta era el hijo de un funcionario de la misma compañía de seguros donde trabajaba Kafka desde 1908, la Arbeiter-Unfall-Versicherungs-Anstalt. (Antes había trabajado por un año en Assicurazioni Generali). El señor Janouch tenía un nivel tan alto como Kafka y le presentó a su hijo en 1920. Kafka y Gustav se hicieron amigos: Janouch quería ser escritor, Kafka condescendía a orientarlo.

¿Quiso ser el Boswell de Kafka?

Un pequeño Boswell, simple e ingenuo, pero por eso mismo involuntariamente valioso. Sigue el mismo método de registrar lo que dice en estampas anecdóticas. Kafka –sin pontificar, discreto, perceptivo, casi siempre aforístico– lleva la primera voz. Conversaban en la oficina y en caminatas por la ciudad, casi nunca en la casa de los padres de Kafka, donde vivía. Iban a conciertos y exposiciones. Hay varios pasajes sobre cómo trabajaba Kafka. En una ocasión, un viejo trabajador al que una grúa había destrozado una pierna tramitaba su jubilación, pero en su solicitud había incurrido en errores que la invalidaban. Al percatarse, en el último momento, Kafka contrató a un abogado por fuera de la empresa, le explicó con claridad cómo presentar el escrito y le pidió asesorar al trabajador. «No es un abogado, es un santo», dijo ese obrero, y no era el único en tener esa opinión. Kafka hacía eso con frecuencia. Defendía los intereses de la empresa, pero no a costa de la ignorancia de los obreros. Así revertía el proceso de los Josef K. que estaban a su alcance. Ignorar el trabajo de Kafka es quedarse en el aire: ese sentido práctico le da tema y textura a la obra.

El término «kafkiano» es sinónimo de muchas cosas, pero no de sentido práctico.

Quizá es la diferencia con muchos escritores que teorizan la vida. Eso tiene Kafka en común con Orwell: la experiencia directa sobre lo que escribe. En un momento hace a Janouch el elogio de los oficios. Le dice que él había aprendido carpintería: los oficios que conectaban las manos con la mente conectaban al hombre con la realidad. Y ese respeto no solo está presente en su literatura, sino que rendía frutos en la realidad. En 2010, Gabriel Zaid –otro poeta de la práctica– publicó en *Letras Libres* el artículo «Avatares kafkianos». En alguna revista tecnológica leyó un texto en el que Peter Drucker –el gran gurú de la administración moderna– narraba algo sorprendente. Drucker había sido vecino de un doctor Kuiper, quien le contó haber conocido al inventor del casco de seguridad en las acerías. Por esa invención notable, ese personaje había recibido en 1912 una medalla (del American Safety Council, creía Drucker). El evento fue organizado en Milwaukee por la Association of Iron and Steel Electrical Engineers. Ese inventor –dijo Kuiper– era el doctor Kafka. No sabía que el doctor Kafka era Franz Kafka, el escritor.

Increíble dato. Kafka, el inventor de aquella máquina infernal que aparece en «En la colonia penitenciaria», fue inventor de un dispositivo que salvó muchísimas vidas. Los cascos deberían llamarse «Kafka».

O «cascos K.». Uno lee de distinta manera muchos textos sabiendo que ese polo no era fantasioso. De la familiaridad con el monstruo proviene la imagen monstruosamente fría que nos da de él. Y de esa imagen nace, obviamente, la vasta corriente interpretativa del Kafka libertario: el crítico de la burocratización del mundo y del automatismo industrial capitalista; el profeta del totalitarismo soviético, en particular de los juicios de Moscú en los que hubo tantos Josef K. juzgados por crímenes que no cometieron o por crímenes que desconocen, o por ningún otro crimen que no fuera el que les imputa su propia, evidente culpabilidad. Es cierto que Kafka no tenía frente a sí la realidad concentracionaria de la URSS, pero la anticipación está ahí. Hasta Brecht, que no lo quería, lo reconoció. Y hay otro vislumbre escalofriante que muchos han notado. En «En la colonia penitenciaria», como recordaste, el protagonista principal es una máquina que tatúa y tortura y tritura a la víctima, como en los campos de exterminio nazis.

¿Crees entonces que esas interpretaciones son válidas?

Pienso que sí. Kafka es casi siempre aforístico o parabólico o alegórico, pero en sus conversaciones con Janouch es directo. A partir de ese libro un día compilé un brevísimo diccionario de citas sobre su visión del mundo. Pero te hago una advertencia. Scholem desautorizó ese libro porque fue publicado después de la Segunda Guerra Mundial, cuando Kafka ya era famoso. De hecho, *Historia de una amistad*, que Scholem escribió sobre su vínculo con Benjamin, está armado como una refutación tácita a Janouch, en el sentido de que casi cada afirmación se sustenta en un documento. Cuando leí esa crítica, muy propia del rigor historiográfico de Scholem, quedé perplejo. Me pregunté si Janouch habría inventado sus conversaciones, pero lo dudo. Él mismo explica cómo las guardó. Y Max Brod –el mejor amigo de Kafka, no hay duda– colaboró con él. Reiner Stach, gran experto moderno en Kafka, considera que el libro es una mezcla de verdad e invención, sobre todo cuando Kafka habla sobre sí mismo. Nunca sabremos.

Asumamos que son fieles. ¿Cuáles son los temas de aquel diccionario?
Unas cuartillas nada más, de kafkiano amateur. Desde luego está el tema del capitalismo y las cadenas de producción tayloristas, que esclavizan el alma y el cuerpo. De la Liga de las Naciones pensaba que era una nueva maquinaria de guerra, la guerra por vías industriales y financieras. Era «la bolsa de valores de grupos de interés».

Acababa de ocurrir la Revolución rusa.
Según consigna Janouch, la veía como una religión en armas que provocaría nuevas guerras y desembocaría fatalmente en el dominio de una nueva clase burocrática: secretarios, políticos profesionales, sátrapas que ya preparaban su camino al poder. A mí me parece verosímil. Por cierto, estas críticas al socialismo son sorprendentemente similares a las que publicaba Max Weber en ese tiempo. Tampoco lo conmovían los movimientos de masas revolucionarias. Por el contrario: pensaba que esa fuerza informe y aparentemente caótica se canalizaría en una férrea disciplina. Mira esta frase: «Como una inundación que se extiende cada vez más ampliamente, el agua se vuelve menos profunda y más sucia. Así la Revolución se evapora y deja solo el limo de una nueva burocracia.» Es una imagen kafkiana.

¿Qué dice Janouch que Kafka decía de los movimientos de masas nacionalistas?
Un ejército de insectos, así los llamó, y la referencia a los insectos, típica de él, le da verosimilitud. Las marchas militares suprimían al

individuo. Representaban la obediencia ciega al mando superior. Esos rasgos comunes de autriacos y alemanes le disgustaban. Veía a los alemanes como un pueblo esencialmente teocrático, cosa que desconcertó a Janouch. «Los alemanes tienen un Dios que hizo fulgurar al hierro. Su templo es el Cuartel General de Prusia.» No le gustaban las retóricas agresivas: «Las palabras preparan el camino a los hechos que vienen, detonan futuras explosiones...». Yo no veo a Kafka como un profeta consciente de serlo, pero escuchaba el rumor de la historia y pudo escuchar lo que venía.

Es como si vislumbrara el Holocausto.

Janouch cuenta un paseo por los restos del viejo gueto judío, modernizado cuando Kafka era niño. «La sinagoga ya se encuentra por debajo del nivel del suelo. Pero los hombres irán más lejos. Intentarán hacerla polvo destruyendo ellos mismos a los judíos», dijo Kafka. «¿Por qué habría de ocurrir algo así?», preguntó su amigo, que registra esto: «Kafka volteó su cara hacia él. Una cara triste y retraída. No había luz en sus ojos.» Quiero creer que es una cita verdadera.

Janouch publicó este libro después de la Segunda Guerra Mundial, ¿no es así? Eso puede restarle credibilidad, admitámoslo. Poner en boca de Kafka premoniciones que no existieron basadas en los hechos atroces que ocurrieron después.

Pero las premoniciones más oscuras no son infrecuentes en las cartas y diarios de Kafka, menos tratándose de los judíos. En las cartas hay menciones críticas a los revolucionarios judíos de 1919 en Múnich (entre ellos a Gustav Landauer, a quien admiraba), que con su idealismo desbocado alientan el nacionalismo antisemita y terminan ejecutados.

Retomando tu lectura de su obra a través de Scholem y Benjamin, en el mundo de Kafka, la justicia y la verdad son denegadas por Dios.

Janouch dice que le oyó decir: «La vida sin verdad no es posible. Quizá la verdad es la vida misma.» No es imposible que lo haya dicho. Sin verdad y sin justicia Josef K. muere condenado «como un perro». Por eso, en mi opinión muy modesta, el desamparo de Josef K. o de K. no es solo social, político o psicológico. El desamparo es, ante todo, teológico.

¿Comparable con otros desamparos del siglo XX reflejados en la literatura?
No hay nada comparable. Estamos más allá de la opresión totalitaria que bebe el cerebro de Winston Smith en *1984*, la novela de Orwell; más allá del absurdo de Camus o la náusea existencial de Sartre, que asumen la inexistencia de Dios y no se sienten desamparados. Pueden suicidarse, pero no por el abandono de Dios, sino por el sinsentido de vivir.

¿Desamparo o soledad?
Borges lo entendió así: «Su tema es la insoportable y trágica soledad de quien carece de un lugar, siquiera humildísimo, en el orden del universo». Ese grado extremo de soledad es el desamparo.

¿Cómo describirías tú, en clave biográfica, a Kafka?
Imagina a un personaje cuyo nombre completo es la letra K, que encarna todas las marginalidades. Vive en un reino marginal del Imperio austrohúngaro como era Bohemia, en la ciudad de Praga que es como «una fisura en el lecho oceánico del tiempo», al lado del antiguo gueto que es como una muralla protectora del mundo externo. Sumergido, apartado en el tiempo, amurallado en el espacio, K. es un judío secular en un mundo cristiano, pero es un judío que resiente las costumbres farisaicas y burguesas de su comunidad y se aparta de ella, aunque no al grado de no acudir a la sinagoga. Se identifica culturalmente con el sionismo, lo interpreta como la necesidad histórica de un espacio para un pueblo perseguido en el tiempo, pero no es un militante ni marcha a Palestina. Lo conmueven la anacrónica simplicidad, la fe inocente, las leyendas y cuentos jasídicos de los judíos piadosos, estudia la tradición mística y la incorpora libremente en algunos aforismos. Pero K no puede ser uno de esos místicos. Su búsqueda de los temas últimos (Dios, la vida, el tiempo, la eternidad) es solitaria y personal. K es un judío por familia e historia, pero nunca subsume su «yo» en ese «nosotros».

No hay judíos en sus novelas y cuentos. Su posición dentro del judaísmo no es un consuelo, es una fuente de extrañeza que no le sirve siquiera para definirse frente al orbe alemán. Es consciente del antisemitismo alemán que precipita a los hombres, pero su cultura académica, profesional y sobre todo literaria es alemana: lee, habla y escribe en alemán, todo eso en un país que étnica y culturalmente habla checo y resiente a los alemanes. Agrega ahora la vida familiar de K. Su padre es un rudo e imperioso *self made man*, un carnicero ritual de la provincia que se instala en la capital y establece un próspero negocio que atiende con su esposa. Pero aquel joven llamado Franz en honor al emperador es el primogénito –sensible, retraído, frágil– que desde niño carga sobre sí la losa de dos hermanos pequeños muertos, un vacío que los padres no pudieron suplir con el nacimiento posterior de tres mujeres. ¿Quién debía ser el Mesías de esa familia? K no quería ese papel. Agrega ahora su enfermedad, que lo hace marginal entre los sanos, aunque le regala la conciencia urgente de estar vivo. Y luego el capítulo del amor, la mujer y el matrimonio en la vida de K, ese diferimiento de la era mesiánica. No acabamos nunca. ¿Qué hizo K en ese laberinto de su soledad? Se retrajo a un rincón existencial, a una casita en la calle de los alquimistas, como uno de esos insectos que pueblan su obra y su imaginación, y desde ahí, como una libélula, creó a Franz Kafka.

¿Podría explicarse a través de la elipse de la que hablaba Benjamin? ¿El foco místico judío y el foco mundano alemán?

Y en la superficie de la elipse, sin poder salir de su perímetro, como un insecto de piernas minúsculas que no pueden impulsarlo y largas manos que anhelan el salto, Kafka. Kafka, que no solo revolotea en esa elipse-jaula, sino que él es su propia jaula, jaula invisible e intraspasable que a veces aprisiona a un melancólico gorila hablante que ya ni siquiera busca su libertad, sino que lo dejen en paz, o una ratona que arenga con sus silbidos a las multitudes que no pueden dejar de escucharla, o una marta temerosa que habita una vieja sinagoga (es el espíritu de las generaciones). Esta zoología fantástica recuerda al rabino Loew y su Golem, que nunca llegó a ser humano. Ese nunca se repite una y otra vez. El hombre de campo nunca entrará al edificio de la ley, Josef K. nunca sabrá de qué lo culpan, el médico rural nunca salvará a la inocente mujer cuya honra y vida comprometió sin darse cuenta, el mensajero del emperador nunca podrá entregar un sencillo mensaje, el agrimensor nunca conocerá al dueño del castillo ni se asentará en sus dominios para ganarse la vida como cualquier ciudadano normal.

Kafka me parece uno de los exponentes más acabados de esa palabra en inglés, estrangement, *que no tiene una traducción precisa al español: extrañeza, enajenación, alejamiento, alienación.*

Una especie agobiante de distancia. ¿Sabes en dónde encontró reposo K, es decir, con quién K fue de verdad K? Con sus hermanas. «Delante de mis hermanas he sido, sobre todo antes, un hombre completamente distinto a como soy delante del resto de la gente. Temerario, franco, poderoso, sorprendente, emotivo como solo lo soy cuando escribo.»

Tenía tres, y murieron en el Holocausto.

Tengo entendido que Valerie (Valli) y Gabriele (Elli) fueron exterminadas en Chełmno, el primer sitio en que se usó el gas Zyklon. La favorita era Ottla (Ottilie). Vivió un tiempo con ella. Junto a ella escribió sus aforismos. En sus cartas le da consejos prácticos, le cuenta las ventajas de ser vegetariano, le informa en detalle de su enfermedad. A través de ella manda saludos amorosos a sus padres, tratando de atenuar el dolor de perderlo. No hay nada «kafkiano» en esas cartas que no estaban destinadas a la posteridad. Pero el infierno que vivió Ottla no lo imaginó ni siquiera Kafka. Fue una heroína en la guerra, y una mártir. Confinada en el campo de Theresienstadt (donde los nazis habían montado un escenario cinematográfico para mostrar al mundo las condiciones benignas de los judíos), se enteró de la llegada de poco más de mil niños huérfanos de Białystok (la ciudad de mi madre, recuerdas). Los tuvieron apartados del campo, porque estos pobres niños habían presenciado los asesinatos de sus padres, las ejecuciones masivas, las cámaras de gas y el campo de exterminio en Treblinka. Ottla se ofreció como voluntaria para mudarse al campo sellado de esos niños y darles clases. Había el proyecto de expatriar a esos niños a Palestina, pero después se supo que el muftí de Jerusalén lo bloqueó. Con el engaño de que marcharían a Suiza, los deportaron a Auschwitz. Ottla Kafka, su maestra, los acompañó hasta el fin y fue inmediatamente gaseada junto con ellos. Aquello ocurrió en el otoño de 1943.

De haber sobrevivido, Kafka habría cumplido entonces sesenta años.
No quiero imaginarlo. Prefiero pensar que murió a tiempo.

Más allá del desamparo teológico y de la marginalidad existencial que describes, ¿es pertinente, de todas formas, una lectura política de Kafka?
Lo era en los ochenta. Te cuento el caso de un disidente checo que conocí en Oxford en 1981. Llamémoslo Julius T… Su crimen era dar clases de Platón en un departamento de Praga. Ese seminario para un puñado de personas se volvió célebre por el apoyo de profesores de Oxford, que acudieron a él. Fueron expulsados. Me acerqué a él y me narró su historia. Me refirió cómo operaba la policía secreta: contaba con medios ilimitados para penetrar las vidas de las personas, para invitarlas a sesiones de interrogatorios a cualquier hora del día o la noche, para recopilar hábilmente cualquier chisme, para aprovechar la más mínima discordia entre amigos, parejas, amantes, esposos, padres e hijos, y emplear la información para quebrarlos. Al final, muchos disidentes terminaban por alzar la mano pidiendo solo los más elementales derechos humanos para ellos, para sus hijos. Julius T… hizo varias huelgas de hambre. Se convirtió en cuidador nocturno de un zoológico, pero, como seguía reuniéndose clandestinamente con jóvenes y colegas para hablar de Platón, las autoridades lo perseguían. Me contó escapes inverosímiles por la ciudad, en los autobuses, en los parques, en las callejuelas. Me contó sobre la vigilancia de los guardianes fuera de su edificio y más tarde fuera de su departamento, y más tarde dentro de su departamento, porque colocaron micrófonos hasta en… la regadera. Igual que a Josef K., lo llevaron a la comisaría para quebrarlo con interrogatorios. Dos policías competían para ver quién podría someterlo. Usaban toda la violencia de la

que eran capaces para hacerlo obedecer, pero él resistía. Cuando lo querían de pie, Julius T... se sentaba; cuando lo querían en la silla, se echaba al suelo. Luego de pasar mucho tiempo en ese juego, los agentes estaban tan completamente exhaustos que tuvieron que llamar a un tercer hombre para sentarlo de nuevo en la silla. La gente a veces le pregunta: «¿Qué sentido tenía hacer todo eso?». Tenía todo el sentido: lo mantuvo libre de odio. Se llama Julius Tomin; vive en Praga, según entiendo.

Su delito era enseñar a Platón, por fortuna no lo mataron como a Josef K., «como a un perro».

Pero algo debió quebrarse en él íntimamente. Les pasó a otros disidentes. Hace años leí una conferencia de Václav Havel sobre Kafka. Ya era presidente de la República Checa. Habían quedado atrás sus prisiones, sus procesos. Decía que no le había sido necesario leer todo Kafka porque conocía su obra a través de su propia experiencia. Un aspecto de esa experiencia era la sensación de que su propia vida era una forma del pecado. Cargaba con el peso de la culpa. De ahí provenía la necesidad permanente de defenderse, de justificarse, de dar explicaciones, y el anhelo de encontrar un orden en las cosas, un orden que disipe el pecado y descargue la culpa, que aclare por fin la verdad, que reivindique sus derechos, que haga justicia. Él insiste y grita pero su reclamo es inútil, nunca llega a oídos sensibles y finalmente se desvanece. La impotencia se revierte contra él mismo, lo mueve a sentirse digno de ser odiado, digno de lástima. Esa exclusión, ese desarraigo lo acompañó siempre, aun después de 1989, aun después de convertirse en presidente. El anhelo de orden seguía ahí, la necesidad de justificar su vida seguía ahí. Pero algo horrible lo condenaba, una culpa original, oscura, indeterminada, que no podría expiar. Cualquier día podía despertar frente a dos guardias que lo acusarían de algo nuevo, desconocido, los jueces lo condenarían, lo llevarían a su celda. Su condición kafkiana era irredimible. Leyendo a Kafka y a Havel, escuchando a Tomin, aprendí que el poder totalitario, característico del siglo xx, quiebra a la persona aunque sobreviva, aunque llegue a ser presidente de la república.

Josef K., el protagonista de El proceso, *K., el agrimensor de* El castillo, *fueron personajes del siglo XX.*

De esa pesadilla que fue el siglo XX, y que Kafka soñó con aterradora precisión.

¿Soñó al siglo XXI?

Al leer a Kafka, pensaba yo lo que tantos lectores: que el siglo XX había sido un escolio a su obra. Era cierto. Pero pensé también que el siglo XXI dejaría atrás la pesadilla. Obviamente, me equivoqué. Y ahora el tribunal es político y cibernético. Los jueces sin ley dan su veredicto, los guardianes cumplen órdenes, los flageladores se aplican, los sacerdotes se cruzan de brazos, una culpa indeterminada corroe a los inocentes que terminan por no creer en su inocencia. La justicia calla. La verdad se esfuma, pero solo nos queda creer en ella.

Scholem, Benjamin y Kafka. Tres caminos de la mística.

Triángulo del mesianismo judío: uno lo estudia y previene; otro asume su existencia y se extravía en ella; otro más asume su inexistencia y la recrea.

XIII. La Revolución amorosa

Daniel Bell lee a Max Weber

Había otros autores centroeuropeos en tu biblioteca. A todos los alcanzó el predicamento spinozista. Y buscaron opciones. Unos tomaron caminos de la mística judía tocada por el mesianismo secular. Otros, me dijiste, tomaron la opción revolucionaria.

Sí, como Kurt Eisner, Gustav Landauer, Ernst Toller, Rosa Luxemburgo, Karl Liebknecht. Protagonistas de la Revolución social en Alemania. O teóricos, como Georg Lukács y los miembros de la Escuela de Frankfurt: Adorno, Marcuse. No formaban parte sustancial de mi biblioteca, pero sí de mis preocupaciones, como emblemas del romanticismo revolucionario. Los leí (o leí sobre ellos) para comprender el problema de la relación entre ética y política. Trotski había escrito *Su moral y la nuestra* para justificar éticamente la Revolución, para demostrar que el sublime fin histórico que ellos representaban justificaba los medios que utilizaban. Yo busqué argumentos contra esa tesis tan generalizada en medios de izquierda y los encontré en el texto clásico sobre el tema: la conferencia «La política como vocación», de Max Weber. Es muy conocida, ya lo sé, pero me gustaría contarte mi pequeña historia con esa obra porque ilustra cómo una lectura puede llevar a otras y a otras más, y conducirte a un nuevo estado de conciencia.

A un siglo de distancia, sigue vigente. Y cada vez más, en la medida en que han aparecido tantos líderes carismáticos.

Cuando lo conocí, en los años ochenta, descubrimos que, por el lado de mi abuela materna, Bell y yo proveníamos de familias nacidas en Białystok. El hallazgo desató una vena formidable en Bell, uno de los muchos secretos de su vitalidad: los chistes, el humor.

Un día recibimos en *Vuelta* un ensayo del gran sociólogo americano Daniel Bell. Se titulaba «El gran inquisidor y Lukács». Ese ensayo era una cátedra de historia intelectual bajo la forma de un texto autobiográfico en el que Bell daba cuenta de cómo y por qué había transitado del comunismo a la socialdemocracia, y de Marx a Weber. En 1933, cuando ante la victoria electoral de Hitler muchos de sus amigos se incorporaron al Partido Comunista, Bell (que pertenecía a la Liga Socialista y era un ávido lector de Marx y simpatizante de la URSS) visitó a Rudolf Rocker, padre del anarquismo, quien puso en sus manos los opúsculos *La tragedia rusa* y *La rebelión de Kronstadt*, de Alexander Berkman. (Rocker, por cierto, sin ser judío, escribió parte de su obra en ídish.) La historia de esa rebelión de los heroicos marinos ahogada en sangre por los bolcheviques que les debían su triunfo fue suficiente para convertirlo en un perpetuo menchevique: socialista en economía, reformista en la política, conservador en cultura. Bell decía que a toda persona de izquierda de buena fe le llega su Kronstadt. Y agregaba: «Mi Kronstadt fue Kronstadt.» (Por cierto, a mí me ocurrió algo similar, porque hacia 1979 conocí a un viejo anarquista catalán llamado Ricardo Mestre que me inundó de libros anarquistas contra los bolcheviques, pero esa es otra historia.) A Bell la iluminación definitiva le llegó hacia 1947, justo cuando leyó «La política como vocación». Contenía la gran lección del siglo xx (y la más grave profecía) sobre los riesgos del liderazgo carismático, del socialismo entendido como una nueva fe y una nueva iglesia, y de la revolución como vía de salvación. Ese ensayo de Bell me llevó a releer con lupa la conferencia de Weber, y esas lecturas paralelas –la de Bell y la de Weber– me dieron los elementos para entender por qué la pureza revolucionaria engendra monstruos. Yo no conocía el trasfondo biográfico y el drama personal detrás de ese texto, hasta que Bell me lo reveló. Te sorprenderá, como a mí me sorprendió. Te propongo leer la parte final y recordar el contexto. Así te mantengo en suspenso.

De acuerdo. Acababa de nacer la República de Weimar. La pasión revolucionaria anterior a la guerra había crecido con el triunfo bolchevique y se avivó tras la derrota alemana. Parecía que se cumplían las profecías de Marx y la revolución estallaba en la Europa capitalista.

Ese es el cuadro general. A principio de 1919, en Berlín, Rosa Luxemburgo y Karl Liebknecht fueron ejecutados por los Freikorps, las tropas paramilitares de veteranos de la guerra reclutadas por el gobierno, que con el tiempo apoyarían a Hitler. Otro foco revolucionario era Baviera y su capital, Múnich. Ahí se derrumbó la monarquía y Kurt Eisner fue nombrado ministro presidente y proclamó el Estado popular. Eisner era una figura fascinante: pensador, neokantiano, periodista, demócrata, pacifista adorado por las masas obreras, llegó de pronto al poder y decretó el arribo del socialismo. En enero de 1919 convocó a elecciones y las perdió. Weber dio su conferencia «La política como vocación», justo después de esas elecciones. Fue la segunda que impartió precisamente en Múnich a la Unión de Estudiantes Libres de Baviera. Un mes más tarde, cuando se dirigía al Congreso para presentar su dimisión, Eisner fue acribillado por un militar nacionalista y aristócrata.

Te menciono todo esto porque Eisner era el prototipo weberiano de la dominación carismática. Weber mismo lo consideró así. Hay que leer la conferencia pensando en los discursos iluminados de Eisner.

Weber planteó la famosa disyuntiva: la «ética de la convicción» o la «ética de la responsabilidad». Eisner evidentemente representaba la segunda.

No siempre se ha interpretado bien la disyuntiva, estarás de acuerdo. Como si la política fuera solamente el campo de la responsabilidad y no hubiese cabida para la convicción. Weber decía que el político de vocación debía tener pasión, que colinda con la convicción, y debía actuar con mesura, que colinda con la responsabilidad. Y no ignoraba el pragmatismo cínico o el relativismo conformista que podía enmascarar al convencional político «responsable», pero su mensaje estaba dirigido a los personajes del momento, los enardecidos representantes de la «ética de la convicción». Les quiso advertir contra los peligros de la ética absoluta aplicada a la política. El angustioso llamado final concierne solo a ellos: ¿qué bien supuestamente mayor justifica cerrar los ojos frente al mal supuestamente menor? Los revolucionarios de todas las épocas tuvieron que confrontar esa pregunta y la mayoría respondió desde la convicción: el supremo bien de la Revolución lo justifica todo. A Weber lo horrorizaba esa idea. No, la convicción no lo justifica todo. La vocación política es pasión atemperada por la mesura, mesura animada por la pasión, pero sobre todo responsabilidad.

Hay una frase de Weber que se me quedó grabada: «La política es un lento taladrar de tablas duras».

Esa es la realidad, que el romanticismo revolucionario no quería ver, que nunca ha querido ver. Weber entendía muy bien y quizá hasta añoraba el impulso romántico, el abandono romántico, pero toda su colosal producción intelectual, su conocimiento universal de las sociedades, su experiencia, su ética de trabajo y su vida espartana apuntaban en sentido contrario: el sentido de la realidad. Por eso son tan desgarradoras sus advertencias contra el arrebato de la convicción. Sus escuchas eran jóvenes. Weber no tenía profecías, recetas totales o visiones místicas o mesiánicas que ofrecerles. Lo único que honestamente podía transmitirles era un mensaje contra la irrealidad. Hay «una urdimbre trágica en la condición humana», les dijo gravemente, y en ninguna tarea es esto más claro que en la política. Frente a esa realidad, el imperativo moral es la paciente responsabilidad, no la convicción extática.

«Quien actúa bajo una ética absoluta –dice Weber– solo se siente responsable de que flamee la llama de la convicción, la llama, por ejemplo, de la protesta contra las injusticias del orden social.» Sorprende la actualidad de estas líneas.

Es una descripción fiel. El revolucionario no asume su responsabilidad. En última instancia «responsabilizará al mundo, a la estupidez de los hombres o a la voluntad de Dios, que así los hizo». Por eso Weber apoyó el estatuto de la República de Weimar. Una república que presuponía actuar con racionalidad. Y para Weber no hay otro camino: es preciso aceptar la irracionalidad del mundo y confrontarla con sabiduría. Esto es clave. Pero esa irracionalidad es insoportable para quien actúa bajo la ética de la convicción: necesita suprimirla.

Muchos revolucionarios consideran haber actuado bajo un esquema racional que corregirá al mundo.

Es verdad. Pero es un racionalismo nada spinozista. En vez de aceptar la irracionalidad del mundo y tratar de comprender las pasiones para embridarlas, buscan ajustar la realidad a un esquema. Ese «sueño de la razón» produce monstruos. Su «racionalismo» –dice Weber– es «cósmico-ético». En otras palabras, es un falso racionalismo. Weber en cambio reconoce la presencia permanente de lo irracional, y la enfrenta. Su ética política asumía la imperfección natural de todo lo humano y a partir de ella buscaba comprender la realidad para luego, en la medida de lo posible, modificarla. Esa era su prescripción política.

La ética de la convicción pertenece más a la esfera de la religión.

No se trata de no tener convicciones políticas. Se trata de someterlas a un análisis continuo para no aplicarlas ciegamente con costos mayores a los males que quisieran remediar. Pero muchos revolucionarios no pueden hacer ese análisis precisamente porque actúan bajo la expectativa de un advenimiento mesiánico que restablecerá el equilibrio cósmico perdido. Weber –el gran sociólogo de la religión– notó la semejanza entre la revolución moderna y los milenaristas que anunciaban la inminente llegada de Cristo. Y vio en la Revolución rusa la sensación colectiva de «quiliasmo orgiástico», la certeza de que estaba a la mano una «apertura escatológica de la Historia».

Esta frase recuerda la tesis de Benjamin: la historia que «se abre».

Profetas y revolucionarios anunciaban un futuro radiante que está por llegar, y su llegada es el fin que justifica los medios, todos los medios. Pero fincado en la ética cristiana (y en la judía), Weber es terminante. Resulta imposible decretar éticamente qué fines pueden santificar tales o cuales medios. Frente a ese problema de la santificación de los medios por el fin, veía inevitable la quiebra de cualquier moral de la convicción. Quiebra es la palabra que usó y es perfecta, porque cierra toda posibilidad de legitimar la revolución por vías éticas. Más allá de sus fines sublimes, el revolucionario tendría que hacerse cargo de las consecuencias prácticas de los medios que emplea. Básicamente, hacerse cargo de los muertos que deja a su paso. Siempre fue ingenuo –decía Weber– creer que de lo bueno nace solo lo bueno y del mal solo el mal. A menudo ocurre lo contrario: «Quien no ve esto es un niño, políticamente hablando.» ¡Cuántos revolucionarios son niños, en ese sentido, niños terribles!

Habían transcurrido menos de dos años desde el triunfo de la Revolución rusa. ¿La alude?

No recuerdo que se refiera a ella explícitamente, pero la implica y hace toda una radiografía de su desenvolvimiento. Es decir, aplica a la Revolución rusa su análisis ético. Subrayé esto:

Quien quiera imponer sobre la tierra la justicia absoluta valiéndose del poder necesita para ello seguidores, un aparato humano. Para que este funcione tiene que ponerle ante los ojos los necesarios premios internos y externos. En las condiciones de la moderna lucha de clases, tiene que ofrecer como premio interno la satisfacción del odio y del deseo de revancha y, sobre todo, la satisfacción del resentimiento y de la pasión dizque ética de tener razón; es decir, tiene que satisfacer la necesidad de difamar al adversario y de acusarlo de herejía.

Una vez que el líder desata las pasiones, es difícil dominarlas. No dependen de él. Suponiendo la pureza prístina del líder (y creo que Lenin no era hipócrita, cínico o corrupto), este depende del aparato que ha formado, y ese aparato no está integrado única ni mayoritariamente por seres como él. Los *apparátchiki* tienen sus propios fines, esos que menciona Weber. Por eso dice que el líder tiene que premiar de manera permanente a sus seguidores, y se refiere de manera explícita a «los guardias rojos, los pícaros y los agitadores». Weber pensaba que el experimento leninista desprestigiaría al socialismo por el resto del siglo.

Quizá la afirmación más conocida de la conferencia es esta: «Quien busca la salvación de su alma y la de los demás que no la busque por el camino de la política, cuyas tareas, que son muy otras, solo pueden ser cumplidas mediante la fuerza».
La ética de la responsabilidad no excluye y hasta supone el uso legítimo de la fuerza por parte del Estado. Esa es la definición de Weber. Pero el acento está puesto en la responsabilidad, es decir, en tener en cuenta las consecuencias de las acciones. Provocar el daño menor. En ese sentido, toda política debe revisar permanentemente sus fines y sus medios para que estos no desvirtúen o traicionen aquellos. Ese fue el consejo de responsabilidad que quiso transmitir. La conferencia llama a los jóvenes a hacer una pausa, a escuchar la voz del conocimiento y la experiencia. Weber quiso anticiparles lo que ocurriría. Quizá esa conferencia fue la postrera, porque Weber murió al año siguiente, víctima de la influenza española. Leí el texto varias veces, en varias ediciones. Leerlo antes del asesinato de Hugo Margáin fue distinto a leerlo después. El texto de Weber me sirvió para entender (y reprobar) la ética de los santos

metidos a la política, ya sean terroristas religiosos o guerrilleros urbanos como los que sacrificaron a Hugo. Todos son hijos del mismo tronco, enamorados de sus ideales prístinos, e irresponsables ante las consecuencias que provocan sus acciones, aunque sean brutales.

¿Hay testimonios de los jóvenes que estaban presentes en esa conferencia de Weber?

Max Horkheimer, el futuro fundador de la Escuela de Frankfurt, estuvo presente y escribió: «Todo era tan preciso, tan científicamente austero, tan libre de valores, que regresé a casa completamente desolado.» Le faltaba «convicción» a Weber, o «fuego» o aliento mesiánico. Así debieron de pensar sus escuchas. Y ahí viene la apasionante pesquisa de Daniel Bell. Los destinatarios directos de la conferencia eran dos alumnos de su círculo cercano, queridos y consentidos por Weber. Un poeta y dramaturgo, y un filósofo: Ernst Toller y Georg Lukács. Dos profetas quiliásticos del siglo XX, cada uno a su manera. Creo que para entonces Lukács vivía en Hungría. Toller pudo haber acudido, pero es improbable: para entonces formaba parte del gobierno socialista de Eisner. Ambos conocían las ideas de Weber, y las rechazaban.

Ernst Toller, presidente

¿Quién era Ernst Toller?

Un artista emblemático del expresionismo alemán. Pero antes fue muchas cosas. Un judío alemán que escribía poesía y detestaba ser judío, quiso ser alemán, quiso ser ciudadano del mundo, quiso la paz, el socialismo, la justicia universal. Tiempo después leí su autobiografía: *I Was a German*. Un prototipo de la «ética de la convicción». Había participado como un patriota alemán en las trincheras brutales de la guerra, fue herido gravemente, convaleció más de un año en un hospital dantesco, se volvió pacifista militante, después un revolucionario furibundo, encabezó huelgas, manifestaciones, sufrió prisiones. Uno entiende las ideas de Weber leyendo la vida

de Toller. Hay una fotografía suya con Weber que debe ser de 1917. Toller mira al maestro con admiración, seriedad y un aire casi irascible de impaciencia. En sus memorias dice que la juventud de entonces volteaba a Weber porque admiraba su honestidad intelectual. Pero Weber no les ofrecía ideas de salvación sino ideas democráticas: había que dar voz y voto a la gente; el orden político prusiano, basado en la distinción de clase, debía desaparecer, junto con el poder de la burocracia. Debía abrirse paso a un gobierno parlamentario, con control democrático. Las ideas de la República de Weimar. Toller, obviamente, reclamaba más: quería que Weber les mostrara el camino de salvación. La preocupación de los jóvenes –escribe Toller– iba «más allá» de los pecados del Kaiser o la reforma electoral. Querían crear un mundo nuevo, creían que cambiando el orden existente cambiarían el corazón de los hombres. Pero Weber les aconsejaba la imperfecta responsabilidad. Por eso no lo escucharon. Él era terrenal e impuro. Ellos eran impecables y puros.

Dices que Toller formaba parte del equipo de Eisner...

Tras la muerte de Eisner, en febrero de 1919, una ola de indignación llevó a los revolucionarios al poder. Y en abril de 1919 se declaró la República Soviética de Baviera, presidida nada menos que por... ¡Ernst Toller! ¿Sabes cómo describió su gobierno? «La república bávara del amor.» Como lo oyes. Era presidente de la república amorosa de Baviera. Y se rodeó de intelectuales y artistas. El filósofo anarquista Gustav Landauer (muy admirado por Benjamin, traductor de Shakespeare al alemán, lector de Hölderlin, admirador de Whitman, pacifista radical) lo acompañó en el gabinete como ministro de instrucción. ¿Qué mejores credenciales de pureza? Pero aquella república amorosa fue un caos inimaginable: pésimos nombramientos, planes enloquecidos (abolición del dinero, de las rentas, de la enseñanza de la historia). La presidencia de Toller duró unos cuantos días. Para mayo, todo aquel experimento revolucionario había terminado. Landauer fue ejecutado, Toller y otros líderes fueron condenados a largas sentencias en la cárcel. Redujeron su pena gracias a la intervención de Weber: «En un rapto de ira, Dios lo hizo político», dijo Weber a los jueces. También Thomas Mann lo defendió.

Toller era el espíritu puro al que Weber se refería en su conferencia.
Exactamente. Según la investigación de Bell, en la prisión Toller sufrió una transfiguración. Escribió la obra de teatro *Masse Mensch* en la que las masas revolucionarias representadas por «el Innominado» hablan a la persona, el individuo, representado por «la Mujer». «El Innominado» le pide que mate en nombre del pueblo, no del pueblo presente, del pueblo futuro. «La Mujer» se niega. Bell transcribe el diálogo en el ensayo que publicamos en *Vuelta*:

El Innominado –Nuestra causa exige su sacrificio.
Pero tú traicionas a las Masas, tú traicionas
A la Causa.
Tienes que decidir hoy.
Quien titubea ayuda a nuestros amos
–Los amos que nos oprimen y nos matan de hambre
Quien titubea
Es nuestro enemigo.
La Mujer –Si yo tomara una sola vida humana
Traicionaría a las Masas.

Quien actúa debe sacrificarse solo a sí mismo.
Escúchame: ningún hombre puede matar por una
causa.
Impía toda causa que necesita matar.
Quienquiera que pide sangre humana
Es Moloch.
Así Dios fue Moloch,
El Estado Moloch
Y las Masas –
Moloch.

Qué impresionante diálogo. Quizá se desprendía de la conferencia de Weber. Ninguna causa justifica matar, negarlo es pactar con el diablo.

Aunque en política el pacto con el diablo es inevitable, el político responsable, sobre todo en el marco de una república parlamentaria, libre y democrática, puede acotar los términos. Pero en el marco de una guerra santa, religiosa o ideológica, ese pacto se magnifica, pide sangre, ríos de sangre. Toller fue un pacifista y comprendió el horror de la revolución que en nombre de «las masas» pide sangre, pero nunca asumió la ética de la responsabilidad. Era un discípulo imposible de Weber. Siempre confió en el advenimiento de una revolución socialista no violenta que acabara con el Estado, el capitalismo, «la máquina». No era un anarquista, porque repudiaba la violencia, ni tenía un proyecto constructivo y concreto. Era un romántico irredento, un utopista irredento. Salió de la cárcel en 1925 y tuvo éxito como dramaturgo. Benjamin cuenta en su *Diario de Moscú* que Toller llegó a Rusia meses antes y fue recibido con honores de Estado. (Asja le hizo saber que fue muy galante con ella.) Se anunció una magna conferencia suya, pero de pronto apareció en *Pravda* un artículo que lo denunciaba como un traidor a la Revolución. El pobre Toller llegó al teatro para enterarse de que la función había sido suspendida. Igual que Benjamin, debió abandonar Alemania en 1933. Entonces escribió sus memorias, que terminó el día en que sus libros se quemaban. Se casó con una joven actriz muy hermosa de dieciséis años, pero su felicidad fue fugaz. Lo atormentaba la injusticia universal. Toller deambuló por

Europa y Estados Unidos. Gastó sus ahorros en apoyar a la República española, su última gran causa. Bell refiere que lo conoció en 1937. Abatido por la victoria de los franquistas, Toller se suicidó en un hotel de Nueva York, en mayo de 1939.

La historia de Weber y la de aquella conferencia había alcanzado a Bell.
Pero tardó décadas en atar todos los cabos. Toller no tiene la dimensión de los otros autores que hemos evocado, pero es representativo de una época y del idealismo ciego que lamentaba su maestro Weber. Como no conocía términos medios, su libro narra el paso de la esperanza total a la absoluta desesperanza. Uno se pregunta por qué Toller no se conforma con lo posible, por qué no ve lo bueno en lo posible. Pero él no ve salidas. «¿Fue todo en vano: el dolor, la miseria, el abnegado esfuerzo de los más nobles, el sacrificio de los más valientes? ¿Debemos marchar inexorablemente a la oscuridad de la muerte?» Fue su pregunta final.

¿Qué respondió? ¿Qué piensas tú, finalmente?
Ernst Toller, el alma que «Dios había hecho político en un acto de ira», no pudo soportar la irracionalidad del mundo. Me conmueve menos su pureza que su coherencia: como el personaje de su obra de teatro, antes de atentar contra la vida de los demás para servir a «la causa», a «las masas», a la Revolución o al futuro (para «salvar su vida y la de los demás», como decía Weber), acabó con su propia vida. Su amigo W. H. Auden escribió un poema obituario, que termina así:

Querido Ernst, yace al fin, sin sombra
entre otros caballos de guerra que vivieron
hasta hacer algo digno de ejemplo para los jóvenes.

En nosotros viven fuerzas que creemos entender:
deciden nuestros amores; y al final son quienes dirigen
la bala enemiga, la enfermedad y aun nuestra mano.
Es su mañana el que se cierne sobre el mundo de los vivos
y de todo lo que deseamos para nuestros amigos; pero existir es creer
que sabemos por quién lloramos y quién está sufriendo.

Un poema de un amigo y un presagio de la guerra por venir.

Y los dos últimos versos que responden a John Donne: «¿Por quién doblan las campanas?».

Georg Lukács: el pacto con el diablo

¿Qué papel juega Lukács en este drama?

Bell lo sugiere. Lukács es «el Innominado» de la obra de Toller. Es el revolucionario que no solo no se arrepiente, sino que asume conscientemente las fuerzas diabólicas, y pacta con Moloch. Bell hizo una investigación exhaustiva de su conversión al comunismo. Fue súbita y sorprendente. En los textos que cita, la compleja figura del joven Lukács aparece primero como un lector de Kierkegaard y Dostoyevski, desencantado de su «época de pecaminosidad absoluta». Esto ocurre en diciembre de 1918. Pero para salvar al mundo Lukács se negaba entonces a adoptar la filosofía de Marx. Aceptarla significaba «admitir el mal como mal, la opresión como opresión, el dominio de la nueva clase como dominio de la nueva clase». Del mal no podía nacer el bien, de la dictadura y el terror no podía brotar la sociedad sin clases. De pronto, con una semana de diferencia, Lukács entra al Partido Comunista y ese mismo mes aparece su artículo «El bolchevismo como problema moral», en el que se vuelve un creyente. Explicaba su transformación aduciendo que en la «edad de la absoluta pecaminosidad» no había escapatoria para los hombres que quieren preservar su pureza moral. «Todos los hombres debían elegir entre la violencia puntual y efímera de la revolución y la violencia permanente y sin sentido del viejo mundo corrupto.» Y para defender la primera opción proponía el salto dialéctico: «El más alto deber para la ética comunista es aceptar la necesidad de actuar de manera inmoral. Es el mayor sacrificio que la revolución exige de nosotros. La convicción del verdadero comunista de que el mal se transforma en bendición a través de la dialéctica de la evolución histórica.» Por cierto, Bell recuerda al lector que esa «teoría dialéctica de la maldad» es la que sostiene Leo

Naphta, el dialéctico judío-jesuita, en un famoso pasaje de *La montaña mágica*, publicada en 1924.

Esas inolvidables conversaciones con el garibaldino Ludovico Settembrini, ante la mirada atónita del ingeniero Hans Castorp y su primo Joachim.

Fui a consultar el ejemplar que tengo desde los tiempos del Colegio Israelita. Dejé marcado el pasaje en que «el espantoso» Naphta –así se refiere a él Mann– interpela a Settembrini. Sostenía que el proletariado había reanudado la obra de Gregorio el Grande, el fundador del Estado de Dios, que para salvar al mundo bendecía el uso del terror. Era un error condenar –como hacía el italiano liberal– los actos sangrientos de la Iglesia, su celo religioso, su intolerancia. «Maldito sea el hombre cuya espada ahorre la sangre», había dicho Gregorio, y según Naphta tenía razón. Naphta reconocía que el poder es malo, pero para apurar la llegada del reino de Dios había que «suspender pasajeramente» el dualismo del bien y del mal, del espíritu y de la potencia, con un principio que reuniera el asentimiento y el poder. «Eso es lo que yo llamo la necesidad del Terror», decía Naphta, como pudieron haber dicho, y de hecho dijeron, Lukács o Lenin.

Entiendo, pero, a todo esto, ¿por qué la referencia en el título del ensayo de Daniel Bell a «El gran inquisidor», el cuento inserto en Los hermanos Karamázov?

Por la conversión de Lukács. Y por la referencia directa de Weber a ese cuento de Iván Karamázov. Ahí se planteaba de la manera más honda la imposibilidad de la «ética de la convicción» en el reino de este mundo. El mensaje de libertad de Jesús (que reaparece en la tierra, en Semana Santa en Sevilla) se enfrenta al realismo brutal del gran inquisidor que lo detiene e interpela recordándole que su reino no es de este mundo. En este mundo impera el gran inquisidor. Weber recomendaba la lectura del «Sermón de la montaña» porque lo conmovía la santidad, pero no la santidad que bendice al poder. El «Sermón de la montaña» es un fundamento imposible para la acción política, decía Weber, recordando el drama de los cuáqueros pacifistas que frente a la violencia inminente estaban impedidos a hacer otra cosa que ofrecer la otra mejilla. Por eso el cuento aterra al bueno y santo Aliosha Karamázov. Percibe que su hermano Iván –por el supuesto bien de la humanidad caída, débil, sumisa, hambrienta– pacta con el diablo, igual que pacta el gran inquisidor. Y también Lukács pacta.

Se ha dicho repetidamente que la imagen del gran inquisidor presagia al régimen soviético. Fue un vidente, Dostoyevski.

Yo también creo que el cuento de Iván Karamázov vislumbra al régimen soviético, al menos en su arranque. La clave está en la frase del inquisidor a Jesús cuando le recuerda las tres únicas fuerzas capaces de tranquilizar para siempre a los pobres humanos, «seres infelices e indómitos» incapaces y reacios a ejercer el don de la libertad. Esas fuerzas eran «el pan, el misterio y el poder». Son las tres pruebas a las que lo sometió el espíritu del desierto –es decir, el diablo– y que Jesús, en su pureza, eligió no aceptar. Ahora, la Iglesia las aceptaba por él con la misión de ejercer el dominio universal que la inmensa mayoría de los hombres anhelaban. A cambio de sumisión, daría pan, ofrecería misterio, ejercería autoridad. Esa tríada reaparece en el régimen soviético que buscaría reinar como un César universal, dueño de esas fuerzas a las que el hombre se plegaría confiadamente y para siempre. Creo que así pensaba también Thomas Mann. En el pasaje de *La montaña mágica* que te comenté, Naphta declara que el Estado soviético heredaba el mandato divino de Gregorio el Grande.

No es tan clara la relación entre el totalitarismo y la Iglesia.

Tienes razón. En ambos el poder inflige dolor, pero por motivos distintos. El gran inquisidor no inflige a los herejes dolor por el dolor mismo. Si se arrepienten los exonera, aunque nunca les concede la libertad que ellos, por lo demás, según Iván Karamázov –y quizá según Dostoyevski–, no ansían. Pero ¿cómo creer que a los burócratas soviéticos que en los años treinta condenaban a millones de personas por crímenes mentales, que potencialmente podían cometer, los movían razones ideológicas? Eran los burócratas prebendados y vengativos que refería Weber. Estamos en otro universo.

Acá no hay pan de la tierra ni del cielo. Acá no hay misterio ni milagros. Acá hay solo la «voluptuosidad del poder» que Settembrini veía como la clave de Naphta.

¿Cambió Lukács en tiempos de Stalin?

Bell recogió su confesión en Moscú en 1934: «Con la ayuda del Comintern –decía Lukács–, del Partido Comunista Unificado y de su dirigente, el camarada Stalin, las secciones del Comintern lucharán por esa férrea implacabilidad ideológica y por el rechazo de todo compromiso con cualquier desviación del marxismo-leninismo...».

Se había cumplido la profecía de Max Weber en la vida de sus dos discípulos preferidos: Ernst Toller y Georg Lukács. «Quien busca la salvación de su alma y la de los demás que no la busque por el camino de la política.» Toller no pudo salvar su alma o entendió que salvar al mundo era imposible, y se suicidó. Lukács ¿reconsideró al final sus opiniones?

Formó parte del gobierno húngaro que fue depuesto en 1956, y no tuvo más remedio que plegarse a la línea soviética, que de todas

Cuando fue arrestado por su participación en la rebelión de 1956 en Budapest, un oficial de la KGB le pidió su arma a Lukács. Este le entregó su pluma. A pesar de esto, permaneció fiel al régimen.

maneras comenzaba a propiciar un lentísimo deshielo. Murió en 1971, muy a tiempo, porque acababan de publicarse las memorias de Nadiezhda Mandelstam y no tardaría en aparecer completo el *Archipiélago Gulag*. Se hubiera muerto nuevamente de solo leerlos. Sin embargo, alcanzó a escribir sobre otras dos obras de Solzhenitsyn (*El primer círculo* y *Un día en la vida de Iván Denísovich*) en un libro que apareció ese mismo año, titulado simplemente *Solzhenitsyn*. Irving Howe, el crítico literario americano, socialista y liberal, amigo de Bell, de Paz y de *Vuelta*, lo reseñó en aquel número extraordinario de *Plural*, en marzo de 1974. Para su sorpresa, Lukács reconoció en Solzhenitsyn la cualidad suprema de «preservar la propia integridad humana» bajo la tiranía. Refiriéndose a Nerzhin, el personaje de *El primer círculo*, Lukács escribe en términos que parecían anteriores al tiempo de su conversión de 1919: «No hay mejor lugar que la prisión para comprender el papel del bien y el mal en la vida humana.» ¡El bien y el mal!, brincó Howe. ¿No eran esas categorías idealistas? ¿Dónde quedaba la dialéctica? ¿Ya no eran «progresista y reaccionario» las categorías adecuadas?

Entonces, al final reconsideró...

No. El pacto con el diablo fue perpetuo. En un giro final a la dialéctica, dictaminó que, con todos sus méritos morales, la obra de Solzhenitsyn era una vuelta al realismo socialista escrita por un hombre que, en su meritorio afán moral por descubrir la mentira y la opresión, refleja la «ignorante perfección» de la gente común. Esa expresión es de Marx y apunta a la incapacidad de las masas a elevarse sobre el nivel de lo existente hacia planos de generalidad histórica y visiones dialécticas. De modo que el libro postrero de Lukács es coherente con su conversión primera. No hay reconsideración, hay la convivencia imposible de dos reflexiones opuestas: el reconocimiento del testimonio histórico de Solzhenitsyn y la relativización «dialéctica» de ese mismo testimonio tildándolo de plebeyo. Pero para Howe la crítica de Solzhenitsyn a la sociedad rusa era más revolucionaria, y se acercaba más a las necesidades del auténtico socialismo, que la de Lukács. Era mejor el plebeyo que el dialéctico. Lukács nunca se arrepintió. Es igual que su *alter ego*, el «espantoso» Naphta. Yo no comulgo con esa convicción. Si se entiende que la política es el lento taladrar…, no es necesario vender el alma al diablo.

Es muy interesante lo que hemos hablado sobre Weber y su prédica a Toller y Lukács. Pero no explicas qué papel tuvieron estas ideas en tu propia vida.

Creo que ningún ensayo que publicamos en *Vuelta* me causó la impresión del texto autobiográfico de Daniel Bell. Él seguía siendo socialista y buscaba un asidero nuevo para pensar éticamente a la política o, dicho de otro modo, para entender el papel del mal y el bien en la política, sobre todo en la política revolucionaria. ¿Tenía razón Trotski cuando decía que la moral burguesa dejaba de ser vigente ante la moral superior de los revolucionarios? ¿El fin sublime justificaba el uso de medios brutales? Bell sostenía que la mayor lección del siglo xx, el más pavoroso de la historia, era el temor a las masas en la política y sobre todo a aquellos que fustigan las pasiones de las muchedumbres «en nombre del pueblo», como en otro tiempo se hacía en nombre de Dios. Todos eran iluminados practicantes de la «ética de la convicción». Se declaraba cansado de predicar porque reconocía que «el romanticismo corrupto de la revolución seguía ejerciendo una fascinación constante y renovada». Y sin embargo escribió ese texto en 1981, como una nueva advertencia, como la de Weber en 1919. Y así la leí yo: como un llamado a tomar la estafeta. Nosotros vivíamos en medio de esa fascinación constante y renovada por la Revolución en América Latina, pero no podíamos cansarnos de predicar. Ahora releo periódicamente a Bell y a Weber. Son el mejor antídoto frente a los líderes mesiánicos y carismáticos en nuestro siglo.

Todo lo que un ensayo, una lectura, puede suscitar.

Ese era el privilegio de editar *Vuelta* junto a Octavio Paz. Leer textos que te animaban a buscar más y a buscar en ti. Que te cambiaban la vida. Y tener cerca a autores como Bell. Para encontrar respuestas a las preguntas límite del siglo xx, Bell leyó a Max Weber en 1947. Y, con el mismo objetivo, yo leí a Bell leyendo a Weber en la revista *Vuelta*. Y ahora tú y yo hemos releído juntos a todos ellos, como en un teatro de las ideas, con todos sus personajes: Weber, Eisner, Toller, Lukács, Dostoyevski, Thomas Mann.

¿Conociste a Bell?

Muy pronto lo visité en Cambridge, Massachusetts, y nos hicimos amigos. Fue muy cercano a *Vuelta* y después a *Letras Libres*. Tengo tantas cartas suyas, tantos recuerdos.

El último frankfurtiano

Después de tus lecturas marcusianas de juventud, ¿leíste a los filósofos de la Escuela de Frankfurt?

Siempre tuve a Marcuse en la mente. Quise entender por qué había prendido tanto en los sesenta, qué significaba la Escuela de Frankfurt, cuál era su legado en el momento en que todos habían muerto. Por fortuna, no era el único que se hacía esas preguntas. En 1978 un filósofo inglés llamado Bryan Magee, formado en la filosofía analítica, publicó un libro con entrevistas a varios filósofos: *Men of Ideas*. Ese era el modelo que yo quería seguir en mis conversaciones con pensadores. Un género amable, una buena forma de conocer y dar a conocer al público el pensamiento filosófico e histórico. Pedimos los derechos al editor y en octubre de 1979 publicamos en *Vuelta* su entrevista con Marcuse, que acababa de morir a mediados de ese año.

Te confirmó tus críticas.

Sí y no. Verás. Marcuse creía haber solventado muchas fallas del marxismo al compaginarlo con el freudismo. Magee argumentó que eran incompatibles: o las condiciones materiales determinaban la superestructura (sueños, ideas, religión, mitos, sentimientos) o el *id*, el ello, determinaba el comportamiento de los hombres. Pero Marcuse no cedió. Dijo que nadie había podido refutar al marxismo, nadie había demostrado su falsedad. ¿La prueba? La riqueza increíble de la sociedad capitalista no había servido para crear una sociedad más decente y humana y por lo tanto nada que no fuera el arribo a la perfección por parte del capitalismo podía falsificar el marxismo. Eso, en la práctica, equivalía a decretar la imposibilidad de falsificarlo. Mientras el hombre no lograra construir una sociedad en la que el trabajo dejara de ser la medida de la riqueza y el valor, el marxismo seguía vigente. Mientras los seres humanos siguieran empeñando la vida en actividades enajenantes, el marxismo seguía vigente. Mientras hombres y mujeres se vieran impedidos a determinar en forma solidaria su existencia sin temor, el marxismo seguía vigente. O sea, mientras no llegara la era mesiánica el marxismo seguía vigente. No conozco confirmación mayor de la convergencia de ambas ideas. Y sin embargo, Marcuse acertó en profetizar que el movimiento de liberación femenina encerraba un formidable potencial. Conclusión: esos sociólogos tenían un genio crítico frente a las formas de la opresión humana. Pero sus propuestas eran vagas, generales, imprácticas. Seguían presos en la ética de la convicción que señalaba Weber. No soportaban la irracionalidad del mundo. No concebían la política como «el lento taladrar de tablas duras». No concebían vías parciales fragmentarias (diría Popper) de mejorar la vida. Eran guardianes de la utopía.

En tu libro Personas e ideas *incluiste una entrevista de principio de los años ochenta con uno de esos guardianes: Joseph Maier. Era el último representante de la Escuela de Frankfurt, fundada entre otros por sus maestros Max Horkheimer, Theodor Adorno y Herbert Marcuse. Dijiste ahí que Maier «te liberó del mito de la liberación».*

Me contó que él había sido el orador en una ceremonia frente a aquel monumento a Heine en Nueva York, del que te he hablado. Con solo veintiséis años y acabado de llegar de la Alemania hitleriana, había sostenido que los judíos alemanes en Estados Unidos, los refugiados, eran –como Heine en París– los herederos auténticos de la filosofía y la literatura alemanas. Ellos tenían la encomienda de resguardarlas. Heine había dicho que los filósofos alemanes habían anticipado en la teoría, en el espíritu, el mundo libre que los franceses hicieron realidad con la Revolución. La Revolución no había creado un mundo de fraternidad, pero la idea de la libertad seguía viva, inextinguible. Un siglo después de Heine, esa idea sufría la amenaza del dominio nazi. «El mundo quedaría totalmente destruido si no lográbamos detenerlos», me dijo Maier, recordando ese momento. Ellos se sentían los responsables intelectuales de conservar ese legado de libertad. Todos eran Heine. Uno de los asistentes a la ceremonia fue Horkheimer, que a través de su secretaria localizó al joven orador, cuyas ideas coincidían puntualmente con las suyas. Heine le dio suerte a Maier: se casó con la secretaria y entró al Institut für Sozialforschung para colaborar con Horkheimer.

¿Cuál era su crítica a sus maestros? ¿Cómo había llegado a ella? ¿Hasta qué punto te identificaste tú con ella?

Maier fue un inesperado mentor. En esa conversación, utilizó con sentido crítico la palabra redencionismo o redentorismo. Me dijo que la semilla ideológica del redentorismo estaba en el propio Marx (el desplazamiento del judío al proletario, como sostenía, entre otros, Edmund Wilson). Sus maestros habían compartido esa actitud, pero Maier la explicaba, en el caso de ellos, como una reacción al nazifascismo. En el instituto todos estaban dispuestos a trabajar incansablemente contra el nazismo. Todos estaban empeñados en una conspiración sagrada para derrocarlo. Y, al mismo tiempo, escucha lo que me dijo:

> Uno cree que puede cambiar el mundo de golpe. Yo estaba decidido a hacer cualquier sacrificio para que adviniera la redención del hombre; un mundo feliz, nuevo, en el que solo hubiera justicia. Eso era lo único que hacía soportable la vida: la esperanza de cambiar todo y derribar a los nazis. Así anticipaba Marx el nuevo mundo: habría felicidad y los sacrificios no habrían sido en vano.

Eran cruzados contra el fascismo y cruzados de la redención marxista, que veían como una misma causa.

Sus armas eran sus ideas o visiones. Ese estado mental de lucha los marcó aún después de la guerra. «Seis millones de judíos y Auschwitz me pesaban mucho», me dijo Maier. ¿Y a qué judío no? ¿Quién podía culparlos?

A la luz de esa explicación se entiende mejor el marxismo de Benjamin, ¿no crees? Aunque Hitler no estuviera en el poder, ya estaba en el horizonte de Alemania.

De ahí la teoría de los cataclismos seguidos de olas mesiánicas. El mesianismo marxista de Benjamin se explica en parte así. Y el de la Escuela de Frankfurt lo comprueba aún más. Se aferraron a una nueva fe, una fe compensatoria, tan inmensa como el horror que caía sobre el pueblo judío. Era su tabla de salvación ideológica.

¿Crees que fueron indulgentes ante «el otro totalitarismo»?

No como lo fue Lukács. Eran teóricos marxistas heterodoxos, no leninistas ni estalinistas.

¿Cómo llegó, para Maier, la hora de criticar a sus maestros?

Lo hizo, hasta donde sé, por varias vías. Una fue Vico, sobre quien escribió un texto que confrontaba a Horkheimer. El *corso e ricorso* de Vico no presenta un libreto histórico fijo sino una azarosa sucesión de ascensos y caídas. A diferencia de sus maestros –me dijo Maier– Vico no tenía una teoría escatológica de la historia. Ni la marcha hacia la redención ni la caída inevitable. La posibilidad de progreso era real, pero también la recaída en la barbarie. Vico, decía Maier, tomó en serio el *dictum* de Spinoza sobre la inutilidad de ridiculizar o lamentar las acciones humanas en lugar de comprenderlas. Y lo que comprendió está más cerca de lo empíricamente comprobable que las visiones frankfurtianas de una era mesiánica libre de injusticia, necesidad y desigualdad.

Que era un bello sueño, una utopía.

Fue interesante lo que me dijo Maier sobre esa utopía. Suponía nada menos que la abolición de la muerte. El hombre transformado en el director omnipotente de su propio destino elimina de la historia el aguijonazo y el dolor de la tragedia. Pero era una fantasía casi infantil. Por eso se había acercado a Weber, el mismo Weber que su maestro Horkheimer había rechazado en su juventud. Igual que Daniel Bell, Maier fue de Marx a Weber, abandonó el materialismo histórico y adoptó una visión compleja de la historia en la que intervienen movimientos y personajes carismáticos, instituciones e intereses materiales, mitos, creencias e ideologías. Y ya desencantado del mundo (como pedía Weber para todo el que asumiera una vocación científica), Maier terminó por estar de acuerdo con aquella definición de Scholem sobre el Instituto de Investigación Social: «Es la secta más interesante de la judería alemana». Scholem incluía en esa «secta» a Lukács, y Maier estaba de acuerdo. Según él, un examen profundo de *El alma y las formas*, los contactos de Lukács con Martin Buber, Ernst Bloch, Walter Benjamin y otros revelarían el interés y la fascinación de Lukács por los elementos místicos, teológicos y redentores del judaísmo.

También Lukács se extravió en la «teología profana».

Y también Lukács escribió profusamente sobre literatura y estética, pero a juicio de Maier lo hizo con menos libertad que sus maestros, cuyos aportes reconocía ampliamente. A diferencia de Lukács, sus maestros, sobre todo Adorno, sí habían abrazado la modernidad del arte, a Proust, Joyce, Kafka y la música de Schoenberg.

Si entiendo bien, tus lecturas de Frankfurt eran escasas.

Para decir lo menos. Yo no hablé con Maier para que me ayudara a acercarme a la obra casi impenetrable de sus maestros, sino para entender la actitud histórica de aquel grupo. Me acerqué como lector, como liberal, como escéptico del mesianismo. Y sentí una conexión con Maier: tras haber vivido tantos años en Estados Unidos, él había terminado por rechazar el carácter esotérico de la Escuela de Frankfurt, comenzando por su lenguaje. Hasta Marcuse decía que Adorno era a veces incomprensible, pero lo disculpaba a la manera marcusiana: era tal el control y la manipulación del lenguaje en la sociedad capitalista que para contrarrestar uno debía romper la sintaxis, la gramática, el vocabulario. Maier pensaba que todo eso era un delirio. Decía que el alemán era un lenguaje propicio a la especulación, pero había terminado por exasperarlo. Se volvió lector de filósofos analíticos. Y me dijo que no le interesaba Aristóteles como representante de la sociedad esclavista sino por su contenido de verdad. En suma, consideraba superada a la teoría crítica. Una pieza de museo. Pero no te lleves una impresión equivocada. Maier no se arrepentía de su fervor y su cruzada. Habían valido la pena. Y amaba a sus maestros. Les reconocía haber luchado por la libertad. Como Marx, la Escuela de Frankfurt se oponía a la esclavitud, sobre todo a la esclavitud respecto de las fuerzas anónimas de las sociedades, especialmente las económicas. Eso les reconocía, con toda razón.

Maier te dio una versión familiar de los frankfurtianos. Te acercó a ellos. Los humanizó. Y, según leí, hasta te confirmó que su esposa había firmado el documento que habría salvado la vida de Benjamin, y que llegó tarde a Portbou. Ese testimonio directo refutaba la idea de que Adorno y Horkheimer habían abandonado a Benjamin.

Me ayudó que Maier –a sus casi ochenta años– me marcara el camino. Pronunció un enunciado como extraído de Max Weber, pero de un Max Weber tocado por el judaísmo:

Lo que no vi entonces, pero sí veo ahora, fue la tarea de remendar para producir mejoras con el mínimo sacrificio humano posible. Lo que me entristece es que el Tercer Mundo también cree en buena medida que es posible cambiar de golpe las cosas. No existe una llave secreta para la salvación. Uno puede mejorar la parte que le corresponde a la humanidad con un trabajo lento, paciente. Yo era impaciente y aprendí a ser paciente. Estudié un poco más de historia. Y, como dice la Biblia, el día de la redención llegará… al final de los tiempos. Será entonces cuando la historia realmente alcance su fin. Entonces conoceremos el mundo nuevo: cuando este llegue a su fin. Pero, en tanto continúe la historia, tenemos que poner todo de nuestra parte para mejorar *este* mundo y enfrentar sus altibajos.

Es curioso el periplo. Comenzaste a estudiar a los autores alemanes con la clave del mesianismo judío y creíste que a los utopistas revolucionarios de Europa Central no los movía ya esa idea. Pero, para decirlo en términos de Ortega y Gasset, esa idea era una creencia. Y reapareció claramente como el motivo principal en la Escuela de Frankfurt.

Así fue, y yo me dispuse a desechar su obra como una pieza de museo. Pero la historia tiene vuelcos insospechados. Hace poco, a propósito del fenómeno Donald Trump, consulté un viejo volumen de mi biblioteca que se titula *Studies in Leadership*, editado por Alvin W. Gouldner en 1950. Incluye autores muy notables, como el propio Daniel Bell, Leo Löwenthal, Seymour Lipset, David Riesman, Robert Merton. Y un ensayo de Theodor Adorno. El ensayo de Adorno es el resultado de una encuesta que realizó con Horkheimer en la que trataron de probar (y probaron) que Estados Unidos no estaba libre de fascismo, o de las semillas del fascismo. «It cannot happen here» era una fantasía. El estudio se llamó *La personalidad autoritaria*. Nadie les hizo caso entonces, y han tenido que pasar más de sesenta años para que aquilatemos la clarividencia de aquellos pensadores. Ya vimos que «sí ha pasado ahí». Y lo que revela sobre el populismo actual es de una actualidad extraordinaria. Un diagnóstico de aquel tiempo y sobre todo de nuestro tiempo. Nadie mejor que ellos tenía clara la conexión entre la masa crédula, ignorante, dócil, vengativa, y el líder que a sabiendas miente prometiéndole la gloria. En unas cuantas páginas, Adorno diseca al nazismo. Y ante la posibilidad de que resurgiera, bajo alguna variante, en Estados Unidos, se pregunta ¿cuál podría ser la vacuna? Utiliza ese término, vacuna.

La vacuna es la defensa de la verdad.

Eso diría uno, pero no es tan sencillo. La verdad no penetra a quien no tiene la disposición previa de oírla, a quien no tiene el instinto o la sospecha al menos de que acaso pueda estar equivocado, de que acaso el líder lo engaña. Y tampoco cabe enfrentar la propaganda con una antipropaganda que utilice los mismos métodos agresivos, simplistas y machacones de los fascistas. Al parecer elaboraron un manual que debía distribuirse ampliamente y que buscaba apelar a la psicología de la gente. No al superyó, dominado por el prejuicio, pero sí inquietar al yo, tocando sutilmente zonas del ello. Era algo como un psicoanálisis colectivo, pero no pensaban en reuniones masivas, sino en la persuasión de individuo por individuo, de lector por lector. Planeaban exhibir los procesos manipulativos del líder (su victimismo, su culpabilización de «los otros») para que de pronto surgiera al menos la chispa de la duda. Más que actuar en la «superestructura» de las ideologías tratando de desmontarlas con argumentos racionales, querían conectar a los votantes con sus propios instintos agresivos, hacerlos conscientes de su agresividad más que de sus errores. Avergonzarlos. En suma, tratándose del marxismo, pasado, presente y futuro, la Escuela de Frankfurt es una pieza de museo. Tratándose del fascismo, pasado, presente y futuro, la Escuela de Frankfurt siempre tuvo razón. Moraleja: la historia da lecciones de humildad.

Algunos de los frankfurtianos regresaron a Alemania.
Y llevaron consigo a Heine. Su obra y figura habían perdido cierto prestigio tras un texto que Karl Kraus, el Júpiter de los críticos, publicó en 1911. El propio Heine no habría hecho una mejor tarea de demolición: que si Heine no estaba a la altura del arte, que si era folletinesco. A ese ensayo se debe, por ejemplo, que Benjamin no hable casi de Heine y que muchos otros autores de esa generación lo hubieran devaluado. Pero Heine revivió en los años treinta, justo cuando comenzaron a cumplirse sus profecías. Y la Escuela de Frankfurt lo reivindicó. Pasada la guerra, en 1956, en el centenario de su muerte, Theodor Adorno regresó a Alemania y escribió «La herida Heine». Una iluminación genial. La herida ya no era judía, la herida ya era alemana. Ahora los alemanes tenían que ver de frente a Heine. Confrontar su prosa, cuya fuerza polémica no inhibió servilismo alguno (tácitamente, se refería a Goethe). Confrontar su poesía, tan esencialmente alemana que solo había podido hallar su verdadero intérprete musical en Mahler: sus canciones populares, sus marchas fúnebres, sus soldados que desertan por nostalgia de la patria. Pero la herida mayor era el fracaso de la emancipación de los judíos. Sí, los alemanes tenían que ver de frente lo que habían hecho con Heine, el excluido: «El trauma que provoca aun el día de hoy el nombre de Heine no puede curarse más que si se reconoce con claridad en vez de reprimirlo de manera turbia en el subconsciente.»

¿Cerraría la herida?

Adorno fue fiel a su visión del mundo, aún entonces. Concluyó que la herida era ahora de todos, que la herida solo cerraría cuando en el mundo no hubiera más excluidos. O sea, en la era mesiánica. O sea, nunca. Pero Alemania ha hecho todo para cerrar la herida. Ha confrontado su pasado, su contrición va de generación a generación, ha construido una sociedad tolerante y abierta. Creo que Heine ha vuelto a Alemania. Hay una universidad en Düsseldorf que lleva su nombre. Los jóvenes siguen recitando sus poemas de amor. Y algunos peregrinan a París, para dejar flores en su tumba.

XIV. Memoria del Holocausto

Hannah Arendt: mujer en tiempos oscuros

El Holocausto ha estado muy presente en nuestras conversaciones sobre los autores centroeuropeos de las primeras décadas del siglo XX. Como si todas las biografías apuntaran hacia él.

Algo muy grave presintió Scholem cuando concluyó que la cuestión judía en Alemania era insoluble y decidió emigrar a Palestina. Esa certeza desesperada estaba en el veneno que tomó Benjamin y en la bala con que se mató Toller. Una fría y precisa premonición de Kafka describió la máquina de la muerte. El rumor de la Historia les trajo el mensaje de que un cataclismo inconmensurablemente, mayor que todos los anteriores, era posible. Algunos lograron huir a tiempo, otros se quedaron, muchos murieron, a todos los marcó.

Entre esos testigos del siglo está Hannah Arendt. Pertenece a ese elenco de autores judíos centroeuropeos que hemos evocado; fue amiga de algunos, editora de otros, y escribió sobre varios de ellos también. Estaba muy representada en tu biblioteca.

¿Recuerdas «La señora mayor», el cuento de Borges sobre la última protagonista y testigo de la guerra de Independencia? Hannah Arendt me la recuerda. Aunque nació en 1906, parecería que hubiera conocido a Lessing y Mendelssohn, convivido con Heine, que pasó en vela todo el sueño de la emancipación, atestiguó la Primera Guerra, el derrumbe de Weimar, el ascenso de Hitler, la Segunda

Guerra, todo ello hasta la catástrofe final. Vivió treinta años más para contarlo. Por «pensar por sí misma», como prescribía Lessing, por remontar en el mundo académico alemán la barrera de ser judía y ser mujer, ella es, de verdad, la encarnación de la historia intelectual que hemos bosquejado.

Aportó una explicación de los totalitarismos del siglo XX, tanto el nazi como el soviético. Los orígenes del totalitarismo *es una obra vigente, un clásico.*

La leí en los años setenta y la he releído en nuestros tiempos oscuros. En el prólogo a la edición revisada de 1966, Arendt dice que lo escribió teniendo en mente las tres preguntas que marcaron a su generación referidas al Holocausto: «¿Qué ha sucedido? ¿Por qué sucedió? ¿Cómo ha podido suceder?» Yo leí ese libro buscando esas respuestas.

Me dijiste que de joven leíste poco sobre el Holocausto.
Había reunido, como te dije, trozos de la historia de mi familia que no pudo dejar Polonia antes de la guerra, los que se salvaron y los que murieron. Conocía algunos libros que recogían la memoria del Holocausto: el *Diario de Ana Frank*, desde luego, pero también algunos poemarios, testimonios de víctimas y sobrevivientes que nos dieron a leer en la escuela. Aún no tenía idea de las historias específicas que comenzaron a aparecer en los cincuenta y sesenta, obras como las de León Poliakov y Raul Hilberg. Menos aún conocía a Primo Levi. Pero a mediados de los setenta, con la necesidad de volver al origen, reapareció el tema del Holocausto e, inevitablemente, el nombre de Hannah Arendt. Yo había escuchado de ella de tiempo atrás, por su libro sobre Eichmann. Por cierto, recuerdo el momento de exaltación cuando en la escuela nos enteramos de que fuerzas secretas israelíes habían capturado al genocida nazi en Argentina. Cursaba yo secundaria. Fue una sensación única de júbilo y retribución, un acto de justicia en medio de tanta oscuridad. Tiempo después, tras el juicio, escuché por primera vez el nombre de Hannah Arendt. Me enteré de su artículo y, sin haberlo leído, me molestó su concepto sobre la «banalidad del mal». Años más

tarde leí el libro y refrendé mi opinión. Fue una ocurrencia imprudente, cuando menos.

Gershom Scholem le reclamó esa idea de que a Eichmann lo movía un estúpido automatismo asesino. También su amigo Hans Jonas la acusó de frivolizar el nazismo y de no respetar al judaísmo. Creo que ambos se equivocaron con Arendt.

Lo importante es si lo que Arendt sostenía era o no era verdad. Y no era verdad. Eichmann no era un burócrata gris que solo obedecía órdenes.

Hablemos biográficamente de Hannah Arendt. De ese modo podríamos acercarnos a su explicación del siglo XX y del Holocausto, y explorar tus diferencias con ella. Hay muchas fotografías suyas. Una me encanta: muy jovencita, sentada en la biblioteca de su casa, con un libro abierto en el regazo, sonriendo, segura de que conquistará el mundo. ¿La has visto?

Esa fotografía me impresiona porque para entonces había muerto su padre. Tendría quizá trece años. Al poco tiempo se matricularía en Marburgo, donde sería discípula de Heidegger, que entonces se hallaba en el cenit de su fama. No era poca cosa llegar a su cátedra. Supongo que Heidegger debió de ser irresistible, pero si imaginas el poder intelectual de Hannah unido a su presencia tan atractiva, entiendes que Heidegger, casado, haya sostenido una larga y significativa relación amorosa con su discípula y por qué ella hizo su tesis sobre el concepto del amor en san Agustín.

Tan serio fue el asunto que el angustiado Heidegger propició que Hannah partiera a estudiar su doctorado en Heidelberg, con Karl Jaspers.

Todo esto ocurre mucho antes de que cumpliera treinta años. Conoces segu-
ramente la interpretación psicoanalítica que circula: la huérfana que busca
figuras paternas sustitutivas y por eso se enamora de Heidegger.

Algo tiene de cierto. Pero no me convence el gastado argumento de la joven estudiante que se enamora de su maestro y por eso le es secretamente fiel toda la vida, fiel a pesar de que Heidegger fue un connotado nazi. Eso no quita que el amor entre ambos –la gran pensadora judía y el gran filósofo alemán; la perseguida por los nazis y el «Platón de Hitler»– sea una de las historias más desconcertantes de la cultura en el siglo xx. Dicho lo cual, lo mejor que pudo ocurrirle fue pasar del magisterio amoroso y culpable de Heidegger al magisterio amistoso y diáfano de Jaspers. Eran seres humanos muy distintos.

¿Cuál fue el primer libro que leíste suyo?

La biografía de Rahel Varnhagen que me dio Pérez Gay. Arendt la escribió parcialmente antes de verse forzada a salir de Alemania en 1933. La concluyó y publicó veinte años después, ya en Estados Unidos. Te he hablado un poco de Varnhagen, que fue anfitriona del más famoso salón literario de Berlín. No era bella ni agraciada ni rica –cualidades que le habrían hecho la vida mucho menos difícil en el mundo cerradísimo de la cultura alemana al que se empeñaba en acceder–. Y era judía, condición que se consideraba una marca infame. Era la Alemania de las primeras décadas del siglo xix. Habían quedado atrás Lessing y sus ideales de hermandad. Privaba el nacionalismo teutomaniaco y los episodios de persecución contra los judíos. La vida de Rahel fue un sufrimiento wertheriano tras otro, lo cual no tendría interés si Rahel Levin (ese era su apellido) no hubiera escrito cerca de seis mil cartas sobre su vida interior en las que vertió todo su torrente amoroso. Un monumento al romanticismo. Arendt consultó esa correspondencia y escribió su libro que no es una biografía «a la inglesa» –es decir, objetiva, fáctica–, sino «a la alemana», es decir subjetiva, una biografía desde el interior de su personaje, «como Rahel la habría escrito». Al parecer fue una mujer de verdad singular. Congregó a la élite intelectual alemana alrededor suyo: los hermanos Humboldt, los hermanos Schlegel, Jean Paul, el mismísimo Goethe. Según Arendt, Rahel fue muy importante para Goethe, su más sutil lectora.

Una mujer judía altamente dotada para la literatura que quiere conquistar un sitio en la cultura alemana. Parece un espejo de Arendt.
Comparten esa ambición que señalas, pero son distintas. Rahel era una judía que detestaba ser judía, Hannah no. Lo tomaba como un hecho, sin más. Rahel se convirtió al luteranismo, pasaporte social que Hannah nunca consideró ni habría considerado en ninguna circunstancia. Rahel nunca dejó de ser vista –y lo sabía, y resentía– como una advenediza. Y cuando estallan por toda Alemania los motines antijudíos, cuando su propia empleada doméstica le dice que la epidemia de cólera la habían causado los judíos que envenenaban los pozos, Rahel comprende que una judía nunca dejará de serlo, pero ya no lo resiente. Por el contrario: asumirse como tal la salvaba de «la gran bancarrota de la vida», le permitía flotar por encima de los poderes y ser inusitadamente libre. Esa es la tesis de Arendt sobre Rahel, muy convincente, me parece. Y recoge las palabras postreras de Rahel: «Lo que durante toda la vida me pareció la mayor vergüenza, lo que constituyó el pesar y el infortunio de mi vida –haber nacido judía–, no querría hoy por ninguna razón haberlo perdido.» Pero lo que había recobrado no era la religión de sus ancestros, ni siquiera su apego a las tradiciones, sino su condición histórica de judía paria.

Su destino se parece al de Heine.
Heine fue el hijo intelectual de Rahel. Cuando se conocieron ya habían ocurrido las quemas de libros y las persecuciones y motines. De ahí su complicidad: «Solo los esclavos en las galeras se conocen unos a otros.» Más que identificarse con Rahel, a quien apreciaba pero también compadecía, Arendt se identificó con Heine. Pero ella sería más asertiva que Rahel y más heroica que el propio Heine, por la razón de que ser judía en la Alemania de los años treinta del siglo xx no solo costaba la libertad, sino la vida.

¿Utiliza Arendt la palabra «paria»?

Tiene un libro entero sobre el tema. Se titula *The Jew as Pariah*. Es de los años cuarenta, los más oscuros. Su tesis es que históricamente los judíos ilustrados en Europa Central oscilaron entre la condición de parias y la de *parvenus*, es decir, advenedizos. Los *parvenus* habían querido dejar de ser parias, acceder al estatus que la sociedad les negaba, ser como los demás, pertenecer y ser reconocidos a través del dinero, la influencia en esferas políticas, el brillo social. El ascenso de Hitler había convertido a todos en parias. Arendt nunca quiso ser *parvenu* y desde que salió de Alemania en 1933 fue –con plena conciencia y objetivamente– una paria. Paria en el París anterior a la guerra, por ser alemana. Paria en el París ocupado, por ser judía. Paria, perseguida, refugiada, sin Estado, sin nación, sin papeles, sin ciudadanía. Ya en Estados Unidos, tuvo que esperar una década para obtener la ciudadanía. Hannah Arendt detestaba a los *parvenus* y se identificaba con los parias, parias conscientes y hasta orgullosos de serlo, como Heine. Arendt dice cosas preciosas sobre el gran poeta. Lo que admira sobre todo es su actitud, su canto de hombre libre. Libre de temor, de amargura, de servilismo, de arribismo, de prejuicio, de adocenamiento, pleno en cambio de risa, de humor, de un «divino descaro». Según Arendt, Heine actuó como si no existiera aquella condición que regía la emancipación en Europa: que los judíos solo podían ser seres humanos si dejaban de ser judíos.

Tengo claro que él nunca dejó de serlo, a pesar de ser heterodoxo.

Ahí reside precisamente, pienso yo, la identificación más profunda de Arendt con Heine. El verdadero paria es un judío que no deja de serlo pero que también los judíos ven con cierto recelo. En *The Jew as Pariah*, viviendo ya en Estados Unidos, Arendt incluyó una serie de ensayos sobre un tipo particular del paria. Los escritores de «La tradición oculta». Se refería a autores que no escriben en ídish ni en hebreo, que no abordan solo ni principalmente temas judíos y que por tanto no son reconocidos en la historia judía. En esa tradición inserta a Heine, a Kafka (y a sus personajes como K., que nunca formará parte del pueblo al pie del castillo, ni conocerá al señor que manda en él) y hasta a Charles Chaplin, el paria en la ciudad. No son judíos asimilados, tampoco son judíos tradicionales. ¿Qué son? Son sencillamente judíos marginales, escritores o artistas, que salen al mundo y lo ven desde esa posición. Este judío de la «tradición oculta» –dice Arendt– ha hecho más por los judíos que todos los Rothschild del mundo.

Ella pertenecía a esa tradición, obviamente.

Lo implica, por supuesto. Por eso traza esa genealogía. Es importante esa teoría suya para entender la tensión entre la historia judía y la universal en su vida. Arendt sería judía siempre, sin fisuras, sin dudas, sin vanidades, sin remordimientos, sin desplantes de superioridad o complejos de inferioridad. Pero lo sería de manera soberanamente libre, libre aun frente a su propia condición judía. Eso lo tuvo claro siempre. Y vaya que se ganó a pulso esa soberanía, porque desde 1933 hasta 1945 combatió en la práctica y de varias maneras al nazismo. Esas eran sus cartas credenciales. Fue muy activa y valiente. Apoyó la oposición clandestina contra los nazis recabando información antisemita en Berlín; fue apresada y tuvo la suerte de poder huir; en París organizó el éxodo de los jóvenes refugiados judíos hacia los *kibutzim* en Palestina. Una mujer formada en la contemplación, volcada a la acción.

Fue la recipiendaria de los manuscritos de su amigo Walter Benjamin, llevó esos papeles consigo en su fuga a Nueva York.

Admirable. Sin esa intervención, ¿qué habría pasado con ellos? Fue una gran guerrera. Enterada desde muy pronto de que los nazis estaban matando judíos arrojándolos a fosas y más tarde liquidándolos en los campos de exterminio, escribió en órganos europeos y americanos en alemán, pero no textos sentimentales o panfletarios, sino llamados a la movilización y la insurrección. Textos de combate que son poco conocidos. Argumentó la necesidad de una legión judía que luchara en Europa. No una legión, un ejército en forma, levantado en Palestina, en Estados Unidos, en el mundo. Y siempre creyó que los aliados habrían podido bombardear los campos de exterminio o las líneas de comunicación que llevaban a ellos. A mí me impresionan esas ideas. Bombardear los hornos en los seis campos de exterminio y las vías del tren no era impensable.

Se conocía su localización.

Nunca entenderé por qué no se hizo. Se habría creado un caos, una estampida humana imprevisible, pero ese caos era preferible a la muerte masiva y segura en los hornos crematorios. Después de la guerra recorrió la Europa devastada junto con su amigo Scholem, para rescatar los pocos libros, incunables, documentos, archivos, bibliotecas, acervos judíos que pudieron sobrevivir a la barbarie. Nadie tendría el derecho a reclamar a Hannah Arendt: «Y tú, en ese tiempo, ¿qué hiciste?» Ella sí habría podido reclamarles a muchos su pasividad.

Fue sionista en esa época.

Por un tiempo, y entendía la necesidad de que los judíos accedieran por primera vez en dos siglos a tener un papel político en el mundo. Pero nunca comulgó con las corrientes nacionalistas y religiosas. Y al ver la complejidad del conflicto con los árabes, defendió la idea de un hogar espiritual más que político. Un hogar compartido entre árabes y judíos. No fue la única que luchó por ese ideal que en la práctica resultó imposible. Ese fue el proyecto original de los sionistas culturales, como Buber o Scholem. Yo advierto en esos textos de Arendt una ambigüedad. Si la anormalidad histórica de los judíos que ella lamentó en sus primeros ensayos tenía que ver con la impotencia política, un Estado zanjaba esa debilidad milenaria. Y no cualquier Estado, sino uno nacido –literalmente– de las cenizas del Holocausto. Por otra parte, su reconocimiento temprano del drama palestino habla alto de su respeto a la condición humana más allá de identidades de cualquier tipo. Si en este tema Hannah Arendt fue ambigua, hay que decir que comparte esa actitud con muchos pensadores judíos de la segunda mitad del siglo xx.

Con esos antecedentes, en 1951, a sus 46 años, publica la obra que la llevó a la fama: Los orígenes del totalitarismo. *Ahí sostuvo algo que resuena en nuestro tiempo: es imposible que venza una única verdad absoluta frente a millones de verdades individuales conectadas entre sí mediante el hilo de la libertad y el pluralismo.*

La transmisión genética de los totalitarismos a los populismos de derecha o izquierda es impresionante. Pero creo que el ADN populista tiene más contenido nazifascista que estalinista o comunista. Leí la primera edición en español de Taurus, que es de 1974. Arendt comprendió que cada uno de los temas gigantescos que había tratado merecía un libro aparte, y que englobarlos todos bajo el título de *Los orígenes del totalitarismo* se prestaba a confusión. Los temas, como recuerdas, son: antisemitismo, imperialismo, totalitarismo (nazi y soviético). La conexión que plantea entre ellos es al menos imprecisa. De cualquier modo, por los hechos que revela y su gigantesca labor de investigación en bibliotecas y archivos (sobre todo en el caso del nazismo, que le llevó cinco años), es una obra pionera.

Toquemos un poco la primera parte: el antisemitismo.

Es muy valioso su recuento de los hechos, su recreación del caso Dreyfus, por ejemplo. Es útil también su análisis sociológico sobre cómo los judíos quedaron presos en las contradicciones entre la aristocracia y la burguesía en el siglo XIX, y cómo esa condición avivó el odio general y se transfirió a las masas. Pero no comparto la idea de que hubo un antisemitismo antiguo y uno moderno. Creo que Arendt exagera (siguiendo a Marx) el papel de los ricos *parvenus* en la desgracia del pueblo judío, y demerita la importancia de las ideas, las creencias, las «superestructuras» mentales en la historia. Contra lo que ella piensa, existe un «antisemitismo eterno», que fue anterior a Cristo. Hasta Adorno y Horkheimer –dos teóricos marxistas– admitían que el nazismo se arraigaba sobre todo en ideas, ideologías, prejuicios irracionales y antiguos. En fin, creo que ninguna explicación da cuenta de por qué ocurrió lo que ocurrió, pero la interpretación economicista, social o política del odio a los judíos llevado al extremo del exterminio es parcial.

La segunda parte, dedicada al imperialismo, es igualmente sustancial.

Tampoco me convence la explicación sobre las masas desheredadas que dejó la Primera Guerra o la inhumanidad del imperialismo británico como antecedente del totalitarismo. Esto, obviamente, no quiere decir que el imperialismo no fuera inhumano en África, Asia y América Latina. Pero la liga causal es tan discutible como el argumento de que los sistemas parlamentarios estaban quebrados. En crisis, sí, pero no quebrados, tanto así que salieron fortalecidos y victoriosos de la guerra, y aun convirtieron a los enemigos en democracias parlamentarias. Gershom Scholem –a quien Arendt respetaba casi sobre cualquier otro intelectual– objetaba este entronque que hacía Arendt entre imperialismo y totalitarismo. ¿Dónde quedaba el entronque con el socialismo? Varios pensadores en el siglo XIX habían previsto la deriva totalitaria del socialismo. Arendt aceptó su crítica. Le escribió que el título de su libro debió ser «Los elementos del totalitarismo». Había dejado afuera la genealogía marxista porque no quería hacer el juego a los anticomunistas. Pero el tema sugerido por Scholem le parecía muy importante: era necesario hacer una verdadera crítica ideológica del marxismo y trazar el desarrollo concreto que va del marxismo a Lenin y de Lenin a Stalin.

La tercera parte está dedicada a ese tema específico: el movimiento totalitario, el Estado totalitario, el totalitarismo.

Mi impresión general es que Arendt subraya de buena fe y con razones de peso el paralelo de los dos totalitarismos, pero que ese énfasis o esa búsqueda de equilibrio confunde un poco el análisis para responder a aquellas tres preguntas: ¿qué ha sucedido? ¿Por qué sucedió? ¿Cómo ha podido suceder? Lo sucedido en la URSS y en la Alemania nazi fue el totalitarismo, pero resulta problemático englobarlos. Dice Arendt:

> El totalitarismo en el poder utiliza la administración del Estado para su fin de conquista mundial a largo plazo y para la dirección de las sucursales del movimiento; establece a la Policía Secreta como ejecutora y guardiana de su experimento doméstico de constante transformación de la realidad en ficción, y, finalmente, erige los campos de concentración como laboratorios especiales para realizar su experiencia de dominación total.

En lo único que se parecen los nazis y los estalinistas es en la primera línea, pero el establecimiento de sucursales, la función que atribuye a la policía secreta y la descripción de los campos de concentración corresponde más a los soviéticos que a los nazis.

Hay semejanzas en las estrategias propagandísticas, como puede constatar cualquiera que conozca la iconografía de la época, los desfiles, las concentraciones masivas, el cine, los discursos...

También las ideologías se parecen: ambas se basan en una fe ciega, alentada con fórmulas cientificistas y proyectadas a la historia con el propósito de predominio mundial como un libreto al mismo tiempo necesario e infalible. En ambos, aisladas del mundo real, se rinden ante la rígida consistencia de una ideología falsa, ficticia. Hubo en ambos casos adoctrinamiento masivo, reeducación masiva. Pero aun así hay diferencias. Goebbels llevó al dominio público, de mil formas, las ideas de Hitler en *Mein Kampf.* No hubo un Goebbels en los treinta en Moscú, porque no lo necesitaron: contaban con la Policía y el terror.

Otra similitud ligada a la propaganda es la invención de un enemigo histórico.

Quizá exageró el paralelo. Hitler enfilaba su propaganda solo o fundamentalmente al enemigo histórico, racial, al judío. Hitler se sabía de memoria *Los protocolos de los sabios de Sion* y los aplicó al pie de la letra. El mito de la conspiración judía para la dominación mundial alcanzó proporciones masivas, nunca vistas. También en la URSS había enemigos históricos (los kulaks, los desviacionistas, los traidores, los trotskistas), pero eran de una índole distinta. Arendt misma menciona que durante las purgas algunos inculpados iban a la muerte convencidos de su imaginaria culpabilidad. Nunca fue el caso de las víctimas de Hitler. Stalin estaba obsesionado con identificar a todo posible enemigo del Partido y llevarlo a juicio o a la muerte. Hitler estaba obsesionado con aniquilar a todos los judíos. Arendt ve la diferencia, pero la relativiza:

De la misma manera que la «Solución Final» de Hitler significaba para la élite nazi la obligatoriedad de cumplir el mandamiento «Tú matarás», la declaración de Stalin prescribía: «Tú levantarás falso testimonio», como norma directriz de la conducta de todos los miembros del Partido bolchevique.

Hay diferencias entre ambos mandamientos.
Sí, porque en el caso ruso se abría una rendija a la vida.

¿Y el papel del líder?
En este tema el libro es riquísimo, sobre todo en las notas al pie de página y los datos macabros que Arendt rastreó en los archivos. Más que un Estado estructurado, el nazismo era un movimiento. Una marea de los simpatizantes con las élites, de las élites con las élites más altas, y de estas con el jefe. Pero las élites no tienen autonomía. Ni aun las más encumbradas. Obediencia total. Nadie toma decisiones, solo el jefe: «No me pregunte, pregúntele al jefe». Por ejemplo:

El Führer siempre tiene razón y siempre la tendrá.

La lealtad mutua del jefe y el pueblo es el fundamento del Tercer Reich. (Hans Frank)

¿Qué valores podemos colocar en las escalas de la Historia? El valor de nuestro pueblo [...] El segundo, y yo diría que aún más grande valor, es la persona única de nuestro Führer Adolf Hitler [...] que, por vez primera al cabo de dos mil años [...], fue enviado a la raza germánica como un gran jefe. (Heinrich Himmler)

Como factor último, yo debo, con toda modestia, declarar irreemplazable a mi propia persona [...] el destino del Reich depende solamente de mí. (Adolf Hitler)

Hay que aclarar que la personificación del poder no corresponde de alguna forma al liderazgo carismático weberiano. Arendt misma lo advierte. Y para mí es claro por el tema de la relación entre ética y política. Cuando en 1919 Weber hablaba de convicción, se refería a los jóvenes socialistas de la revolución amorosa, los idealistas de buena fe. Weber no imaginó los extremos a los que Hitler llevaría el carisma, no por el ideal de salvar a la humanidad, sino de imponer a la humanidad, mediante una guerra de exterminio, el yugo milenario de la raza aria. No cabe hablar de conflictos de ética en el caso del nazismo porque no apelaba a una ética de valores absolutos. «El Estado total no debe conocer diferencia alguna entre la ley y la ética», decía Hitler, y la ley –como es obvio– la dictaba él. Ni el cristianismo, ni el «Sermón de la montaña»: la ética nihilista del superhombre. Me viene a la mente la mejor definición del nazismo que conozco. Es de Borges: «Ser nazi [...] es, a la larga, una imposibilidad mental y moral. El nazismo [...] es inhabitable; los hombres solo pueden morir por él, mentir por él, matar y ensangrentar por él».*

Esa imposibilidad es también económica.

Sí, por lo que apunta Borges. Arendt no cesa de sorprenderse de lo que llama el carácter «antiutilitario» del totalitarismo nazi. Nada menos que Hans Frank y Alfred Rosenberg –lugarteniente e ideólogo– no podían creer la irracionalidad económica de muchas medidas de Hitler. Sencillamente no tenían sentido. Pero Hitler sí les veía el sentido, porque en su diseño metahistórico no importaba la derrota, si se lograba el fin: la destrucción de los judíos. Hitler no medía el éxito en años o en marcos: lo medía en siglos y muertos.

Llegamos al fondo. Las víctimas. Y el famoso concepto del «mal radical». Arendt alude al utilitarismo como la raíz de ese mal.

Ese concepto es fundamental. Un adjetivo perfecto. Leamos sin embargo un párrafo crucial, que incurre, pienso, es esa mezcla confusa de totalitarismos:

[...] podemos decir que el mal radical ha emergido en relación con un sistema en el que todos los hombres se han tornado igualmente superfluos. Los manipuladores de este sistema creen en su propia superfluidad

---

* Anotación del 23 de agosto de 1944.

tanto como en la de los demás, y los asesinos totalitarios son los más peligrosos de todos porque no se preocupan de que ellos mismos resulten quedar vivos o muertos, si incluso vivieron o nunca nacieron. El peligro de las fábricas de cadáveres y los pozos del olvido es que hoy, con el aumento de la población y de los desarraigados, constantemente se tornan superfluas masas de personas si seguimos pensando en nuestro mundo en términos utilitarios.

¿Tus objeciones?

Todos los muertos cuentan igual. Uno o millones. Los dos totalitarismos fueron criminales a un grado desconocido en la historia. Pero no todos los hombres eran igualmente superfluos en el nazismo y el comunismo. Para los nazis, solo los judíos y algunas razas o grupos inferiores. Y no solo los hombres, sino las mujeres, los niños, los ancianos, que no mostraran limpieza de sangre que se remontara a los abuelos. Por otra parte, no creo que los manipuladores y asesinos totalitarios creyeran en su propia superfluidad. Tampoco creo que sea justo ni preciso equiparar las «fábricas de cadáveres» nazis −concepto que según creo acuñó Arendt− con los «pozos del olvido» soviéticos. No me refiero al número de muertos, sino a la construcción de un sistema industrial altamente sofisticado y eficaz (ese sí macabramente productivo), para convertir a toda una población, millones de personas, en cenizas. Las purgas de los treinta y la posguerra y el gulag resultaron en millones de muertos (hombres, mujeres, niños, ancianos) pero no hubo un Auschwitz en Rusia. Solo apunto que hubiera podido abundar en el tema del exterminio. Responder al ¿qué sucedió? y al ¿cómo sucedió? desde la perspectiva de las víctimas, de aquellos sin esperanza y sin voz, como había escrito su amigo Benjamin.

¿Percibes una reticencia en su defensa de los judíos?

No tengo duda de su defensa de los judíos. Sus escritos y llamados combativos durante la guerra la honran. Su libro es excelente en la descripción del antisemitismo y magnífico en el análisis del nazismo como movimiento hacia el poder y en el poder. Su carácter de pionera es indudable.

Además, el libro no es ni se propuso ser una historia del Holocausto.

Quizá preguntarse ¿qué sucedió? implicaba abordar el Holocausto. ¿Por qué no entró en el tema con más detalle? No lo sé. En una carta a su maestro Jaspers de 1947 dice que «la solidez de los hechos de Auschwitz» es tal que rebasa toda teoría. «La fabricación de cadáveres no puede comprenderse mediante categorías políticas», le dijo. Tal vez por eso no abundó. Ella no quería *representar* el Holocausto, quería comprender por qué había pasado. Y quería ver hacia delante.

Por eso quiso probar la novedad histórica del Estado totalitario. Mostrar que no estamos ante una tiranía, una dictadura, una variedad de despotismo. Creo que esa es su mayor aportación.

Sí, el libro es una teoría del poder totalitario. Y tenía un sentido pragmático de advertencia completamente válido: esto que ocurrió en Alemania, puede volver a ocurrir; esto que está ocurriendo en la URSS puede eternizarse, proliferar. Ahora que padecemos las mutaciones populistas de ambos totalitarismos nos damos cuenta de cuánta razón tenía. El poder de la mentira y la propaganda, las fantasías historicistas, las movilizaciones perpetuas de las masas y el culto a la personalidad del líder supremo que Arendt diseccionó son azotes de nuestro tiempo. Para resumir: contra la moda marxista de su época que pone el énfasis en las determinaciones materiales, Hannah Arendt puso en el centro de la discusión lo que ella misma llamaba «the political *per se*».

En 1950, concluido su libro sobre el totalitarismo, Hannah Arendt vuelve a ver a Heidegger. Es un encuentro tempestuoso. El filósofo explica su apoyo a Hitler, dice que fue fugaz, argumenta que defendió a colegas judíos, le reitera a su discípula su amor, le escribe cartas delirantes. La esposa, que nunca lo perdonó de aquel affaire, insulta a Hannah. ¿Qué importancia le das a ese encuentro?

Por lo que he leído, mucha importancia. Hannah ve a Heidegger con cierta despreciativa conmiseración. En una carta lo describe como un «shameful poodle». Finalmente lo considera un viejo filósofo sin contacto con la realidad, incapaz de saber qué demonio lo condujo a hacer lo que hizo. Y así lo vería siempre. Esta indulgencia ha extrañado a varios comentaristas. A mí me intriga. La vinculación de Heidegger con el nazismo es irrefutable. Se sentía de verdad el Platón de Hitler. Escribió: «Ni teoremas ni reglas deben normar su Ser. El Führer mismo personifica la realidad alemana y su ley, para hoy y el futuro.» No renunció al partido sino hasta 1945. Y todavía en los cincuenta, movido por su repulsa existencial al mundo moderno, con su tecnología y su sistema parlamentario, escribió cosas como esta:

La agricultura en la actualidad es una industria alimentaria motorizada, en esencia lo mismo que la producción de cadáveres en cámaras de gas y campos de exterminio, lo mismo que el bloqueo y la inanición de los países, lo mismo que la fabricación de bombas atómicas.

¿Qué más desprecio por la vida de los gaseados y exterminados que equiparar el proceso de exterminio a la agricultura motorizada?

Yo tomo la frase al pie de la letra: el mal es la tecnología, no lo que el hombre hace con la tecnología. Lo que enceguece al filósofo es su propia filosofía, es la neblina ideológica, la rebelión romántica ante el mundo moderno. Si te fijas, es una explicación parecida la que Arendt da, al final, al fenómeno del totalitarismo. No me refiero a su funcionamiento (que es la sustancia magnífica del libro), sino a su raíz. La crisis que había desembocado en los totalitarismos era existencial: el Ser había sido capturado por lo moderno, la máquina, el cálculo y el «utilitarismo». Todo esto es muy confuso. Por una parte culpa al «utilitarismo» del totalitarismo. Pero achaca a Hitler su falta de conciencia «utilitaria», porque de haberla tenido habría pensado dos veces el genocidio de los judíos y el de los polacos y ucranianos, que también planeaba. En fin, quizá la reticencia de Hannah Arendt a condenar a su maestro tendría su origen en una convergencia filosófica. Arendt sostiene que el desapego de Heidegger a las cosas de este mundo lo desconectó de la realidad, pero no ve cómo el idealismo que aprendió de su maestro pudo haber embotado también su propia capacidad de ver la realidad, al menos en el caso de su libro sobre Eichmann. Pero te anticipo: al margen de esta afinidad con su maestro, ella nunca quiso atenuar ni atenuó en ninguna parte, en ninguna línea, la destrucción nazi de los judíos.

Llegamos finalmente al libro Eichmann en Jerusalén. *Cientos de miles de copias vendidas desde que apareció a principio de los sesenta a pesar de lo cual no sé si fue muy comprendido. Provocó una polémica tremenda, que duró años. Se le acusó de ser una judía que odiaba su ser judío. Se han escrito tesis sobre el asunto. Y hasta una película reciente trata el tema. Ya te dije que estuve de acuerdo, en principio, con su tesis. Y sobre todo con su arrojo. Tú no estás de acuerdo.*

Dos temas levantaron ámpula. La conducta de los líderes de las comunidades judías en la catástrofe y la responsabilidad de Eichmann. Despachemos el primero. La verdad es que le dedica unas páginas nada más. Arendt pensaba que los representantes del *Judenrat* en cada campo de concentración previo al exterminio podían haber actuado de manera distinta porque eran el contacto con los nazis y sabían lo que ocurriría. ¿Debieron decir la verdad? Quizá así –pensaba Arendt– se habría reducido el genocidio. Es un tema terriblemente difícil. Hubo todo tipo de reacciones. Desde la más antigua y atávica, morir dignamente, en nombre de Dios, hasta las actitudes de rebeldía. Y sí, las del ocasional colaboracionismo, que ocurren en todos los casos donde la vida confronta situaciones a tal grado extremas.

Te recordaba la carta de Scholem a su amiga. Muy dolida.

Scholem no negaba –él menos que nadie– la equivocación histórica de haberse quedado. No era posible un éxodo de millones, pero muchos pudieron haberse salvado desde principio de los treinta. Sobre la actitud de los líderes, suspendía el juicio: «Se tomaron decisiones innumerables en condiciones sin precedente y que no pueden ser reconstruidas.» No podía ser juez. No había estado ahí. Lo que sí reprobaba era la vaga equiparación de los verdugos nazis con los líderes judíos. Creo que esta posición de Scholem es la correcta.

Pero lo que más ofendió e irritó fue la tesis sobre la «banalidad del mal». Arendt se refería al vacío interior que vio en Eichmann. No podía ser el arquitecto o el cerebro de tanto mal. Era un sujeto vulgar, ramplón, un patán. Ni siquiera siniestro. Un mediocre. Yo también lo creo.

Mi amigo Hugo Hiriart cita un pasaje en el que Dostoyevski vuelve a ver después de años a un verdugo sádico que había conocido y visto actuar en Siberia. Una piltrafa. Así pasa con los poderosos que pierden su capacidad de herir, lastimar, matar. Se vuelven pobres diablos. Parecen pobres diablos. Pero no lo eran cuando tenían poder. Aunque la palabra «banal» aparece solo al final del libro de Arendt, marcó su destino y el de ella misma, entre otras cosas porque contrastaba con el concepto del «mal radical» que había utilizado en *Los orígenes del totalitarismo*. Es lo que lastimó más a Scholem: «Según parece, no habías descubierto entonces que el mal es banal. El "mal radical" ha desaparecido sin dejar traza alguna, se ha convertido en un eslogan.» Creo haber leído que en algún lado Arendt lamentó a posteriori el uso del término. Yo simplemente creo que habría podido ser más cauta en la terminología y el tono, que es innecesaria e incomprensiblemente cáustico. Le ganó el impulso de ser brillante, de acuñar una teoría instantánea. La teoría sobre los duros datos. Fue frívola. Eso creo. Pero no exoneró a Eichmann. Estuvo de acuerdo con su captura y con el veredicto de muerte que se le dictó. Tampoco culpó a los judíos de su tragedia. Esa acusación que circuló es falsa.

¿La prueba de la historia?

Creo que te va a convencer. La encontré en un texto de Mark Lilla. Ahí reproduce la entrada de unos diarios de Eichmann en Argentina que compré hace poco y leí con náuseas. Solo se arrepentía de no haber terminado la tarea de limpiar el planeta de judíos. Le habían faltado los restantes doce millones. Era un antisemita radical, un genocida declarado, un nazi consciente de lo que hacía. Y orgulloso de ello.

¿Qué piensas de Hannah Arendt?

Es desconcertante su fidelidad a Heidegger. Es lamentable su perfil de Eichmann. Pero sus errores no borran una vida intelectual valiente, lúcida, poderosa y fructífera. A cualquiera que la condene le aconsejaría leer sus escritos en los treinta y cuarenta. Tenía razón en su llamado al combate. Y muchos de los que la criticaron, ¿qué habían hecho o escrito en esos años? Nada salvo condolerse. Ella sí había hecho obras tangibles y escrito textos de combate. Su compromiso no tiene comparación con otros autores, ni siquiera autores judíos prominentes, como Isaiah Berlin, que la confrontó con hostilidad, pero no tuvo mayor relevancia en tiempos del Holocausto ni escribió mayormente sobre el tema, o como Isaac Deutscher, que apenas se ocupó del nazismo y limó un poco la imagen de Stalin.

¿Una judía no judía?

No. Una mujer judía: cuando enterró a su marido, que no era judío, leyó el Kaddish. Cuando ella murió, se leyó el Kaddish. Están enterrados uno al lado de otro en Bard College. Pero, sobre todo, una mujer universal.

En sus años finales abordó más ampliamente la condición humana, valoró la Revolución americana sobre la francesa, teorizó sobre la violencia, el poder, la autoridad, la necesidad de actuar en la arena pública…

¿Has leído el libro *Men in Dark Times*? Incluye varios ensayos de reflexión biográfica –se aficionó a la biografía «a la inglesa»–, pero quisiera recordar dos. El que abre el libro es sobre Lessing, y evoca aquella obra *Natán el sabio* no como un llamado a la tolerancia, sino a la amistad. Ahí ves su vuelta al origen del más alto humanismo. (Lessing era considerado un spinozista embozado.) El segundo ensayo es sobre Rosa Luxemburgo. Después de leer con entusiasmo la biografía de Peter Nettl, y seguramente con el consejo y la información que le habrá provisto su esposo Heinrich Blücher (que había sido miembro de la Liga Espartaco fundada por Karl Liebknecht, Rosa Luxemburgo y su pareja, Leo Jogiches), Arendt traza un perfil exaltado de la gran revolucionaria que es, en el fondo, un autorretrato, no porque Arendt lo haya sido (no lo fue, nunca estuvo cerca del marxismo), sino porque resalta rasgos que sin duda son también suyos: la valentía personal de Rosa, su independencia frente a los líderes (incluido Lenin), su sólida formación clásica, su formidable obra histórica sobre la economía de Polonia y teórica sobre la acumulación del capital; su desconfianza del poder, su convicción de la libertad como el valor último, el cálido espíritu de solidaridad con sus amigos, su bonhomía y –te sorprenderás– su condición de mujer enamorada. Enamorada no de un ideal abstracto, sino de Jogiches, a quien reclama su desapego, alguna imperdonable infidelidad, y en quien deposita su anhelo de felicidad y alegría. Ambos fueron asesinados.

¿Has visto la larga entrevista que le hicieron en la televisión alemana en 1964?
Es muy impresionante. La fuerza y seguridad que despide. La seducción de su mente. No sé si te acuerdas de que al referirse a Jaspers lo relaciona inmediatamente con su condición de huérfana. Casi dice que fue un padre para ella. Jaspers fue su eslabón con Alemania, con la cultura alemana, de la cual, finalmente, Arendt se sentía, igual que Heine, heredera legítima. Quizá esa filiación cultural, literaria y filosófica con Alemania explica un poco sus ambigüedades. No lo sé. Lo que sí parece es que gracias a Jaspers mantuvo la esperanza en la humanidad. Se abrazó a esa amistad. Las palabras finales de la carta que le mandó en 1947 son conmovedoras: «En cualquier caso, en usted (en su existencia y en su filosofía) se perfila el modelo de un comportamiento que permite que los seres humanos hablen entre sí aunque el Diluvio se abata sobre ellos.» Por su parte, Jaspers le escribió en los sesenta: «Llegará el día en que se te erija un monumento en Jerusalén, como a Spinoza.»

El día no ha llegado.
No lo necesita. Ha llegado de otro modo. Su monumento ha consistido en perdurar.

Infierno en la Tierra

Hubo muchos autores centroeuropeos que no fueron místicos, ni mesiánicos, ni revolucionarios. Es decir, autores que no optaron por esas alternativas espirituales, intelectuales o políticas. Optaron por no optar. Me refiero sobre todo a novelistas como Jakob Wassermann, tan famoso en su tiempo, hoy olvidado. También a Joseph Roth, de gran vigencia actual, y a Stefan Zweig, que siempre ha sido leído.

A los tres los destruyó el nazismo antes de la guerra. Como a Toller, como a Benjamin y tantos más. Leí hace tiempo el libro de Wassermann *Mi camino como alemán y judío*, publicado en 1921. Quizá nadie ha expresado mejor el drama terminal del escritor judío alemán como él. Se creía o había querido creerse un escritor alemán. Pero los alemanes lo veían como un autor judío que, incidentalmente, ilegítimamente, escribía en alemán. Y así lo trataban, a pesar de sus libros ampliamente reconocidos y leídos. El problema era insoluble:

> Es inútil invocar al pueblo de los poetas y pensadores en nombre de sus poetas y pensadores. Cada prejuicio que se cree obsoleto atrae, como la carroña a los gusanos, miles de prejuicios nuevos […] Es inútil encontrar palabras razonables entre los gritos enfurecidos. Ellos dicen: «¿Cómo, se atreve a rebelarse? Tapadle la boca.» Es inútil resultar ejemplarizante […] Es inútil buscar la soledad. Ellos dicen: «El miedoso se mete en su madriguera, su mala conciencia lo induce a ello» […] Es inútil ayudarles a quitarse las cadenas. Ellos dirán: «Ya habrá sacado su beneficio de ello» […] Es inútil vivir por ellos y morir por ellos. Ellos dirán: «Es judío».

Solo faltaba el desenlace, que Wassermann no vio, porque murió en Austria en 1934. Mejor así. De haber sobrevivido, tres años después habría visto a las tropas nazis en Viena. Suficiente sufrió con la quema de sus libros.

En la misma vena es conmovedor leer El mundo de ayer, *de Stefan Zweig, ¿no te parece?*

Es un testimonio invaluable sobre el inesperado fin de toda una era. Hundimiento inexplicable, aún ahora. El libro contiene partes tristísimas, por ejemplo las escenas de los soldados volviendo a casa tras la guerra o la angustia social en tiempos de la gran inflación. Zweig es un gran autor, pero me ofende la incomodidad que sentía con todo lo judío. Simplemente siguió su camino confiando en que el mundo volvería a ser el mismo. Quiso permanecer en el Olimpo. Y, por lo que sabemos, ni siquiera fue oportuno en su postura antifascista. Se aferró a su fama hasta que el súbito vacío lo llevó al suicidio. De haber esperado dos o tres años, terminada la guerra, habría sido Premio Nobel.

Pero el libro contiene pasajes desgarradores sobre el drama judío. Por ejemplo, cuando los nazis le niegan a su anciana madre la posibilidad de sentarse en una banca para reposar (las bancas estaban prohibidas para los judíos). Y luego, la enfermera que la acompañaba en sus últimos días declinó hacerlo porque estaba prohibido atender judíos.

Es verdad. Es inolvidable la evocación de sus conversaciones con Freud en Londres. Es el Freud heroico en su lucha contra el cáncer. El Freud que seguía escribiendo hasta final. Se había convencido de la imposibilidad de erradicar el instinto destructivo en el hombre, pero aun él, con toda su experiencia, con toda su sabiduría, encontraba incomprensibles los extremos de crueldad con que los nazis trataban a los judíos en Viena, en su amada Viena.

Te recuerdo la generosidad de Zweig con su amigo Joseph Roth.

Eso lo honra. Roth me parece muy superior. *La marcha Radetzky* es un monumento literario incomparable, no la cariátide, sino el Partenón de Austria-Hungría, como te dije. Ese sí es un réquiem en toda forma. El derrumbe paralelo del imperio y de los Von Trotta. Un lento, lentísimo deterioro, apenas perceptible, como un rumor de la historia que de pronto, en un instante, estalla con un estruendo y acaba con todo. Y es que, después de la Primera Guerra, la esperanza en Roth fue desgajándose poco a poco. Y él con ella. ¿A qué se aferra? Su viaje a Rusia en 1926 –que es simultáneo al de Benjamin– no lo había acercado a la Revolución rusa, ni mucho menos. Roth no es un reaccionario, pero es ajeno a cualquier extravío místico, fervor mesiánico o revolucionario. Quizá después sintió una cierta nostalgia por su origen judío, pero sabe que esa vuelta ya es imposible. Poco después escribe unas crónicas notables de los pobres judíos de la antigua Galitzia (de donde provenía), tanto los que permanecían en sus *shtetls* como los que deambulaban como parias en las capitales de Europa. Se apiada de ellos, los valora, los comprende, los respeta y cree –aún cree– que guardan un tesoro de fe y esperanza. Ese es el sentido de su novela *Job*, que es de 1930. Es lo primero que leí de Roth.

Hoy Roth es un autor imprescindible.

Esa novela es, literalmente, Job en el siglo XX, el judío condenado por Dios y la historia, que pierde todo (casa, familia, bienes, patria) y emigra a América, donde vive miserablemente hasta que por azar encuentra a un famoso director de orquesta que lo recoge y lo salva. En Polonia, tras su desgracia, Job había abandonado o dado en custodia al último sobreviviente de su familia, un bebé lloroso, débil, enfermo. Su último hijo, desahuciado. Ese hijo es el director. En *Job*, Roth recrea un milagro, pero *Job* es una novela, no una declaración de fe. Para Roth, ser judío es casi un accidente, él mismo lo dice: como tener el bigote rubio. Algo de lo que no se enorgullece ni se avergüenza. Y por eso, como su amigo Zweig, vive los primeros años de su exilio (ya con sus libros en la hoguera) esperando el fin de Hitler, que en algún momento cree inminente. Cuando publica *La marcha Radetzky* (1932), se siente cada vez más cerca del catolicismo, pero nada logra paliar el descenso a los infiernos que atestigua desde su refugio parisino. Sus artículos periodísticos son una bitácora de su caída. Caída en el alcohol, caída en la miseria, caída en la desesperanza. Son casi insoportables de leer. Nos queda Austria, escribió poco antes del *Anschluss*. Cuando Austria cae, no puede creer las imágenes que llegaban de Viena. Le parecía inverosímil la noticia que había leído en un diario sobre cómo los nazis habían obligado a un anciano a subir una escalera exterior con una manguera en una mano, sin poderse asir. Imagínate lo que habría sentido años después.

¿Cuándo murió?

Murió a fines de mayo de 1939, de un ataque de *delirium tremens*. Roth acababa de enterarse del suicidio de su amigo Ernst Toller, ocurrido unos días antes. A raíz de esa noticia, el día de su muerte escribió su último artículo titulado, significativamente, «Un antiguo suicida», en el que rinde homenaje a un alto oficial del ejército austriaco al que había criticado públicamente por apoyar a Hitler, solo para descubrir que ese mismo oficial había dispuesto y cumplido el suicidio de toda su familia (y el propio, desde luego) justo para no doblegarse ante Hitler. Su último texto fue un acto de contrición.

¿Qué habría sido de Roth de haber sobrevivido? Sabemos que buena parte del establishment cultural francés colaboró activa o tácitamente en la desgracia final de los judíos.

¿Te imaginas a Proust, a los setenta años, en un vagón rumbo a Auschwitz? Era perfectamente posible. El viejo poeta Max Jacob, casi contemporáneo de Proust, fue asesinado en Drancy. El poeta Robert Desnos murió en el campo de Theresienstadt. De haber sobrevivido, el destino de Roth habría sido –como el de tantos judíos franceses– la infame estación de Drancy y luego Auschwitz.

Dora Reym en Auschwitz

Hannah Arendt no se propuso representar el Holocausto. Los tres grandes autores judeoalemanes o austriacos que mencionamos no vivieron para contar esa historia. Otros sí. ¿Cuál es la relación entre el Holocausto y la literatura?

Es imposible *representar* el Holocausto. El Holocausto es inaprensible, inexpresable, incomprensible. «*Me ken nisht*» («No se puede»), le dijo en ídish el escritor israelí Aharon Appelfeld a Irving Howe cuando le preguntó si era posible hacer literatura con el Holocausto. Howe llegó a la conclusión de que podía escribirse sobre lo que sucedió antes, durante y después del Holocausto, pero no *en* el Holocausto.

Ahí está la obra de Primo Levi.

Sí, es el mayor escritor del Holocausto. Tuvo el coraje vital de dejar un testimonio científico de ese horror que vivió, una noche en la que, de pronto, aparecían filamentos de luz y humanidad. Filamentos que a la postre fueron insuficientes para evitar su suicidio. Pero aun Levi declaró que su obra de rescate no correspondía estrictamente a lo vivido en el Holocausto por la razón de que se había salvado. Ni siquiera los testimonios estremecedores, relativamente recientes, de los Sonderkommando (judíos forzados a encargarse del proceso, inmediatamente antes, durante y después del exterminio) dan idea de lo que ocurrió. Los únicos autores posibles del Holocausto fueron sus víctimas. Y ellas no podrán hablar nunca.

¿Cómo leer el Holocausto?

Como sugería Howe: el antes, durante y después. Y para abordar tú y yo esas lecturas, propongo no hablar de escritores consagrados, sino de una autora que tenía tatuado en el brazo el número 74733.

Mi tía Dora Reym. Me referí a ella en nuestra primera conversación. Murió hace relativamente poco, a los 101 años de edad. Dora era la única sobrina de mi abuela Clara, única hermana de Abraham Pajt, muerto de tifo en 1915. Vivía con su madre y su segundo marido en Będzin, una ciudad del occidente de Polonia cercana a la frontera con Alemania. Hacia 1938, cuando ya mi abuela y la familia llevaban siete años establecidos en México, recibieron una carta desesperada de Dora: les pedía ayuda para que ella, su esposo Mark y su hija Mira (recién nacida) pudieran salir de Polonia. Nunca supe qué

Mira con su madre Dora en Zakopane, Polonia. La historia de mi tía antes, durante y después del Holocausto es la de una mujer heroica.

ocurrió con esa carta. Ya en ese tiempo era casi imposible emigrar a México porque la política cardenista de asilo no incluía a los judíos, y de hecho los rechazaba activamente.

Es triste, un contraste con los republicanos.

Pero es verdad. En todo caso, aun queriéndolo mis abuelos no tenían influencias que interponer. El caso es que perdieron contacto con Dora, y solo a fines de los cuarenta se enteraron de que habían sobrevivido. Se encontraban en un campo de refugiados en Alemania y se les había concedido asilo en Estados Unidos. Se establecieron precariamente en Queens, Nueva York, trabajando ambos como obreros, hasta que con el tiempo Mark puso una fabriquita de estuches de madera. En los cincuenta, Mark y Dora vinieron a México y yo los conocí de niño. Su hija Mira, que estudiaba en Nueva York, visitó México hacia fines de esa década y vivió una temporada en mi casa. Con ella me enteré poco a poco del calvario que vivieron, pero a esa edad (trece años) apenas podía comprenderlo. En un viaje a Nueva York, ya en los sesenta, conviví unos días con Mark y Dora. Entonces me mostraron sus brazos tatuados. Mira se había casado y vivía en la India, donde comenzaba a hacer documentales. Mark era reservado, dulce, taciturno, y no le gustaba hablar de su experiencia. A mediados de los setenta, Mira pasó por México y me hizo consciente de la literatura que comenzaba a aflorar sobre el Holocausto: la historia de Raul Hilberg, los libros de Tadeusz Borowski y Primo Levi. Mira me dio a leer los primeros capítulos de las memorias que Dora había comenzado a escribir. Tiempo después, en Nueva York, Dora me enseñó los cuadros de su casa: retratos a lápiz y óleos de cada uno de los familiares suyos que murieron en el Holocausto: hermanos, hermanas, su madre. Ella los había pintado.

¿En qué idioma escribió sus memorias?

En inglés. Supongo que todas las historias de supervivencia se parecen (hay tantas publicadas, sobre todo en inglés), pero al mismo tiempo todas son distintas. La de mi tía es la historia de una persecución que duró cuatro años en la que una mujer de inmensa fortaleza y carácter salva una y otra vez a su marido y a su pequeña y única hija de ser atrapados por los nazis. Atrapados es la palabra correcta: como en la célebre novela gráfica *Maus*, los judíos son como los ratones de los nazis. Así los ven, así los tratan, así los cercan, atrapan y exterminan. Dora eludió por cuatro años esa trampa final. Ideó escapatorias, inventó escondites, consiguió provisiones hasta que finalmente, recluidos los tres en un campo de concentración (Mira, escondida, era ya la única niña que quedaba) y ante la inminencia de su traslado a Auschwitz, Dora envía un mensaje clandestino a una mujer polaca que caminaba por fuera del campo rogándole que se quedara con la niña. Al día siguiente la mujer manda señales de que acepta, y Mark y Dora, con ayuda de sus compañeros en el campo (que arriesgando la vida distraen a los vigilantes), suben a la niña por la barda y la arrojan. La mujer recoge a Mira y parte con ella. Los nazis liquidan el campo. Mark y Dora se despiden jurando volverse a ver. Él va con destino desconocido, y deambulará por varios campos de trabajo. Ella directamente a Auschwitz. Imagínate, Mira nació en abril de 1938, cuando el panorama era oscuro, pero jamás imaginaron lo que vendría. Fue el despertar de una pesadilla a otra, cada vez peor. Ese agostamiento angustioso de la existencia, la pérdida sucesiva e implacable de bienes, recursos, hogar, muebles, medios, espacios, libertad y finalmente vida es la materia tristísima de esas memorias.

¿Se han publicado? ¿Puedes leer algún fragmento?

Hace poco tiempo, ya muerta mi tía, su libro se publicó en Varsovia. Te leeré un fragmento del «durante».

Había estado nevando todo este tiempo y la nieve estaba amontonada. Las SS acompañadas de sus perros y látigos abrieron las puertas del tren y gritaron: «*RAUS! SCHNELL!*» («¡Salgan de aquí, ahora mismo!»), llevándonos a todos a la plataforma. Nos empujaron y subieron en camiones, desde lejos pudimos ver a los prisioneros de pijamas de rayas en el frío congelante.

Delante de una de las barracas nos bajaron y empujaron dentro de un gran salón. Nos dijeron que dormiríamos ahí durante la noche y que en la mañana un médico vendría y seleccionaría a algunos jóvenes para trabajar.

Un *kapo* judío estaba a cargo de nosotros, su nombre era Berliner y era de Varsovia. Él nos dijo que los jóvenes sanos tenían una oportunidad de sobrevivir, que muchos judíos y otros continuaban trabajando aquí en Auschwitz, así como en las cercanías de Birkenau. Dijo también que no debíamos entrar en pánico y que nos ayudaría. Trajo lápiz labial y rubor para las mujeres y nos pidió que nos arregláramos en la mañana, así luciríamos frescas y saludables para la visita del doctor Mengele.

Agotados, algunos de nosotros nos acomodamos en las bancas de madera para pasar la noche, otros en el piso frío de concreto. Pero la mayoría estábamos preocupados y temerosos de que la mañana traería la muerte. Una mujer joven trató de suicidarse tragando una píldora de veneno, pero otro prisionero la detuvo. Durante la noche, los prisioneros que trabajaban ahí vinieron y trataron de tranquilizarnos diciéndonos los nombres de las personas de Będzin que trabajaban y sobrevivían en Auschwitz.

Llegaron las primeras horas del día. *Kapo* Berliner alentó a todos a lucir lo mejor posible para la llegada del doctor Mengele. Poco después llegó un joven alto, oficial de las ss de rango elevado. Se sentó en un escritorio y comenzó a enviar a los ancianos y a las familias con niños pequeños hacia la izquierda, a la derecha a los jóvenes solteros. Estábamos aterrorizados, con nuestros sentimientos fuera de control. Una mujer corrió hacia el grupo de solteros, dejando atrás a sus dos hijos pequeños. Otra hizo lo mismo, abandonando a su hijo e hija adolescentes. Había una madre suplicando a su hija que se salvara, que la dejara. Pero la niña se negó y las dos fueron juntas hacia la cámara de gas. Fue trágico ver cuán diferentes eran las reacciones individuales, cuán duro lucharon algunos por mantenerse vivos. Todavía puedo verlos a todos, y especialmente a las madres y niños destinados a la muerte.

Finalmente, a un grupo de mujeres jóvenes se les dio la orden de desvestirse y, completamente desnudas, ponerse en fila y desfilar lentamente delante del doctor Mengele. Una por una, muertas de miedo, nos movimos delante del hombre que decidiría quién de nosotras debía vivir y quién debía morir. Solo treinta y cinco fuimos elegidas para seguir con vida.

Más tarde, *kapo* Berliner nos contó lo cerca que habíamos estado todos de una muerte inmediata. Originalmente, el transporte completo desde Będzin-Sosnowiec estaba programado para, al llegar, ir directamente a la cámara de gas. Sin embargo, por razones de eficiencia, las SS nos mantuvieron en el gran salón durante la noche porque éramos un grupo muy pequeño como para que nos gasearan solamente a nosotros. Ellos nos mantenían a la espera de un grupo de judíos de Holanda para juntarnos, pero el transporte en el que viajaban se había retrasado. Mientras tanto, necesitaban gente joven y saludable para trabajar. Así que por la mañana hicieron una selección y algunos pocos nos salvamos una vez más trabajando para los alemanes.

Después de la selección, los *kapos* alemanes nos condujeron con palos, como manada, a otra barraca, donde tuvimos que entregar nuestras joyas, dinero y ropa. Nos afeitaron la cabeza y el vello del cuerpo, y vi mi cabello muerto caer sobre el suelo. En el sauna, los *kapos* nos sumergieron en agua hirviendo y luego en agua helada. Finalmente, nos ordenaron hacer una fila para recibir los harapos y los zapatos de madera que nos arrojaron. Teníamos que vestirnos con esas pijamas de rayas que llamábamos *pasiaki*,* con las mangas rotas y sin botones, o vestimentas demasiado grandes o muy pequeñas. En el campo principal, la mayoría de los prisioneros vestían pijamas azul grisáceo pero nuestra ropa aquí, en las barracas de Cuarentena, tenía rayas rojas anchas pintadas en la espalda. Éramos afortunados si atrapábamos un zapato izquierdo y uno derecho, de otro modo teníamos que caminar con dos zapatos de madera izquierdos o dos derechos. Temerosos de ser derrotados por los *kapos* alemanes, no nos atrevimos siquiera a pedir un cambio de zapatos.

Cuando nos vemos unos a otros después de todo esto, nos cuesta trabajo reconocer incluso a nuestros amigos. Sintiéndonos humillados y vulnerables, tuvimos que hacer fila de nuevo, esta vez para que nos tatuaran números en el antebrazo izquierdo. Me convertí en el

---

* Argot polaco de los campos de concentración para referirse a los uniformes de rayas azules.

prisionero número 74733. Ahora éramos esclavos, sin nombres ni derechos.

Mientras todos estábamos confundidos y desconcertados, quedé sorprendida conmigo misma por haber logrado mantener, a pesar de todas las inspecciones y caos, el billete de cien marcos escondido en mi vagina y la pequeña fotografía que había pegado debajo de mi pie. La fotografía, tomada por Mark en 1941, me mostraba usando el brazalete judío y sosteniendo la mano de mi hija en su tercer cumpleaños.

No tengo palabras. Tu tía vio cara a cara a Mengele.
Las páginas que dedica a su estancia en Auschwitz son escasas. Un día halló un diamante en la nieve y lo cambió por una hogaza de pan.

¿Y tu prima? ¿Y Mark?
Mira, que en el campo había tenido que saciar su sed bebiendo su propia orina, salvó la vida con el pelo teñido de rubio, fingiendo por casi un año y medio ser la sobrina polaca de esa familia. En cuanto a Mark, después de ser deportado a varios campos, exhausto, pesando cuarenta kilos, un alemán lo descubrió escondido en una letrina y al arrojarlo en el piso, tras apuntar con su pistola, sintiendo que moriría de cualquier modo, enfundó su arma y le dijo: «Tú no vales una bala». Finalmente, terminaron por encontrarse no lejos de su hogar original, habitado por extraños.

¿Cómo era Dora Reym?
Era una mujer morena, de ojos negros profundos, que debió ser muy atractiva en su juventud. Era muy gentil y educada, pero firme y disciplinaria. La visitaba cada vez que iba a Nueva York, hasta hace poco, en su cumpleaños cien. Y cuando me quedaba en su departamento aquellos retratos de su familia cobraban vida, porque a cada uno los había evocado puntualmente en las memorias. Uno de ellos había muerto enfrentando a un grupo de soldados nazis él solo, pistola en mano. Dora carecía absolutamente de sentimentalismo. No recuerdo su risa. Creo que había perdido la risa. No la sonrisa,

aunque esa sonrisa tenía siempre algo contenido, levemente triste, fugaz. Te quiero decir que jamás vi una lágrima en el rostro de Dora Reym.

¿Volvió tu tía a Polonia?

No volvió nunca. Pero yo sí, con mi padre, en 1989. Y en ese viaje ocurrió algo significativo para ella. Fuimos a Wyszków. Nada quedaba: ni el mercado, ni las casas, las sinagogas o el cementerio, ni siquiera el puente de madera sobre el río Bug, que llevaba a la cabaña en el bosque de Skuszew, donde la familia pasaba los veranos. En una zona aledaña a su casa (que no localizamos con exactitud) conversamos con un matrimonio de ancianos que nos narró escenas del primer día de la ocupación: el fusilamiento de unos judíos elegidos al azar, «todavía se advierten las balas en la pared», y el relato de un doctor que suministró cianuro a sus hijos antes de morir con ellos. La guía nos tomó una foto junto al río: «No está el puente, pero al menos quedan el Bug y mis recuerdos», me dijo mi padre. En el fondo del río, según supimos, yacían intactas cientos de lápidas arrojadas por los nazis. Otras, inadvertidas para el caminante, se habían utilizado como pavimento en las aceras, y allí seguían. Pasaron los años, y en 1996, por una noticia de periódico, me enteré de que en Wyszków estaban desenterrando las lápidas de las aceras y sacando otras del río. Solicitaban fondos para la construcción de un monumento conmemorativo en el sitio donde había estado el cementerio. Me incorporé a la comisión, aporté lo que pude, y en septiembre del año siguiente acudí con mi familia (Isabel, León y Daniel) a la ceremonia. El monumento es un caracol ascendente en cuyas paredes se incrustaron las lápidas que pudieron rescatar. Emprendí mi ascenso y de pronto una lápida llamó mi atención: era la de Abraham Pajt, el padre de Dora, muerto de tifo en diciembre de 1915. Le llevé la fotografía a Dora. Sonrió. Tampoco entonces derramó una lágrima.

Protegiendo la llama

En Travesía liberal *refieres brevemente tu encuentro con el último líder sobreviviente del gueto de Varsovia.*

Se llamaba Marek Edelman. Ejercía la cardiología en Łódź. Lo conocí en el viaje que hicimos mi padre y yo a Varsovia. Lo tratábamos como a un santo, pero él rechazaba toda forma de piedad. «Hitler no perdió», me dijo entonces, «Hitler ganó: aquellos doce años de hitlerismo destruyeron el humanismo europeo. Ese pasado que usted busca está muerto». Hay un libro que reúne entrevistas que sostuvo con Hanna Krall. Se titula *Shielding the Flame*, porque así concebía Edelman lo que había sido y era aún su papel: «Proteger la llama de la vida», no solo de la maldad humana, sino de Dios, que –en palabras de Edelman– «apoyaba a los perseguidores»: «Dios trata de apagar la vela, y yo me apresuro a protegerla, yo me aprovecho de su breve desatención. Debo hacer que la llama brille aunque sea por momentos, más de lo que Él habría querido».

La más sombría de las reflexiones. Dios existe pero no solo es indiferente, como en Spinoza, o se oculta, como en Kafka, sino que contribuye al mal, es diabólico.

Entendí por qué pensaba así. Edelman había visto pasar, literalmente, a cuatrocientas mil personas en marcha silenciosa, obediente, ordenada, hacia los vagones de la muerte que se dirigían a Treblinka. Había presenciado la violación de una joven por parte de siete guardias ucranianos en un gimnasio escolar repleto de personas aterradas y pasivas. Había visto a una enfermera ahogar, en el instante mismo del parto, a un recién nacido bajo la mirada discreta y agradecida de la madre. Había sobrevivido al suicidio colectivo de sus camaradas en el búnker de la calle Miła 18, entre ellos el líder de todos, Mordechai Anielewicz. Su recuento era implacable, no omitía el incómodo dato de la existencia de prostitutas en el gueto, pero tampoco apagaba la flama: «Amar era la única manera de sobrevivir», dijo a Krall. «Las personas se acercaban unas a otras como nunca lo hicieron antes. Vi a un recién casado apartar el rifle que amenazaba el vientre de su mujer y cubrirlo con la mano. A ella se la llevaron y él murió también, finalmente, en la sublevación general de 1943. Pero eso precisamente es lo que importaba: que alguien estuviese dispuesto a cubrirte el vientre si fuera necesario.» El doctor Edelman cubría la flama de la vida en su hospital en Łódź.

¿Pertenecía a Solidaridad?

Fue arrestado durante la huelga de Solidaridad y eso lo convirtió en un héroe nacional. Para él, apoyar activamente al movimiento era vivir de nuevo la insurrección de 1943, y ganarla, por el honor polaco, por el honor judío. Y, sin embargo, la flama se había extinguido para su pueblo. Edelman no creía que el Estado de Israel representara la solución para el ancestral problema judío. Tampoco Estados Unidos, lastrado –según decía– por su hedonismo trivial y su insufrible superficialidad. Aquella esencia humanista estaba muerta. Se despidió de nosotros con una profecía que nunca olvido: «El antisemitismo no necesita a los judíos para persistir. Nos sobrevivirá.» Edelman tenía setenta años cuando lo conocí. Murió veinte años después.

Theodor Adorno dijo que «después de Auschwitz escribir un poema es bárbaro». ¿Qué piensas?

Entiendo a qué se refería. Al uso estético de ese hecho. Pero la poesía es otra forma de proteger la flama. La poesía misma es la flama. La poesía no intenta recrear lo que ocurrió en el Holocausto. La poesía es el único antídoto posible contra la barbarie. En la escuela leímos a un poeta que vivió el Holocausto y se salvó. Se llamaba Abraham Sutzkever. Escapó del gueto de Vilna, luchó entre los partisanos, se refugio en Moscú, se estableció finalmente en Israel. En una antología bilingüe (inglés e ídish), compilada por

Irving Howe, leí un poema suyo escrito en el gueto de Vilna, en febrero de 1943. Lo traduje:

¿Cómo?

¿Cómo llenarás tu cáliz
el día de la liberación? ¿Y con qué?
¿Podrás, en tu júbilo, soportar
el lamento oscuro que has escuchado
de huesos que llevan días brillando
en un foso sin fondo?

Buscarás una llave que se ajuste
a tus atascadas cerraduras. Morderás
las aceras como pan
pensando: entonces era mejor.
Y el tiempo te roerá como un grillo
atrapado en un puño.

Entonces tu memoria parecerá
un pueblo antiguo, enterrado,
y extrañados tus ojos escavarán abajo
como un topo, como un topo.

Es un poema sobre la memoria torturada.

Y de la memoria preservada. La memoria es también una forma de proteger la flama. Mi maestro Ferdman nos recitaba poemas de Sutzkever y nos hablaba de la revista en ídish que editaba en Israel. Se llamaba *Di Goldene Keit*: *La Cadena Dorada*. Esa «cadena dorada» es la de las generaciones. «De generación en generación» se dice en hebreo *dor va dor*. Está en la Biblia. Está en los profetas. Lo que une cada eslabón es la memoria. Por eso el recuerdo de los ancestros es como el undécimo mandamiento: *Yizkor*.

¿A quién quisieras recordar ahora, finalmente, más allá de tus ancestros?

A los que cubren la flama. A los custodios de la memoria. A los historiadores sacrificados. A Marc Bloch, cuya obra leí con tanta admiración. ¿Recuerdas? Comprender, la importancia de comprender en la historia. Bloch murió luchando en la Resistencia. Su condición judía lo puso en altísimo riesgo, pero se incorporó a la Resistencia no por judío, sino por patriota francés. Fue encarcelado en la prisión de Montluc, donde sufrió torturas. Solía dar clases de historia a los jóvenes presos. Alguien escapó para narrar la forma en que murió acribillado por la Gestapo. Sus últimas palabras fueron «¡Viva Francia!» Recordaría también al historiador Simón Dubnow, aquel autor de la gran historia del pueblo judío. Fundó en Vilna el mayor centro de documentación histórica judía que editaba una revista, *YIVO*, que recibía mi abuelo. (El centro aún existe en Nueva York.) Dubnow tenía 81 años cuando lo ejecutaron en Riga, a las puertas del tren que lo iba a conducir a Treblinka. Sus palabras finales me cimbran: «¡Judíos: escriban y vuelvan a escribir!». Es decir, dejen testimonio. Y vaya que lo dejaron. En Varsovia vivió un historiador llamado Emanuel Ringelblum –especialista en historia polaca medieval– que organizó a un grupo de jóvenes alumnos para recabar todos los testimonios imaginables de gente común en el gueto de Varsovia. Habría podido escapar, pero prefirió seguir la suerte de su pueblo. Sabía que trabajaba contra el tiempo y contra toda esperanza. Cuando los nazis barrieron el gueto, Ringelblum y su grupo pusieron los documentos en vasijas de metal, y las enterraron. Todos, salvo uno, fueron exterminados. Hace unos años, el sobreviviente encontró los documentos. Están en Varsovia.

Pienso que toda tu búsqueda se da alrededor de tu identidad, de tu forma peculiar de ser judío. Llegaste al punto de donde partiste. Quizá nunca lo dejaste. Como Heine.

Sí lo dejé y no lo dejé. Pero siempre lo recordé. Te cuento una anécdota. Andrea mi esposa y yo visitamos hace unos años Ferrara, ciudad que había sido por varios siglos un centro religioso y editorial de los judíos expulsados de España. Quisimos visitar la antigua sinagoga. La encontramos surcada de cuarteaduras, casi en ruinas debido a un reciente temblor, pero aún funcionaba. Yo leía

entonces *El jardín de los Finzi-Contini*, la novela de Giorgio Bassani, que narra la historia de la aristocrática familia que Bassani frecuentaba y que por su posición se creía inmune al peligro. En la novela, los protagonistas (el padre don Ermanno, su mujer, su hijo Alberto y la hermosa Micòl, de la que Bassani estaba enamorado) son finalmente deportados a los campos de exterminio. Pues bien, el día de Yom Kippur acudimos a los servicios en la sinagoga. Apenas se juntaron los diez hombres necesarios –el *Minyán*– para llevar a cabo los rezos. Ese día comencé a escribir un pequeño poema. Los días siguientes Andrea me sugirió giros, cambios, afinamientos. Lo escribió conmigo. Refleja lo que sentí. Ortodoxos, teólogos, cabalistas, heterodoxos, mesiánicos, sionistas, antisionistas, socialistas, revolucionarios, filósofos, historiadores, escritores, todos se aferran. ¿A qué? ¿A quién? A la memoria. El misterio aquel que yo buscaba está en la memoria. La memoria que preservó el abuelo Saúl, la memoria que perdió el abuelo José. La memoria. La clave que busqué para hallar sentido a la vida está en el acto de *Yizkor* que se me reveló ese día:

Ferrara 5775

Herida, temerosa
la Sinagoga abre sus puertas

al perdón,
    al extraño,
        al caminante.
Solo esto queda del populoso Ghetto:
el mínimo recinto,
    el candelabro,
        y el precario Minyán
que reza
el melodioso rito.
Por las grietas abiertas de otro sismo
llega un lamento de Sefarad.
La procesión de rollos coronados
rodea al mundo
        en solo cinco pasos.
El naufragio del tiempo es inclemente
pero ellos se aferran al Arca de la Alianza:
unos cobijan con sus mantos a sus hijos
otros invocan por sus nombres a sus padres.
Micòl, Alberto, don Ermanno, Giorgio
se fueron del jardín un día:
unos por fuego,
    otros por mar
        todos a destiempo,
y todos regresan:
pues mañana y ayer son hoy y siempre.

XV. Rusia: literatura y barbarie

Ámsterdam.

La noche de los poetas asesinados

El nazismo −ese «mal radical», como escribió Hannah Arendt− marcó tu historia familiar. Aludimos a él desde la primera conversación, y has mostrado su huella en la vida y las obras de autores judíos de Europa Central y Alemania. Pero el otro totalitarismo, el soviético, también te toca en lo personal. Tus abuelos abrazaron el socialismo sin sospechar que se corrompería en un régimen totalitario. ¿Cómo describes tu actitud frente al otro «mal radical»?

Quise estudiarlo con empeño por muchas razones. Pero hay una de fondo. Frente al totalitarismo nazi no había ya nada que hacer salvo honrar a los muertos, tratar de darles rostro, rescatar un jirón al menos de sus vidas rotas, sacrificadas. Pero subsistía el otro totalitarismo. Creo que la incapacidad absoluta de revertir o vengar siquiera un ápice del primero condicionó en mí la conciencia crítica sobre el segundo. Yo creo que es una actitud muy generalizada en mi generación de intelectuales judíos en Europa o Estados Unidos.

Antes del totalitarismo, el hecho histórico fue la Revolución rusa, que no necesariamente lo presagiaba.

Lo presagiaba en buena medida, pero eso solo me quedó claro una vez que pude asomarme al ciclo completo desde la Revolución hasta el gulag. Quisiera hablarte de ese tema comenzando por el desenlace de la larga ilusión de mi abuelo Saúl con la Revolución. Ocurrió como te dije en 1948, cuando leyó las noticias sobre la muerte de aquellos escritores que habían visitado México para buscar apoyo a Stalin. Ese episodio fue clave para él y por eso después de su muerte, como parte de mis incursiones privadas en el orbe judío, me puse a investigarlo por mi cuenta en enciclopedias especializadas, libros y archivos. También en su biblioteca.

Era tu forma de seguir en diálogo con él.

Diálogo que continúa. Los visitantes, te recuerdo, se llamaban Salomón Mijoels e Itzik (o Isaac) Fefer. El primero era director del Teatro Estatal Judío de Moscú y presidente del Comité Judío Antifascista, fundado a instancias de Stalin para recabar apoyo y fondos en el extranjero. Fue quizá la figura cultural más relevante del mundo judío en la URSS durante al menos dos décadas. Había sido un actor shakespeariano, cuya representación del *Rey Lear* era legendaria. Fefer, a quien mi abuelo mencionaba mucho, era un exaltado poeta lírico, comunista desde luego y teniente general del ejército. Ambos vinieron a México en 1943. El año anterior se había formado una «Liga Popular pro-URSS» o Liga Antifascista («Der Ligue», en ídish) que reunía personas de filiación diversa, sobre todo comunistas, socialistas y hasta sionistas. Los únicos que no acudían eran los anarquistas y bundistas, enemigos acérrimos de los comunistas.

¡Qué cantidad de filiaciones!

Hay un viejo chiste: «Ahí donde hay cuatro judíos hay cinco opiniones y seis organizaciones.» La «Ligue» publicaba un periódico llamado *Freivelt* (*Mundo Libre*) que dirigía el escritor comunista Leo Katz, padre, como te dije, del gran historiador Friedrich Katz. Consulté algunos ejemplares. Puedes ver artículos en ídish de homenaje a la Revolución mexicana, por ejemplo un homenaje a Emiliano Zapata, con todo y fotografía. O ensayos de Vicente Lombardo Toledano. Y una curiosidad: un artículo de Frida Kahlo sobre Fanny Rabel, cuyo nombre original era Fanny Rabinovich, la muralista discípula de Diego Rivera que pintó el mural de la fábrica de mi padre. La conocí, una mujer de izquierda combativa y talentosa.

La Revolución mexicana y la izquierda mexicana en ídish.

Curioso, ¿verdad? La Liga fue muy activa: congregaba a los miembros para ver películas soviéticas, obras de teatro, o escuchar conferencias. Entre los miembros había una asociación de sastres, a la que pertenecía mi abuelo Saúl. Dirigía la Liga un señor Béjar, que decía recordar a mi abuelo «siempre en primera fila, emocionado». Otro dirigente comunista, Boris Rosen –futuro historiador del liberalismo mexicano– me dijo alguna vez: «Tu abuelo, el pelirrojo, era muy entusiasta.» Supongo que Boris no entendía cómo el nieto se había vuelto tan crítico de la URSS.

Pero tu abuelo no era comunista, me dijiste que simpatizaba con el Bund.

Es cierto, pero la causa antifascista lo debe de haber animado a acercarse a los comunistas. El caso es que esa Liga Popular pro-URSS recibió a los embajadores literarios de Stalin. En esa recepción entusiasta participó la comunidad judía en pleno –autoridades, rabinos, maestros, estudiantes–. También varios intelectuales, escritores y artistas consagrados organizaron actos de bienvenida, nada menos que Alfonso Reyes, Mariano Azuela y Enrique González Martínez. No podía faltar el embajador de Chile, Pablo Neruda. Hubo un mitin de masas con obreros y un acto solemne en el salón «El Generalito» de San Ildefonso (la Escuela Nacional Preparatoria).

¿Cómo habían sobrevivido aquellos embajadores a las purgas de los treinta?

Sobrevivieron porque colaboraron sinceramente con el régimen y porque creían en él. Por otro lado, los crímenes de Stalin en los treinta y los juicios de Moscú –atroces como fueron– no tuvieron una motivación racista o antisemita y eso para ellos, en el contexto histórico de los treinta, era un factor capital: la URSS representaba un bastión, quizá el gran bastión, contra Hitler. En otras palabras, convergían en su lealtad su condición judía y su fe socialista. Era el caso del poeta Fefer. En la pequeña investigación que emprendí, encontré una grabación original suya de principio de los cuarenta, los años en que vino a México, recitando su largo poema «Ich bin a Yid» («Soy un judío»). Me extrañó y me emocionó –te confieso– ese olvidado arte declamatorio. Cada estrofa termina con aquel estribillo del título, que aludía a los personajes históricos. Te traduzco lo que dice de Marx:

El sol de Marx sobre la tierra
enrojeció mi sangre ancestral, mi espíritu
y mi incandescente fuego interno.

Es un poema realista socialista judío. Como si la historia toda desembocara en Marx, en la redención marxista. Estrofas más adelante, esto es lo que dice del padre Stalin:

Soy un judío, que ha bebido la dicha,
de la copa de Stalin.

Quizá mi abuelo escuchó ese poema del propio Fefer en aquella velada en San Ildefonso. Pasaron cinco años desde ese viaje, y por la prensa mi abuelo se enteró de algo inimaginable, que yo indagué luego, con cierto detalle. En 1948, Mijoels fue asesinado de manera salvaje en Minsk «por unos *hooligans*». Lo descubrieron tirado en la nieve, en un charco de sangre. Según testimonio de Svetlana, la hija de Stalin, el tirano intervino personalmente en planear y enmascarar los hechos. Miles de personas acudieron a su funeral. Fefer no tuvo siquiera esa suerte póstuma. Ese mismo año fue aprendido, torturado, encarcelado junto con un grupo de trece intelectuales que incluía escritores, periodistas, científicos, críticos literarios, traductores, poetas. Poco antes de su asesinato en 1952, un célebre cantante americano amigo suyo que había vivido en la URSS por muchos años y visitaba Moscú quiso verlo. Era nada menos que Paul Robeson, aquel bajo de la inolvidable canción «Old Man River», heroico luchador por los derechos humanos y la equidad racial en Estados Unidos. Por una deferencia con Robeson, o para guardar las apariencias, llevaron a Fefer a su cuarto de hotel. Demacrado, vencido, alcanzó a decirle que lo ejecutarían pronto. Robeson –que siempre fue un defensor de la URSS– no lo creyó, pero al poco tiempo confirmó el hecho. Quedó devastado. Años después intentaría suicidarse. Robeson, por cierto, cantaba canciones en ídish, así de cerca había estado de los escritores judíos que sufrieron el mismo destino de Fefer.

¿Qué ocurrió con los intelectuales?

A lo largo de los cuatro años que duró el juicio al que se les sometió, los trece intelectuales fueron golpeados, torturados, obligados a confrontarse unos con otros y a confesar crímenes inexistentes. Uno de ellos dijo que con tal de librarse de las torturas «habría aceptado ser el sobrino del mismísimo papa y haber actuado bajo sus órdenes». Todos, salvo la científica Lina Stern (demasiado valiosa por sus estudios bioquímicos), fueron ejecutados en los sótanos de la prisión de Lubianka una noche en agosto de 1952. De ahí que esos hechos se conocieran como «La noche de los poetas asesinados».

¿El motivo central de Stalin era el antisemitismo?

En los albores de la Guerra Fría, Stalin necesitaba chivos expiatorios para encender la pasión nacionalista de los rusos, y encontró a los de siempre. Una campaña de odio inundó los periódicos soviéticos con los habituales eslóganes difamatorios: «cosmopolitas desarraigados», propagadores de valores «occidentales», nacionalistas contrarios al socialismo. El trasfondo era la Guerra Fría, en particular el alineamiento de Israel con Estados Unidos. A resultas de esa propaganda, sobrevino el despido masivo de judíos en diversas profesiones. Y, finalmente, Stalin desató el supuesto «Complot de los médicos» –judíos todos–, invento de su paranoia para preparar la expulsión masiva de todos los judíos de las ciudades rusas y su recolocación en Siberia, que pudo haber acabado en un nuevo Holocausto. Encontré una mención a estos hechos en el *Archipiélago Gulag*:

Stalin tenía el siguiente plan: a principios de marzo serían ahorcados, en la Plaza Roja, los «médicos-asesinos». Los patriotas, excitados de forma espontánea (bajo la dirección de instructores), organizarían un pogromo judío. Entonces, el Gobierno (se ve el carácter de Stalin, ¿verdad?), para salvar generosamente a los judíos de la ira popular, esa misma noche los mandaría de Moscú a Siberia y el Extremo Oriente (donde ya estaban preparando los barracones).

Un nuevo capítulo, pero ahora contra los médicos. Esos eran los planes, pero se interpuso un verdadero milagro: la muerte de Stalin en marzo de 1953. El proceso se detuvo. Y en su famoso informe de 1956, Jrushchov denunció los hechos como una completa fabricación. No en balde, al quinquenio de 1948 a 1953 se le conoció como «los años negros» en la URSS. Mi abuelo perdió toda esperanza, y me dijo: «Me di cuenta de que todo era una caricatura de nuestros ideales, un cascarón vacío, una prisión gigantesca».

El asesinato de esos poetas parece una reedición de los juicios de Moscú de fines de los treinta.

Lo fue, porque incluyó todos los elementos: espionaje, delaciones, campañas públicas de difamación, fabricación de cargos, arrestos, confinamientos, juicios, torturas, confesiones, retractaciones, autoinculpaciones y finalmente ejecuciones. Fue una orgía de sadismo y sangre. Sobre las tres purgas sucesivas de 1936, 1937 y 1938, en las que murieron bolcheviques de primera hora y de primera fila, como Zinóviev, Rádek, Kámenev, Bujarin y otros, me había enterado años atrás, en mi Biblia de historia soviética que fue la trilogía de Deutscher sobre Trotski. Pero las purgas de camaradas eran lo de menos. Ahora sabemos que solo en esos años el régimen había matado a cerca de un millón de personas. El estalinismo en total mató a diez millones de seres humanos. En esa época –te hablo de mediados de los sesenta– ignoraba yo esas cifras y otras muchas cosas, por ejemplo la tragedia de los grandes escritores rusos asesinados no por su origen étnico, sino por haber perturbado la delicada sensibilidad poético-diabólica de Stalin. Me refiero entre otros a Ósip Mandelstam (que murió en un campo del gulag en 1938) y a Isaak Bábel (torturado y ejecutado en una prisión en 1940). Si bien Bábel y Mandelstam eran judíos (igual que Ehrenburg o Pasternak, que se salvaron), se habían desprendido en diverso grado de su tradición y escribían –como Tsvetáyeva, Ajmátova, Bulgákov– la más alta poesía en ruso.

¿Hay diferencia entre los temas de aquellos escritores que ejecutó Stalin y los grandes autores rusos que ahora mencionas?

Los autores rusos debían salvar la vida, pero no el idioma. El ruso no estaba en peligro. En cambio los autores judíos rusos que escribían en ídish debían salvar la vida y el idioma. Dado que para 1945 los hablantes de ídish en Europa habían sido exterminados en las cámaras de gases, la URSS era el último territorio donde podía hablarse y escucharse el idioma. Su vigencia en Estados Unidos o Argentina se desvanecía al paso de las generaciones, y en Palestina –el futuro Estado de Israel– lo había desplazado el hebreo. Por eso, aquellos escritores que mi abuelo consideraba «la crema y nata» eran los últimos representantes de esa literatura. Nunca sospecharon lo que Stalin les tenía deparado. No solo habían sido sus partidarios, promotores, rapsodas, algunos habían servido en los frentes de guerra. Habían recibido condecoraciones, habían creído que podían servir a su «patria soviética» y seguir escribiendo en ídish. De nada les sirvió su obra y su lealtad. Novelistas, cuentistas, poetas, historiadores, dramaturgos: ejecutados todos. Eran coetáneos de mi abuelo, sus libros le llegaban desde Nueva York. Escritores rusos y bolcheviques doblemente olvidados por la marginalidad histórica de ser judíos y por el idioma en que escribían, y que –literalmente– moría con ellos.

Qué ironía cruel, de verdad, «beber la dicha en la roja copa de Stalin» y morir ejecutado en una mazmorra.

«La noche de los poetas asesinados», ligada a la historia de mi abuelo, me ayudó a tomar conciencia de que el otro totalitarismo, el soviético, no solo exterminaba –como los nazis– seres humanos; exterminaba cuerpos y almas de su propio pueblo. Exterminaba culturas. Y exterminaba con particular placer a los poetas. ¡Pensar que Alberti y Neruda escribieron odas a Stalin!

Tu abuelo murió en octubre de 1976. Emprendiste la narración donde él la había dejado, y la completaste.

Nunca averigüé si tenía más información. Pero sí, seguí investigando. Y encontré en su biblioteca dos volúmenes de una obra que me impresionó. Se titula *Milchome* (*Guerra* en ídish). Su autor

«La nueva poesía ídish –escribió Peretz Markish– es hija de la Revolución, con todos sus atributos».

fue Peretz Markish, uno de los poetas asesinados por Stalin aquella noche de agosto de 1952. Markish lo terminó en 1948, un año antes de que lo apresaran. Comencé a hojear esa obra y no podía creerlo. Un gigantesco poema en verso sobre la Segunda Guerra Mundial, dividido en dos partes: la guerra contra los judíos y la heroica defensa soviética contra Hitler. Batallas, episodios, retratos, reflexiones, recreaciones épicas, líricas, elegíacas. Un recuento pueblo por pueblo de un mundo que desapareció en Ucrania y en Polonia. Es el mismo tema de *Vida y destino* de Vasili Grossman, en una obra tan monumental como la suya, pero escrita en verso y en ídish, y nunca traducida. Lo cierto es que Markish era el representante mayor del modernismo literario en idioma ídish. Nacido en Ucrania en 1895, había pasado del expresionismo a la vanguardia. «Era el director de *Literarische Blätter* en Varsovia», me decía mi abuelo en su biblioteca, contándome sobre las conferencias de Markish, su imponente presencia física y autoridad moral. Tras una larga etapa en Polonia, emprendió un ascenso espiritual y político: emigró a Moscú. «La nueva poesía ídish –escribió– es hija de la Revolución, con todos sus atributos.» Y dio comienzo una etapa de extraordinaria productividad, novelas, poemas, obras de teatro que fueron representadas por Mijoels. Su primacía literaria en el orbe del ídish no estaba en disputa, aunque nunca faltaron quienes criticaron su lealtad al régimen. Pero hay un dato que lo enaltece. Markish fue uno de los pocos escritores que visitó a Nadezhda Mandelstam tras el encarcelamiento y muerte de su marido Ósip. Markish era amigo de ambos y también de Ajmátova, que tradujo sus poemas en los años cincuenta.

¿Servía al régimen?

Sí, por convencimiento como socialista y como judío. Quiso creer que la Rusia soviética era un territorio libre de antisemitismo donde podía aún existir la cultura ídish, que él promovía con el mayor empeño. Quiso creer que Stalin respetaría la nacionalidad judía dándole incluso un hogar físico en la colonia de Birobidzhán, al extremo este de Rusia. Y servía al régimen porque creía en el comunismo. En 1939 se le concedió el más alto honor de las letras rusas, la Orden de Lenin.

Detengámonos ahí. Cuando hablamos de Benjamin, concluimos que su embelesamiento con la URSS en 1926, nacido de su «extravío teológico» en el marxismo, era lamentable por lo que le costó, pero explicable. Y admitiste con reservas que esa lealtad a la URSS podía ser explicable aún en los treinta, debido al ascenso de Hitler. ¿Cómo aplicas esos criterios a Markish, que seguía fiel hasta 1939? ¿Son casos comparables?

Una cosa es explicar y comprender, otra justificar. Yo no creo que en los años treinta esa lealtad fuera ya justificable. Menos aún en el caso de Markish, porque en su posición política y cultural tenía una información de la que Benjamin, evidentemente, carecía. No pudo no saber de la hambruna en su natal Ucrania. ¿Cómo asimiló los juicios de Moscú? ¿Hasta qué grado condescendió con el horror, por causa de un horror mayor? Mis datos son muy escuetos. No puedo ni imaginar su predicamento. Estoy a años luz de haber vivido nada similar. Supongo que para 1939 cualquier vacilación hubiera sido mortal. En todo caso, tras el paréntesis del pacto ruso-alemán, Hitler invadió Rusia y ahí no había otra opción que el apoyo irrestricto a Stalin. Markish siguió siendo fiel a la Unión Soviética a lo largo de la guerra y hasta el final. Fue un miembro prominente de aquella Liga Antifascista. No solo vertió en *Milchome* sus testimonios sobre la devastación hitleriana de Polonia y la hazaña de resistencia del pueblo ruso.

¿Al concluir la guerra, su lealtad seguía intacta?

Intacta. Tenía la convicción de que el antiquísimo sentido del martirio, la idea de morir «en nombre de Dios», había jugado un papel en el sacrificio de los seis millones de judíos por los nazis. Escribió libros iracundos, proféticos, que claman venganza, que exaltan en paralelo el levantamiento del gueto de Varsovia y la epopeya de Stalingrado. Sentía que, salvo en algunas rebeliones, a los judíos en Polonia les había faltado el espíritu de combate que había caracterizado al pueblo ruso. En *Milchome* hace el elogio de esas rebeliones y sus líderes que murieron con granadas en la mano. Por ejemplo de aquel Hirsh Glick, autor del «Himno de los partisanos». Implícitamente, escribía sintiéndose a salvo, en territorio seguro, en la nación soviética que había vencido a Hitler. Pero se engañaba.

Con esos antecedentes, es más dramático su final.

Sí, porque había dado todo, vida y destino, a la Revolución, y ahora esa revolución lo sacrificaba. Hay un poema suyo a la muerte de su amigo Mijoels. Es un poema extraordinario en el que los seis millones de judíos exterminados y él, sacrificado solitario, se honran mutuamente. Después de ese momento debió sentir o saber que correría la misma suerte. Lo apresaron en 1949 bajo el cargo de conspiración con poderes antisoviéticos, propaganda nacionalista, antisocialista.

¿Cómo lo has leído?

Con enorme dificultad. Una parte de su obra está traducida al ruso, pero hay pocas traducciones al inglés. Y al hojear esos libros vi con claridad la tragedia del ídish. Salvo algunos especialistas académicos en su obra, nadie lee a estos autores. Queriendo rendir un homenaje a Markish, me propuse traducir un poema suyo famoso, cotejando versiones en inglés y leyendo con lupa el ídish, armado de un diccionario. Lo escribió poco después de la guerra. Se titula «Fragmentos». Lo comparto contigo.

De pronto, cuando vuelvo la mirada solo hacia mí mismo,
estallan mis ojos, y mis miembros ven
mi corazón caído, como un espejo en la piedra,
estruendosamente roto, hecho pedazos.

Cierto, no todos los fragmentos se liberaron
para ser testigos de mis últimos pasos,
pero no me pisotees aún, Tiempo, juez mío,
antes de recobrar mis pedazos dispersos.

Los escogeré y ajustaré, uno por uno,
los completaré con mis dedos heridos y sangrantes
y aun así, por más que mi artificio los reúna,
en ellos veré siempre mi quebrada imagen.

Abatido, por fin, hallo el sentido,
el ardiente dolor del vidrio roto,
el anhelo de verme en el espejo, entero,
en esos fragmentos, dispersos por los siete mares.

¿Recuerdas los fragmentos que quiere recoger el ángel de Klee? También aquí el poeta quiere recomponer los pedazos rotos y esparcidos del todo original. Ese todo original que es él y su pueblo. Pero esa recomposición ya es imposible.

Práctica y teoría de la Revolución

Hay en tu familia, desde tu abuela Gueña y tu abuelo José hasta tu abuelo Saúl, una desdichada historia de amor con la Revolución rusa. Tú heredaste ese primer amor y esa desdicha. Creíste por un tiempo en su justificación y aun en su inevitabilidad histórica, y creíste que Stalin había traicionado el proyecto original de Lenin y Trotski.

Nunca antes un sueño tan generoso y universal se tradujo en tanto dolor. Sobre el estalinismo no tenía dudas. Desde 1971 leí todo lo que publicó *Plural*: un extracto de las memorias de Nadezhda Mandelstam sobre el calvario de Ósip, su marido; una entrevista con Sájarov, otra con Solzhenitsyn y varios textos del *Archipiélago Gulag*. La obra de Octavio Paz reforzó mis convicciones. Y la pesquisa sobre los poetas asesinados por Stalin cerró el caso. Stalin había segado la posibilidad de una revolución con libertad al implantar la colectivización forzosa, instaurar el régimen de terror y asumir un poder personal más absoluto y cruel que el de Iván el Terrible. Pero necesitaba remontarme a la era de Lenin. No me interesaba tanto la exaltación del triunfo. Me interesaba lo que ocurrió después del triunfo. No creo haber visto nunca a la Revolución como un advenimiento mesiánico, lo cual era un avance. Pero entendía que hay circunstancias históricas que la vuelven inevitable. Sin reconocerlo aún claramente, mis simpatías estaban con Kérenski, el revolucionario que quiso orientar la lucha por la vía parlamentaria y fracasó. Nunca me atrajo la violencia revolucionaria, pero reconocía también que el zarismo era irredimible porque las tentativas de reforma habían fallado una tras otra debido a la brutalidad del sistema, a la tozudez de la aristocracia, a los gigantescos errores militares de Nicolás II y los delirios místicos de Alejandra y Rasputín. La Rusia zarista tuvo oportunidades de transitar por esa vía, desde las reformas económicas de Stolypin, antes de su asesinato en 1911, pero nos las aprovechó.

Fascinante la figura de Stolypin, haciéndose cargo de Rusia tras la revolución de 1905 y ensayando reformas liberales muy profundas y avances económicos extraordinarios que fueron frustrados por su asesinato. Me recuerda al Canalejas español, que fue también primer ministro. Un reformista demócrata muy avanzado que fue asesinado. ¿Qué habría sucedido en Rusia y España bajo liberales como ellos?

Que la Guerra Mundial les habría caído encima, junto con el orden liberal. ¿Recuerdas la obra *Vera* de Oscar Wilde? Está basada en la vida de la revolucionaria marxista y menchevique Vera Zasúlich. Ahí esta el dictamen perfecto: «Nada es imposible en Rusia, salvo la reforma.» Resultó cierto en Rusia y también en España, porque la guerra civil mostró la imposibilidad de la reforma. Esa reforma llegó a España en 1976. Y Rusia la está esperando hasta ahora. Creo que nunca llegará.

Hay una curiosa relación entre España y Rusia, poco conocida. En 1825, los decembristas quisieron arrancar reformas constitucionales al zar inspirándose en Riego y el trienio liberal que restauró la Constitución de Cádiz de 1820 a 1823. Los decembristas invocaron la Constitución de Cádiz, «la Pepa», como inspiración.

No lo sabía, muy interesante. Fue frágil el liberalismo. Y lo sigue siendo. En Rusia, después de 1825, la ola revolucionaria llegó muy pronto como un tsunami, como una fuerza de la naturaleza. Basta leer *Los poseídos* de Dostoyevski, cosa que hice después. Y frente a esa ola, el liberalismo pareció siempre blando, invertebrado, frío. Esta trágica tensión entre la pasión revolucionaria y el valor de la libertad cruza la vida de Aleksandr Herzen, el mayor socialista libertario de la historia rusa. No fue Herzen quien triunfó, ni Bakunin: fue Lenin, un poseído. Pero estas reflexiones que te hago corresponden a una etapa un poco posterior, a las lecturas sobre la *inteliguentsia* rusa del siglo XIX en la obra de Isaiah Berlin. *Pensadores rusos* apareció en 1978. Y a la lectura de Dostoyevski, desde luego. Como ves, mi interés por la Revolución no fue en absoluto académico. Aunque nunca fui sistemático, lo nutrí de libros de historia y literatura.

En suma, tu crítica a 1917 era un proceso abierto.

La crítica de esa etapa inicial consistió de varias lecturas históricas que diferían de la versión de Deutscher, tan trotskista como leninista. Creo que sería tedioso hacer el recuento. Un libro importante fue *The Practice and Theory of Bolshevism*, de Bertrand Russell. Lo publicó en 1920. Russell había llegado a Rusia con francas simpatías hacia la Revolución y creía sinceramente que el socialismo era el futuro de la humanidad. Pero se decepcionó. Le sorprendió que Lenin hablara buen inglés. Lo encontró risueño, afable, modesto y fanáticamente convencido de su verdad histórica. Lo horrorizó su furia vengativa con respecto a los campesinos reacios a la Revolución. Terminó profetizando que el régimen bolchevique se volvería una «autocracia militar bonapartista». El precio a pagar para construir el comunismo era muy alto y los resultados no serían los que los bolcheviques esperaban. Como dicen los ingleses, incurrió en un «gross understatement». Ese testimonio temprano e irrecusable de un testigo de calidad me dio qué pensar. Pero no suficiente.

Me faltaban elementos para criticar a la revolución leninista y los encontré por la vía del anarquismo.

La peña anarquista de Ricardo Mestre

Vasto tema: las relaciones entre el anarquismo y el marxismo. Contenido en la carta de Proudhon a Marx, previniéndolo de sus pulsiones autoritarias. Y la confrontación siguió con Bakunin. Y en el siglo XX.

Te diré cómo me acerqué a él. En el número de julio de 1977 de *Vuelta* publicamos el ensayo «Anticipaciones anarquistas sobre los "nuevos patrones"», que me introdujo al análisis anarquista de la Revolución rusa. Su autor era un teórico anarquista italiano llamado Nico Berti. El texto provenía de la revista italiana *Interrogante*, una de las que Octavio Paz leía entonces. A Paz le importaba desentrañar la naturaleza del régimen soviético. Y por eso volvió a las lecturas anarquistas de su más temprana juventud. Sabía que los anarquistas habían sido los primeros críticos revolucionarios del marxismo. Ese era el sentido de aquel artículo de Berti. Era una visión muy distinta de la de Edmund Wilson, que idealizaba románticamente, con gran vuelo literario, a Lenin y Trotski. Berti recordaba las críticas de Proudhon, Bakunin y Malatesta contra el nuevo y arrogante poder «tecnoburocrático», dueño de la ciencia, que en nombre de las masas sojuzgaría a las masas. Los nuevos patrones, miembros de la *inteliguentsia*, no solo dominarían a los obreros, sino a los campesinos, siempre despreciados por la teoría marxista. Desde 1918, esas anticipaciones tomaron forma real en el régimen bolchevique que Berti definía como un monstruoso capitalismo de Estado, una colosal maquinaria burocrática, la más temible que el mundo haya conocido. Ese fue mi primer abrir de ojos a 1917. Pero tiempo después conocí a un anarquista de carne y hueso, más convincente que todas las teorías: Ricardo Mestre. Gabriel Zaid, unos amigos y yo nos reuníamos con él. Era nuestra peña anarquista en el Mesón del Cid. Mestre presidía la mesa. Había luchado contra los franquistas, pero –como Orwell– sufrió la persecución de los «camaradas» comunistas (a los que invariablemente, y con el mayor desprecio, llamaba «bolcheviques»). Por eso los despreciaba y temía. Cuando hablaba de Stalin, bajaba la voz hasta niveles imperceptibles: «Es que pueden escucharnos…». ¡Y Stalin había muerto hacía treinta años! A los presidentes mexicanos –que rechazaba por igual– les ponía apodos: a uno le decía «el *Microbio*». No te diré quién era, pueden escucharnos…

¿Quién era Mestre?

Lo tengo tan presente: las *elllllles* largas, su vozarrón, su ánimo juvenil y una ternura de niño. Nació en Vilanova i la Geltrú, cerca de Barcelona, y casi no tuvo educación formal. Un día le pregunté por su vida: «¿Qué he sido? Coño: pues he sido desde albañil, tejedor, chofer, ebanista, vendedor de revistas, abarrotero, librero y editor.» Su padre era un obrero de la empresa de llantas Pirelli. Ricardo se afilió desde joven a la CNT (Confederación Nacional del Trabajo, anarcosindicalista, muy poderosa en Cataluña), fue fundador de la Federación Ibérica de Juventudes Libertarias y editor de periódicos y boletines anarquistas. Al estallar la guerra civil, se le nombró juez de paz en su pueblo, y en ese carácter –lo cual le daba mucho orgullo– legalizó los primeros divorcios civiles y revolucionarios. Pero lo específico suyo –a diferencia de sus compañeros– era su piedad cristiana. Despreciaba, por supuesto, a los escolapios, clérigos regulares con los que estudió y que quisieron hacerlo cura, pero le enorgullecía haber salvado la vida de muchos sacerdotes. Al término de la guerra civil, pasó seis meses en el campo de concentración de Argelès, Francia,

Ricardo Mestre era una especie extinta de anarquista pacífico y tolstoiano.

y finalmente vino a México, donde se ganó la vida como galerista de arte, distribuidor de libros y editor. Lo conocí en su despacho en un viejo edificio de la calle de Humboldt, en el centro de la ciudad. En la oficina adyacente tenía una rica biblioteca de temas anarquistas donde recibía a muchos jóvenes y les predicaba «el otro» anarquismo, no el de la violencia, sino el de la construcción social. Por eso su biblioteca se llamaba Biblioteca Social Reconstruir. Ahí podías encontrar todos los libros y folletos imaginables de la tradición anarquista. Mestre me explicó que la vocación editorial es central en el anarquismo desde Proudhon. Mestre tenía una comuna de jóvenes y libros. En esa oficina (o por teléfono, que era su medio habitual), Mestre me explicó que los anarquistas fueron los primeros críticos de la Revolución rusa. Me habló de Néstor Majnó, el líder campesino ucraniano, una especie de «Zapata de las estepas», anarquista natural que fue clave para vencer a los ejércitos rusos contrarrevolucionarios (los rusos blancos) en Ucrania, pero que no se plegó al poder central de los bolcheviques, que lo condenaron al exilio. Me refirió la vida esforzada y dura de Volin, el mayor teórico anarquista ruso después de Bakunin y Kropotkin, que en el exilio publicó la historia de la Revolución rusa desde el punto de vista de las masas, no de los líderes.

¿Cómo lo conociste?

Conocer a Ricardo fue otro regalo de Zaid. Un día Gabriel recibió una llamada de una persona que no conocía. Déjame citar un texto suyo que evoca el momento:

No sabía quién era aquel muchacho imperioso y confianzudo, que había leído *El progreso improductivo* y me elogiaba de tú y me censuraba de tú. Tenía razón: yo no sabía que las máquinas de coser como una vía para el desarrollo desde abajo ya habían sido recomendadas por Kropotkin. Tenía razón, yo veía los ideales de autarquía y libertad como una tradición campesina, sin referencia al anarquismo, del cual tenía poca información. Finalmente, me dijo: eres un anarquista sin saberlo.

Resultó que no era un joven, sino un veterano anarquista. Se hicieron muy amigos. Y al poco tiempo me presentó a aquel «muchacho catalán» de más de setenta años. Por su corpachón, sus lentes gruesos y sus canas, parecía incluso mayor. Así lo conocí. «El anarquismo –repetía Ricardo– no es tirar bombas, sino construir comunidades.» Sobre todo, comunidades culturales. La peña que teníamos con él era una de esas comunidades. Mestre era un animador de conversaciones. Nos animó a hablar sobre el anarquismo en el café, en el restaurante, en su oficina y sobre todo por teléfono. Hablar con él, hablar entre nosotros. Animado por él, Zaid estudió seriamente el pensamiento anarquista, escribió sobre él y me compartió algunas reflexiones sobre la originalidad del anarquismo, sus vertientes, sus hallazgos y limitaciones. Me aclaró, por ejemplo, que muchas ideas prácticas que significaron un progreso tangible (como el seguro social o las sociedades mutualistas) las habían inventado los anarquistas, Proudhon en particular. Y que el socialismo y el marxismo habían expropiado varias iniciativas sociales del anarquismo, llevándose un crédito que no les correspondía.

¿Y también a ti te predicaba Mestre sobre Kropotkin?

Lo admiraba por encima de Bakunin. Y me daba razones. A diferencia de Bakunin, obsesionado con hacer cumplir con sangre el anhelo de libertad, el noble y sereno Kropotkin ponía el acento en planear la sociedad ideal. El anarquismo de Bakunin era milenarista, el de Kropotkin, ético. Bakunin era un agitador genial, un conspirador furibundo. Kropotkin fue un hombre práctico inclinado a la ciencia (era un geógrafo notable) y a la observación de la naturaleza y la sociedad. Veía a los seres humanos no como elementos de un diseño histórico, sino como personas inclinadas de manera natural a la sociabilidad y la cooperación. Su anarquismo era comunal, no comunista. Y llegó a él no por la vía de los libros, sino de la vida, de la experiencia. Aprovechó su deportación a Siberia para estudiar el espíritu comunitario de los campesinos en esa región. Y años después aprovechó su exilio en Suiza para estudiar la producción comunitaria de relojes. Con esas experiencias y su espíritu inquisitivo imaginó una generosa relojería social: la ayuda mutua, el voluntariado de maestros entre los siervos recién liberados, una constelación de unidades cooperativas en el campo y la ciudad. Era un científico de la convivencia, un ingeniero de la colaboración social.

¿Cuál fue el vínculo de Kropotkin con Lenin?

De eso me enteré en otra conversación «anarquista». Zaid me prestó un libro sobre un encuentro entre ambos que ocurrió en mayo de 1919. Después del fraternal abrazo entre revolucionarios, Piotr Alekséyevich (así se llamaba en ruso Kropotkin) comenzó a relatar a Vladímir Ilich Lenin las maravillosas experiencias cooperativas que se estaban organizando en Inglaterra, las federaciones que nacían en España, los sindicatos en Francia..., hasta que Lenin, exasperado, lo interrumpió. ¿Cómo podía Kropotkin perder su tiempo (y el suyo) en semejantes pequeñeces, que en el fondo no eran sino distracciones de la clase obrera en el cumplimiento de su misión histórica?:

> Sin la acción revolucionaria de las masas [...] todo lo demás es juego de niños, charla inútil [...] una lucha abierta y directa, es lo que necesitamos [...] una guerra civil generalizada [...] se derramará mucha sangre [...] Europa, estoy convencido, vivirá horrores más grandes que los nuestros [...] todos los otros métodos –incluidos los anarquistas– han sido superados por la historia [...] a nadie le interesan.

Prudentemente, Kropotkin lo reconvino: «Si los bolcheviques no se intoxicaban con el poder», la revolución estaba en buenas manos, pero era opinión generalizada «que en su partido hay miembros que no son obreros y este elemento está corrompiendo al obrero. Se necesita lo contrario: que el elemento no obrero esté al servicio educativo del obrero». Lenin cambió de tema. Ahí tienes, perfectamente delineadas, las dos actitudes: el bolchevique fanático e historicista, el anarquista social.

A Daniel Bell, Rocker le dio un folleto sobre Kronstadt. ¿Te lo dio también Mestre?

Ese folleto y mucho más. De Ricardo escuché por primera vez los nombres y la historia de los más famosos anarquistas de Estados

Unidos: Emma Goldman y Alexander Berkman. Al triunfo de la Revolución rusa, cientos de «rojos» festejaron la victoria de su causa. Llevaban décadas de agitar las conciencias obreras, sufrir juicios sesgados, acosos físicos y psicológicos, condenas prolongadas en prisión. A fines de 1919, las autoridades los deportaron a la «tierra del porvenir», Rusia, de donde muchos provenían originalmente. Llegaron con una esperanza inmensa. Mestre me narró la decepción cósmica de ambos con los bolcheviques. Te voy a leer este pequeño párrafo:

> ¡Rusia Soviética! ¡Tierra sagrada, pueblo mágico! Has llegado a simbolizar la esperanza del hombre, tú sola estás destinada a redimir a la humanidad. He venido a servirte, amada matushka. ¡Acógeme en tu seno, déjame entregarme a ti, mezclar mi sangre con la tuya, encontrar un lugar en la heroica lucha y dar hasta el infinito para saciar tus necesidades!

¡La tierra prometida! ¿De quién es?

De Emma Goldman. Con las referencias que Mestre me había dado de ella, en una librería de viejo encontré muy pronto las memorias de aquella famosa líder anarquista. Las leí con verdadera exaltación. Su testimonio sobre «los bolcheviques» es muy valioso. Tienen la doble legitimidad de ser tempranas y desinteresadas, porque los anarquistas nunca buscaron el poder, sino el cumplimiento de la revolución hecha por el pueblo, para el pueblo. Toda la crítica posterior al régimen es deudora consciente o no de esa crítica anarquista que, en el caso de Emma Goldman, adoptó la forma eficaz y directa de una autobiografía. A través de esas memorias creo haber entendido algunas cosas sobre la naturaleza de la revolución, el poder y el anarquismo. Ella admiraba sobre todo a Kropotkin.

¿Se vieron en Rusia?

Lo visitó en su casa en las afueras de Moscú. Para entonces, ella comenzaba a decepcionarse de lo que veía, pero no hallaba explicación. «¡Es el marxismo, siempre lo he sabido!», le dijo a Emma, pero ahora al marxismo había que agregar un nuevo elemento: el jesuitismo. Volvería a ver a su maestro meses más tarde, tras un largo viaje por Ucrania que minó aún más su fe en la «Arcadia soviética». Ella misma califica su itinerario como dantesco: «Aquello era el Infierno, esperando la pluma magistral de un Dante ruso.» Cuando leí el libro fui apuntando en los márgenes las pruebas de su paulatina decepción con el Estado soviético e hice el resumen. Lo tengo a la mano: la omnipresencia de la policía, la Checa, más temible que su antecesora la Ojrana; los treinta y cuatro grados de racionamiento al pueblo (mientras los jerarcas gozaban de privilegios); la absoluta supresión de la libertad de expresión, de iniciativa, de movimiento, de manifestación, de asociación; redadas continuas de anarquistas y encarcelamientos por orden de Trotski; la exigencia de mostrar a cada paso los papeles de identificación; la exacción de alimentos a los campesinos para sostener a las ciudades; la recaudación a punta de fusil de impuestos y, a cada paso, escenas de hambre y desesperación. Emma era enemiga del capitalismo, pero más aún de la economía estatizada y por eso le indignó la supresión brutal de los más rudimentarios mercados populares: «¡Compre, señora, por el amor de Dios, compre!», le imploraba una mujer, mientras la policía arrasaba con ella y su pobre mercancía. Las mujeres del pueblo le partieron el alma. Los defensores del régimen aducían causas externas, como la guerra civil (que terminaría en 1921), pero los hechos le salían a Emma a cada paso. En un tren hacia Moscú, su amado Maksim Gorki irrumpió en su cabina y le hizo está confesión que subrayé, y que a ella la dejó atónita: «A nuestra pobre Rusia, ruda y atrasada, con sus masas anegadas en siglos de ignorancia y oscuridad, con su gente brutal y perezosa como ninguna otra en el mundo, solo puede moverla la fuerza y la coerción.» Y cuando vio finalmente a Lenin, le dijo que dejara atrás su sentimentalismo y sus prejuicios burgueses. Lo peor fue su viaje a Ucrania.

¿Qué vio en Ucrania?

Hambre. Lo que vio me remitió a lo que contaba mi tío Luis Kolteniuk, que vivió de niño justamente ese momento en su pueblo Zhmerinka, en el centro de Ucrania. En varias ocasiones, sin nada que comer, había tenido que irrumpir en terrenos ajenos para ver si encontraba una papa o una cebolla. Otro hecho indeleble de aquel tiempo fue un asalto. Huyó para refugiarse en unos pastizales, pero se extravió. Tuvo que convivir solo, por varios días, con el espectáculo dantesco de hombres decapitados, los cuerpos por un lado, las cabezas por otro. Con ayuda de unos vecinos pudo volver a su casa. Vio más Emma. Vio comisarios apostados en los hospitales para vigilar cada movimiento y cada palabra de médicos y enfermeras; control y operación militar de las fábricas, obreros reducidos a esclavos. Vio prisiones hacinadas, condiciones infrahumanas, testimonios secretos de torturas y ejecuciones. En Ucrania se le ocurrió la idea de que Lenin era un falso mesías.

¿Usa ese término?
Escribió: «El mundo radical ve en Lenin a un Mesías revolucionario, yo misma lo creí, igual que mi camarada Alexander Berkman. Aún ahora es muy duro y difícil liberarnos del mito».

¿Cómo terminó ese peregrinar por la Madre Rusia soviética?
Emma habló en el funeral de Kropotkin, en febrero de 1921. Hay fotos. El viejo murió a tiempo para no ver su sueño hecho trizas: el orgullo de los anarquistas, el sóviet ejemplar, los defensores de la Revolución de 1905, de 1917, los heroicos marineros de Kronstadt, aplastados por el régimen que ellos, más que ningún otro grupo, habían ayudado a encumbrar. La lectura estrujante de una matanza de proletarios por el Estado proletario. Berkman escribió su libro sobre la rebelión en el que reproduce los quince puntos del pliego petitorio que parecen una profecía de todo lo que aplastó el totalitarismo en el siglo XX, quince variaciones sobre un solo tema, la libertad. No buscaban la restauración del capitalismo, solo condiciones de libertad.

La represión a los marineros de Kronstadt es mucho menos famosa que el asalto al Palacio de Invierno.
Y desde luego mucho más sangrienta, porque en aquel asalto lo que corrió fue el vino de las bodegas del zar más que la sangre. «Los cazaremos como faisanes», había advertido Trotski, que firmó la

orden de represión junto con Lenin. De nada valió una carta de Emma y Sasha al propio Zinóviev. Kámenev ejecutó las órdenes. Cayeron decenas de miles de marinos, muchos de ellos anarquistas. Leer esas páginas fue para mí una lección sobre el poder absoluto y los caminos torcidos de la revolución, y la evidencia de que Lenin, Trotski, Zinóviev estaban poseídos por el espíritu totalitario, no menos que Stalin.

Finalmente, Kronstadt también fue tu Kronstadt.
Pero ahí no termina esta modesta historia de la peña anarquista. Zaid escribió en *Vuelta*, a mediados de 1980, un artículo que se titulaba «Mollie Steimer». Yo no tenía idea de quién era esa señora, y no te imaginas cuánto lo lamenté al leer que se trataba de una anarquista legendaria que acababa de morir en Cuernavaca. Mestre no me había hablado de ella, pero obviamente la conocía porque se había refugiado en México –como él– desde los años cuarenta. Mollie, amiga de Emma Goldman, había repartido volantes en favor de los «maravillosos luchadores de Rusia […] a los que no debemos traicionar». Nunca se doblegó. Cuando llegó deportada a la URSS en 1921, se encontró con la sorpresa de que Emma Goldman, Alexander Berkman y otros anarquistas habían sido expulsados, y que el anarquismo ruso había sido proscrito, sus líderes reprimidos o encarcelados. Y esos «maravillosos luchadores» la sentenciaron dos años a Siberia. «La Rusia de hoy», escribió en 1924, «es una gran cárcel». Ya casada con el fotógrafo Senya Fleshin, fue deportada a Alemania; la llegada de los nazis la llevó a Francia y de ahí, igual que Mestre y otros anarquistas, halló refugio en México. Hay videos de Mollie en YouTube. Murió en Eishel, la casa de asilo para ancianos de la comunidad judía en Cuernavaca. ¡Cómo no la conocí!

Linda historia la de Mestre, que compartiste con Zaid y te acercó a otras vidas anarquistas.
Fue mi amigo hasta que murió, en 1997. Pensando que se recuperaría, le pedí a Félix Loeza, un fiel empleado de *Vuelta*, que lo acompañara en su cama del hospital. Hablé con él los últimos minutos de su vida. Años más tarde, con Andrea Martínez, mi esposa,

que de joven había tenido amigos anarquistas, fuimos a Vilanova i la Geltrú a comer una fideuá y beber vino en la playa, a su salud. O, mejor dicho, a su *salut*.

El cristal de Orwell

El anarquismo nos lleva naturalmente a George Orwell. Ocupa un lugar de excepción en la conciencia moral de Occidente. Tú y yo lo hemos leído, y hemos conversado muchas veces sobre él. Recuerdo sus obras completas en tus estantes. Hablemos de él.

Por supuesto, hablemos de Orwell en este contexto, que es el que le corresponde. Orwell es la conciencia más lúcida y limpia del siglo xx. Es mi escritor político favorito. Y no estoy solo. Lo fue por ejemplo de Simon Leys, el gran autor belga que atestiguó y reveló los crímenes de la Revolución Cultural china, más ocultos que las hambrunas de Ucrania (y las del propio Mao). Orwell no fue solo claro, sino clarividente. Vivió con inusitada valentía el siglo xx, atestiguó sus horrores sin apartar la vista, escuchó sus rumores más profundos con el objeto de caracterizar el mal en el poder, el mal del poder. Orwell no era un espíritu religioso, sino humanista, y no tenía a la mano la obra de Solzhenitsyn para documentar aquel infierno envuelto en el misterio. No obstante, con los datos disponibles en su tiempo y a partir de su propia experiencia, reconstruyó ese imperio del mal. No solo eso: vislumbró el futuro, nos vislumbró.

Un crítico muy celebrado después, respetado siempre, pero solitario.

Sobre todo si piensas en los autores ingleses, tan objetivos y flemáticos, que apoyaron a Stalin. Por ejemplo los esposos Sidney y Beatrice Webb. O el caso escandaloso de H. G. Wells, que casi se postró ante Stalin en 1934. Pero estaba Orwell y junto a él, en otro nivel, Koestler. Orwell, que no era fácil para el elogio y tenía reparos con otras obras de Koestler, publicó una reseña positiva de la novela *Darkness at Noon* en *Partisan Review*. Resaltaba el hecho de que Koestler tuviera el raro valor de publicar esas obras de revelación y denuncia. Era el año de 1940 y en esos tiempos casi nadie en Inglaterra se atrevía a hacer algo semejante, o al menos ningún inglés, porque algunos otros autores como Souvarine, Gide, Borkenau, Serge –para no hablar de Trotski– ya se habían manifestado. ¿Recuerdas la frase de Koestler? «Nada más triste que la muerte de una ilusión.» Koestler se ilusionó, fue miembro del Partido Comunista. La desilusión de Orwell fue distinta. Mucho más honda, sutil y compleja, porque en Orwell no había culpa, había indignación y una voluntad de alertar al mundo sobre la verdad en la URSS.

¿Qué fue lo primero que leíste suyo?
Creo que *Animal Farm*. Conservo la primera edición de 1945. Es la mejor clase de historia sobre la Revolución rusa y su desenlace. En sus obras completas hay un prólogo a la edición ucraniana. Es de marzo de 1947. Supongo que era clandestina. Ahí explica que la fábula se le ocurrió el día que en una granja vio a un muchacho en una carreta fueteando con crueldad al caballo que la jalaba. Y pensó al instante, ¿qué ocurriría si los animales se rebelaran contra los humanos? Fue un hallazgo genial a la manera de Jonathan Swift. Dio con una pedagogía para explicar el modo en que una revuelta justificada contra la miseria y la opresión se va convirtiendo, paulatina y fatalmente, en el reverso de lo que proclamaban sus líderes: una forma nueva y más perversa de opresión. El reino que logra consolidar Napoleón –el cerdo de la fábula, *alter ego* animal de Stalin, rodeado de mastines que representan a la policía chequista– no solo está edificado físicamente con la sangre, el hambre, la servidumbre, la ignorancia y el esfuerzo de los animales, sino sobre una atmósfera mental que pesa sobre ellos sin que se den cuenta: el mito de su liberación y la falsificación sistemática de la historia y la realidad. Los animales no distinguen entre la verdad y la mentira o, mejor dicho, creen que la mentira en que viven es la verdad y no ven la verdad que se esconde detrás de esa mentira. Lo más grave es que han perdido la memoria. Recuerdan lo que la propaganda dice que recuerden. Son autómatas agradecidos que solo por momentos llegan a preguntarse si la dura realidad tiene precedentes o justificación. O si hay otra realidad posible. Al corromper la palabra y distorsionar u obliterar

el pasado, el régimen logra que se esfume la libertad y la noción misma de libertad. Delicadamente (porque en una fábula no caben los detalles dantescos), todos los círculos del infierno soviético están aludidos: el trabajo forzado, los juicios, las torturas, las confesiones, las ejecuciones, los saqueos de alimento, las hambrunas, la manipulación de los enemigos externos, el fantasma de Snowball (el *alter ego* de Trotski), cuya heroica participación en la rebelión original se tergiversa y revierte al grado de convertirlo en el enemigo original, el aliado de los humanos, los mismos humanos con quienes, al final, tranquilamente, pacta Napoleón.

¿Quién no conoce la frase «Todos los animales son iguales, pero algunos son más iguales que otros»?

Que resume la fábula: la tergiversación radical de la palabra igualdad, asumida con naturalidad. Es el presagio de los tres lemas del Partido en *1984*: «La guerra es la paz», «La libertad es la esclavitud», «La ignorancia es la fuerza».

¿En algún sitio explica sus razones para escribir ese libro?

Orwell, hay que recordarlo, era socialista, no en un sentido doctrinario ni partidario, sino por la indignación que le producía el abandono y la miseria que atestiguó en los sectores obreros más pobres. Estaba convencido de que el capitalismo era intrínsecamente injusto y debía abrir paso a una sociedad más igualitaria, sin perder la libertad. Pero justamente por eso le importaba mucho que Europa Occidental tuviera conocimiento de lo que era en realidad el régimen soviético, y esa realidad nada tenía que ver con el socialismo. La URSS era una sociedad jerárquica, donde los gobernantes no tenían más razones para dejar el poder que los de cualquier otra sociedad con clase dominante.

Quiere decir que aún en 1947, ya en la posguerra, la opinión occidental seguía relativamente ciega a lo que pasaba en la URSS.

Así lo creo. ¿Recuerdas el dicho famoso de Churchill en 1939 sobre la Unión Soviética? «Es un acertijo envuelto en un misterio dentro de un enigma.» Lo que Orwell hizo en sus novelas fue resolver el acertijo, develar el misterio, aclarar el enigma. Y lo que encontró fue una gigantesca mentira operando como motor de un mecanismo de opresión nunca antes visto. Su guerra era contra lo que Pasternak llamaría «el inhumano poder de la mentira». No podía admitir la ceguera de la opinión ilustrada británica, en especial la de izquierda, sobre la «tierra del porvenir». Orwell explicó que la ceguera era señal de esnobismo, frivolidad, ignorancia, ingenuidad, nostalgia de la fe. Pero lo decisivo era la falta de experiencia directa sobre lo que es, en la práctica, una sociedad totalitaria. Un inglés acostumbrado a la libertad de expresión podía creerlo todo: hasta que la URSS fuera socialista. En «Inside the Whale», un ensayo de 1940, escribió: «Pueden tragarse el totalitarismo *porque* no tienen otra experiencia fuera del liberalismo.» En ese texto hay una crítica severa a W. H. Auden, que en su poema «España» exalta al revolucionario que comete el «crimen necesario». Para el punto de vista «amoral» de Auden –dice Orwell–, «crimen» es solo una palabra; para quien lo ha experimentado es algo que debe evitarse. E igual que el crimen, «hambre, soledad, exilio, guerra, prisión, persecución, trabajos forzados» no eran solo palabras, eran realidades. Pero quienes veían el mundo desde la suavidad de la vida inglesa, en la tierra del *habeas corpus*, eran «gloriosamente incapaces de entender nada». Por eso habían condonado las hambrunas, las grandes purgas del régimen soviético y los horrores del plan quinquenal.

¿Cómo explicas tú, biográficamente, la literatura política de Orwell?

Era un inglés en los márgenes. Él mismo se define así en el prólogo a los ucranianos. ¿Quién es Orwell según Orwell? Un hijo de la clase media sólidamente educado (gracias a una beca) en el aristocrático colegio Eton, donde aprende a repudiar la infranqueable diferenciación de clases. Un guardia del Imperio en Birmania, donde aprende a rechazar al imperialismo arrogante, racista, criminal. Un aspirante a escritor, sensible a la realidad social dickensiana de las ciudades modernas, que para escribir sobre ellas vive en los barrios más pobres de París y Londres, aprende lo que es el hambre sufriendo hambre, y en algún sitio contrae la tuberculosis que lo matará prematuramente, en 1950, a los 46 años. Orwell nunca finge, nunca

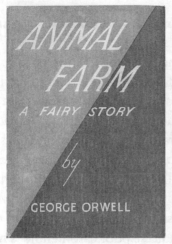

engaña ni se engaña. Por eso no le basta ser partidario de la República española o corresponsal de guerra, sino que se alista en las milicias del POUM, donde lucha en el frente seis meses y resulta herido. Desde ahí, desde ese piso de experiencia, tan ajeno y tan distinto al del grueso de los escritores, intelectuales y académicos ingleses, incluidos en primer lugar los representantes de la New Left, Orwell escribe *Homenaje a Cataluña*. Y en plena Guerra Mundial comienza a transmitir un programa en la BBC (del que desdichadamente no quedan copias de su voz), a enviar su «Carta desde Londres» para *Partisan Review* y a escribir sus ensayos críticos. En suma, la claridad de Orwell emana de su carácter. Nombra las cosas como son porque las ha vivido. Es un placer leerlo en su faceta de crítico de libros. Todo en su prosa fluye, se vuelve transparente. Todo es, como dice en inglés, «crystal clear». Escribía sobre poesía y novela, sobre ensayos y biografías. Libros pasados y presentes. Lo mismo Dickens que Kipling, T. S. Eliot que Henry Miller, decenas más. Y llegaba a la médula de las obras con increíble naturalidad. Nada más ajeno a la prosa enrevesada, conceptuosa y confusa de los profesores que criticó en «Politics and the English Language». La fuente de su prosa, como te digo, es su carácter, el punto de vista de alguien que sencillamente sabe de lo que habla, sabe lo que quiere decir y lo dice. Sus ensayos en tiempos de la guerra son como los teoremas de sus novelas, primero de *Animal Farm* y sobre todo de *1984*.

Escribió sobre los efectos del totalitarismo en la literatura. Uno de sus grandes temas.

Los expone por ejemplo en «The Prevention of Literature». Orwell creía en la verdad, en la posibilidad de llegar a la verdad, en la necesidad de defender la verdad. Pensaba que el escamoteo de la verdad objetiva –su distorsión por parte de intereses políticos o su adulteración por parte de las ideologías– era la enfermedad moral del siglo XX, y un veneno mortal para la literatura, sobre todo para la novela, porque es el género que más requiere libertad, el vuelo de la libertad. Esa afirmación se probó en la URSS. Isaak Bábel publicó *La caballería roja* en los veinte, antes del ascenso de Stalin, y su obra fue retirada en 1933. Hasta la muerte de Stalin no se publicaron grandes novelas, salvo quizá *El Don apacible*, de Mijaíl Shólojov. Se escribieron, pero no se publicaron. Bulgákov escribió *El maestro y Margarita*, que se publicó en los sesenta. *El doctor Zhivago* apareció en 1957.

¿Qué ensayo suyo prefieres?

Quizá «Lear, Tolstoy and the Fool». Se pregunta en esencia por qué Tolstói, el último Tolstói, el Tolstói místico, detestaba a Shakespeare. Y la respuesta era esta: porque el espíritu religioso no tolera la impureza, la variedad, la imperfección natural del hombre y por eso es contrario al espíritu humanista. En su juventud licenciosa y en sus grandes novelas, Tolstói había vivido y recreado respectivamente esa variedad de pasiones, pero en su vejez de anarquista cristiano, torturado por las culpas, se volvió contra sí mismo, contra quien fue, y se odió. Orwell revela que Tolstói detestaba a Lear porque Lear era Tolstói, viejo, intolerante e iracundo. Ese contraste entre el espíritu místico y el humanista es la clave de muchos males. Por cierto, ese ideal de pureza, traducido a la política, es una semilla del totalitarismo.

Totalitarismo cuya anatomía es 1984.

En aquel prólogo a los ucranianos dice textualmente: «Desde hace diez años vivo convencido de que la destrucción del mito soviético es condición esencial si lo que queremos es un resurgimiento del movimiento socialista.» Para destruir ese mito escribió *1984*. Alguna vez se me ocurrió trazar un organigrama de Oceanía, el *alter ego* nacional de la URSS, gobernada por el Gran Hermano, el *alter ego* de Stalin. Cada ministerio con sus ramas y dependencias: el Ministerio de la Verdad (encargado de la mentira), el Ministerio de la Abundancia (encargado de la escasez), el Ministerio de la Paz (encargado de la guerra), el Ministerio del Amor (encargado del odio). Hice esquemas, pero me di cuenta de que bastaba con dibujar el verdadero poder del Gran Hermano, el Ministerio de la Verdad.

Había varios ministerios, pero ninguno tan importante como el Ministerio de la Verdad. Estaba a cargo de imponer la mentira.

Lo que más me impresionó, supongo que como historiador, es la frase: «Quien controla el pasado controla el futuro; quien controla el presente controla el pasado.» Si los habitantes de Oceanía tuvieran conocimiento de su pasado, controlarían su futuro, por eso el Partido se dedica sistemáticamente a destruir toda noticia verdadera del pasado. Pero no solo lo destruye, sino lo rehace e inventa. Lo que pasó… no pasó. Lo que no pasó… pasó. La falsificación se aplicaba a los periódicos, libros, revistas, folletos, carteles, programas, películas, bandas sonoras, historietas para niños, fotografías. Ahí trabajaba Winston Smith, el protagonista de la novela, rehaciendo noticias en el «Departamento de Registros». Si el Gran Hermano había prometido un récord de producción de botas y no se alcanzó, los registros se modificaban para que la declaración pasada coincidiera con los resultados presentes. Y si los resultados presentes no eran fidedignos, tampoco importaba, porque nadie los consultaba. A lo mejor ese año nunca se produjeron botas. Se rehacían los libros de historia. Se borraba a los personajes incómodos y se creaban convenientes. La gente se convencía de que fulano de tal, gran general, había vencido en aquella batalla, pero el general era un invento. Y al revés, el verdadero general se borraba de los textos. Subrayé este párrafo de los libros de texto, referente al pasado previo a «la gloriosa Revolución de 1950» en Inglaterra. Vale la pena leerlo. Una joya de distorsión, abuso y falsificación de la historia:

En los antiguos tiempos antes de la gloriosa Revolución, no era Londres la hermosa ciudad que hoy conocemos. Era un lugar tenebroso, sucio y miserable donde casi nadie tenía nada que comer y donde centenares y millares de desgraciados no tenían zapatos que ponerse ni siquiera un techo bajo el cual dormir. Niños de la misma edad que ustedes debían trabajar doce horas al día a las órdenes de crueles amos que los castigaban con látigos si trabajaban con demasiada lentitud y solamente los alimentaban con un pan duro y agua. Pero entre toda esta horrible miseria, había unas cuantas casas grandes y hermosas donde vivían los ricos, cada uno de los cuales tenía por lo menos treinta criados a su disposición. Estos ricos se llamaban capitalistas. Eran individuos gordos y feos con cara de malvados […] eran dueños de todo lo que había en el mundo y todos los que no eran capitalistas pasaban a ser sus esclavos. Poseían toda la tierra, todas las casas, todas las fábricas y todo el dinero. Si alguien les desobedecía, era encarcelado inmediatamente y podían dejarlo sin trabajo y hacerlo morir de hambre. Cuando una persona corriente hablaba con un capitalista, tenía que descubrirse, inclinarse profundamente ante él y llamarle señor. El jefe supremo de todos los capitalistas era llamado el Rey…

En 1984 los noticieros propagaban los logros fenomenales del régimen y omitían los desastres.

Pero aun ese control es insuficiente. La memoria es solo una dimensión de la conciencia. Por eso el Ministerio de la Verdad tiene agentes, ojos, escuchas, pantallas de televisión equipadas con sensores del pensamiento, del gesto, de la emoción. Todo amor que no fuera por el Gran Hermano estaba prohibido. Control total para evitar que la persona recaiga en esa ingobernable imperfección que significa amar, en esa peligrosa operación que significa pensar. Y cuando alguien se sale de control, lo «vaporizan». Orwell inventó esa palabra: *vaporize*. Es aterradora, porque es más grave que la muerte, es la muerte en la muerte, la inexistencia total.

Es escalofriante, a veces enternecedora (por ejemplo en los amores furtivos de Julia y Winston), y finalmente tristísima, la imposibilidad del amor.

No sé si sabes lo importante que fue *Homenaje a Cataluña* como preámbulo de *1984*. Yo me enteré en las páginas de *Vuelta*. Cuatro años antes de *1984*, dedicamos a Orwell un ensayo de portada. Lo escribió el filósofo venezolano catalán Ulises Moulines y se titulaba «Orwell: de la Guerra Civil española a 1984». Moulines trabajaba en el Instituto de Investigaciones Filosóficas de la UNAM. Filósofo de la ciencia y estudioso, por supuesto, de la filosofía analítica, era un experto en Orwell. Gracias al análisis histórico, biográfico, literario y lingüístico de Ulises, entendí que la claridad de Orwell con respecto a los métodos soviéticos y su rara clarividencia sobre los totalitarismos latentes o futuros provenía de su experiencia en España, donde fue testigo de las distorsiones del lenguaje aplicadas al POUM, que se volverían centrales en sus novelas. En el uso de la palabra «trotskifascista» está ya el *doublespeak* orwelliano. En ese ensayo, Moulines hacía ver que el *doublespeak* era parte del *newspeak*, que es el instrumento central de dominación. El *newspeak* tenía el objetivo de limitar cada vez más el número y el sentido de las palabras, para así disminuir el rango del pensamiento y con ello la realidad. Por ejemplo, podías decir «el mantel está libre de polvo», pero no podías decir «ejerzo mi libertad de crítica». Eso era un *crimethink* (crimen de pensamiento) penado por la *thinkpol* (policía del pensamiento). El *newspeak* estaba lleno de mentiras comprimidas en dos palabras: a los campos de trabajo forzado les llamaban *joycamps* (campos de alegría). Toda esa inducción lingüística era más importante que la tortura física. Hay una cita tremenda de O'Brien («el gran intelectual y gran argumentador») a su víctima, Winston Smith, el héroe trágico de la novela:

No estamos satisfechos con la obediencia negativa, ni siquiera con la sumisión abyecta. Cuando finalmente usted se nos rinda, será por su propia voluntad. No destruimos al hereje porque se nos resista: mientras se nos resiste, nunca lo destruimos. Lo convertimos, capturamos su mente, lo transformamos. Quemamos en él todo mal y toda ilusión; lo atraemos a nuestro lado, no en apariencia, sino genuinamente, en alma y corazón. Lo hacemos uno de los nuestros antes de matarlo...

Lo convertían, pero sin ambigüedades y torturas propias del alma conversa. O'Brien en el fondo no creía en las conversiones. De ahí su referencia despectiva a «los viejos tiempos en que el hereje iba a la hoguera siendo aún hereje, proclamando su herejía, exultante en ella». O'Brien hacía alusión explícita a «las víctimas de las purgas rusas», que podían llevar la rebelión en la mente mientras marchaban al patíbulo. Ellos en Oceanía iban más lejos: «Nosotros hacemos al cerebro perfecto antes de extinguirlo».

Se refería de manera expresa e inequívoca a la Edad Media, al dominio de la Iglesia católica, y a la URSS. Sorprendente.

El totalitarismo en Oceanía es una fase superior al dominio de la Iglesia, porque para afirmarse no se conforma con decretar la verdad única y quemar a los herejes que la contravenían. Y superior también al soviético, porque no se conforma con extraer a la fuerza la declaración de culpabilidad del disidente, aunque parezca sincera o lo sea. No. Oceanía es una perfecta lavadora de cerebro y de corazón. Winston, ese residuo de hombre y de libertad que toda su vida ha odiado al Gran Hermano, debe terminar su vida amándolo. Y lo terrible es eso, que termina amándolo.

¿1984 te parecía vigente cuando lo leíste?

Me parecía que la descripción de Orwell estaba datada, que correspondía a la era estalinista. Y después de Solzhenitsyn, pensé que los mecanismos que describía Orwell habían sido menos decisivos que la supresión brutal, directa y física, de millones de seres humanos. Pero lamento que en *Vuelta* no hayamos dado más espacio a los estudios orwellianos, porque Orwell es más vigente hoy que nunca. El Ministerio de la Verdad ha vuelto a cobrar vigencia. *1984* es el manual del populismo del siglo XXI. Dime qué piensas de estos puntos que extraje de esa lectura:

Saber y no saber, ser consciente de lo que es realmente verdad mientras se dicen mentiras cuidadosamente elaboradas.

Sostener simultáneamente dos opiniones sabiendo que son contradictorias y creer sin embargo en ambas.

Emplear la lógica contra la lógica.

Repudiar la moralidad mientras se la invoca.

Creer que la democracia es imposible y que el Partido es el guardián de la democracia.

Olvidar cuanto sea necesario olvidar y, no obstante, traerlo a la memoria en cuanto se necesitara, para luego olvidarlo de nuevo.

Ese era el procedimiento en Oceanía, y lo es ahora, en la era de las fake news *o la posverdad.*

Moulines llamaba «ambivalencia semántica y esquizofrenia intrínseca» a la capacidad del *newspeak* de creer que una cosa y su contraria son verdad. *Y gracias a esa obturación de la mente* ya no se tienen que suprimir personas. Y logran su fin último, que es el poder. O'Brien se lo dijo a Winston: «El objeto del poder es el poder.» O'Brien era «un sacerdote del poder». «Dios es poder».

Al hablar de Weber tocamos la relación entre el totalitarismo y la Iglesia. Dijiste que había un crescendo de malignidad en el ejercicio del poder que va de la Inquisición al mundo de la represión soviética. Pero los herejes confesaban y algunos eran perdonados. Y el régimen de Stalin, finalmente, llegó a su fin. ¿Dónde colocas el mundo de 1984 *en la escala de malignidad?*

O'Brien lo dice con todas sus letras: Oceanía es un estadio superior de malignidad. En Oceanía, el régimen no llega a su fin, sino que alcanza su meta, se desenmascara de ideologías. Se vuelve puro poder. «¿Cómo ejerce el poder un hombre sobre otro?», le pregunta O'Brien a Smith. «Haciéndolo sufrir», le responde Smith, que al fin entiende. O'Brien lo celebra:

Exactamente. Haciéndolo sufrir. No basta con la obediencia. Si no sufre, ¿cómo vas a estar seguro de que obedece tu voluntad y no la suya propia? El poder radica en infligir dolor y humillación. El poder está en la facultad de hacer pedazos los espíritus y volverlos a construir dándoles nuevas formas elegidas por ti.

Nada que ver ya con la utopía revolucionaria.

En *1984,* la revolución es ya un capítulo remoto. Nadie justifica sus actos apelando a la felicidad humana, la justicia, la igualdad.

Acá se trata de poder, solo de poder, entendido ya en su faceta última y desnuda. «¿Empiezas a ver qué clase de mundo estamos creando?», le pregunta O'Brien a su víctima, pero no espera respuesta, él la da:

> Un mundo de miedo, de ración y de tormento, un mundo de pisotear y ser pisoteado, un mundo que se hará cada día más despiadado. El progreso de nuestro mundo será la consecución de más dolor. Las antiguas civilizaciones sostenían basarse en el amor o en la justicia. La nuestra se funda en el odio.

El odio entonces es la estación final.
Es el fundamento de Oceanía.

Sobre el odio recuerdo estos versos de la gran poeta polaca Wisława Szymborska:

> *Miren qué buena condición sigue teniendo,*
> *qué bien se conserva*
> *en nuestro siglo el odio.*
> *Con qué ligereza vence los grandes obstáculos.*
> *Qué fácil para él saltar, atrapar.*
> *[…]*
> *Ay, esos otros sentimientos,*
> *debiluchos y torpes.*
> *¿Desde cuándo la hermandad*
> *puede contar con multitudes?*
> *¿Alguna vez la compasión*
> *llegó primero a la meta?*
> *¿Cuántos seguidores arrastra tras de sí la incertidumbre?*
> *Arrastra solo el odio, que sabe lo suyo.*
> *[…]*
> *En todo momento listo para nuevas tareas.*
> *Si tiene que esperar, espera.*
> *Dicen que es ciego. ¿Ciego?*
> *Tiene el ojo certero del francotirador*

y solamente él mira hacia el futuro
con confianza.

Estremecedor. Es el mundo de Stalin. Y el de Hitler, Mao, Pol Pot. En muchos sentidos, es el mundo de hoy. No lo hemos superado. Orwell es nuestro profeta. O'Brien es la dominación populista. Pero tú y yo creemos, como Winston Smith antes de su derrumbe, que «la libertad es "la libertad de decir que dos más dos son cuatro" y que, si se acepta eso, todo lo demás se sigue de ello». Estoy seguro de que no nos moveremos de esa convicción.

¿Seguirás leyendo a Orwell?
Sus libros están siempre en mi cabecera. Él encontró claridad para ver el mundo de Stalin. Ayuda a tenerla en el nuestro.

La visión de Dostoyevski

¿Hacías entonces la conexión entre Los poseídos *y los bolcheviques?*
La hice después, como tantos lectores, llevado por esa novela alucinante y varios textos críticos sobre ella, sobre todo un libro definitivo al respecto. Es de 1980. Lo escribió James Billington, gran experto en historia cultural rusa. Se titula *Fuego en las mentes de los hombres,* frase mencionada en un momento álgido de la novela. Lo leí en paralelo con la novela de Dostoyevski. Y vuelvo periódicamente a ellos. Después de asomarme por mi cuenta al ciclo entero, del asalto al Palacio de Invierno al gulag, me pregunté, ¿cuál es el origen de esto? Había muchos actores y varias causas, obviamente. Siempre los hay. Yo estaba buscando una explicación cultural. Una parte, creo, estaba en el mesianismo judío. Pero la otra, acaso mayor, estaba en el alma rusa. Usaba sin rubor esa palabra: alma. Y esa alma está, no estoy diciendo nada nuevo, en *Los poseídos.* ¿De dónde viene el fuego que incendia la mente de los hombres? Es el tema de Dostoyevski. De la fe que se quiebra. De la muerte de Dios en las almas. En el resquicio o el vacío que ha dejado esa quiebra se

cuela la ciencia o la razón. Dostoyevski no creía que fuera posible fundar sobre ellas una moral. En una carta dice: «Todos los nihilistas y occidentales me gritarán retrógrado. ¡Al demonio con ellos!». Contra ellos escribió *Los poseídos* (o *Los demonios*). Y contra sí mismo, contra el que había sido en su juventud. El libro, como sabes, trata de una conspiración.

Anotaciones e ilustraciones del borrador de *Los demonios*. Cada demonio es único y peculiar, y Dostoyevski lo describe sin el más mínimo esquematismo.

Él mismo había sido miembro de un grupo revolucionario en 1847, y al ser descubierto fue condenado a muerte. Segundos antes de ser fusilado, con el pelotón enfrente y la orden de preparar el fuego, su pena fue conmutada por la prisión en Siberia y un servicio de años en el ejército.

Así pasó casi toda la década de los cincuenta. Esas pasiones de juventud anidaban en su alma. Necesitaba exorcizarlas, las suyas y las de los jóvenes radicales de esos años. El autor maduro de *Los demonios* se volvía contra al joven conspirador endemoniado.

En eso estaba pensando Sabato cuando te mencionó la «transformación de las convicciones».

Precisamente en eso. Sabato había vivido ese proceso que refiere Dostoyevski en el *Diario de un escritor*. Es el mismo de Octavio Paz. Ambos fueron lectores encarnizados de Dostoyevski y vieron en su obra el vislumbre mayor del siglo XX y sus horrores, pero ninguno volvió a la religión o desembocó en ella como Dostoyevski. De hecho, antes de concebir la novela, Dostoyevski tenía en mente otra titulada *Ateísmo*. Es el ateísmo el que desata los demonios. Se trata de un fenómeno que ocurre en el ámbito de la fe. Una lucha entre Dios y el demonio, entre el bien y el mal. Es claro desde el título, tomado de un pasaje de san Lucas, que Dostoyevski coloca en el epígrafe: Cristo libera al hombre de los demonios que lo poseían y los arroja a una piara de cerdos en Gerasa. En ese momento, los cerdos se ahogan. Dostoyevski pensaba que los revolucionarios estaban poseídos de una locura satánica que, como una epidemia o una infección, podían transmitir a personas normales. Pero inevitablemente, como los cerdos del Evangelio, se destruirían a sí mismos. La hondura y el sentido de ese vacío son distintos en cada protagonista. Todos los cerdos se hunden, pero cada cerdo contrae un demonio propio. Cada demonio es único y peculiar, y Dostoyevski lo describe sin el más mínimo esquematismo. Cada endemoniado corresponde a un prototipo de la historia intelectual rusa en el momento. Y cada protagonista parece portar un mensaje profético. Lo que recrea la novela es un pandemónium. Octavio Paz volvía a ella continuamente. En 1981, al cumplirse el centenario de la muerte de Dostoyevski, escribió para *Vuelta* un ensayo formidable titulado «El diablo y el ideólogo», en el que se concentraba en la figura del protagonista Stavroguin, encarnación del nihilismo. Le impresionaba su fuerza descomunal al servicio de nada, de la nada. Su indiferencia absoluta al amor. Él solo podía negar. Paz lo define con la palabra «desalmado». Y en ese vacío de alma, desprovisto de toda fe, se cuela el mal. Y dice Paz: «si no hay Dios no hay redención de los pecados, pero tampoco hay abolición del mal: el pecado deja de ser un accidente, un estado, y se transforma en la condición permanente de los hombres. Es un agustinismo al revés: el mal es ser». Ese ensayo me llevó a leer la novela. Y luego leí a Joseph Frank, el gran biógrafo de Dostoyevski, que dibuja muy nítidamente a cada personaje. Todos premonitorios, tanto como Iván Karamázov. Juntos hacen un mural de Rusia en el siglo xx.

La leí hace años. Y a quien recuerdo es a Kirilov, del que escribió Camus. Predicaba el suicidio como la vía de liberación universal para los hombres.

A mí me impresiona Piotr Stepánovich. El verdadero demonio. Está inspirado en el nihilista Necháyev. Fue autor de un *Catecismo revolucionario* que horrorizaba hasta a Bakunin. (Coetzee ha dedicado una novela a la obsesión de Dostoyevski por ese monstruo, que fue el origen de *Los demonios*). Este Piotr es una especie de Yago político –dice Frank– que induce sutilmente en Stavroguin la santa doctrina de la destrucción absoluta. Su objetivo minucioso es atizar todo mal, toda calamidad, y que ese caos agote la paciencia del pueblo hasta llevarlo a un levantamiento general. Su demonio es el vértigo de la destrucción, nada más. Y la destrucción total requiere mucho trabajo. Es una orfebrería del mal. Hay que ganar voluntades, seducir a ingenuos, convencer a escépticos, mentir, manipular, siempre y en todo momento manipular, para desatar el caos. Pero como algunos sueñan con el socialismo, cínicamente Piotr juega con esa idea. Es él quien formula a Stavroguin el plan de una sociedad futura que ha trazado otro miembro del grupo conspiratorio, un historiador y teórico social llamado Shigalev. Es una sociedad en la cual el noventa por ciento de los individuos serían esclavos, pero, eso sí, todos iguales. Sin ciencia ni educación, pero iguales. Y como «nunca ha habido libertad ni igualdad sin despotismo», predicaba la necesidad de «sacudir cada treinta años» a ese «rebaño» igualitario con golpes de obediencia ejecutados por el diez por ciento de la población, los dirigentes. ¿Suena conocido, verdad? Una profecía del estalinismo. Así lo han visto algunos estudiosos. Hasta tenía un nombre: *shigalevismo*. Frank cuenta que un crítico literario que conoció en los setenta recordaba el terror con que él y sus amigos leían en los años treinta, subrepticiamente, la novela de Dostoyevski. Al conocer los métodos de los endemoniados, sus traiciones y delaciones, sus crímenes y fratricidios, se preguntaban cómo había podido Dostoyevski prever lo que ocurría alrededor de ellos.

Esa prefiguración del totalitarismo soviético –lo hemos hablado– está en «El gran inquisidor».

Dostoyevski anticipa ya esa teoría en el discurso de Piotr a Stavroguin. La carne de cañón revolucionaria estaba lista. En Rusia proliferaba una amorfa y dispersa colección de desplazados, derrotados, que tomaría las armas si solo apareciera ese mesías que podía ser, que debía ser Stavroguin. «El crimen –predica Piotr– había dejado de ser demencia. Se volvía sentido común, casi un deber y cuando menos una noble protesta.» Para él los campesinos son una masa perdida: «El Dios ruso ya se ha vendido al vodka barato. El campesinado está borracho, las madres están borrachas, los hijos borrachos, las iglesias vacías, y en los tribunales lo que uno oye es: "O una garrafa de vodka o doscientos latigazos".».

Recuerda la noción de «imbecilidad campesina», de Marx y de Lenin. ¿Y el proletariado?

Estamos en 1870. Por eso Piotr dice: «¡Ay, qué lástima que no haya proletariado! Pero lo habrá, lo habrá. Todo apunta en esa dirección…». Una vez triunfante, habiendo destruido hasta las cenizas el viejo orden, advendría el nuevo orden. Y hasta invitarían al papa romano a presidirlo. «Solo hace falta que la *Internationale* llegue a un acuerdo con el papa. ¡Y lo hará! El viejo aceptará al momento; no le queda otro remedio. Recuerde lo que le digo.» Son palabras de Piotr.

Como el gran inquisidor.

En efecto, ese paraíso terrenal se parece al que Iván Karamázov dibuja después de leer su poema al azorado Aliosha. El poder y la fe unidos, para hacerse cargo del pobre rebaño humano, incapaz e indigno de la libertad. No olvidemos que para Dostoyevski «el catolicismo era el anticristo, la prostituta». Todo este discurso endemoniado tiene un origen: «Elimínese un elemento de la religión y se desplomará por completo el fundamento moral del cristianismo.» Los endemoniados no habían eliminado un elemento de la religión. La habían eliminado por entero.

¿En quién está inspirado el famoso Kirilov? El suyo es otro tipo de nihilismo. No dirige la pistola contra los demás, sino contra sí mismo.

Es un ingeniero que estudia sociológicamente el suicidio en Rusia y ha llegado a la conclusión que apuntabas: que el suicidio es la vía racional para liberarse del temor a la muerte, y de ese modo desbancar a Dios y entronizar al hombre. «Habrá un hombre nuevo, feliz y orgulloso –dice Kirilov a Stavroguin–. A ese hombre le dará lo mismo vivir que no vivir; ese será el hombre nuevo. El que conquiste el dolor y el terror será por ello mismo Dios. Y el otro Dios dejará de serlo.» Frank explica que estas ideas provienen de la lectura de Feuerbach, que resultó definitiva en el ateísmo de la generación de 1840, en especial de Belinski y Herzen. Dostoyevski revela sus consecuencias últimas en la psicología de Kirilov.

La salida para Dostoyevski no estaba en la libertad. Claramente.

Sí estaba en la libertad, pero en la libertad cristiana. En el libre albedrío de la libertad cristiana. Por eso el único personaje entrañable de la novela es el conspirador Shatov que, habiendo sido universitario, socialista y librepensador, después de vivir en Occidente y Estados Unidos, busca volver a la fe: «Creo en Rusia, creo en la Iglesia ortodoxa, creo en el cuerpo de Cristo, creo que el nuevo advenimiento tendrá lugar en Rusia», dice Shatov a Stavroguin, pero ni siquiera él puede regresar a esa tierra virgen. Shatov busca desesperadamente abandonar el grupo y construir una vida simple, una vida de amor con la esposa enferma que ha vuelto a su hogar y su criatura recién nacida (hija, por cierto, del depravado Stavroguin). Pero no lo logra. Es la primera víctima de sus colegas endemoniados.

¿Quién es, finalmente, Stavroguin?

Se han escrito bibliotecas sobre ese personaje misterioso. Stavroguin ha marcado la vida de los endemoniados. Todos le recuerdan lo que él mismo les enseñó. Él los había alentado alguna vez en la fe, también él los había desencaminado de ella. La ortodoxia había nutrido alguna vez a Stavroguin, pero las doctrinas del Occidente liberal, ateo, racionalista se la habían arrebatado. ¿Qué quedaba de él? Como dice Paz, el vacío. El vacío del mal. «La malicia de Stavroguin –dice el narrador en la novela– era una malicia fría, tranquila y, si cabe decirlo, *racional*, y por ello mismo la más repelente y terrible que pueda imaginarse».

Una profecía del siglo XX. Así se ha leído el libro muchas veces.

Ese «fuego en la mente de los hombres» en aquella ciudad provinciana no moriría con la desaparición de esos endemoniados: se esparciría por la historia futura de Rusia, antes y después de la Revolución. Dostoyevski leyó esas mentes, esas mentalidades.

Creyó ver la Revolución como un sucedáneo de la razón iluminista.
Pero el fuego no provenía tanto de la rigidez racionalista del marxismo, sino de la forma peculiar en que el alma religiosa rusa (permíteme usar la palabra alma) adoptó el marxismo y se refractó políticamente en la historia, se transmutó en otra fe, inversa a la antigua fe, pero igualmente poderosa en su ortodoxia, y violentísima. Octavio Paz decía que esa otra fe es la ideología, una corrupción de la religión.

Lenin, ¿era un poseído?
Bueno, Lenin fue muchas cosas. Pero su hermano, el revolucionario Aleksandr Uliánov, que participó en un atentado contra el zar, fue sin duda alguna un poseído. Y Lenin mantuvo viva la flama de esa posesión. Déjame leerte este documento que tomé de una reseña biográfica. Es una instrucción sobre cómo tratar a los kulaks.

1) Cuélguenlos (y asegúrense de que el ahorcamiento se lleva a cabo a *la plena vista de la gente*), a no menos de cien kulaks conocidos, ricos, chupasangres.

2) Publiquen sus nombres.

3) Confisquen *todo* su grano.

4) Tomen rehenes. Háganlo de tal modo que a cientos de kilómetros a la redonda la gente pueda ver, temblar, saber, gritar: *están estrangulando* y estrangularán a muerte a los kulaks chupasangres.

Lenin no quería a Dostoyevski quizá porque sabía que lo había retratado, a él y a todos ellos. Mesiánicos, milenaristas, marxistas, poseídos de una idea absoluta, dueños de la verdad, la historia, el futuro y el poder para imponerse. Los cerdos se ahogaron en el

Evangelio, los poseídos murieron o se suicidaron en la novela, los endemoniados triunfaron en la Revolución rusa, y –como temía Dostoyevski– transmitieron la posesión a la humanidad. Ahí terminó mi viaje al siglo XIX ruso. Pero la posesión sigue.

¿Cómo no creer en el mal?

¿Conoces esta línea de Dostoyevski? Está en *Diario de un escritor*, se refiere a *Anna Karénina*, de Tolstói:

> En ese libro queda perfectamente demostrado que el mal está arraigado en el hombre mucho más hondo de lo que los curanderos socialistas suponen; que ninguna estructura social puede eliminar el mal; que el alma humana no cambiará nunca; que la anormalidad y el pecado tienen su asiento en esa misma alma; y, por último, que las leyes del espíritu humano siguen siendo tan poco conocidas, tan oscuras para la ciencia, tan indeterminadas y tan misteriosas que no hay ni puede haber curanderos, ni siquiera jueces *definitivos*, solo Aquel que dice: «A mí me corresponde la venganza y el pago.» Solo Él conoce *todo* el secreto de este mundo y el destino final del hombre.

Brodsky: más allá del consuelo

¿Octavio Paz creía en el mal?

El Paz que conocí, obsesivamente. Creo saber cuándo se fijó en su alma (también terminó por creer en el alma) la convicción directa e inmediata de la existencia del mal. Fue en 1974, cuando cumplió sesenta años, cuando leía a Solzhenitsyn, cuando escribió esos poemas que leímos contra Stalin. Cuando conoció al poeta Joseph Brodsky. Paz sabía muy bien la significación de Brodsky: aunque veintiséis años menor que él, tenía enfrente al poeta que la mismísima Anna Ajmátova había reconocido como el heredero de Mandelstam. El encuentro tuvo lugar en Cambridge, en casa del crítico literario Harry Levin, quien manifestó su extrañeza ante el uso reiterado y natural que hacía Brodsky de la palabra «alma». Paz escribió que le había sido difícil conciliar «a los discípulos de Bentham con los del padre Zózima». Él era después de todo un ilustrado, no un utilitarista ni un místico. Pero la verdad es que estaba más cerca de Brodsky de lo que admitía. El mundo poético y filosófico de Brodsky está lleno de absolutos ontológicos: el Mal, el Tiempo, el Ser, el Lenguaje. También el de Paz. Además, el concepto del «mal» era parte de su bagaje cultural y religioso, ese catolicismo soterrado, reprimido, que estuvo presente en su poesía. A partir de las alusiones de Paz, podemos recrear su intercambio con Brodsky sobre el tema del mal:

Paz: Los orígenes autoritarios del marxismo están en Hegel. Ahí comenzó el mal.

Brodsky: No, viene de mucho antes. El mal empezó con Descartes, que dividió al hombre en dos y sustituyó al *alma* por el *yo*...

Quizá en ese momento Paz solo veía en Brodsky a un disidente ruso, uno de los más notorios junto a Solzhenitsyn y Sájarov.

Brodsky era un disidente ruso, qué duda cabe. Por eso lo expulsaron de la URSS. Pero era un disidente heterodoxo, un disidente en la disidencia. Ni puramente religioso como Solzhenitsyn ni puramente secular como Sájarov. Un depositario de la tradición histórica occidental, que se detuvo con el racionalismo. Esa era, creo yo, su concepción. Pero la de Paz no estaba muy lejos. En esos años la reflexión sobre el «mal» está presente en sus textos, sobre todo alrededor de Dostoyevski. Se preguntaba por qué las filosofías y las ciencias –a diferencia de las religiones– habían permanecido calladas ante el enigma del mal. Yo no creo que las filosofías y las ciencias se hayan quedado calladas, menos la historia. Pero la literatura es el lugar donde esa búsqueda del enigma encuentra su expresión. Sobre todo la poesía trágica. Y sobre todo la poesía en Rusia. Brodsky escribió sobre Ajmátova una línea que copié: «En algunos períodos de la historia, solo la poesía es capaz de lidiar con la realidad al condensarla en algo aprehensible, algo que la mente, de otra forma, no podría retener».

¿En qué sentido el itinerario de Paz con los autores rusos pertenece a tu vida intelectual?

En el mismo sentido en que me toca el itinerario de mi abuelo y sus poetas asesinados. Sin que él lo haya elegido, Paz fue para mí una figura tutelar, no en lo estético y poético –en lo que siempre fui un neófito–, sino en lo histórico, político y moral. Pero en ciertos temas, como la estela trágica de la Revolución rusa, los ríos sangrientos de la historia desembocan en la poesía y me conmovían. Me ocurrió con los ensayos de Brodsky sobre Anna Ajmátova y Ósip Mandelstam. Hablan de la batalla de la poesía contra la barbarie. O el ensayo de Brodsky sobre Nadezhda Mandelstam, cuyas memorias le recordaban las admoniciones iracundas del profeta Amós, uno de los más poderosos del Antiguo Testamento: «Respira la típica devoción judaica por la justicia». La señora Mandelstam –decía Brodsky– «traía al mundo un día del juicio para juzgar a su época y a la literatura de su época». Su libro era un «testimonio» en el sentido bíblico del término. Octavio Paz usó el mismo término, «testimonio», al describir la obra de Solzhenitsyn. Ahí ves la convergencia espiritual de Octavio y su amigo ruso. Y la batalla de la poesía para trascender a la historia.

¿Cómo llegó Brodsky a esa interpretación?

El siglo XX, en su horror, había agotado las posibilidades de redención, había «entrado en conflicto con el Nuevo Testamento». En un párrafo, Brodsky resumía una caída de quinientos años: el desorden espiritual (Renacimiento), la duda (la Ilustración), el consuelo (la idea de la justificación de la vida en la literatura rusa) y finalmente el absurdo del siglo XX. Se vivía la era del «postabsurdo», pero la historia no se detenía. Si esa clasificación histórica te sorprende, escucha este párrafo postexistencialista. Nadie en Occidente escribía así:

> [...] tarde o temprano el individuo descubre que el Absurdo tampoco es la última categoría de la conciencia, que aún después del Absurdo uno debe vivir, comer, beber, escapar de la policía, traicionar o no a su semejante. Y para esta vida Cristo no basta, Freud no basta, Marx no

basta, como tampoco el existencialismo o el Buda. Todos estos no son sino medios para justificar el holocausto, no para prevenirlo. Para prevenirlo, quiérase o no, la humanidad no cuenta con nada, aparte de los Diez Mandamientos. El libro de la señora Mandelstam es a grandes rasgos un comentario de esta cuestión: la ética judeocristiana.

«Sin consuelo –dice Brodsky– uno solo puede vivir gracias al amor, al recuerdo y a la cultura.» Esa era la única y modesta salvación: «no hay amor sin recuerdos, no hay recuerdos sin cultura, ni cultura sin amor. Por lo tanto, cada poema es un hecho cultural, así como un acto de amor y un surgimiento de recuerdos –y, quisiera agregar, de fe». Eso era el libro de la señora Mandelstam. Un largo poema en prosa, un acto de amor a Ósip, su esposo, el recuerdo fiel de su obra. También una sentencia inapelable contra los aduladores del régimen –Aragon, Neruda, Sartre– que habían «cerrado conscientemente los ojos, para mantenerse en la corriente progresista en medio de los torbellinos de sangre rusa», y un homenaje a los escritores de su generación (Ajmátova, Bulgákov, entre otros). Brodsky afirma que el libro es como una invocación, una profesión de fe. Esa descripción que hace Brodsky del retrato de la señora Mandelstam sobre su esposo era también un autorretrato. Amor, cultura, recuerdos y fe. Así profesó Brodsky la literatura.

Hay resonancias judaicas en las líneas que recuerdas de Joseph Brodsky. Pero es un escritor muy distinto a aquellos poetas en ídish que leía tu abuelo. ¿No es así?

Pudo haber sido nieto de aquellos autores, pero no tenía nada que ver con la lengua ídish ni con la cultura en ídish. A pesar de esas referencias bíblicas, su horizonte inmediato era la gran literatura rusa: la novela del siglo XIX y la poesía del XX, y su horizonte era la cultura universal.

¿Era Brodsky otro judío heterodoxo?

A veces pienso que, como Mandelstam, era un judío postjudío. Los «judíos no judíos» tenían una querella consigo mismos y con el judaísmo. Brodsky era étnicamente judío pero en su obra el judaísmo era ya una reliquia, algo olvidado, obliterado, salvo en su aliento moral. Brodsky nació en 1940, y su padre –veterano de la guerra– perdió su empleo de fotógrafo oficial en la Marina en aquellos últimos años negros de Stalin, los de la gran campaña antisemita. Su única culpa era ser étnicamente judío, pero en la obra de su hijo no hay –eso creo– huella de apego religioso o tradicional al judaísmo ni rencor frente a la persecución étnica. La historia y el Estado les habían pasado encima, eso es todo. Hay un poema suyo muy temprano, de 1958, que no recogen las antologías. Significativamente, su tema es el cementerio judío de Leningrado. Me lo tradujo hace poco mi amigo Ernesto Hernández Busto, gran conocedor, editor y traductor de la obra de Brodsky:

Cementerio judío cerca de Leningrado.
Una valla torcida de madera contrachapada podrida.
Y detrás de esa valla, yaciendo juntos,
abogados, comerciantes, músicos, revolucionarios.

Cantaron para ellos mismos.
Ahorraron para ellos mismos.
Murieron por los otros.
Pero, primero, pagaron impuestos,
respetaron la ley,
y en este mundo, irremediablemente material,
interpretaron el Talmud
manteniéndose idealistas.

Quizás vieron más.
O tal vez creyeron ciegamente.
Pero enseñaron a los niños a ser pacientes
y a mantenerse obstinados.
Y no sembraron pan,
nunca sembraron pan.
Solo se acostaron
sobre la tierra fría como los granos

y se quedaron dormidos para siempre.
Y luego –cubiertos de tierra–
encendieron las velas
y el Día del Perdón
los hambrientos ancianos con sus voces agudas,
jadeando por el hambre, imploraron pidiendo paz.
Y la consiguieron
como la descomposición de la materia.

Sin recordar nada.
Sin olvidar nada.
Tras una valla torcida de madera contrachapada podrida,
a cuatro kilómetros del anillo del tranvía.

No parece tan ajeno a ese legado, está lleno de piedad.

Pero no habla de los vivos, habla de los muertos, entre ellos sus propios antepasados, que yacían en el cementerio. Rescata su memoria sin ningún sentimentalismo ni autocompasión, cosa que se agradece. Ahí están sus profesiones, su entrega a la patria en la Segunda Guerra y el sacrificio durante el sitio de Leningrado, su obediencia ciega, su apego a la hermenéutica y al idealismo, cierto don profético, cierto fanatismo. La frase repetida «no sembraron pan, / nunca sembraron pan» alude, creo, al cargo antisemita de que los judíos vivían en las ciudades y no producían alimentos ni sembraban trigo, dependían de quienes sí los producían. ¿Y cómo podían producir, si solo por excepción podían poseer tierras? Al final, mansamente rezaron, ayunaron, imploraron a Dios, para que trajera la paz a sus vidas. Y paz les envió: la paz del sepulcro, la pacífica corrupción de la materia. Quizá hay en el poema una cierta misericordia, pero es un poema desolado, descreído, desesperanzado, ligado a la muerte.

Es una elegía.

Y un epitafio. Con él debemos terminar esta conversación. Es tan triste la historia de la que hemos hablado: el hechizo y la tragedia de la Revolución rusa.

XVI. Libertad

Isaiah Berlin: el valor de la libertad

Tus raíces se hunden en el judaísmo de Europa del Este que el nazismo extinguió. Tu pasión intelectual, cultural, política ha sido tu patria, México, y, por extensión, la «patria grande» latinoamericana y española. Quisiste entender el atroz siglo XX a través de la obra y la vida de autores judíos centroeuropeos. Pero en este mapa intelectual falta un territorio que está implícito en el idioma en que leías muchas de las obras que hemos recordado. ¿Dónde colocas tu evidente anglofilia?

Mi anglofilia es similar a la tuya, que escribiste tu tesis sobre Locke. Yo era un anglófilo antes de visitar la isla, pero cuando viví ahí un par de temporadas –los otoños de 1981 y 1983–, me volví, más que un anglófilo, un anglómano.

¿Cómo se dio esa oportunidad?

En 1981 Isabel estudiaba ahí una maestría en ciencia política y yo fui a acompañarla con nuestro hijo León, de seis años. Las fábricas en México comenzaban a estabilizarse y yo pude encargar el barco a mi padre por un par de meses. ¿Qué hice? Simplemente deambulé como el estudiante que habría podido ser, que quizá habría querido ser. Tomé las clases que quise, por ejemplo, de historia del movimiento obrero en la Inglaterra del siglo XIX, porque me gustaba mucho la obra de E. P. Thompson. Quise entrevistarlo y hablé con él. Se excusó por estar ocupado en las manifestaciones antinucleares en Holanda, según recuerdo. Tomé una clase de empirismo griego, sobre Sexto Empírico, en la que fui –lo juro– el único alumno. Escuché a Eric Hobsbawm en un auditorio lleno. Era carismático y un gran orador, y me acuerdo de que decía que él amaba a la clase obrera inglesa a pesar de que la clase obrera inglesa había hecho ese extraño movimiento de apoyar a Thatcher. Al final declaró su amor por el club de futbol Liverpool, sacó su gorra, la ondeó y se la puso.

¿Qué te gustó, qué te llamó la atención de Inglaterra?

Fue un peregrinaje literario: la casa del doctor Johnson –donde compiló su *Diccionario*–, el pueblo de Shakespeare, las tumbas de Locke y Robert Burton –el autor de *Anatomía de la melancolía*, libro muy preciado para mí– en Christ Church. La prodigiosa librería Blackwell. ¿Qué me sorprendió? La civilidad. Leer el *Times* por primera vez y descubrir en la portada la noticia del secuestro de un niño, y el escándalo nacional que ese hecho causaba me parecía algo rarísimo. Nunca visto. Admirable. Ver por televisión al ministro de Defensa y a su contraparte en el *shadow cabinet* pelearse (a propósito de la Guerra de las Malvinas) sin llegar a los golpes, y decirse las cosas más tremendas, fue algo para mí inolvidable. Una clase inmediata de civilidad. En ese mismo viaje de 1981 fuimos a Holanda, a la casa de Spinoza en La Haya. Fue muy importante para mí Oxford. Mi sueño era entrevistar a Isaiah Berlin.

Cuando nos conocimos, hace casi veinte años, hablamos de Berlin. ¿Qué fue lo primero que leíste suyo?

Libertad y necesidad en la historia, editado en 1974 por Revista de Occidente. Lo precedía el epígrafe memorable de Benjamin Constant: «L'on immole à l'être abstrait les êtres réels: et l'on offre au peuple en masse l'holocauste du peuple en détail» («Se inmolan los seres reales en el altar del ser abstracto: y se ofrece a la masa del pueblo el holocausto del pueblo en detalle»). El libro contiene, entre otros escritos, su prólogo al ensayo «Sobre la libertad», de John Stuart Mill, su polémico ensayo «Contra el determinismo histórico» (1954), donde critica las ideas de E. H. Carr, el famoso historiador de la Revolución rusa cuyo libro *¿Qué es la historia?* leímos en la clase de Luis González en El Colegio de México. Carr hacía una defensa de los sujetos colectivos y las causas impersonales en la historia. Frente a él, Berlin citaba en el epígrafe a T. S. Eliot: «Those vast impersonal forces». Berlin reconocía su incidencia en la historia, pero no su preeminencia. Él creía en «those decisive personal forces»: las personas.

Esas personas que siempre han sido el centro y la razón de ser del humanismo liberal al que se adscribía Berlin.

Hay una conexión esencial entre el humanismo y el liberalismo. Y esa conexión es la persona. Spinoza no imagina colectivos, Locke o Mill tampoco. Burke dice que la libertad de la masa no es libertad, es poder. Y Ortega y Gasset, el humanista español por antonomasia, escribe *La rebelión de las masas* justo contra ese colectivismo militante. Hay ejemplos innumerables. Popper criticaba el concepto de «holismo» que envuelve a la persona en un colectivo abstracto. Ese «nosotros» tiene un sentido de fraternidad, pero quien lo formula, quien lo vive, es el sujeto: un yo y un tú.

Hay puentes entre ese ensayo de Berlin sobre Libertad y necesidad en la historia, *que mencionabas antes, y la obra previa de Popper.*

Popper era un filósofo de la ciencia y desde ahí abordó la filosofía política. En *La miseria del historicismo*, libro de no fácil lectura, Popper mostraba que las supuestas leyes de la historia no tenían fundamento empírico ni consistencia lógica. Y no podían señalarse las condiciones que las harían falsas, por lo cual podían siempre transferirse al futuro. Popper fue el intelectual liberal más notable del siglo XX, de eso no tengo dudas. Berlin era otra cosa: un filósofo político que se volvió historiador de las ideas. Sus ensayos eran más apasionados, más digresivos y amables al lector. Dicho lo cual, Berlin era deudor directo de Popper y así lo reconocía.

En La sociedad abierta y sus enemigos, *Popper se remonta a Platón y llega hasta Marx y Hegel. Berlin sugiere que los primeros enemigos de la libertad son algunos pensadores del siglo XVIII.*

Berlin cree que las fuentes de ese pensamiento determinista están sobre todo en la Ilustración y en sus avatares en el siglo XIX. Aunque Berlin hace la distinción entre el determinismo humanitario y optimista de Condorcet y los determinismos apocalípticos de Hegel y Marx, atribuye a todos la idea de que el mundo marcha en una dirección, y que esa dirección está regida por leyes que se pueden conocer. En «Contra el determinismo histórico» critica las visiones que buscan leyes predecibles en los acontecimientos humanos, como en las ciencias naturales. Esas visiones pueden obedecer a un pensamiento teleológico (los hechos tienen siempre metas, funciones, propósitos) o a un pensamiento trascendente (hay un más allá o un arriba que dicta los hechos). En ambos casos, se desprende la creencia de que todo ocurre como ocurre por obra de la maquinaria de la historia, por efecto de las fuerzas impersonales de la clase, la raza, la cultura, la razón, el *élan* vital, el progreso, el espíritu del tiempo, etcétera...

Esto plantea un conflicto entre conocimiento y libertad. Ser determinista –para Berlin– es suponer que, entre más se sabe de la historia, hay menos espacio para la libertad individual. Que las cosas son como tenían que ser y que no hay sentido en imaginar cómo habrían podido ser. Esa es una de las razones por las que Berlin se opuso al comunismo. Lo consideraba el principal representante del determinismo, y heredero, en ese sentido, de la Ilustración. El comunismo supone que su visión teleológica es un hecho científico. En opinión de Berlin, se trata más bien de una teodicea.

Daniel Bell asoció esa visión con la teodicea judía, y específicamente con el mesianismo judío. Yo también lo creo.

Otra asociación típica de Berlin ocurre entre el determinismo y el colectivismo. Ambos degradan la responsabilidad individual. Y por lo tanto degradan la libertad.

Y agrega un factor: el pluralismo –que es el corazón del pensamiento berliniano– no admite que la historia, con su variedad de caracteres, culturas, pareceres, situaciones y factores, sea reductible a leyes.

En «Dos conceptos de libertad», su conferencia del año 1958, más famosa y mejor recibida que la anterior, Berlin establece la distinción entre «libertad negativa» y «libertad positiva». ¿Cómo las entendiste tú?

En un principio las entendí así: la libertad negativa (la libertad de…) explica que las acciones humanas no deben estar limitadas o restringidas o prohibidas por otro. Los límites de esta forma de libertad no son claros, pero usualmente se sitúan en la acción de las otras personas. Es decir, que cualquier individuo puede hacer lo que quiera siempre y cuando no afecte la acción libre de otros individuos. El segundo tipo de libertad denominada como positiva (la libertad para…) se caracteriza por la autonomía. Ya no es una cuestión de límites o elecciones individuales, sino de «autorrealización», a menudo colectiva. Yo me inclino por la primera libertad, la negativa. Los Estados con frecuencia recurren a la segunda para imponer lo que consideran el bien. Otra forma de plantearlo en términos políticos es esta. Cada libertad responde a una pregunta distinta: la primera responde a la pregunta «¿Qué tan lejos interfiere el gobierno conmigo?»; la segunda da respuesta a la pregunta «¿Quién me gobierna y para qué me gobierna?». En la conferencia, Berlin da preferencia, naturalmente, a la libertad negativa. Pero según John Gray –uno de los filósofos políticos más notables de nuestro tiempo–, Berlin piensa que la libertad negativa es una condición para la puesta en práctica del valor romántico por excelencia: la autocreación mediante la elección (*choice-making*). La justificación de una sociedad liberal es que permite una mayor variedad de vidas, de formas de autocreación.

He escrito un ensayo sobre Berlin en el que abordo esta paradoja, que algunos han visto como una contradicción: Berlin se aparta del racionalismo y nutre su liberalismo con el romanticismo, que es la reacción a la Ilustración.

Hay una tensión, pero una tensión creativa. Y esa tensión es una fuente de su originalidad. Su rechazo a la libertad positiva se explica por la afinidad que él advierte con las concepciones monistas y unitarias del bien, propias del racionalismo. En su descripción de la «libertad positiva», Berlin critica la noción (compartida por Spinoza, Kant, Rousseau, Hegel) de un yo que, libre de deseos irracionales, actúa de acuerdo con la razón. Según esta noción, la verdadera libertad no consiste en actuar como uno quiera, sino en actuar de acuerdo a la razón. Todas las voluntades racionales tendrían, entonces y por necesidad, que estar en armonía. El conflicto social sería una indicación del fracaso de algunos individuos para actuar racionalmente. Para Berlin, el problema con esta idea de «autodominio» es que parte de una noción previa de lo que se debería desear, una idea monista y objetiva de lo bueno, incompatible con la elección individual. Según él, esta idea subyace en las doctrinas totalitarias.

Pero en la libertad positiva también está la noción romántica de autoexpresión y autorrealización.

Hay quien sostiene que la paradoja se resuelve así: si el yo que se expresaba se mantenía en el ámbito individual, la libertad sería la habilidad del individuo para realizar sus propios planes. De este modo, esta noción de libertad realizaría una contribución al liberalismo. Pero si el yo se identificaba con una entidad colectiva y con las metas de este ente mayor (una iglesia, una raza, un Estado), entonces esta noción de libertad contribuiría, más bien, al totalitarismo.

Berlin, según algún crítico, era a su vez un monista: un monista de la idea antimonista. Y un enemigo de la verdad única.

Hay algo de eso. Una especie de obsesión. La clave, según creo, está en su viaje a la URSS en 1946; conoció a Borís Pasternak y, sobre todo, a Anna Ajmátova, la gran poeta mentora de Brodsky con quien Berlin tuvo un amor fugaz, misterioso, al parecer platónico. Según su biógrafo Michael Ignatieff, «aquella visita a Ajmátova fue el hecho más importante de su vida». Así lo decía el propio Berlin. La relación fue celosamente seguida por la KGB y reportada al mismísimo Stalin, que al recibir el informe respondió: «Así que ahora nuestra monja planea casarse con espías ingleses, ¿no es así?» Ambos pagaron muy caro su relación: la poeta, con un mayor ostracismo por parte del régimen y la intensa, renovada persecución de su hijo (que fue el drama mayor de su vida). En cuanto a Berlin, Ignatieff sostiene que salió de Rusia con odio hacia la tiranía soviética, un odio que a partir de entonces sustentó casi todo lo que escribió en defensa del liberalismo occidental y la libertad política. De hecho, piensa que su feroz polémica contra el determinismo histórico estaba animada por lo que había aprendido de ella, es decir, que no se podía hacer que la historia se inclinara ante la conciencia humana.

De esa experiencia extrajo la idea específica contra el determinismo.

En la medida en que el régimen se sostenía en una ideología determinista. Hay un pasaje de Berlin en sus recuerdos de ese viaje que es muy significativo. Estaba en una cena, y quiso defender la libre discusión política. Pero una bella dama, antigua secretaria de Lenin, le dijo algo memorable:

> Somos una sociedad científicamente organizada, y si no hay espacio para el libre pensamiento en la física –el hombre que cuestione las leyes del movimiento sin duda es un ignorante o un loco–, ¿por qué nosotros los marxistas, que hemos descubierto las leyes de la historia y la sociedad, hemos de permitir el libre pensamiento en la esfera social? La libertad de estar en el error no es libertad; parece usted pensar que nos falta libertad de discusión política; simplemente, yo no comprendo lo que quiere decir. La verdad libera: somos más libres que ustedes en Occidente.

Seguramente entendió que no tenía sentido dialogar sobre libertad en tiempos de Stalin.

Y que había sido ingenuo.

Una de las grandezas del pensamiento de Berlin es que no esconde sus contradicciones o, mejor dicho, las tensiones y conflictos que provocan sus análisis. Quizá para poner más de manifiesto que detrás de casi todas las decisiones está siempre la tragedia de la elección.

Ser liberal, para Berlin, es vivir entre extremos. Ser liberal es encarnar un predicamento. Ser liberal es la necesidad de elegir entre valores, de arribar a compromisos. Ser liberal es renunciar a las ideas totales, a las soluciones utópicas. El liberalismo es una actitud, una disposición ante el mundo que colinda con el escepticismo, pero lo trasciende con una cierta, resignada, pero no pesimista, serenidad.

Me pregunto qué habrá pensado Popper de la tensión y aun contradicción que veía Berlin entre la libertad y el racionalismo que sostenía Berlin en su crítica al determinismo.

Se conservan las cartas entre Popper y Berlin sobre ese tema específico. Es un intercambio genial; sobre todo porque están básicamente de acuerdo: la racionalidad es el recurso primordial. Discrepan, al parecer, acerca de la caracterización de esa racionalidad y los contornos de los racionalismos. Popper, de impronta científica, parece creer en una definición suficiente de racionalidad; Berlin, en una más dependiente de la historia y de sus protagonistas intelectuales. Como los racionalistas clásicos, quieren concebir la racionalidad como guía del ser humano. Por supuesto que tienen razón, y mucho, mucho más en su época: enfrentaban al verdadero monstruo del totalitarismo, el de las botas y bayonetas, que poseía todo el poder, pero no la razón. Ellos entendieron, y lo dejaron clarísimo, que el poder no es racional.

¿Qué pensaba Berlin de Spinoza?

Lo he consultado. Berlin siempre pensó que Spinoza era un monista, porque su Spinoza era el de la *Ética*. Pero como hemos visto hay otro Spinoza, el del *Tratado teológico-político* y el del *Tratado político*. Ante los poderes de su época (iglesias, monarquías, aristocracias), ese Spinoza propone el imperio inviolable de la libertad individual, la libertad de creer, pensar y expresarse. Por otra parte, la idea spinoziana de que el conocimiento «claro y preciso» es el camino de la libertad no era en absoluto ajena a Berlin, cuya obra es una épica del conocimiento liberador. En uno de sus ensayos escribe: «El conocimiento de sí mismo es el deber más alto del hombre.» Socrático y spinozista.

Has dicho que el corazón del pensamiento berliniano es el pluralismo.

Otra de las originalidades de Berlin fue enriquecer el liberalismo clásico, en particular el liberalismo inglés, con su revaloración del pluralismo cultural de Herder. Como un romántico del siglo XIX, Berlin se fascinó con el inocente y generoso *Volksgeist* herderiano, tan distinto del llamado nacionalista de Fichte. De Herder dedujo que el «yo» solo podía florecer (florecer, no disolverse) en el marco de un simbólico «nosotros» representado por una lengua, unas costumbres, un estilo de vida, «una tradición que proviene de una experiencia histórica compartida». Si las culturas –como sostenía Herder– son «inconmensurables», su «pluralidad es irreductible». Pero no por eso –creía, o quiso creer, Berlin– las culturas estaban destinadas a pelear eternamente entre sí. Yo creo que, en el fondo, esas ideas se explican por su biografía: era un yo liberal en un marco histórico milenario, el «nosotros» judío.

Esa originalidad podría convertirse en una imposibilidad.

Sin duda. Es muy fácil que el «nosotros» pase de ser un sentimiento de afecto y fraternidad a una pasión excluyente y exclusiva.

Berlin da preferencia a la libertad negativa por ser la más afín a la pluralidad y la diversidad que a su vez llevan implícitas la necesidad del compromiso entre los valores y desembocan en la tolerancia. Berlin llegó a la idea de la tolerancia por vías distintas a las de Locke y Spinoza.

O las de Voltaire. En todos estos casos, la idea de tolerancia opera en el ámbito de las creencias, de la religión. En México esta idea fue muy fructífera y arraigó desde mediados del siglo XIX, con la tolerancia de cultos. También en España la tolerancia llegó por esa vía, aunque se retrasó un siglo.

¿Cuál es entonces el origen de su idea de tolerancia?

No es la tolerancia religiosa, sino la convivencia de las culturas. Una idea herderiana. Pero yo veo ahí una de sus limitaciones. Algo característico en Berlin es su distancia, su extrañamiento, de la religión. En eso es muy distinto a Max Weber. Valora a Maquiavelo por su visión histórica humanista, ajena por entero al cristianismo. Si no me equivoco, Berlin casi no estudió el siglo XVII, riquísimo en el conflicto entre la ciencia y la fe. El siglo de Descartes, Pascal, Spinoza, Leibniz, Newton. Salta de Montaigne a Montesquieu, del

Renacimiento a la Ilustración y el romanticismo. Es una laguna en su obra. Considera que los siglos XVIII y XIX son decisivos para explicar al XX. Lo son, pero al concentrarse en ellos deja de lado los milenios de religión, que incidían en la historia moderna y contemporánea.

Siempre he pensado que Berlin llega a la tolerancia porque creía que nuestro juicio es relativo, como son las culturas, los grupos y los sujetos, y los valores que los animan pueden chocar entre sí. Y solo a partir de un clima de tolerancia recíproca puede salvarse la convivencia como un espacio plural.

Su relativismo es... relativo. Hay un valor supremo que es la libertad. En el «mercado» abierto y contradictorio de los valores, Berlin primaba la libertad.

¿Conocías la vida de Berlin antes de leerlo?

Un año después de su muerte, en 1997, apareció la biografía *Isaiah Berlin* de Michael Ignatieff, gracias a la cual los lectores pudimos conocer mejor la raíz biográfica de las ideas en Berlin, una raíz que se hunde en dos vastos continentes espirituales: Rusia y el judaísmo. Antes de leerlo, yo sabía poco. Había nacido en Riga en 1909 y vivió su niñez en la turbulenta Rusia revolucionaria. En 1920 se estableció con sus padres en Londres. Alumno de buenas escuelas inglesas, se formó en la filosofía oxoniense, abrevó de corrientes diversas (desde Collingwood hasta las escuelas analíticas) y en términos políticos abrazó el liberalismo clásico. Su primer libro fue una biografía de Marx, que no solo se explica por el auge del pensamiento marxista en los años treinta, sino por las experiencias bastante traumáticas que Berlin vivió con su familia antes de salir al exilio en 1920. Mi interés en conocer su vida y reflexionar biográficamente comenzó con la lectura de *Pensadores rusos* (1978) y *Contra la corriente* (1979).

Esos libros, en sí mismos, contenían claves biográficas.

Nunca explícitas, pero sus afinidades electivas hablan por él. Esos libros ya no son los de un filósofo historiador, sino de un historiador filósofo. En los ensayos anteriores sobre la libertad y el determinismo, las ideas bajaban pocas veces del empíreo; el autor las discute en sí mismas, en su consistencia interna y en sus consecuencias políticas, pero, salvo excepciones, no aparecen referidas a la existencia concreta de los pensadores que las conciben. En *Pensadores rusos* y *Contra la corriente* ocurre lo contrario: la historia de las ideas se vuelve biografía intelectual, la biografía y la historia dialogan, las ideas son palpables, casi corpóreas. Son seductoras, explosivas. Los hombres creen que las ideas salvan o condenan. Viven y mueren por ellas.

Y no olvidemos sus ensayos sobre Tolstói, terrenal y místico, plural y monista, mitad «erizo» y mitad «zorra».

El monista y el pluralista en un solo autor. Esos perfiles intelectuales representaban para mí la reivindicación del verdadero idealismo socialista de mi abuelo, y de tantos miembros de su generación. Un socialismo con libertad. Yo había estudiado las raíces de la revolución en la heterodoxia judía y en el mesianismo judío. Y me había acercado a la Revolución rusa, a sus protagonistas, sus críticos y sus disidentes. Pero comenzaban a interesarme mucho las raíces culturales y los precursores intelectuales de la Revolución. También por eso leí *Pensadores rusos*. Lo leí de cabo a rabo en agosto de 1978. Me abrió un mundo. Berlin se sabía poseedor de un tesoro intelectual, su cultura, literatura y lengua de origen. Ellas le permitirían asomarse al entramado de obras, ideas, creencias, proyectos, utopías que discurrieron los novelistas y pensadores rusos del siglo XIX que más valoraba: el novelista Iván Turguénev, el anarquista Mijaíl Bakunin, el crítico literario Visarión Belinski y su héroe mayor, el escritor y editor Aleksandr Herzen. En su obra aparecen muchos personajes más, secundarios, como el nihilista Tkachov o el populista Chernyshevski, el autor de *¿Qué hacer?*, la famosa novela revolucionaria.

¿*Y* Contra la corriente?

Lo leí de un tirón a fines de 1979. El libro contiene ensayos muy diversos, pero a mí me gustaron especialmente dos ensayos en los que Berlin aborda la identidad judía. Uno es sobre Moses Hess. ¿Recuerdas? Es aquel spinozista, amigo, protector, admirador de Marx, que había pasado de ser un profeta menor del comunismo a un precursor mayor del sionismo. El otro ensayo es «Benjamin Disraeli, Karl Marx y la búsqueda de la identidad», cuyo tema es la tensión intelectual, psicológica y moral que atormentó a estos dos vástagos del judaísmo recién emancipado en Europa e Inglaterra. En sus vidas e ideas Berlin veía «un intento, por parte de quienes han sido desarraigados de su ámbito histórico y social, de echar raíces en tierra nueva». A diferencia de Hess, que volvió al judaísmo, Marx negó su origen judío y transfirió los agravios milenarios del pueblo judío al proletariado, nuevo sujeto de la redención, heredero moral de la historia; Disraeli exageró románticamente su origen para hacerlo (y hacerse) merecedor de una aceptación por parte de la aristocracia inglesa.

Berlin conjuntaba muchos de tus temas.

Por eso soñaba yo en conocerlo y conversar con él. Y lo logré en aquel otoño de 1981 en Oxford. Hablé con Raymond Carr, el gran historiador inglés de la España de los siglos XIX y XX, que era el *warden* de St Antony's College. Le mandó una nota a Berlin, quien le contestó con otra (porque ahí no hablaban por teléfono, se mandaban notas en pequeños papelitos azules). «Detesto las entrevistas –decía la respuesta, que me leyó Carr–, pero si dices que se trata de un joven amable, lo recibiré unos minutos.» Y me recibió advirtiéndome lo mismo. No contaba con mucho tiempo. Recuerdo el estudio de Berlin en la planta baja de All Souls, de techos muy altos, con su biblioteca. Si hubiera podido navegar en el tiempo y tocar a la puerta del doctor Johnson, mi emoción habría sido igual. ¡Conocer a Isaiah Berlin, conversar con él! Conservo la grabación original, ¿quieres escucharla?

¡Por favor!

Ahí la tienes. ¿Qué te parece?

Qué voz maravillosa, de bajo o barítono. No en balde le gustaba tanto la ópera.

Y en el inglés se percibe, creo, un eco lejano del ruso.

¿Y del ídish?

No tanto. Aunque lo hablaba a veces en familia. Luego comprobé que firmaba sus cartas a sus padres como *Shaye*, que es el cariñoso diminutivo en ídish del nombre hebreo *Ishaiahu*, Isaías.

He leído la entrevista en Personas e ideas. *¿Cuál era tu interés específico, además de la devoción intelectual?*

Ante todo, quería entender mejor a la *inteliguentsia* rusa para trazar sus posibles paralelos con la latinoamericana. Acercarme al sabio que conocía la cultura de Rusia y su historia contemporánea y aprender de él los elementos centrales de aquella experiencia histórica. Quería saber si esos elementos se parecían a los que, habiéndose reproducido en Cuba, amenazaban con propagarse por Nicaragua y El Salvador, y aturdían (con sus delirios milenaristas) a los jóvenes en las universidades de la región. Así se lo hice saber en mis primeras palabras: «*Los poseídos* de Dostoyevski están vivos en América Latina.» Y comencé por preguntarle: ¿por qué había fracasado el liberalismo en Rusia? Me dijo que los liberales habían fallado porque habían sido incapaces de utilizar los métodos violentos de los bolcheviques. Los liberales rusos, como todos los liberales de la historia, vivían en un predicamento. Detestaban el antiguo régimen con sus privilegios, intolerancias religiosas, estamentos, métodos opresivos, pero no estaban de acuerdo con los medios revolucionarios para acabar con ese orden. Eran reformistas irredentos.

Como uno de sus héroes intelectuales, Iván Turguénev. El protagonista principal de su famosa novela Padres e hijos *es el joven Bazárov, enemigo radical del orden establecido enfrentado a los liberales, a quienes desprecia por su debilidad y tibieza. Quizá Bazárov era un protobolchevique.*

En todo caso era un *nihilista*. Turguénev, al parecer, acuñó o naturalizó esa palabra en Rusia. Berlin pensaba que *Padres e hijos* (1862) era una obra maestra y Bazárov el prototipo del rebelde en Rusia: Bazárov detestaba la vida aristocrática y burguesa, el orden económico y social, y hasta el arte occidental, pero creía en la ciencia. En la entrevista, Berlin se refirió a la última novela de Turguénev, *Tierra virgen* (1877). Me contó que el héroe es un intelectual de la aristocracia que se mueve entre jóvenes revolucionarios y simpatiza con sus ideales y su forma de vida. Hace lo posible por integrarse en ese mundo, pero no puede. Al final confiesa su incapacidad para integrarse, y se suicida. En realidad era un autorretrato de Turguénev, en todo menos el suicidio. Turguénev quiso acercarse a los jóvenes radicales, entenderlos, ganarse su simpatía y confianza, pero no lo logró. Los liberales estaban a años luz de esa visión apocalíptica del mundo, de esa sensibilidad.

Entre otras cosas porque los jóvenes alojaban en su seno una violencia que el liberalismo aprendió a neutralizar y apaciguar después de las revoluciones atlánticas. En todo caso, esa era una parte de la explicación que te dio sobre el fracaso del liberalismo y el triunfo de la revolución marxista: los liberales habían sido rebasados por los jóvenes radicales.

La otra residía en el historicismo ruso, obsesionado por medir el grado de retraso de ese país con respecto a Occidente. Los intelectuales rusos –me dijo Berlin– estaban empecinados en alcanzar y rebasar a Occidente. Había partidarios de la parsimonia, de la pedagogía social, populistas que predicaban la vuelta al campesino; había putchistas que urgían el asalto al poder, única forma de prevenir el aburguesamiento. Un ambiente así, tan intoxicado de historicismo, debió de ser tierra fértil para el desarrollo del marxismo. A fin de cuentas, triunfó la opción radical. El liberalismo, pensaba Berlin, había fracasado por su intrínseca pero honrosa debilidad: era reformista, era paulatino, no pretendía acelerar violentamente el curso de la historia. Y no solo eso: preveía –como apuntó Herzen– que esa aceleración violenta desembocaría en un régimen más opresivo que el que se deseaba superar.

Berlin te transmitió al mismo tiempo su idea sobre la importancia de las ideas en la historia, las ideas políticas, las ideologías.

Y de quienes las conciben: los intelectuales. Hacia el final de nuestra conversación agregó: «Nada transforma tanto las ideas como el hecho de tomarlas en serio.» Me estaba dando una clave. Porque si hay un lugar que ha tomado (y sigue tomando) en serio las ideas e ideologías revolucionarias con la misma pasión que la Rusia de las estepas, es Iberoamérica, nuestra Rusia con palmeras. Y creo que, en nuestros países, el papel de la *inteliguentsia* (esa palabra rusa) no ha sido menos decisivo (y en general lamentable) que en Rusia. Hemos hablado de ese tema en varias conversaciones, al analizar las teorías de Zaid o las críticas de Paz. En mi libro

Redentores intenté construir para América Latina un relato similar al de *Pensadores rusos*.

En la conversación, Berlin aludió al tema de la libertad y el determinismo.
Al hablar de las causas de la Revolución bolchevique se refirió a las explicaciones sociológicas convencionales (como la ausencia relativa de una burguesía y una clase media) y me subrayó que para él la razón del triunfo de los bolcheviques se resumía en una palabra: Lenin. Y me dijo: «Si Lenin hubiera perdido aquel célebre tren y no se hubiera hallado allí en 1917, dudo que Trotski, Stalin, Kámenev o Zinóviev habrían logrado la victoria. No sé lo que habría ocurrido, quizá una guerra civil y, como resultado, un régimen de derecha o de izquierda. Cualquier cosa, pero seguramente no el leninismo».

Lo cual agregaba un elemento más a su teoría liberal de la historia, que en muchos sentidos es la tuya. Me refiero al papel de los individuos.
Siempre he distinguido entre la teoría carlyleana del «gran hombre» en la historia (teoría fascista que detesto) y la evidencia de que existen los líderes en la historia. Berlin hizo referencia a Churchill. Me dijo que sin Churchill en 1940 posiblemente la invasión alemana a Gran Bretaña habría triunfado, al menos a corto plazo. Y le parecía evidente que, si a Hitler no se le hubiera metido en la cabeza atacar a Rusia, el destino de Europa habría sido muy distinto, más oscuro aún. Las circunstancias restringen a las personas, pero los líderes son los que saben aprovechar las circunstancias. «La explosión de lo que llamamos la "masa crítica" ocurre a menudo por la acción de un individuo o un grupo de individuos.» Yo suscribo esa teoría. En ese sentido acotado, no metafísico, el papel de los individuos o las élites rectoras, para bien o para mal, es decisivo.

Y te hizo este comentario curioso: que él era, de manera natural, un admirador de genios.
Un hombre seguro de sí mismo y generoso debe saber admirar. Debe reconocer el genio. Berlin prueba en Inglaterra la teoría de las cariátides de Wassermann. Fue la cariátide de Herzen, Turguénev,

Tolstói, y la de tantos personajes que recreó en sus libros de personas e ideas.

Se volvió un modelo para ti.

En su trabajo intelectual confirmé las ideas rectoras de libertad, pluralidad, tolerancia. También el interés biográfico en las ideas, por las ideas arraigadas en las personas. Y la intersección entre la historia, la literatura y la filosofía. Todo eso me fue y sería muy preciado.

Leamos el final de esa conversación. Le preguntaste: ¿cuál es su opinión acerca del avance de la mentalidad totalitaria en el tercer mundo? ¿Cuál es, a su juicio, el papel del intelectual de convicciones liberales enfrentado a un mundo de aguda polarización ideológica? Y te contestó con una reflexión válida para todos los tiempos:

Pienso que cualquier persona que crea en la existencia de una verdad, una sola, y en la existencia de un solo camino hacia ella, en una solución a los problemas que fuera exclusiva, solución que debe forzarse a cualquier costo porque solo en ella estaría la salvación de su clase, país, iglesia, sociedad o partido; cualquier persona, repito, que piense de este modo, contribuirá finalmente a crear una situación en la que correrá sangre, la sangre de quienes se le oponen. Los hombres así suelen argumentar que quienes descreen de su verdad son torpes o viles y deben ser combatidos por la fuerza. Esta es, me parece, una de las creencias más fatales que puede abrigar un ser humano: la incapacidad de admitir que hay valores en conflicto, valores igualmente dignos de realización, pero que por desgracia no pueden coexistir de modo simultáneo. Mi cita favorita (de hecho, la he incorporado a The Oxford Dictionary of Quotations*) proviene de Kant: «Del torcido tronco de la humanidad ninguna cosa derecha podrá brotar nunca.» Quienes creen en esto, y lo practican, rara vez son populares en uno u otro bando de cualquier conflicto humano.*

«Would you like a sherry?», me dijo al final, y la conversación pasó a temas ligeros, que no consigné en la entrevista publicada. Me contó que había pasado unos días en México después de la guerra, la mayor parte del tiempo en Cuernavaca, en casa de su amigo el exembajador americano Dwight Morrow. Hay fotos de Berlin, con sombrero de petate, en Cuernavaca. Y antes de despedirnos me dedicó amablemente su libro *Four Essays on Liberty*.

¿Qué concepto tienes ahora de Pensadores rusos? ¿En qué medida te ayudó a entender la gestación de la Revolución rusa, y al propio Berlin?

Los pensadores rusos de Berlin son sus héroes, sus afinidades electivas. Al parecer comenzó a vislumbrar ese libro en 1949 (casi treinta años antes de publicarlo), pero su amor por Herzen y Turguénev es muy anterior. En su correspondencia de ese año habla de ellos como «precursores» de la Revolución, cosa que yo terminé por poner en duda. Creo que en todo caso fueron los precursores de la Revolución de febrero de 1917, la de Kérenski, no la bolchevique.

Se veía reflejado en Turguénev, ¿no crees? Escribió que Turguénev era el Hamlet ruso.

Claramente. El temple liberal, comprensivo, inquisitivo, tolerante, dubitativo de Turguénev era el suyo. Y sabía que Turguénev no había sido «terribly brave». Tampoco Berlin lo fue, hay que decirlo. La verdad es que Berlin fue demasiado tímido. Casi no escribió sobre el Holocausto, ni cuando estaba ocurriendo. Durante la Segunda Guerra trabajó para el Foreign Office en la embajada en Washington y quizá por eso fue tan discreto. Su contribución específica y muy eficaz fue en el área de la inteligencia. Churchill apreciaba mucho sus reportes. Por eso no lo veo como un modelo de intelectual político. Está muy lejos de Orwell y otros campeones de la libertad como Sájarov, Havel, Kołakowski. Y tal vez por eso quizá Herzen era su aspiración. Habría querido tener el temple heroico y romántico de Herzen, que sufrió infinitas penalidades personales y sin embargo fue la voz disidente de Rusia por muchos años, el gran memorialista exiliado, el gran editor de los *samizdat* en la Rusia zarista. Había una comodidad académica en la vida de Berlin. Creo que no lo demerito al decirlo. Su obra es muy apreciable y, para mí, su figura entrañable.

Habiendo estudiado tú mismo los orígenes de la Revolución rusa y a personajes como Kropotkin, ¿qué piensas del lienzo biográfico de Berlin?

Pensadores rusos reivindica un momento de la historia intelectual de Rusia: la *inteliguentsia* anterior de los años sesenta. Es decir, la llamada «generación de 1840». No digo nada nuevo. Prefirió estudiar sobre todo a los exiliados románticos, a los liberales y libertarios. Lo hizo porque consideró que en términos intelectuales esa generación era más interesante que las que siguieron, más volcadas a la acción que al pensamiento. Sus retratos están escritos con una pasión mimetizada, por decirlo así, de la pasión política e intelectual de esos personajes. Por otro lado, hay una urgencia contemporánea en lo que escribe Berlin. Con la autoridad de esos pensadores del XIX, afirmaba el valor de la libertad frente al totalitarismo. Por eso traía al presente la pasión libertaria de Bakunin. Y frente a los deterministas o partidarios de la sociedad cerrada, recordaba su *motto* preferido de Herzen: «La historia no tiene libreto.»

Los valores de Herzen eran sus valores: un socialismo libertario, opuesto a los privilegios del poder absoluto y la intolerancia de la ortodoxia.
Y mucho más: un pensamiento alérgico a las abstracciones, a las grandes teorías, a las ideologías de Hegel y Marx, a las visiones colectivistas. Una obra de arte, dice Berlin, llena de matices humanos, abierta a la diversidad del mundo, a la irreductible pluralidad de los hombres. Herzen, además, polemizó valientemente contra los jóvenes radicales, les decía «biliosos». No sin contradicción, era revolucionario, pero predicaba el lema: «Destruir no es construir.» Herzen hacía honor a su nombre, cuya raíz es «corazón». Sin ambages defendía el arte, el legado cultural y las libertades de Occidente. Pero no perdió la raíz rusa: respetó la vida del campesino ruso, en la que, sin connotaciones religiosas, veía una posibilidad autóctona de vida futura. Berlin estaba de acuerdo en cada punto. Tenía algo de populista ruso. Al tocar de paso el tema en aquella entrevista con Berlin, le dije –sin mencionar a Zaid– que había teorías sociales en Latinoamérica que proponían una reivindicación de la vida campesina en el sentido de Chernyshevski: poner la tecnología occidental al servicio de la cultura campesina, no para cambiarla, sino para fortalecerla. Y me dijo que era una idea que había escuchado de ciertos amigos suyos en Italia, y que le parecía excelente.

¿Hubo ausencias en Pensadores rusos?

Bueno, sí. Pushkin, Lérmontov, Gógol. No es un libro exhaustivo ni una historia de la literatura rusa. Es un libro personal. Aunque dedica un capítulo a Bakunin, faltó la otra ala del anarquismo, la de Kropotkin. Por algún motivo que se me escapa, no le interesó. Y eso a pesar de que Kropotkin, con su sensibilidad literaria y su temple suave, y más pacifista que violento, era quizá más afín a Herzen. Pero hay que considerar que *Pensadores rusos* se ocupa sobre todo de la generación de 1840. Lérmontov pertenecía a esa generación, pero murió absurdamente, como Pushkin, en un duelo. Dicho todo lo cual, por supuesto que en *Pensadores rusos* hay una ausencia muy significativa: Dostoyevski.

Por ahí habías comenzado la conversación. Le dijiste que Los demonios, *de Dostoyevski, estaban sueltos en América Latina.*

Pero no podía hablarme del tema porque apenas se refería a ellos. Le eran tan ajenos o repelentes como su autor.

Berlin no escribió casi sobre Dostoyevski. ¿Por qué?

A Ramin Jahanbegloo le dijo que Dostoyevski era un gran genio, pero no encontraba muy atractiva su filosofía de vida. Le parecía «demasiado religiosa y clerical». Confesó cándidamente que al leer a Dostoyevski se ponía nervioso, como preso de una pesadilla, de un mundo obsesivo y siniestro del que uno solo se quiere escapar. Por eso nunca quiso escribir sobre Dostoyevski. Le parecía un «talento cruel». Un lente que magnificaba la miseria humana y que, aplicado a la página, incendiaba sus contornos. «Es demasiado fuerte, demasiado oscuro y aterrador para mí», le dijo al filósofo iraní, y agregó que era «irremediablemente laico» y por eso no le gustaba ese «tipo de cristianismo donde la santidad linda con la locura». En otro momento dice: «Carezco de una mentalidad teológica, soy una persona secular, sin esperanza de dejar de serlo.» Berlin, por supuesto, estaba en su derecho de escribir sobre sus afinidades electivas, pero no se puede entender el espíritu de la Revolución rusa, con un enfoque meramente secular, sin tomar en cuenta la dimensión religiosa y cristiana que incidió de modos profundos y complejos en ella, tal como los vislumbró Dostoyevski.

¿Berlin no veía esa dimensión profética de Dostoyevski con respecto a la Revolución rusa?
Lo curioso es que sí la veía. Y la aceptaba. No solo eso: pensaba que la reacción de Dostoyevski al estalinismo habría sido la misma que la de Solzhenitsyn. Pero tampoco valoró mucho a este último, cuya advocación profética fue complementaria a la de Dostoyevski: dejar testimonio del horror del gulag.

Berlin habla mucho de Bazárov, el nihilista de Padres e hijos. *Quizá ese era su prototipo del poseído.*
Pero no el de Dostoyevski. Leí *Padres e hijos* en aquel tiempo y te diré que me dejó bastante frío. Bazárov pertenecía a la generación de los poseídos, pero no era uno de ellos. Berlin pensaba que Bazárov era un nihilista, no un poseído. Dostoyevski pensaba que no era ni una cosa ni otra. En *Los demonios* se burla de él. Stepán Trofímovich, el viejo protagonista liberal de la novela, prototipo de la generación de 1840 (contemporáneo de Turguénev, Herzen, Belinski), dice que Bazárov es «un personaje ficticio sin equivalencia con nadie en la realidad». Una «copia confusa de Lord Byron». No sé si estás de acuerdo, pero la radicalidad de Bazárov es como formal, abstracta, mental. Bazárov predica, no arde, como los protagonistas de Dostoyevski. «Hay fuego en la mente de los hombres.» La frase es aplicable a todos los conspiradores trágicos de la novela, no a Bazárov.

Me sigue intrigando la distancia de Berlin frente a Dostoyevski.
No olvides un dato triste. Dostoyevski era abierta, decidida, profundamente antisemita.

Sin embargo, Berlin escribió sobre un irracionalista alucinado, contrapunto explícito de Kant: Hamann, el llamado Mago del Norte. Un iluminado de la fe y convencido de que no podíamos privarnos de las pasiones ni controlarlas porque era tanto como debilitar el genio y mutilar nuestros miembros.

Yo entiendo ese interés por el otro lado de la razón. En 1981 me dijo que estaba trabajando en los orígenes del romanticismo, que consideraba la mayor mutación en el pensamiento europeo desde el Renacimiento. El romanticismo había hecho temblar a la tradición clásica, la creencia en el conocimiento objetivo del bien y el mal, la belleza y la fealdad, lo noble y lo innoble, incluso de la verdad lógica y fáctica. El romanticismo era responsable de la idea de que los hombres o los colectivos no descubren los valores: los hacen, los crean. Una idea letal, quizá la más dañina. En esa misma vena se acercó al irracionalismo. Esos perfiles intelectuales enriquecen su obra. Europa fue y sigue siendo ese circo humano en el que batallan la razón y la sinrazón. Lo que no entiendo es su omisión de la religión como factor central en la conducta humana, sobre todo en la genética de la Revolución que tanto le atraía. Para mí la religión –o, más bien, sus distorsiones diabólicas– representa un motor histórico más decisivo que el ideario romántico o el irracionalismo. Las graves profecías de Heine aludían a los dioses teutones. Los desvaríos mesiánicos pertenecen a la esfera mística. Y el fuego revolucionario tiene que ver con el vacío de la fe que describió Dostoyevski.

Pero, más allá de los prejuicios que señalas, ¿por qué esa reticencia a hablar de la razón y la fe?

Quizá porque, para usar la terminología de Ortega, siendo un historiador de las ideas, le importaban más las ideas que la historia. Y en la historia las creencias cuentan más que las ideas.

¿Cómo explicas la actitud de Berlin ante la religión?

Berlin no solo provenía de una familia de rabinos, sino de una de las figuras emblemáticas de la ortodoxia judía, rabí Schneur Zalman Schneerson, el famoso Lubavitcher Rebbe. Una especie de mesías local. No se ufanaba de eso. Más bien quiso ser libre frente a ese dato teológico. Al triunfo de la Revolución rusa, partió a una larga travesía emancipadora. La energía, la novedad, el júbilo de la emancipación recorre sus páginas. Berlin parece querer devorar en unos años toda la cultura occidental. Pero tuvo una ventaja abismal: creció, se educó, escribió y vivió siempre en Inglaterra. El país de la tolerancia.

En 2014 publicaste un prólogo para las obras completas que edita la Universidad de Princeton. Hay ahí una interpretación biográfica sobre su actitud frente al origen judío, que es el tema que estamos tocando.

Yo creo que este hombre, este hijo de la mejor tradición humanística, fue liberal primero, y ante todo, respecto a su propias raíces. Fue liberal *dentro* para ser liberal *fuera*. Ejerció la «libertad negativa», primero, frente al judaísmo. Ser judío a su manera. En ese prólogo abordó su distancia con respecto a la ortodoxia y la tradición. Así, por cierto, veía Berlin a Proust: «Convirtió su desarraigo en una suerte de punto de apoyo, el punto de Arquímedes, lejos de todos los mundos, para verlos mejor». No había desarraigo en su caso, pero sí distancia. En ese sentido, al hablar de Proust hablaba de sí mismo.

Pero inequívocamente seguía siendo judío.

Me dijo: «Nunca he deseado ser o no ser judío. Nunca he estado orgulloso o avergonzado de serlo, como no lo estoy de tener dos manos, dos pies, dos ojos...».

¿Le creíste?

No enteramente. Su judaísmo no era tan olímpico como pretendía. Y por eso escribí ese ensayo: «El profeta Isaiah». Pero no había arrogancia en esa pertenencia. Después de todo, apenas toca el tema judío en sus libros. Ese tema es mucho más acuciante y complejo en sus cartas.

Isaac Deutscher te descubrió la idea del «judío no judío». Un campo inmenso de estudio, que ya habías explorado con tu abuelo Saúl. ¿Estas ideas le interesaban a Berlin?

Los «judíos no judíos» le interesaban como una patología de la identidad. Ya hemos tocado su visión psicológica de Marx, similar a la de Wilson, con la que concuerdo, si bien insisto en que no puede considerarse más que parcial. Pero te refiero algo sobre Heine.

Uno diría que como liberal debió apreciarlo, pero no. De joven, Berlin escribió un poema críptico contra Heine, por su conversión al luteranismo. Se burlaba de su nombre francés, Henri. Le faltó empatía. Para Heine el tema del judaísmo fue desgarrador, un problema de vida o muerte. Para Berlin lo fue mucho menos, porque vivía en Inglaterra. Se propuso lo mismo que Heine: ser amado como escritor en su patria. Y, a diferencia de Heine, lo logró. Berlin nunca cambió su nombre. Se llamaba Isaiah y fue enterrado según el rito judío en la sección judía del cementerio de Oxford.

¿Tuvo Berlin relación con Deutscher?

Berlin y Deutscher fueron los enemigos más acérrimos. Tanto que hace poco salió un libro excelente sobre ese tema: *Isaac and Isaiah: The Covert Punishment of a Cold War Heretic*, del escritor inglés David Caute. Es muy crítico de la ortodoxia marxista de Deutscher, una ortodoxia que le impidió protestar públicamente contra los crímenes de Stalin. Nada menos. Una ortodoxia que lo llevó a criticar a Orwell, como un simpatizante de la causa de Estados Unidos. ¡Hazme el favor! Pero Caute también critica a Berlin por haberle cerrado las puertas académicas a Deutscher, que a sus ojos encarnaba todo el mal de la Unión Soviética. El libro es crítico con los dos. Lo cual es un homenaje a los dos.

¿Y en el tema de la identidad?

Deutscher era un judío creyente en la fe marxista. Por eso veía el mundo bajo el prisma de la religión: herejes, conversos, renegados, santos. Berlin era un espíritu secular. Un judío inglés liberal. Su oposición era irreductible. Y lo era más porque Deutscher, a pesar de su distancia de Stalin, seguía creyendo en la validez y vigencia de la Revolución rusa. Berlin, como hemos hablado, era un enemigo de esa Revolución y ese régimen. No un crítico. Un enemigo. Y volvió a Deutscher su enemigo personal.

¿Cuál fue la relación entre Hannah Arendt e Isaiah Berlin?

No conozco la opinión de Arendt. Berlin la consideraba abstracta e ilegible.

Pero es extraño. Ambos son pensadores judíos de alcance universal, ambos se opusieron a los sistemas totalitarios, defendían a la persona frente al Estado.

Hay oposiciones de fondo: la filosofía alemana y el empirismo inglés, la cultura continental y la inglesa, el judaísmo centroeuropeo y el ruso, la cultura política americana y la británica, el antisionismo y el sionismo. Berlin privilegiaba el discurso de la libertad y Arendt el de las instituciones que limitan la concentración de poder personal. El foco del primero era el estalinismo, el de la segunda el nazismo. Berlin, como buen británico, ponía el acento en la libertad individual. Arendt, formada en Alemania en estudios clásicos, refugiada en Estados Unidos, apreció el federalismo y el republicanismo. Ambos se oponen al poder absoluto o dictatorial del siglo XX, pero desde trincheras distintas.

¿Volviste a verlo?

Dos años después. Habíamos vuelto a Oxford, ya con dos hijos, León de siete años y Daniel de casi un año de edad. Lo visité en su casa de Headington, cerca de Oxford. Berlin estaba ya traducido en Alianza Editorial en España, pero creo que la entrevista contribuyó a que el Fondo de Cultura Económica publicara *Pensadores rusos* en 1984. En 1990 apareció un libro suyo cuyo título era, precisamente, aquella cita de Kant: *The Crooked Timber of Humanity*. Nos cedió los derechos y lo publicamos en la editorial Vuelta, tomándonos una licencia: *Árbol que crece torcido*.

Una apelación a Kant, el moralista que sigue soportando nuestras cada vez más cuestionadas democracias.

Y sin embargo, la razón persevera, la libertad respira, la democracia se mueve.

Después de aquel último encuentro seguiste leyéndolo, obviamente.

Sí, leyendo sus libros, y los libros sobre sus libros. Pero no sin sentido crítico. ¿No es la crítica esencial al liberalismo?

Se dice que los autores después de morir pasan por un purgatorio de veinte años en los que se salvan o pasan al olvido. No está olvidado.

Berlin murió serenamente en 1997, pero no pasó por un purgatorio porque tuvo la inmensa fortuna de contar con un editor que fue como un hijo, Henry Hardy. En realidad, fue más que un hijo. No conozco un apostolado editorial como el suyo. No solo editó después de la muerte de Berlin varias obras inéditas y organizó las antiguas en nuevas ediciones, sino que creó una biblioteca virtual que es como un museo de las obras, las ideas, las travesías intelectuales de Berlin. Hardy ha sido tan devoto de Berlin que vino a Cuernavaca y fuimos en busca del lugar exacto en la «Casa Mañana» de Morrow donde se tomó la foto Berlin. Ya no existía. Por si fuera poco, editó en tres gruesos volúmenes la correspondencia de Berlin, que es tan rica en contenido, tan impresionante en cuanto a la calidad de sus corresponsales, que al hojearla uno piensa que ese era el género (y el genio) propio de Berlin: la conversación personal o epistolar.

¿Berlin te ayudó a responder a tu propia inquietud sobre la identidad?
Aquella pregunta me siguió rondando, pero ya no de modo obsesivo. Habiendo nacido y crecido en el seno del judaísmo polaco trasplantado a México, decidí incorporarme plenamente a la corriente cultural mexicana, que de suyo se había revelado en mí como una pasión personal y propia. Pero lo hice sin renunciar a aquel legado. ¿Por qué habría de hacerlo? Como Berlin, nunca volví la espalda a mi origen, permanecí en los márgenes del judaísmo participando libremente de su legado cultural, pero sin vinculaciones ortodoxas, nacionalistas, ideológicas. Y, desde la óptica de aquella formación original en la familia y la escuela, veía el mundo que estaba más allá de mi paisaje original: el mundo de México, de América, de Europa. En ese aspecto, encontré en Berlin un modelo. No es un heterodoxo. Es un pensador que abraza el liberalismo y la cultura británica viniendo de esa Rusia judía de la que huyó su familia con la Revolución. Y se vuelve sir Isaiah Berlin, más británico que el más británico. Todo ello hablando hebreo y conociendo la historia judía, de la que, sin embargo, casi no escribió. Cuando conocí a Berlin, descubrí que se podía tener una identidad plural.

Leszek Kołakowski: la razón y la fe

Quiero que me cuentes de tu relación con Leszek Kołakowski. Lo entrevistaste en tu segunda estancia en Oxford, en 1983.

Berlin me recomendó buscar a Kołakowski, su vecino y colega en All Souls. Lo respetaba mucho, pero no sé si se frecuentaban. Me dio una clave sobre el filósofo polaco: «Inglaterra es una isla en el mundo, Oxford es una isla en Inglaterra, All Souls es una isla en Oxford, Kołakowski es una isla en All Souls». La lectura de su obra y luego su amistad fueron mi vínculo más estrecho con la lucha de Polonia por la libertad, que es idéntica a la lucha de la libertad contra el totalitarismo.

En 1980 había estallado el movimiento del sindicato Solidaridad en Polonia. Creo que, visto a la distancia, fue el principio del fin de la Unión Soviética, pero ¿se le vio así en ese momento?

Fue un parteaguas, no cabe duda. *Vuelta* había acompañado la lucha de los obreros, universitarios, periodistas, intelectuales y sacerdotes polacos desde sus primeros números. Así que, cuando apareció Solidaridad, le dimos una bienvenida inmediata con un texto de Kołakowski (colaborador desde *Plural*) y Jan Gross sobre la Iglesia y la democracia en Polonia. El nombramiento en 1978 de un papa polaco, Juan Pablo II, alentó la aspiración nacional en Polonia, y la Iglesia, que ya era un contrapeso considerable, lo fue más. Aunque en 1980 nadie podía predecir si la liberalización política que conquistaron los obreros polacos era definitiva, estaba claro que la huelga en Gdansk era uno de los acontecimientos prometedores de las últimas décadas. En *Vuelta* hicimos el recuento inmediato de sus conquistas. Y junto al liderazgo sindical, un nuevo liderazgo intelectual –hermano del checo y, como él, nacido en las protestas del 68– se perfilaba en Polonia.

¿Te tocaba una fibra personal el drama de Polonia?

Yo conocía la historia polaca, país casi crucificado por dos imperios, el ruso y el austrohúngaro, que veinte años después de reconquistar su independencia cayó de vuelta bajo el yugo de los nazis en

1939 y luego de la URSS. Por eso, y quizá también por una reminiscencia de la vieja patria polaca que alojó a mis ancestros por un milenio, me emocionó el movimiento. Y escribí un texto condenando el golpe del general Jaruzelski, apoyado por la URSS, contra Solidaridad. En ese tiempo nublado –como diría Paz– entrevisté a Kołakowski. No obstante, se mostró convencido de que las contradicciones de la URSS, en particular el viejo tema de las nacionalidades oprimidas y la ineficiencia económica estructural del sistema, terminarían por destruirla, incluso pacíficamente. Kołakowski veía la luz al final del túnel. Creo que fue la primera vez que yo mismo, guiado por él, vi esa luz.

Hablaron de muchos temas. Ahora que hemos recorrido tus lecturas de esos años, entiendo mejor las preguntas puntuales que le formulaste. Era como si te hubieras preparado para encontrarlo precisamente a él, al mayor experto en la historia intelectual del marxismo, y cotejar tus lecturas con su visión amplísima.

Es cierto lo que dices, y creo que fue una búsqueda deliberada. El totalitarismo soviético no estaba ya en su apogeo, menos aún como una ideología asumida genuinamente por millones de habitantes de ese orbe. Era un sistema de dominación absoluto sobre el individuo y la sociedad, un sistema militarizado, económicamente ineficiente, opresivo, nada más. Pero por razones muy variadas y complejas (algunas las hemos conversado tú y yo), en varios países de Occidente (particularmente en Francia, también en la academia americana, y desde luego en América Latina) esa realidad totalitaria se veía –cuando se la veía– como algo ajeno al marxismo o como una derivación accidental y pasajera de él. Esa desconexión entre el universo totalitario y el marxismo dejaba a este a salvo y las polémicas que se daban, feroces a veces, eran siempre dentro de la misma tradición. El marxismo seguía siendo vigente como pensamiento, como proyecto y, con todas sus distorsiones, como realidad política. Enfrentarlo era una misión esencial de *Vuelta*. Por eso nuestra batalla no era académica: era histórica. Si queríamos transitar a la democracia liberal en América Latina y México, era preciso que la izquierda, joven y pujante en medios académicos, conociera la verdad histórica del socialismo real y ejerciera una autocrítica. Esa fue la gran tarea, la ingrata tarea, de Octavio Paz. Por mi parte, quise conocer de cerca lo que había ocurrido en Rusia para reunir elementos de debate, pero no me bastaban las lecturas que había hecho por mi cuenta. Soñaba con discutir esas lecturas e ideas con los grandes intelectuales vivos que escribían en *Vuelta*. Necesitaba cotejarlas. Y tratándose del marxismo, la revolución y el totalitarismo soviético, ningún interlocutor era comparable con Kołakowski.

Ese cotejo se nota en la entrevista. Te confirmó, por ejemplo, que en Marx había una inspiración mesiánica judía, aunque no la relacionó con su propia familia asimilada, sino con Moses Hess. Te confirmó también la contigüidad del marxismo con la religión.

Consideraba al marxismo una caricatura degradada de la religión porque la religión cristiana deslindó siempre el ámbito secular del sagrado. Además, el cristianismo ha admitido críticas y autocríticas. Y, a fin de cuentas, la Iglesia fundaba su existencia en una verdadera fe en la doctrina, mientras que en el caso del marxismo se trata de una ideología que se presenta, de manera incompatible, como ciencia y como fe. Su descripción del marxismo como un nuevo milenarismo hizo eco con los movimientos mesiánicos que estudió Gershom Scholem. Trazó un paralelo entre el convencimiento profético de los marxistas y las sectas que se empeñan en calcular el día del juicio final o del segundo advenimiento. Vale la pena releerlo:

> Si el día llega y la profecía no se materializa, admiten con amargura haber incurrido en algún error de cálculo, pero su fe no se fractura. Pronto hacen una nueva predicción a prueba de equivocaciones. Lo mismo ocurre con el marxismo. Una vez que se adopta la certidumbre ideológica, nada la afecta: sí, claro, todo mundo reconoce haber cometido algunos errores –la masacre de 50 millones de personas, por ejemplo–, pero el principio queda intacto. Nada conmueve al verdadero creyente.

Desde tus lecturas de Weber y por tu formación judía tendiste a identificar ese sustrato religioso en la sociedad y la política. Supongo que por eso te interesó aún más Kołakowski. Un filósofo de la religión.

Kołakowski fue un filósofo de la fe en todas sus versiones, las genuinas y las adulteradas, las que creen en el Dios trascendente y en el «Dios que falló», y también en el Dios natural de Spinoza. Yo he sido un historiador de las ideas aficionado por mi origen a temas religiosos.

Pudiste cotejar de alguna forma tu visión de los heterodoxos Spinoza, Heine y Marx. Y las variantes del mesianismo en Scholem, Benjamin, Toller, Lukács y aun en Kafka.

Me habría gustado hablar de todos esos autores en aquella conversación, y algo pude deslizar esa tarde, pero estaban presentes tácitamente. Kołakowski no desmintió las ideas que me había formado y las enriqueció con su perspectiva singularísima de filósofo. Hasta entonces mis baluartes eran Max Weber (que previó los cataclismos del liderazgo carismático del siglo XX), los anarquistas y los escritores que tocaron la nota disonante en el concierto totalitario: Orwell, ante todo, pero también Russell, Koestler, Popper, Aron, Camus, Thomas Mann. Había hablado con Irving Howe y leído a Daniel Bell, críticos americanos de un fenómeno que los comprometía intelectualmente y preocupaba moralmente, pero no amenazaba a su país. Tenía yo muy cerca a Octavio Paz, pero, con toda su sabiduría sobre el tema de la URSS y el marxismo, finalmente era un poeta y ensayista. Yo necesitaba hablar con un filósofo.

Habías leído a Popper, y ya para entonces leías y conocías a Isaiah Berlin, que fue sin duda quien te influyó más…

Isaiah Berlin me atrajo de varias maneras, pero no en particular como filósofo. Yo necesitaba hablar con un filósofo que hubiera vivido dentro del monstruo. Ese filósofo era Kołakowski. ¿Quién era comparable? Solo Solzhenitsyn en la historia, Havel en el teatro, Sájarov en la ciencia y el heroísmo cívico. Pero entonces estaba fuera de mis posibilidades conocerlos.

A Kołakowski le pudiste preguntar hasta de la teología de la liberación, que era tan importante como fondo doctrinal de la revolución latinoamericana.

Me dijo que reprobaba la teología de liberación porque contradecía el mensaje central de amor del Evangelio, que por lo demás separa claramente el reino de Dios del reino del César.

Pero más allá de la crítica de la ideología como caricatura de la religión, en la entrevista defendió, como un liberal a la inglesa, la democracia, la libertad y los derechos humanos.

Pero no era un liberal a la inglesa, tampoco un conservador a ultranza o un dogmático socialista. ¿Qué era en términos ideológicos? En *Vuelta* traduje un pequeño texto suyo «Cómo ser un conservador-liberal-socialista», donde demostraba que esas corrientes tienen puntos universalmente válidos y no son irreconciliables. Ese texto revela mucho a Kołakowski: era inclasificable, lo cual no quiere decir ecléctico. Se habría sentado a la mesa con Edmund Burke, John Stuart Mill y Eugene Debs o Kautsky. Incluso con el anarquista Proudhon.

Precisamente en esa entrevista te habló de manera elogiosa sobre la tradición anarquista, confirmando las anticipaciones de Bakunin y Proudhon, y el dictamen de Kropotkin y Emma Goldman sobre la naturaleza dictatorial del marxismo y el bolchevismo que habías estudiado. Tenía presentes las críticas anarquistas de otros autores, como el americano Benjamin Tucker y el polaco Edward Abramowski.

Hizo una distinción entre causa y conexión, y afirmó que había una conexión entre el marxismo, el leninismo y el estalinismo. Este era un tema central para Kołakowski, producto de diez años o más de trabajo. En 1981 había publicado *Main Currents of Marxism: Its Rise, Growth and Dissolution*, clásico insuperable que cubre a todos los pensadores, corrientes y etapas. Tiene el rigor de una gigantesca refutación intelectual y moral escrita por un exiliado de ese sistema. Mi amigo Leon Wieseltier –que fue su discípulo en Oxford, en 1975– piensa que, en lo intelectual, esa obra de demolición es equiparable al *Archipiélago Gulag* como historia testimonial. Tras estudiar aquella «patrística marxista», concluyó que no se necesitaba distorsionar fundamentalmente al marxismo para legitimar con él al Estado en las sociedades del tipo soviético. Es verdad que Marx predijo la disolución eventual del Estado con la llegada de la sociedad sin clases, pero la promesa de un paulatino desvanecimiento del Estado en cien, mil o diez mil años –decía Kołakowski– no es un gran consuelo. Tony Judt escribió sobre ese libro: «A monument of modern humanist scholarship.» Casi mil trescientas páginas. Uno no lee libros así de corrido, uno los picotea, los consulta, pero no como una fría enciclopedia, sino como las mil y una noches del pensamiento marxista. Su tema es el mismo que *Hacia la estación de Finlandia*, pero el libro de Wilson en comparación es una novela perceptiva, inspiradora y finalmente romántica. Kołakowski es otra cosa: un historiador y un filósofo. Con la perspectiva histórica integral que proporciona, uno entiende la fascinación por el marxismo, sus orígenes ilustrados y románticos, sus resortes religiosos e irracionales, sus ecos con los movimientos quiliásticos, los agravios sociales a los que legítimamente respondía y las pasiones agresivas que colmaba. «El marxismo es la mayor fantasía del siglo xx», dice Kołakowski, fantasía por la falla de sus dictámenes científicos y sus profecías, pero fantasía también en el sentido humano, demasiado humano, de soñar con un mundo perfecto. El espectro que cubre el libro es mucho más amplio que el de Wilson: desde la prehistoria de sus supuestos filosóficos hasta las últimas corrientes revisionistas.

Como La sociedad abierta y sus enemigos, *de Popper.*
Obras paralelas y complementarias. Popper cubre un tiempo similar, pero es puramente filosófico. Prueba su hipótesis de Platón a Marx. Kołakowski perfila a cada pensador: los datos fundamentales de su vida, su conexión con el pasado y su contexto social e intelectual, y sobre todo la obra, cada una analizada con escalpelo. No es injusto con Marx. En cierta forma, este «monumento» es un homenaje a Marx, sobre todo al Marx historiador de la vida material de la sociedad, un clásico como Aristóteles o Descartes. Y cuando Kołakowski habla del genio de Lenin, por ejemplo, presenta al polemista implacable y cruel que, sin embargo, es capaz de mostrar cierta ductilidad ante la realidad, todo para lograr el fin último de alcanzar el poder absoluto para su causa histórica, en la que cree de manera absoluta. El contraste con Stalin es obvio, porque a Stalin lo movía la venganza. Pero también con Trotski, cuya defensa del terrorismo frente a la

democracia y la supuesta «sacralidad de la vida humana» hiela la sangre. Según Kołakowski, ese escrito, *In Defense of Terrorism*, es la más completa formulación teórica del bolchevismo. Kołakowski considera a Trotski un intelectual brillantísimo pero soberbio y, en el fondo, políticamente irresponsable. Solo tengo un reparo con él: Kołakowski no cita a un solo latinoamericano. Y como llega hasta la «Nueva Izquierda» y el maoísmo, debió incluir al Che. Y con mucha mayor razón, entre los pensadores del siglo xx, a José Carlos Mariátegui.

¿Qué habías leído de Kołakowski antes de aquel encuentro?
Lo primero que leí suyo a principio de los setenta fue *El hombre sin alternativa*. Kołakowski iba de salida del marxismo, pero aún no se asumía como el crítico integral que se volvería al poco tiempo. Leí luego sus ensayos en *Plural*, gestionados por Octavio, que lo conoció, según creo, en Inglaterra. Su arma predilecta era la ironía. En *Vuelta*, me sometí a un curso de pensamiento kołakowskiano. Recuerdo por ejemplo una reseña que caracterizaba las teorías del marxismo de manera hilarante: la psicoanalítica (Marx odiaba a su padre), la estructuralista (galimatías), la marxista-leninista occidental (Marx fue un precursor del tirano Enver Hoxha), la marxista-leninista soviética (representada por doscientos millones de ciudadanos soviéticos devotos del marxismo-leninismo y sus líderes) y la francesa-dialéctica-marxista-existencialista (ilegible). La primera le parecía muy «ingeniosa», la segunda muy «científica», las dos siguientes muy «revolucionarias», la quinta muy «profunda». Es la primera vez que me reí del marxismo-leninismo.

Pero estaba caracterizando algo muy serio: la hegemonía del pensamiento marxista en los setenta, cuando el mundo ya sabía del Archipiélago Gulag.
El marxismo occidental en los setenta estaba vivo. No recuerdo discusiones sobre Víctor Serge y ni siquiera sobre Trotski, pero sí sobre Althusser y Poulantzas, Bloch y Lukács, Adorno y Goldman, Löwy y Kosík, el Che Guevara y Castro.

Remó contra la corriente.
¡A qué grado! Hemos hablado de la atracción que ejerció la

Revolución rusa a lo largo del siglo en varias generaciones de escritores e intelectuales. La hegemonía del pensamiento marxista no se había alterado mayormente en Francia y América. Pero ¿qué ocurría en Inglaterra? Algo que me sorprendió mucho en los setenta, antes de conocer a Kołakowski, fue su polémica con el eminente historiador inglés E. P. Thompson, autor de *The Making of the English Working Class*. Yo admiraba a Thompson por ese libro maravilloso que remonta la conciencia obrera a la obra de William Blake, dándole a la historia social una insospechada dimensión artística, cultural e incluso mística. Y lo admiraba por la crítica a Althusser en el libro *The Poverty of Theory*. Ese era para mí (lo sigue siendo) el marxismo con bases empíricas, el más rescatable. Pero en ese mismo libro Thompson publicó una carta infinita contra Kołakowski reclamándole, en esencia, haber traicionado la causa comunista. Thompson no vindicaba propiamente el estalinismo, pero afirmaba textualmente que «cincuenta años es muy poco tiempo para juzgar un nuevo sistema social» y que el comunismo soviético había mostrado su «cara humana» entre 1917 y los primeros veinte, así como entre 1943 y 1946. Kołakowski hizo el recuento de los horrores de esos cincuenta años y de esos supuestos paréntesis. ¿Cómo explicar entonces la postura de un historiador tan serio? Porque Thompson, el gran historiador, no podía dejar de recurrir a la vieja doble moral.

Para entonces estaba inmerso en aquel proyecto mayor de revisionismo.

Vuelta formaba parte de esa pequeña corriente revisionista. El texto más importante que publicamos de Kołakowski fue «Marxismo y nacionalismo», traducido por una poeta uruguaya muy cercana a *Vuelta* y muy querida, Ida Vitale. Lo edité como si estudiara en un seminario. Si hubo un punto ciego en la teoría marxista, es el del sentimiento nacional. Marx no lo tomó nunca en serio porque lo veía como un vestigio. La nación era una más de las formaciones «alienadas» que el comunismo superaría, tanto las formaciones «racionales» (el Estado, la propiedad privada, las instituciones políticas, el dinero) como las «irracionales» (la religión, la familia, la tribu, las etnias y naciones). Esta era la concepción original de Marx que en el siglo xx defendieron los más internacionalistas entre los comunistas: Rosa Luxemburgo,

713

Trotski y Bujarin. Lenin, más pragmático, pareció ver antes de morir la necesidad de flexibilizar la actitud del Estado frente a esas formaciones, pero Stalin terminó por llevar el esquema a sus últimas consecuencias. Entre salvar la idea revolucionaria y perder el poder, o perder la idea revolucionaria, pero salvaguardar el poder, Stalin prefirió lo segundo: salvaguardar el Estado supuestamente proletario.

Traducido a la práctica, es la hambruna de Ucrania, la colectivización forzosa de los campesinos, el aplastamiento de la cultura y la lengua de esa nación.

No solo eso. El Estado soviético acumuló tal poder que pudo darse el lujo de asimilar el viejo nacionalismo ruso y se volvió guardián perfecto del antiguo imperio. Y si aplastaba la autodeterminación de las nacionalidades, era por un bien mayor o por su propio bien: la defensa del Estado socialista que las cobijaba. Como polaco, Kołakowski entendía la perversión de ese razonamiento. Sabía que uno podía amar a su país, ser cristiano heterodoxo, ser socialista, buscar la libertad. Sabía que el esquema soviético estaba construido para negar esa pluralidad, pero presentía que aquellas «formaciones», sobre todo las «irracionales», sobrevivirían al comunismo soviético. Y tuvo razón en Rusia y Europa, donde el nacionalismo (a veces, por desgracia, extremo) ha sobrevivido al marxismo. No obstante, el pensamiento de Kołakowski no penetró a las universidades mexicanas o latinoamericanas ni al debate, hasta que la realidad misma en 1989 cimbró el Estado soviético al grado de derrumbarlo poco después. Fuera de *Vuelta*, en México, pocos leían a Leszek Kołakowski.

¿Qué sabías en 1983 de la vida de Kołakowski? ¿Qué supiste después?

Entonces, poco; después, un poco más. Sé que su padre era un librepensador y al parecer lo asesinaron los nazis. Leí que durante la guerra fue autodidacta, que estudió por su parte el pensamiento griego, el Nuevo Testamento. Fue un crítico feroz del catolicismo y del cristianismo, en general. Muy joven abrazó el marxismo como reacción al nazismo y por convencimiento de que presagiaba una sociedad más justa. Escribió en esa línea varios textos que solo conozco por referencia. En un artículo reciente leí que a principio de los cincuenta atacó a Bronislaw Dembowski, uno de los pocos exponentes de la filosofía liberal en Polonia. Y algo peor, definía a Dios en términos que habrían escandalizado a Spinoza: «El autor intelectualmente mediocre de una supuesta autobiografía conocida como la Santa Biblia».

Un inquisidor anticlerical

Brillantísimo, además. Pero esos escritos tempranos fueron quedando atrás cuando en los años cincuenta, ya siendo la estrella ascendente de la filosofía polaca, Kolakowski comenzó a interesarse profundamente en la religión cristiana y judía. Con su dominio del griego y el latín, se adentró en la patrística, conoció a grandes teólogos neotomistas. Vivía a caballo entre la religión y la filosofía. Te imaginarás mi entusiasmo cuando me enteré de que en 1953 se doctoró en la Universidad de Varsovia con una tesis sobre Spinoza. Esa tesis y otros escritos (incluido uno muy exhaustivo sobre Uriel da Costa) aparecieron después en su primer libro *La doble mirada de Spinoza*. Lo leí, y constaté que su pasión en esos años –pasión duradera, por cierto– fue entender a la religión y al cristianismo, no desde la historia eclesiástica o desde la teología ortodoxa, sino desde el mirador de movimientos, corrientes o personajes de alguna forma heterodoxos. Estudió a los llamados «cristianos sin iglesia». Escribió, naturalmente, sobre Erasmo y también sobre Pascal. Esa inmersión le dio una perspectiva inmejorable para entender al marxismo y sus derivaciones ideológicas en el siglo XX. El pensador de la religión entendería la caricatura de la religión.

Se diría que estaba buscando su genealogía

Quizá, porque sin duda estaba tomando distancia del comunismo. El primer atisbo lo tuvo a partir de un viaje a la URSS en 1950, del que cuenta cosas muy chuscas, pero significativas. (De paso, te digo, Kołakowski era un gran narrador, tenía anécdotas notables en forma de parábolas.) Un día visitó el Museo del Hermitage y el guía les habló de que en las bodegas guardaban muestras del decadente, despreciable arte burgués: Matisse, Cézanne, Picasso, etcétera. En otra visita que hizo siete años más tarde, muerto Stalin y tras el famoso congreso de 1956, el mismo guía les mostró las joyas inimitables, los grandes tesoros del museo: los cuadros de Matisse, Cézanne y Picasso. Kołakowski concluyó que el guía no mentía, porque era un autómata para quien la verdad era la verdad que le ordenaban sus jefes. Entendió, como Orwell, que la entraña del totalitarismo es la mentira, la mentira omnipresente y multiplicada por el Estado. La mentira destruye a la persona, pero para un filósofo asumir la mentira es la degradación última. Por eso se culpó de haber participado en esa mentira. Es importante notar que, ya en sus años de gran fama, Kołakowski reconoció la dimensión universal de Orwell. Orwell y Kołakowski, tan distintos, son escritores diáfanos.

¿Pero cómo ocurrió ese distanciamiento con el Partido?

El Congreso soviético de 1956 debió ser un punto de quiebre. Y sobre todo la revuelta antisoviética de octubre de ese año en Polonia, que a diferencia de la húngara fue el principio de una década de deshielo. He leído algunos textos que censuraron las autoridades universitarias en los cincuenta y que en los ochenta publicamos en *Vuelta*. Uno, significativo porque su tema es justamente la mentira, se titula «¿Qué es el socialismo?». Comienza por enumerar para la audiencia una treintena de rasgos de lo que «no es el socialismo» (todas las facetas de la opresión que te imagines) para terminar así: «Hasta aquí la primera parte que explica todo lo que el socialismo no es. Pero ahora, atención, vamos a decirles todo lo que el socialismo sí es. Y bien, el socialismo es una cosa muy buena».

¿Por qué tardó en salir de su país?

Solo tengo conjeturas. Porque en Polonia la opresión del sistema era menor que en Checoslovaquia o Alemania Oriental. Porque en Polonia existían desde siempre los contrapesos del orgullo nacional y la religión católica. Porque los sesenta fueron un fugaz respiro. Los estudiantes polacos, como Adam Michnik, lo adoraban. Era el emblema de la revuelta polaca contra el estalinismo. En ese tiempo de relativa apertura pudo incluso pedir disculpas a

Dembowski por aquellos ataques de principios de los cincuenta. Pero cuando esa limitada apertura polaca terminó en 1968, los jerarcas polacos expulsaron a Kołakowski de su cátedra y su país. Un factor que incidió fue el antisemitismo oficial. Tamara, su esposa, era judía. Entonces salió al exilio. Y una vez que salió, en la soledad y en la libertad, sin ilusiones sobre Occidente, sin embonar nunca del todo, solo con su esposa y su hija Agnieszka, solo en Inglaterra, en All Souls, concibió el proyecto gigantesco de demoler intelectualmente al marxismo: etapa por etapa, autor por autor, corriente por corriente.

¿Cómo era en persona Kołakowski?
Cuando lo conocí, tenía apenas 56 años, pero ya caminaba encorvado y con un bastón. En la extraña asimetría casi cubista de su rostro resaltaban sus ojos inquisitivos y su media sonrisa melancólica y pícara.

¿Cuál fue su vínculo con Vuelta *después de que lo entrevistaste en 1983?*
Publicó varios ensayos. En *Travesía liberal* conté una anécdota curiosa, que te dice mucho de su cercanía con nosotros. Kołakowski nos mandó un cuento ensayo distópico titulado «La leyenda del emperador Kennedy». Transcurre en un Congreso que se lleva a cabo en un futuro remoto para desentrañar (con los poquísimos fragmentos que quedaron luego del «Gran Desastre») la verdadera historia del «Emperador Kennedy», que gobernó simultáneamente «dos países»: Estados Unidos y América. Al hablar de los vestigios físicos, Leszek mencionaba un libro de ingeniería química, una página («prácticamente ininteligible») de crucigramas, *Trybuna Ludu*, algún otro recorte y un ejemplar bien conservado de la revista *Vuelta*.

¿Lo volviste a ver?
Muchas veces. Te cuento un momento para mí memorable en que coincidimos, porque tiene que ver con lo que preguntas. Fue en un congreso sobre intelectuales que tuvo lugar en Skidmore College, en 1985. Invitaban Robert y Peggy Boyers. Acudieron George

Steiner, Conor Cruise O'Brien, Edward Said, entre otros. Kołakowski asistió a mi conferencia y escuchó los reparos de unos académicos latinoamericanos a mi concepto de «democracia sin adjetivos» como un proyecto urgente para América Latina. Según ellos, esa democracia no era la «verdadera democracia». Entonces Kołakowski tomó la palabra y refirió esta anécdota que se recogió en *Salmagundi*, la revista editada por Bob y Peggy. La tengo a la mano:

> Quiero referirme brevemente a este asunto de la democracia. Un amigo me contó que hace mucho, cuando estudiaba en Alemania, se dio cuenta de que en los anaqueles de las tiendas había dos tipos distintos de mantequilla. Una era mantequilla simple y la otra era «auténtica mantequilla». La gente sabía que el envase rotulado simplemente como «mantequilla» tenía mantequilla de verdad, mientras que el que decía «auténtica mantequilla» tenía mantequilla falsa, *echt-butter*. Recuerdo esto cada vez que oigo hablar de la «auténtica democracia» en contraposición a la «democracia», o de la «auténtica libertad» en contraposición a la «libertad». Llevamos décadas oyendo este tipo de diferenciaciones. Sabemos muy bien que eso a lo que se referían como «auténtica libertad» no era sino la ausencia de libertad, o despotismo.

Entendía la hegemonía académica e intelectual del marxismo en América Latina.

Sin duda. Él había dado todas las batallas y esa era la nuestra, con los instrumentos que nos daba. En la cena, Leszek bebió, estuvo divertidísimo. Nos acompañaba Conor Cruise O'Brien, el gran escritor irlandés, biógrafo de Burke, brillantísimo también, con el que también finqué una buena amistad. En esa cena, Leszek contó una parábola perfecta sobre el poder de las ideologías: «Dos niñas emprenden una carrera en un parque; la que va detrás exclama continuamente, a grandes voces, "¡Voy ganando!, ¡voy ganando!", hasta que la que lleva la delantera abandona la carrera y se echa a llorar en brazos de su madre, diciendo: "No puedo con ella, siempre me gana".» Brindamos. Yo sabía que esa parábola estaba dirigida a mí. Al final, me tomó del brazo, nos apartamos un poco de la mesa y me dijo: «No dejes que eso le ocurra a tu país».

¿Volvió a la fe?

No sé si volvió a la fe (hay testimonios en ese sentido, y fue muy cercano a Juan Pablo II), pero continuó reflexionando sobre la fe. Su vínculo con la religión no fue obediente ni pasivo: Leon Wieseltier escribió que Kołakowski fue un explorador de la doctrina y un enemigo de ella. Piensa que su logro más importante fue rehabilitar el interés hacia la metafísica, sin restaurar el dogmatismo.

¿A qué siglo pertenece?

Al siglo XVII, un siglo entre la fe y la razón. Kołakowski tenía consigo el bagaje de los siglos anteriores y asimiló las enseñanzas rescatables de los siguientes. Pero al final de la entrevista comenté, como para buscar su aprobación, que en nuestro tiempo había un recelo hacia el pensamiento empírico. Y me corrigió:

Pienso que ninguno de nosotros puede estar satisfecho con las restricciones impuestas por el empirismo. Todos creemos en valores que trascienden a la investigación empírica. Todos abrigamos ideales y esperanzas imposibles de fundamentar en un marco empírico. Sin estos valores, ideales y esperanzas la vida sería, probablemente, insoportable. Creer y comprometerse es algo bueno y natural. Lo malo es que los compromisos desemboquen en falsas ilusiones y las verdades empíricas en imágenes ideológicas. Debemos distinguir entre lo que podemos y no podemos comprobar empíricamente, y nunca renunciar al uso de pruebas empíricas y argumentos racionales en las áreas en que estos sean aplicables.

Reivindicaba la filosofía como una búsqueda del sentido de la vida.

En la gran tradición filosófica desde Sócrates. Era dar a la razón lo que le pertenece, y a la fe también, lo cual, a mí, me recordaba a Spinoza, pero, antes de que yo pronunciara su nombre, se adelantó: «Sí, a Pascal.» Él, cristiano sin iglesia, prefería a Pascal. Yo, judío sin sinagoga, prefería a Spinoza.

Pero escribió su tesis sobre Spinoza.

Vio una contradicción insuperable entre las miradas de sus dos ojos. Y la contradicción existe. Hablamos ya de ella. Pero Spinoza siguió interesando a Kołakowski, Spinoza el hombre, la persona, el heterodoxo. En un momento dado se identificó con él, no con sus ideas, sino con su destino. En «Elogio del exilio», un ensayo que publicamos años después, Kołakowski decía que, con todas las penalidades de esa condición, el exilio puede llevar a un estadio superior de conciencia moral porque nos confronta con el hecho de que la vida misma es un exilio. Y puede ser una bendición para la creatividad porque coloca al desterrado en un sitio donde puede ver mejor, entender más. Y menciona los cuatros exilios de Spinoza: exiliado ante todo de Jerusalén, como todo judío, pero también de Portugal, de donde provenía originalmente su familia, de Ámsterdam, de donde tuvo que apartarse, y del propio pueblo judío, que lo excomulgó. Se le olvidó el quinto exilio, el de España.

Un texto autobiográfico, porque él mismo era un exiliado de Polonia.
　De ahí la frase de Berlin: Kołakowski era una isla dentro de otra…

De los autores vivos que hemos revisado, pocos te han despertado mayor interés.
　Hay autores que uno deja atrás. Hay autores que uno visita de vez en cuando. Con Kołakowski es distinto. No solo vuelvo a él, sino que nunca lo suelto. Leszek (así le decía yo, abriéndole los brazos y plantándole un beso, a la usanza polaca) tiene las llaves maestras para penetrar el totalitarismo soviético del siglo XX, infierno disfrazado de paraíso que se trasplantó a Cuba y que, de formas extrañas, como mutaciones malignas, se ha reproducido en los populismos latinoamericanos del XXI. Murió en 2009, cuando esas mutaciones comenzaban apenas a propagarse. No se hacía ilusiones sobre la perfectibilidad humana, y ahora pienso que tenía razón. Pero luchaba con lucidez, ironía y estoicismo. Después de todo, un libro suyo que publicamos en *Vuelta* se titulaba *La modernidad siempre a prueba*.

Veo que tienes algunas de sus cartas sobre la mesa.
　Escritas con su letra pequeña y temblorosa, sus frases de aliento, su humor de lógico implacable:

¿Dime por qué nunca visitas nuestra húmeda isla? Es superior a su reputación, excepto por unos cuantos detalles (como la comida, el clima, los servicios de salud, los trenes, la burocracia, la criminalidad, etc.).

¿Fuiste a verlo?
Nunca. Uno reconoce los milagros cuando es demasiado tarde.

Una modesta utopía

Transcurrieron dos años entre tus dos visitas a Oxford. Más allá de tus encuentros con esos pensadores en All Souls, ¿qué escribiste?
Esos dos años fueron, ahora lo veo claro, los de una culminación del proceso que hemos delineado juntos a lo largo de estas conversaciones. Por un lado, según te expliqué, cerré el ciclo de las biografías intelectuales con tres ensayos sobre José Vasconcelos, Antonio Caso y Pedro Henríquez Ureña. Por otro lado, en septiembre de 1982 sentí la urgencia de comenzar a intervenir a la manera de don Daniel en la vida pública y escribí aquel ensayo, «El timón y la tormenta», en el que critiqué la desastrosa gestión del presidente José López Portillo. Ese ensayo, recuerdas, terminaba con esta frase: «México no tiene ya otro camino más que ensayar la democracia.» En Inglaterra encontré cómo dar contenido, sentido, a esa frase.

¿En Inglaterra confirmaste definitivamente tu convicción liberal?
Esa convicción o esa identidad la asumí desde mucho antes. Si hay una palabra que vincula a todas nuestras conversaciones, es la palabra «libertad». La más noble palabra de nuestro idioma, de todo idioma. Y paralelamente, si ha habido un común denominador en estos diálogos, fue el liberalismo, definido sobre todo como una actitud ante el poder. Al poder hay que criticarlo, acotarlo, vigilarlo, atemperarlo, limitarlo. Sobre todo al poder absoluto en manos de una persona. Y hay que hacer todo ello para proteger a la persona, su integridad, su dignidad, su vida misma. Protegerla, quitarle obstáculos, propiciar su creatividad y diversidad. Yo creo que en ese

sentido fui liberal por ser alumno de Cosío Villegas. Y berliniano antes de leer a Berlin. Por otra parte, está el tema del marco legal, que don Daniel abordó siempre y que Berlin, más filosófico, tomó por sentado, porque vivía en Inglaterra. El liberalismo propone el establecimiento de un Estado de derecho, el imperio de la ley. Todo esto lo tenía claro de tiempo atrás. Lo que no había visto es la necesaria complementariedad de la democracia con la libertad. Octavio Paz solía decir: «La democracia sin libertad es tiranía. La libertad sin democracia es una quimera.» Lo comprendí mejor en Inglaterra.

Ahora comprobamos la ominosa realidad del siglo XXI, una de tantas: las democracias iliberales.

Que terminan o terminarán en tiranías. Pero en México el PRI controlaba la libertad de expresión en los medios masivos y bastardeaba la libertad de elección. Lo cual convertía a la libertad en una quimera.

Esa afirmación final en «El timón y la tormenta», escrita en el momento de la bancarrota financiera de México, te llevó poco después a defender en «Por una democracia sin adjetivos» una libertad positiva, participativa, para todos los mexicanos. En esa participación viste el medio de recuperar la vida pública secuestrada bajo el sistema político del PRI. Destaca tu faceta de liberal, pero tan importante como ella es la del demócrata que quiere controlar el poder desde el pueblo mismo, desde esa democracia pura y sin más adjetivo que el principio: un hombre, un voto. ¿Cómo preparaste «Por una democracia sin adjetivos»?

Como trasfondo histórico, siempre pensé que la alternativa liberal y democrática de Madero era un capítulo postergado del siglo XX y seguía vigente. Y como trasfondo contemporáneo estaba la reciente transición democrática española, proceso que seguimos con pasión porque desmintió la leyenda de que los pueblos de raíz hispana estamos incapacitados para la democracia.

Pero en ese ensayo acudes a un caso externo al mundo hispano. El orbe inglés. Una nueva confirmación de tu anglofilia.

Justificada, quiero creer. A lo largo de 1983 me puse a leer historia política inglesa, especialmente el siglo XVIII. Leí sobre las grandes reformas que introdujo Edmund Burke (el poder que se limita a sí mismo), los libros de Trevelyan, Lewis Namier y otros historiadores ingleses. Me di cuenta de que en aquella época hubo también una especie de PRI. Fue la larga hegemonía del partido *Whig*, con características conocidas: un parlamento corrupto, elecciones amañadas y un monarca absoluto. En aquel otoño de 1983, cuando fui profesor invitado en Oxford, donde Isabel terminaba su maestría en ciencia política, concluí esas lecturas y escribí el ensayo. Pensé que la historia inglesa del siglo XVIII representaba un espejo remoto de nuestra condición. Quise entender cómo habían salido los ingleses de aquel atolladero de autoritarismo, clientelismo y corrupción, y ese análisis me dio claves para ver con otros ojos el problema mexicano. Los ingleses lo lograron acotando el poder absoluto del monarca e introduciendo una genuina competencia entre los partidos en el parlamento. Lo hicieron, además, con el novedoso concurso de una prensa libre. Y lo hicieron, sobre todo, con elecciones limpias y efectivas, no manipuladas ni corruptas como las que, en esa misma época, aparecían caricaturizadas en los cuadros de Hogarth, escenas desternillantes pero patéticas, donde las elecciones eran un circo de corrupción y votaban hasta los enfermos terminales y los muertos…, como en México.

Causó revuelo su publicación, en enero de 1984.

Sí, José María, pero esa historia es el comienzo de otro libro. Un libro de acción, no de formación. Un libro que abarcaría las cuatro décadas siguientes. Un libro que seguramente, como aquel sobre los heterodoxos, nunca escribiré. Solo te digo que ese texto abrió esa nueva etapa. En él quise pasar de la crítica a la propuesta. Quise asumir ya resueltamente mi «casaca» de intelectual. De alguna forma que es imposible e innecesario precisar, las lecturas y experiencias que hemos evocado juntos desembocaron en esa decisión y en ese texto. Me preocupaba y dolía mi país. La falta de libertad, la falta de democracia. Y la solución, después de todo, no me parecía tan difícil. Había que introducir una nueva forma de convivencia política, había que acotar el acceso al poder y los excesos del poder, dar pie a la expresión ciudadana. Tener una vida parlamentaria normal, autonomía de poderes, una presidencia de poderes limitados, un Estado que no ahogara a la sociedad, normado por la ley. Años más tarde, Adolfo Gilly, aquel historiador trotskista que había polemizado conmigo, escribió noblemente que ese ensayo mío era «una modesta utopía», un proyecto que a él, siendo revolucionario de cepa, le parecía sensato.

¿Escribiste «Por una democracia sin adjetivos» en Oxford?

Sí, febrilmente. Lo tengo a la mano, en una revista ya maltrecha, *Vuelta* 86. Hay dos claves que te quiero señalar: la dedicatoria («A mi hijo León») y la fecha (23 de noviembre de 1983, día en que mi hijo Daniel cumplía un año). «Por una democracia sin adjetivos» era una rogativa por la vida de mis hijos en un país democrático.

Epílogo

Ámsterdam

Querido José María:

Te escribo desde Ámsterdam, después de visitar la casa del primer exilio de Spinoza en Rijnsburg. Ahí vivió entre 1660 y 1663. Está al lado de Leiden. Bajo una lluvia pertinaz, sin ver un alma, Andrea y yo caminamos por las sinuosas calles de una zona relativamente moderna. De pronto topamos con un canal de aguas tranquilas, cristalinas, rodeado de sauces. Al lado del puente que lo cruza hay una estatua de Spinoza. La parte antigua se abrió poco a poco ante nosotros. Caminábamos a través de los siglos. Al fin llegamos a la *Spinoza huis*, la casa museo de Spinoza.

Aunque ha sufrido adaptaciones, sobre todo en el segundo piso o tapanco, se conserva tal como era. Una típica construcción de dos aguas, paredes de ladrillo y techos de teja, pequeñas ventanas, toda cubierta de enredaderas floreadas. Algunas baldosas son auténticas. Tiene una estancia a la entrada y dos minúsculas recámaras. En una han dispuesto una réplica de su aparato de trabajo, todo de madera: una rústica mesa sostiene el mecanismo con sus cilindros, poleas y cordeles, y la pequeña concavidad en la que pulía los lentes. Solo entonces me di cuenta de que su oficio requería un paciente movimiento circular, como el de un molinete. El esfuerzo de los brazos era considerable, no se diga la inhalación de las partículas de sílice, que debieron dañar sus pulmones y provocar su muerte a los 44 años de edad.

En la recámara contigua está su biblioteca. Como en un cuadro de Vermeer, la luz penetra geométricamente por la ventana desde el jardín trasero, inundando la habitación. Un librero, un sólido escritorio de la época, un candelabro, la rosa que era el emblema de Spinoza, unas plumas de ganso, un tintero. No son, por supuesto, sus libros, pero dado que al morir Spinoza se hizo un inventario pormenorizado de ellos, el patronato de este museo (que data de hace un siglo, o más) se puso a la tarea de conseguir ejemplares idénticos de los que poseía el filósofo.

Alcancé a ver manuales y tratados de medicina y anatomía (en hebreo y latín), la *Utopía* de Tomás Moro, estudios de geometría, física, aritmética, astronomía. Filósofos griegos y romanos, con un acento en los estoicos: Epicteto, Séneca, Cicerón. Vi a Ovidio y a Virgilio, cara a cara. Me sorprendió la cantidad y la índole de sus libros de teología y filosofía judías. Pude identificar a los grandes autores, muchos de ellos oriundos de Sefarad. No es preciso ser erudito para comprobar que esa era su tradición: la tradición que continuó y confrontó, con la que rompió, pero nunca del todo. El hebreo, junto al español, era su lengua.

Te sorprenderías cuántos libros tenía Spinoza sobre España, incluidos libros de viaje. Apunté las *Novelas ejemplares* de Cervantes; *El criticón*, de Gracián; todas las obras de Góngora; las comedias de Pérez de Montalbán; las obras de aquel polémico Antonio Pérez sobre Aragón, y los *Diálogos de amor*, de León Hebreo, otro hijo de Sefarad, traducido por el Inca Garcilaso de la Vega. Sé que hay magníficos spinozistas en España, pero creo que hace falta ahondar la huella de España en Spinoza y la de Spinoza en España. No solo es el más famoso heterodoxo judío. También es, por derecho propio, un heterodoxo español.

Horas más tarde, ya de vuelta en Ámsterdam, fuimos a un local donde una diligente bibliotecaria tiene todos los libros imaginables de Spinoza en diversas lenguas. Ojeé la *Opera posthuma* en su edición original. Hubiésemos querido visitar el viejo cementerio sefardita en las afueras, donde están enterrados los padres de Spinoza, con sus extrañas tumbas barrocas, pero las inclemencias del tiempo y las restricciones impuestas por la pandemia impedían un poco nuestra movilidad.

En Rijnsburg, Spinoza vivía en santa paz, con buenos amigos y discípulos. Ahí escribió su tratado sobre Descartes (única obra que publicó con su nombre), recibió la visita de Henry Oldenburg, secretario de la Royal Academy de Londres y con quien mantuvo una correspondencia en los años siguientes. Pero al poco tiempo lo alcanzó la realidad, la historia, el encono del poder, las guerras de religión, los odios teológicos. Ante esa circunstancia, como recuerdas, interrumpió por un tiempo su *Ética* y escribió su *Tractatus theologico-politicus*. Y al final, con ese mismo espíritu, trabajó en su inconcluso *Tratado político*.

Es inmenso el contraste entre la quietud beatífica de su casa en Rijnsburg y el horror que lo asaltó poco después en La Haya. Es increíble que Spinoza no necesitara más que ese espacio minúsculo para concebir su obra inmensa. Pero duele advertir cómo las pasiones humanas que él había logrado comprender, clasificar y desentrañar con su *more geometrico* irrumpieran salvajemente en su vida. Su respuesta no fue el escape a una esfera ideal. Respondió actuando. ¿Recuerdas cómo reaccionó ante el linchamiento de los hermanos De Witt? Escribió un manifiesto contra aquellos *Ultimi barbarorum*, lo colgó en la puerta de su casa de La Haya y se disponía a enfrentar a la turba hasta que su casero lo atajó. ¿Una leyenda? Yo creo que es verdad. Merece ser verdad.

Esa tensión en el alma de Spinoza, esa lucha entre el geómetra de la ética y el defensor de la libertad, contiene una lección para nuestro tiempo. Debemos entender nuestras determinaciones, debemos comprender las pasiones humanas antes que lamentarlas, pero también debemos combatirlas activamente si son opresivas, si atentan contra nuestra libertad natural. Así como el Estado –cualquier Estado, aun el legítimo, aun el electo democráticamente– no puede determinar el sentido del cauce de un río, tampoco puede gobernar lo que una persona cree, piensa y opina. Aquel linchamiento, por desgracia, no sería el último. La barbarie se volvió masiva en el siglo xx y continúa de muchas formas en el xxi. Nos toca escribir manifiestos contra la barbarie y pegarlos en nuestras puertas. Tenemos que ser buenos republicanos.

Llegamos al fin de la travesía que emprendimos juntos hace casi siete años. Te agradeceré siempre la iniciativa que tomaste en la avenida Ámsterdam que me condujo hasta esta ciudad de Ámsterdam. En la teología judía hay un precepto llamado *Jeshbon Hanefesh*. Literalmente quiere decir «balance del alma». Según entiendo, se practica en fechas precisas o al cumplir ciertos ciclos. Nuestro diálogo me ha permitido realizar ese dilatado balance de casi setenta y cinco años. Que el Dios de los judíos y el de los cristianos te lo pague. Al dios de Spinoza lo hemos honrado con nuestra amistad.

Agradecimientos

Varias personas contribuyeron decisivamente a la creación de este libro.

Ante todo, por supuesto, José María Lassalle, mi compañero de travesía. Concibió la idea, viajó varias veces a México, conversó conmigo por todos los medios, preguntó, volvió a preguntar, revisó, redactó. Sin él, este diálogo no habría sido siquiera un monólogo.

Andrea Martínez, mi esposa, tuvo un papel intelectual activo en el libro. Leyó cada capítulo en sus distintas versiones. Hizo aportes sustanciales y numerosos a su contenido. Tuvo la paciencia de Job para escuchar mis dudas y fluctuaciones, la generosidad para tolerar mis abatimientos y la sabiduría de ofrecer el consejo preciso. En el largo encierro por la pandemia, el tema obsesivo era... mi libro. Su amor y su inteligencia me acompañaron.

Como un escultor editorial, mi entrañable amigo Fernando García Ramírez contribuyó a darle forma al libro, ayudó a transformarlo paso a paso, hizo infinidad de apuntamientos, evitó desvíos y atajos, lo leyó de cabo a rabo y elaboró los índices temáticos.

Julio Hubard intervino con observaciones filosóficas y literarias valiosísimas. Eduardo Huchin fue un maravilloso editor de contenido. Emmanuel Noyola cuidó el manuscrito letra por letra. José Eduardo Latapí Zapata realizó la edición literaria definitiva. Daniel Gascón y Christopher Domínguez Michael fueron dos lectores de lujo.

Créditos de fotos e ilustraciones

P. 46: Sansón y Dalila, ilustración de Gustave Doré.

P. 50: Ilustración tomada de Heinrich Graetz, *Historia del pueblo de Israel* (t. VII), ilustraciones de Otto Delitsch, La Verdad, México, 1938.

P. 62: Anuncio en periódico en ídish. © Enlace Judío.

P. 67: Samuel Hirszenberg, *La escuela talmudista*. CC BY-SA 3.0. (Imagen modificada.)

P. 68: Postal cuyo motivo es la pintura *Uriel da Costa instruyendo al niño Spiniza* (1901), de Samuel Hirszenberg.

P. 69: *El exilio,* de Samuel Hirszenberg.

P. 75: Madre cargando a su hijo herido durante el pogromo de Bialystok, en 1906. La mujer a su izquierda, con el brazalete de la Cruz Roja, es la voluntaria Hannah Weiss. La foto fue donada por su hija, Helen Spector, al Museum of Jewish Heritage. Fuente: https://mjhnyc.org/blog/devastation-destruction-the-1906-bialystok-pogrom/

P. 105: Archivo José Luis Martínez.

P. 107: Anónimo. Heberto Castillo en un mitin en Ciudad Universitaria. 1968. Fundación Heberto Castillo Martínez. A. C.

P. 138: Octavio Paz, *El laberinto de la soledad,* México, Cuadernos Americanos, 1950.

P. 148: Anónimo. El Colegio de México en Guanajuato 125, Colonia Roma (c. 1960). Instituto Nacional de Estudios Históricos de las Revoluciones de México (INEHRM).

P. 151: Luis González en la plaza de San José de García, Michoacán, 1995. Archivo Editorial Clío.

P. 175: Plutarco Elías Calles escucha a Gómez Morín que lee el acto de Inauguración del Banco de México. Archivo Casasola.

P. 182: Anónimo. Vicente Lombardo Toledano dando un discurso (ca. 1938). Negativo de película de nitrato. Inv. 20073. Fototeca Nacional. Secretaría de Cultura. INAH.

P. 188: Daniel Cosío Villegas en sus oficinas del Fondo de Cultura Económica. AGN (Fondo Hermanos Mayo).

P. 208: Homenaje del Partido Acción Nacional a Manuel Gómez Morin, fundador del partido (febrero de 1969). Fundación Rafael Preciado Hernández.

P. 218: Los «halcones» en la matanza del Jueves de Corpus, 10 de junio de 1971. Fotógrafo desconocido.

P. 221: Rogelio Naranjo (1937-2016), «Antonio Caso», *La Cultura en México*, suplemento de la *Revista Siempre!* Tinta sobre papel, 33 x 28.5 cm. Colección Rogelio Naranjo, Fondo de Caricatura Política del Centro Cultural Universitario Tlatelolco, UNAM.

Rogelio Naranjo (1937-2016), «José Vasconcelos», *La Cultura en México*, suplemento de la *Revista Siempre!* Carlos Monsiváis Museo del Estanquillo.

Rogelio Naranjo (1937-2016), «Martín Luis Guzmán», *La Cultura en México*, suplemento de la *Revista Siempre!* Carlos Monsiváis Museo del Estanquillo.

P. 231: © Grupo Planeta.

P. 237: Máquina de coser de Singer. Ilustración del siglo XIX. © iStock.

P. 259: Alejandro Rossi. Fotografía proporcionada por el autor.

P. 263: Rogelio Naranjo (1937-2016) «Sin título», *La Cultura en México*, suplemento de la *Revista Siempre!*, núm. 709, septiembre 10, 1975. Tinta sobre papel 30.5 x 29.6 cm. Colección Rogelio Naranjo, Fondo de Caricatura Política del Centro Cultural Universitario Tlatelolco, UNAM.

P. 278: Leonardo da Vinci #17 bis: © Grupo Planeta

P. 312: Rogelio Naranjo (1937-2016), «Marx», *La Cultura en México*, suplemento de la *Revista Siempre!* Carlos Monsiváis Museo del Estanquillo.

P. 326: Hugo Margáin. Fotografría proporcionada por el autor.

P. 335: Golpe de Estado del 11 de septiembre de 1973 en Chile.

Bombardeo del Palacio de La Moneda. Biblioteca del Congreso Nacional de Chile. CC BY 3.0 cl.

P. 345: «Vargas Llosa en Comisión que investigará masacre», diario *La República*, Perú, febrero de 1983.

P. 435: Páginas en latín de *Antigüedades judías*, de Flavio Josefo.

P. 454: Retrato de Baruch Spinoza en su *Opera posthuma* (1677).

P. 460: *El asesinato de los hermanos De Witt*, óleo de Pieter Fris (1680).

P. 466: Anónimo. Heinrich Heine. (ca. 1899). Litografía. The New York Public Library, Digital Collections.

P. 476: Estatua de Loreley (Bronx, Nueva York). Foto de Andrea Martínez.

P. 487: Ilustración de Max Liebermann para *El rabino de Bacharach*, de Heinrich Heine.

P. 492: Karl Marx joven (ca. 1840).

P. 506: Quema de libros en la Plaza de la Ópera en Berlín el 10 de mayo de 1933. Foto de Georg Pahl. CC BY-SA 3.0 de.

P. 507: *Sonderkommando* en Auschwitz-Birkenau, agosto de 1944. Foto de Alberto Errera.

P. 517: «Sabbatai Zevi entronizado». Imagen tomada de la edición amsterdamesa *Tikkun* (1666).

P. 553: Dibujos de Franz Kafka (entre 1901 y 1907). El fragmento del pie de imagen fue tomado de *Franz Kafka, un médico rural*, trad. Pablo Grosschmid, Vitalis, 2011.

P. 568: Daniel Bell. Fotografía proporcionada por el autor.

P. 575: Max Weber y Ernst Toller en Lauenstein (1917).

P. 582: Georg Lukács en 1919. Fuente: filmhiradokonline.hu

P. 597: Hannah Arendt leyendo en la biblioteca familiar (ca. 1920). Fotógrafo desconocido.

P. 630: La vieja sinagoga de Ferrara, Emilia-Romagna, Italia. © iStock.

P. 638 La hambruna en Ucrania (1922). Fotografía de Fridtjof Nansen

P. 640. Retrato de Peretz Markish (ca. 1917). Fotógrafo desconocido. Fuente: http://n2t.net/ark:/86084/b4kz66

P. 647: Ricardo Mestre. Fotografía proporcionada por el autor.

Índice temático

de temas judíos – Paseo por el Parque México. **Su jardín:** El parque – Dios es la naturaleza – Spinoza en el Parque México – Muerte del abuelo.

II. Pertenecer

Mestizaje: Estudiante de la UNAM – Matrimonio mixto. **La cultura en México:** La cultura universitaria – Buñuel, Paz – Lecturas del *boom* – León Felipe. **De la ingeniería a la historia:** Estudios de Ingeniería – Los maestros – Ciencia y humanidades – Tesis y Tannenbaum – El Colegio de México – Gaos profesor. **El movimiento estudiantil:** Consejero en Ingeniería – Díaz Ordaz-Echeverría, dúo infernal – Entusiasmo por el Movimiento – La matanza de estudiantes – Lo positivo (espacios de libertad) y lo negativo (no fue democrático) – La incorporación de los rebeldes al gobierno. **Adiós a la imprenta:** Imprenta y vida pública – Un empresario de izquierda – La primera crisis – La pedagogía de la vida práctica – Empresa e historia. **Presagios:** No hubo conversión – Primeras publicaciones – Primavera de Praga – Socialista libertario – Marcuse, la promesa de la libertad total, y su crítica – Crítica a Estados Unidos. **Filósofos en la familia:** La intelectual de la familia – Filósofos de la vida cotidiana. **La miseria del historicismo:** Lecturas de Popper – Crítica del marxismo – No existen leyes históricas – El historiador busca el sentido de la Historia – Popper, crítica de los totalitarismos – La ingeniería social fragmentaria. **Amigos de juventud:** Carlos Monsiváis y el periodismo – Héctor Aguilar Camín y las novelas – José María Pérez Gay, la Escuela de Frankfurt – La constelación literaria de la Europa Central – De vuelta a la raíz judía – Walter Benjamin – La amistad de José Emilio Pacheco – Scholem y el mesianismo – Pérez Gay, simbólicamente revolucionario – Lector del mesianismo – Las amistades de la juventud. **Conversaciones en San Remo:** Hugo Hiriart – Hiriart, un escritor filosofante – Hugo Hiriart y los libros.

III. Maestros humanistas

El enigma: Pensar a México – Paz y *El laberinto de la soledad*

– *Posdata* y la analogía histórica – Historia judía y mexicana, gravitación de lo religioso – El enigma de México – La biblioteca mexicana – La Revolución, eje intelectual – Una generación inmersa en la política – Cambiar al país, cambiar al mundo. **La Casa del exilio español:** Los transterrados y la Casa de España en México – El papel de Daniel Cosío Villegas – El acervo del Fondo de Cultura Económica – Silvio Zavala – La huella de Gaos – El exilio literario y artístico – El Colegio de México, humanismo universal – El Doctorado en Historia – Maestros de El Colegio – El magisterio de Cosío Villegas. **Luis González y González: el sabio de San José:** Luis González y González, y el crisol de México – *Pueblo en vilo* – Silvio Zavala y Edmundo O'Gorman – Historiar, comprender – Psicoanálisis e Historia – La actitud histórica – Ortega y la teoría de las generaciones – Los revolucionarios y los revolucionados. **El biógrafo como cariátide:** Los judíos europeos y la biografía – El deseo de ser aceptado – La vertiente española de Wassermann – Kafka y Roth – La biografía como género anglosajón – La vocación del biógrafo – Un género liberal.

Segunda parte
HISTORIADOR Y EDITOR

IV. Biografiar fundadores

La generación de 1915: La teoría de las generaciones – Generación de fundadores – México se descubre a sí mismo – Vasconcelos y la revolución educativa – Cuatro generaciones de la cultura mexicana. **Manuel Gómez Morin: las instituciones del demócrata:** Gómez Morin, creador de instituciones – Vasconcelos, espíritu redentor – Gómez Morin y Vasconcelos – El partido que no fue – El nacimiento del PAN. **Vicente Lombardo Toledano: predicador socialista:** Admiración por Lombardo – Espiritualidad marxista – Al servicio de una ideología. **Daniel Cosío Villegas: las casacas del liberal:** Hacer pública la vida pública – Monarquía sexenal y hereditaria – *Daniel Cosío Villegas,*

una revista – Presencia de la literatura mexicana. **Octavio Paz: poesía de expiación:** Paz editor – Crítica del totalitarismo soviético – Solzhenitsyn – «Polvo de aquellos lodos» – Contrición y expiación – «Nocturno de San Ildefonso» – La culpa como motor crítico. *Persona non grata:* Contra las dictaduras de izquierda y de derecha – Crítica de la Revolución cubana – Vargas Llosa sobre *Persona non grata.* **Con Camus, contra Sartre:** El rebelde y el revolucionario según Camus. **Nueva España entre nosotros:** Pervivencia novohispana – Presencia de Morse – Incorporación a *Plural.* **Alejandro Rossi: un preceptor:** Formación de Rossi – *El manual del distraído* – Anglofilia. **Despedida y bienvenida:** Salida de *La Cultura en México* – La denuncia estéril – Entrada a *Plural.* **Los universitarios en el poder:** La crítica del poder en *Plural* – Crítica de la pirámide – La dimensión política de la vida – El arribo de los universitarios – El Estado becario – Cooptación de los universitarios – País pobre con universitarios ricos.

VI. La soledad de *Vuelta*

Empresa cultural: La pérdida de las fábricas – Fundación de *Vuelta* – Una empresa cultural – Cultura e iniciativa privada – Rechazo a la cultura oficial – Cultura libre – Academia y cultura – *Vuelta,* independencia editorial. **Nosotros:** El Consejo de Redacción de *Vuelta* – Intrahistoria de una revista – *Taller, Sur, Dissent* – Octavio Paz, editor – La Generación de Medio Siglo – Colaboradores – *Vuelta* era plural – La generación ausente. **Trabajar con Octavio Paz:** Notas de Paz – Presencia de Zaid – Autores polacos y checoeslovacos – Animación editorial – Ausencia de partidos – La clerecía marxista – Trotsky y la relatividad moral – Ausencia de autocrítica – Joy Laville. **Velando armas:** Guerra contra Paz – Polémica con Monsiváis – El partido de Heberto Castillo – La derecha y el PAN – Papel de los empresarios – México, búsqueda de una modernidad propia – Debate sobre la izquierda. **Parricidios:** Paz, blanco de un parricidio colectivo – Paz «a la derecha de Paz» – Héctor Aguilar Camín – Reivindicación de la libertad – El «huevo de la serpiente» de los populismos. **Los nuevos filósofos franceses:** Mexicomunismo – El debate fracasado – Paz ante Sartre y Camus. **La transición española:** La democracia en España – Pedagogía con la izquierda – Juan Goytisolo y la disidencia – Carlos Rangel y Teodoro Petkoff, autocrítica – Jorge Semprún, trayectoria. **Marx en la Universidad:** Atmósfera de intolerancia – La captura del aparato cultural y académico – Entre Sartre y Camus – El marxismo universitario – El Concilio Vaticano II – Zaid y el catolicismo liberal – Herencia del agravio del 68 – Testimonio de la izquierda académica – Orígenes del Subcomandante Marcos – El joven Marx – El exilio intelectual sudamericano – Ortodoxia marxista en las universidades – Rebeldía polaca desatendida – Paz en la UNAM – *El ogro filantrópico* – Los hechos y la doctrina – Del socialismo al liberalismo, el caso de Christopher Domínguez Michael. **El huevo de la serpiente:** Saber y poder – La universidad militante – La revista *Nexos* – El ascenso de los universitarios al poder. **El asesinato de Hugo Margáin:** Secuestro y muerte – Terror ideológico – ¿Cuál es el origen de la pasión revolucionaria?

VII. Dictaduras

Tránsito por Sudamérica: Viajar – Escepticismo liberal ante triunfo de Allende – Dictaduras de corte fascista – Estados Unidos decepcionó a la democracia en América Latina – Apoyo al sandinismo. **Escala peruana:** En Perú, con Vargas Llosa y Edwards – El indigenismo en Perú – Democracia en Perú y el surgimiento de Sendero Luminoso – Con Edwards en Chile, la cultura comienza a despertar. **Enrique Lihn: el exilio interno:** Con Lihn en Santiago, otra realidad atroz – Literatura frente a la opresión – Los que se fueron, los que se quedaron – Democracia con libertad – El duro aprendizaje de Jorge Edwards – Lihn, impulso a la libertad – Gonzalo Rojas en Cuba. **Veladas con José Bianco:** En Buenos Aires, los desaparecidos – *Vuelta* y *Sur*, xenofílicas – Victoria Ocampo, civilizadora – Los ensayos de Bianco – *Sur* y el humanismo liberal. **Borges y el populismo:** Nueva conversación con Borges

Mestre – El anarquismo y las ideas prácticas de mejora social – Kropotkin y Bakunin – La colaboración social – Lenin y Kropotkin – Emma Goldman y Alexander Berkman, el paraíso que no fue – La hambruna en Ucrania – Lenin, falso mesías – La represión en Krondstadt – Los caminos torcidos de la Revolución – La cárcel bolchevique – Muerte de Mestre. **El cristal de Orwell:** La conciencia más lúcida del siglo xx – El mal del poder – Arthur Koestler, *Darkness at Noon* – *Rebelión en la granja* – Una nueva forma de opresión – La falsificación sistemática de la historia – Perversión del ideal socialista – El inhumano poder de la mentira – Una sociedad totalitaria – *Homenaje a Cataluña* – El totalitarismo en la literatura – Pureza y totalitarismo – *1984:* El control total del Gran Hermano – *1984,* manual del populismo contemporáneo – El odio como fundamento social. **La visión de Dostoievski:** El alma rusa – *Los Demonios* – El nihilismo – Paz y Dostoievski – El nihilismo y el mal – Profeta del estalinismo – El Gran Inquisidor – La libertad cristiana – El mal racional. **Brodsky: más allá del consuelo:** Paz y su creencia en el Mal – Paz y Brodsky en Cambridge – Brodsky y el alma rusa – La poesía trasciende la Historia – El consuelo del amor, la memoria y la cultura – La tragedia que fue la Revolución rusa.

XVI. Libertad.

Isaiah Berlin: El valor de la libertad: Anglomanía – En Oxford – Berlin, *Libertad y necesidad en la historia* – Contra el determinismo histórico – La persona, vínculo entre humanismo y liberalismo – La deuda intelectual de Berlin con Popper – Determinismo y comunismo – Pluralismo – Libertad negativa y libertad positiva – La autocreación personal – Crítica de la libertad racionalista – Berlin, enemigo de la verdad única – Relación con Ajmatova – La necesidad de elegir – El poder totalitario no es racional – Épica del conocimiento liberador – Herrera y el pluralismo – Tolerancia, convivencia de las culturas – La libertad como valor supremo – De la idea abstracta a la idea encarnada – Socialismo con libertad – Precursores intelectuales de la Revolución – Entrevista en Oxford – La *inteligentzia* rusa y Latinoamérica – Turguénev, *Tierra virgen* – En Rusia triunfó la opción radical – Las ideas en la Historia – Los intelectuales – La ideología revolucionaria en América Latina – El papel de los individuos en la Historia – Interés biográfico en las ideas – Siempre habrá valores en conflicto – Berlin, *Pensadores rusos* – Turguénev como modelo – Herzen: la historia no tiene libreto – Dostoievski, talento cruel – Hamann, iluminado de la fe – Romanticismo e irracionalismo – Reticencia frente a la religión, la ortodoxia y la tradición – Berlin y Deutscher – Berlin y Arendt – Berlin como modelo intelectual. **Leszek Kołakowski: la razón y la fe**: Solidaridad – Totalitarismo y teoría marxista – Marxismo como forma degradada de la religión – Crítica de la teología de la liberación – Conservador-liberal-socialista – *Main Currents of Marxism* – Trotsky, *Defense of Terrorism* – El marxismo occidental – Stalin, salvaguardar el poder – La mentira, esencia del totalitarismo – Alcances y límites del empirismo – La doble mirada de Spinoza – Pascal, cristiano sin iglesia. **Una modesta utopía**: Convicción liberal – Libertad y liberalismo – Estado de Derecho y liberalismo – Democracia y libertad – *Por una democracia sin adjetivos*– Asumir la casaca intelectual.

Índice onomástico

Últimos títulos
Colección Andanzas